RILKE, SA VIE, SON ŒUVRE

WOLFGANG LEPPMANN

RILKE,
sa vie, son œuvre

Traduit de l'allemand par Nicole Casanova

SEGHERS

Première édition publiée sous le titre *Rilke, sein Leben, seine Welt, sein Werk*
© 1981 by Scherz Verlag
ISBN 3-502-18407-0

© Editions Seghers, Paris, 1984 pour l'édition française
ISBN 2-221-01304-2

Avant-propos

Rilke a incarné « le poète » avec une perfection demeurée jusqu'à ce jour unique, et que l'on ne retrouvera peut-être jamais plus.

Il fut le poète absolu : un homme créé exclusivement pour être poète en vers et en prose et que l'on n'a jamais pu imaginer — pas plus qu'il ne le pouvait lui-même — n'exerçant aucune autre activité professionnelle, de quelque ordre que ce fût.

Aucun autre que lui — pas même Goethe — ne connut des débuts aussi banals, et une fin à ce point sublime, quarante années à peine séparant les premières poésies des dernières. Les unes sont presque illisibles, les autres brillent au sommet de la littérature germanique. Outre cet envol du faible au génial, son œuvre présente également toutes les nuances du limpide à l'ésotérique. S'il est vrai que toute poésie lyrique oscille entre deux pôles, le poème facilement accessible, qui naît comme une équation mathématique et se résout sans reste, — et le poème difficile, auquel même l'initié ne peut accéder sans l'aide d'un commentaire, la création de Rilke parcourt tous les tons de la gamme. A l'une des extrémités, on trouve son poème le plus connu, le *Cornette,* dont le thème (l'amour d'un jeune homme et sa mort au champ d'honneur) est clair et ne demande pas d'explication. A l'opposé se dressent les *Sonnets à Orphée,* dont le thème : la métamorphose du monde en chant (ou quelle que soit la formule dont on veuille bien le résumer) est impossible à saisir totalement, dans toute sa profondeur et sa complexité, fût-ce par le commentateur le plus pénétrant.

Un long développement mène Rilke du « Chevaucher, chevaucher, chevaucher, le jour, la nuit, le jour * », qui se concrétise aussitôt dans l'esprit du lecteur, à ce :

« Là s'élançait un arbre. O pur surpassement !
Oh ! Mais quel arbre dans l'oreille au chant d'Orphée ** ! »

---

* Les traductions des poèmes de Rilke et de ses œuvres en prose ont été empruntées aux trois volumes parus aux Editions du Seuil, avec l'aimable autorisation des éditeurs.
** Seuil, t. 1.

qui peut être interprété, mais se dérobe à l'appréhension immédiate, et place Rilke aux côtés de Picasso et de Stravinski et d'autres fondateurs de l'art moderne (et par conséquent de la science moderne). Et Rilke présente beaucoup plus qu'un intérêt historico-littéraire, car il a prévu les données qui commencent à déterminer le monde d'aujourd'hui : le problème de l'environnement et l'équilibre entre les partenaires.

Aujourd'hui seulement, après la mort de ses derniers compagnons de chemin, nous pouvons l'abstraire du cadre émotionnel qui entourait son image, de son vivant déjà et plus encore après 1926. « Il y eut un violent débat, écrivait alors Alfred Döblin, quand mourut le poète Rilke. Les uns, les plus doux, tenaient une cérémonie funèbre pour indispensable ; d'autres y étaient radicalement opposés, surtout Brecht. » Une cinquantaine d'années s'écoulèrent, pendant lesquelles la célébrité de Rilke fut soumise aux plus fortes oscillations, jusqu'au jour où Helmut Heissenbüttel * rapprocha ces deux prétendus antipodes en les intégrant pareillement au passé :

> « Brecht contre Rilke quand ils nous eurent expédiés
> nous laissèrent sur le cul ou à genoux
> cela aussi c'est devenu historique Brecht
> contre Rilke
> Benn contre Rilke Pound contre Rilke Gertrude Stein
> contre Rilke [1] **... »

Tandis que le poète était voué à Dieu ou au Diable, son œuvre était livrée à la Science. Laquelle, après avoir relégué au musée les lectures nageant dans les larmes de bonheur et les émois juvéniles où se perdirent des générations de lecteurs bourgeois, a pris une telle autorité, que l'on a l'air de commettre un sacrilège en lisant un texte de Rilke tout simplement « pour le plaisir ». Qui se conduit ainsi de nos jours (et il fallait le faire, car la littérature, bien entendu, est aussi « un plaisir ») est vite classé parmi les esprits bornés ou les philistins. Mais comme Rilke est un poète, et donc un artiste du langage, et s'exprimait en allemand et non dans le jargon des psychothérapeutes, philosophes existentiels ou physiciens nucléaires, nous n'avons aucune raison de passer, pour l'examiner, la blouse blanche.

Là où cela nous semble préférable du point de vue biographique, nous le citerons lui-même. Sans larmes, sans grands mots, mais sans vocabulaire prétendu scientifique.

---

* Helmut Heissenbüttel : écrivain allemand né en 1921, s'est surtout consacré aux recherches de langage. Cf. : *La fin de d'Alembert*, Les Lettres Nouvelles 1973. (N.d.T.)
** Voir notes en fin de volume.

Il est d'autant plus nécessaire d'emprunter des références au poète lui-même, que l'établissement de ses œuvres posthumes, comme sa biographie, laisse encore à désirer. Cinquante-cinq ans après la mort de Rilke, on dispose d'une littérature fluviale concernant l'œuvre et la vie, mais nous n'avons que les biographies depuis longtemps dépassées du Français Joseph-François Angelloz et de l'Anglaise Eliza M. Butler, de courtes monographies d'Eudo C. Mason ou Hans Egon Holthusen, le catalogue composé par Joachim W. Storck pour l'exposition Rilke de Marbach, en 1975, et la chronique d'Ingeborg Schnack, en deux volumes, datant de la même année. Quelques correspondances ont été publiées ; d'autres, des plus importantes (avec ses parents, sa femme, sa fille), sont encore inédites. D'autres au contraire ont paru avec des coupures défigurant leur sens. Si trois *Journaux* de jeunesse ont paru, le public ne connaît pas grand-chose des entretiens et carnets de notes. En revanche, nous possédons une énorme quantité de « souvenirs » de valeur très inégale. Un grand nombre de ceux et presque toutes celles qui dînèrent un jour avec lui ont évoqué par écrit l'événement : mais paradoxalement, nous sommes beaucoup mieux renseignés sur la vie de Goethe, ou même de Thomas Mann, que sur celle de Rilke.

Il va de soi qu'un biographe de Rilke reste particulièrement redevable envers ses prédécesseurs pour l'étude de telle ou telle phase de la vie du poète, ce qui n'empêche pas que l'on puisse tirer d'un même matériau des conclusions différentes. L'auteur exprime dans les notes finales sa reconnaissance envers les chercheurs rilkéens et amis de Rilke. Il remercie d'ores et déjà les exégètes de l'œuvre rilkéenne, bien qu'il n'ait pu tous les nommer — l'exégèse rilkéenne atteint en effet les dimensions d'une bibliothèque. Les interprétations proposées sont, au demeurant, celles de l'auteur.

Sauf indication particulière, les citations de Rilke sont empruntées à l'édition en douze volumes publiée chez Insel par les soins d'Ernst Zinn (Francfort-sur-le-Main, 1976).

Eté 1981.

W. L.

L'élève René

Ce fut un jour de fête, plein de joyeux souvenirs, se rappelait Phia
Rilke quand son célèbre fils eut quarante-sept ans, qui commença le
3 décembre, la neige était d'une épaisseur fantastique, mais nous nous
sommes risqués au-dehors vers 5 heures, nous avons rendu visite à
grand-mère (si bonne, si secourable), car c'était sa fête le 4, et ensuite
le bon Papa accepta joyeusement ma proposition, nous avons acheté
chez Rummel une petite croix d'or pour notre enfant ; nous l'attendions seulement pour le mois de février, mais ce fut une joie pour nous
de rapporter à la maison ce premier cadeau, ce bijou. Vers huit
heures, je me sentis soudain si mal que nous avons demandé à
l'indispensable Madame de nous rendre sa visite vespérale — elle vint
— et s'installa confortablement — et prophétisa aussitôt qu'un bébé
de sept mois est pressé de venir au monde... à minuit, — l'heure
même où naquit notre Sauveur, — et comme le jour suivant était un
samedi, — tu fus aussitôt un Enfant de Marie ! — voué à la Madone
pleine de grâce. Papa et moi, nous t'avons béni, embrassé, — notre
bonheur radieux chuchotait des actions de grâce à Jésus et à Marie.
Notre cher bébé était petit et fragile, — mais merveilleusement
proportionné — et quand, au matin, il fut couché dans son berceau,
on lui donna la petite croix, — ainsi, « Jésus » fut son premier
cadeau... Puis vinrent malheureusement bien des grands et petits
soucis, — mais quand je m'agenouillais près de ton berceau, — mon
cœur débordait d'allégresse, l'adorable bébé était notre bonheur
suprême [2] !

On employait donc encore un langage aussi extatique, au
xixe siècle, pour célébrer la naissance d'un enfant ! Si nous devons
pardonner à la mère sa bigoterie et son style kitsch, il n'est pas
douteux que les parents de Rilke aient désiré un enfant, et avec
d'autant plus d'ardeur qu'une petite fille née l'année précédente
n'avait vécu que quelques semaines. Le garçon né à sept mois le

4 décembre 1875 à Prague fut baptisé le 19 décembre, en l'église
Saint-Henri, et reçut les prénoms de René, Karl, Wilhelm, Johann,
Josef, Maria. Comme Rilke, fils unique, s'intéressa à ses ancêtres
plus qu'aucun autre poète de langue allemande, il est important de
faire au préalable la connaissance de ses parents.

Le père, Josef Rilke, né en 1838 à Schwabitz, en Bohême, avait
été élevé dans des écoles militaires et s'engagea comme aspirant dans
la guerre de 1859. Là, il atteignit le sommet de sa carrière martiale en
devenant aspirant artificier dans le régiment d'artillerie impériale et
royale ; à l'âge de vingt et un ans, il fut pour un moment commandant
de la citadelle de Brescia. C'était un poste important, car Brescia
formait, avec Mantoue, Vérone et Legnano, le carré fortifié sur
lequel reposait la position autrichienne en Italie du Nord. Après
l'échec de la campagne (les défaites de Magenta et Solférino avaient
contraint l'Autriche à céder la Lombardie à Napoléon III qui la
rattacha au royaume de Sardaigne), il devint instructeur à l'école de
guerre de son régiment.

En partie à cause d'une maladie chronique de la gorge, en partie
par déception de se voir refuser le brevet d'officier malgré un
commandement impeccable et des demandes répétées, Josef Rilke
démissionna en 1865, après dix ans de service seulement. Il étudia
tout d'abord l'agriculture dans les domaines d'une tante en Moravie,
puis, grâce à la protection de son frère aîné, Jaroslav Rilke, député
au Landtag et chef réel de la famille, il entra comme employé dans la
Société de Chemins de fer impériale et royale, (Ligne Turnau-
Kralup-Prague), fondée peu auparavant. Il passa le restant de sa vie
comme chef de gare et directeur de dépôt dans diverses petites villes,
et fut enfin mis à la retraite avec le titre d'inspecteur (« Revisor »)
des Chemins de fer de Bohême. Des années auparavant, il avait
échoué dans une nouvelle tentative pour échanger la monotone
existence du fonctionnaire contre celle d'intendant de domaines :

Sa seigneurie le comte de Spork, écrit Rilke à sa fille en 1924,
cherchait un régisseur pour ses domaines, mon père devait avoir des
raisons de penser qu'il était à la hauteur d'une telle fonction. Mais il
n'était pas facile de fournir la preuve des aptitudes qu'il s'attribuait.
Dans sa jeunesse, c'était vrai, il avait fait un stage dans les domaines
de sa tante, la baronne Weissenberg..., ce fait fut alors exposé en
pleine lumière et présenté comme la pierre angulaire de sa vie. Dans
notre maison, l'espoir et l'attente étaient grands, on se promettait de
ce changement non seulement des avantages en finances et santé, le
grand château baroque de Spork à Kukus était inhabité et aurait été
réservé au nouvel administrateur des domaines... ; quant à moi, dans
la mesure où je comprenais quelque chose aux événements, je
m'abandonnais déjà à ma passion pour les promenades en voiture et

en traîneau, pour les pièces à haut plafond et les longs corridors blancs. Naturellement, et en toute justice, on préféra alors un autre candidat qui avait à fournir d'autres références que d'agrestes souvenirs de jeunesse ; et notre existence provinciale sombra, déçue, dans sa morne quotidienneté. Si mon Papa avait pris cette décision plus tôt, tout se serait vraisemblablement déroulé d'autre manière *.

Josef Rilke ne parvint donc pas à quitter son médiocre emploi aux chemins de fer. Une photographie prise peu avant son mariage nous montre un homme de haute taille, athlétique, la barbe taillée sur le modèle impérial et royal, négligemment accoudé au socle de carton-pâte qui figurait en ce temps-là parmi les accessoires d'un atelier de photographe ; il ne regarde pas sa fiancée assise auprès de lui, mais fixe directement l'objectif. C'est le pendant civil et bourgeois d'un vieux daguerréotype, image pâlie de son père en uniforme, que Rilke gardait toujours sur lui. Dans un poème intitulé *Portrait de jeunesse de mon père* **, il a éclairé Josef Rilke d'une lumière romantique :

> Du rêve dans les yeux. Le front affleurant
> quelque chose au loin. Autour de la bouche
> débordante jeunesse, charme qui n'a point souri,
> et devant les fermetures ornées de l'élégant
> costume de noblesse, la garde du sabre
> et les deux mains qui attendent calmement,
> elles ne sont tendues vers rien.
> Et à présent presque invisibles : comme si
> ayant saisi des choses lointaines elles avaient disparu
> les premières. Et tout le reste voilé,
> effacé de soi-même, comme si
> nous n'y comprenions rien, terni
> par ses propres profondeurs.
>
> Daguerréotype qui t'effaces si vite
> entre mes mains plus lentes à passer.

Jusque dans sa vieillesse, Josef Rilke demeura pourvu d'une « immense séduction ». Max Brod l'a décrit comme un « élégant coureur de jupons », « l'air guindé d'un officier de cavalerie en civil », qui, lors des promenades dominicales, sur le Graben, dans la vieille ville, sur le chemin du Café Continental, « lançait de profonds regards en plein visage des jolies jeunes filles bien chaperonnées ; un autre Pragois », poursuit Max Brod, « Hugo Lindemann, se rappe-

---

* Trad. N. C. Sauf indication contraire (Editions du Seuil ou Editions Action Poétique pour *La Princesse Blanche*) toutes les citations et extraits de Rilke sont traduits par Nicole Casanova.
** Seuil, t. 2, p. 197.

lait le vieux Rilke comme un digne monsieur à la longue barbe blanche : " Nous le nommions le bon Dieu " ». Cet homme sémillant et débonnaire, mais limité et petit-bourgeois, ne pouvait pas apporter à sa femme Sophie, surnommée Phia, ni dans sa vie spirituelle ni dans sa vie sociale, ce qu'elle avait espéré du mariage.

Phia était issue d'une famille de notables pragois, autrefois émigrés d'Alsace : circonstance à laquelle Rilke attribuait parfois son goût pour une sorte d'esprit typiquement français. Le père de Phia, Carl Entz, fils d'un greffier municipal pragois, était parvenu au rang de membre de la direction de la Caisse d'Epargne de Bohême et du Conseil impérial. La mère, Caroline Entz, née Kinzelberger, passait dans sa jeunesse pour une authentique beauté, et, encore à un âge avancé (elle mourut presque centenaire en 1927) pour une dame qui aimait la vie. Dans le palais baroque d'Entz-Milesimo, Herrengasse, les parents menaient un train de grands bourgeois. Phia y songea avec une douloureuse nostalgie, quand elle eut emménagé, avec son époux réduit à ses modestes émoluments de fonctionnaire, dans l'humble appartement loué au 18 Heinrichgasse (sur le chemin du Rossmarkt à la Heuwagsplatz, aujourd'hui Jindřiská ulice). Le jeune René, qui, lors des visites dominicales, jugeait que « les cuillerées de soupe prenaient dans sa bouche un goût étranger », se fit rapidement une opinion sur les styles de vie des deux familles. Il ne s'entendit jamais très bien avec ses grands-parents, même s'il était assez docile pour que Caroline Entz lui envoyât à chaque Noël une boîte de sucreries.

Pour remplacer la fille qu'elle avait perdue, peut-être aussi par agressivité envers un mari qu'elle n'aimait pas, Phia Rilke éleva tout d'abord son fils, qu'elle n'avait pas voulu allaiter, comme une fille. Sur une photographie prise en 1882, elle écrivit de sa main : « Mon trésor avec ses premiers pantalons. » Jusqu'à ce moment, et donc jusqu'à l'âge de sept ans, René, dont le prénom se distinguait à peine de sa forme féminine Renée, avait gardé ses longues boucles blondes ; il portait des robes et jouait à la poupée. Ainsi, le rôle déjà problématique que, seul enfant d'un mariage malheureux, il devait assumer, se voyait encore alourdi de façon considérable par le refus de sa mère d'accepter l'identité sexuelle de l'enfant. Au demeurant, la mère, qui ne pouvait assouvir son ambition sociale qu'en courant derrière ses fantasmes et en se rendant parfois au théâtre, s'occupait fort peu de lui. Il prétendit plus tard qu'elle l'avait aimé seulement « pour l'exhiber dans une robe neuve devant des amis étonnés[3] ». Phia Rilke était-elle donc une « vieille fille » superficielle, prématurément déçue par la vie, qui se sentait incomprise, s'enfonçait avec exaltation, au cours des ans, dans une religiosité intense et aimait se vêtir de noir par sympathie pour la grande-duchesse devenue veuve ?

Plus d'un détail prouve que Rilke a méjugé sa mère. Devenu adulte, il l'évitait le plus possible, et la blâmait amèrement dans des lettres à des tiers. Quoi qu'il en fût, le journal de Phia, paru en 1900 chez un éditeur de Prague sous le titre *Ephémérides* et dédié « à son cher fils René », contient quelques remarques qui révèlent non seulement expérience du monde et connaissance des hommes, mais un sens de la vie très émancipé pour l'époque. Chez une femme intelligente, mais dépourvue de culture ou de talent particulier, ce sentiment ne pouvait certes s'exprimer qu'indirectement, par exemple dans des aphorismes de ce genre : « Une femme qui n'a pas aimé n'a pas vécu. » Ceci est un lieu commun, mais « plus d'un mariage n'est que la prière avant la bataille » est déjà plus original. Des notes comme « heureusement l'infidélité fut donnée au monde », ou « les devoirs de la femme sont légion, mais ses *droits* tiennent bien peu de place dans le code civil », révèlent, outre un peu de préciosité, une vue assez claire des problèmes qui se posent à la femme mal mariée.

Nous en sommes réduits à deviner l'effet produit sur Rilke par la publication de ce journal, voire par l'idée même que sa mère ait pu écrire. Pensait-il à Phia, par exemple, quand il renvoyait à l'éditeur Axel Juncker des romans écrits par des femmes, et qu'on lui avait demandé de lire ? Il les accompagna de la remarque suivante :

> Toute femme malheureuse, toute femme qui s'est lancée dans un mariage illusoire avec la foi la plus joyeuse, et s'en est échappée ensuite pleine d'une sainte colère et profondément offensée, toute femme qui commence à comprendre que la maternité et l'amour ne sont pas tout à fait ce que l'on jugeait bon de leur faire entrevoir avec prudence quand elles étaient des backfish, toute femme qui se sent insatisfaite de sa bonne, de son mari ou d'un homme qui n'est pas le sien — écrit son histoire et raconte dans l'allemand déficient de ses années d'école, le poids du destin qui l'écrase, l'injustice de la vie et l'immensité de ses nostalgies inapaisées, qu'elle prend démesurément au sérieux, elle raconte — mais non, elle crie, sanglote, vitupère, tonne, rage, geint et accuse...

Quelques amies de Rilke, à la génération suivante, ont réhabilité la mère de celui-ci (elle survécut de cinq ans à son fils), et l'ont quasiment prise sous leur protection. La poétesse Hertha Koenig, par exemple, dépeint Phia comme une *grande dame* qui certes semblait « issue d'une tout autre manière de vivre », mais qu'une piété ostentatoire n'avait nullement détournée du monde, qui au contraire prenait un soin extrême de ses vêtements et sut gagner le cœur de la jeune femme en lui disant : « Cela vous sied à ravir ! » Lors de cette première rencontre, en 1915, dans un restaurant de Munich, Phia apparut à la poétesse comme « une grande et mince sexagénaire », une de ces mères « en présence desquelles on ne peut dépasser l'âge de quatorze ans, que l'on en compte trente ou cinquante ». Quant au fils depuis longtemps adulte, le « Rene-tscherl » des jours depuis longtemps passés, il baissait les yeux à table et se taisait « comme s'il venait d'être réprimandé », bien que l'on eût commandé le dîner à la carte. Une autre amie, à son tour, croyait que Rilke tenait beaucoup de sa mère et la conscience de cette identité avait précisément séparé la mère et le fils[4].

De fait, le formalisme de Rilke, qui s'étendait jusqu'à son maintien et à ses vêtements, ses efforts pour se créer un personnage aristocratique et distant, peuvent passer pour un héritage maternel, de même que son engouement passager pour le spiritisme et son besoin de se mettre socialement en valeur. Il faut toutefois considérer qu'il réalisa dans sa propre vie bien des ambitions demeurées pour Phia des songes (la gloire poétique et la fréquentation des nobles). Il est possible que l'on trouve là aussi les racines d'une composante érotique qui, pour être contenue, n'en était pas moins forte. Dans son aspect extérieur, il tient d'elle, avec sa bouche trop grande et évidemment sensuelle — on l'a décrite comme « insolitement large et rouge », mais aussi comme « une bouche semblable à un fruit trop mûr qui se fend de lui-même, un peu comme des organes sexuels[5] ». On peut penser qu'il a hérité cette bouche de sa mère (qui n'était pas belle, mais pleine de vitalité), de même qu'il tenait ses yeux bleus de son père et de sa grand-mère maternelle.

Nous rencontrerons souvent Phia dans la vie de son fils, et en d'innombrables métamorphoses de la figure maternelle, dans les œuvres et les lettres de celui-ci.

La relation de Rilke avec son père s'établit de manière moins complexe. Dans la nouvelle *Ewald Tragy,* composée en 1898 mais parue après la mort de l'auteur, Rilke donne à son père un tout autre aspect que celui de l'intendant raté que nous connaissons déjà. Nous avons d'autant moins de raisons de mettre en doute l'identité de M. von Tragy et du retraité Josef Rilke, que celui-ci est dépeint ailleurs, dans l'éloge funèbre publié par le *Prager Tagblatt,* comme le type même du notable[6].

M. von Tragy, donc, va se promener avec Ewald sur le Graben, à Prague, un dimanche après-midi, dans la foule qui flâne et les deux hommes doivent souvent, pour saluer, soulever leur chapeau. Le père remarque alors certaines imperfections dans les vêtements de son fils qui marche à ses côtés* :

> « Ton chapeau est vraiment poussiéreux.
> — Ah », répond le jeune homme avec une soumission entière.

---

* Seuil, t. 1, p. 128.

Et tous deux, un moment, restent tristes.

Dix pas plus loin, l'image du chapeau poussiéreux a pris, dans les pensées du père et du fils, des proportions anormales.

« Tout le monde nous regarde, c'est un scandale », pense le vieil homme, et le jeune s'efforce de se représenter l'aspect que peut offrir le malheureux chapeau et où la poussière peut bien se nicher. Sous le rebord, s'avise-t-il, et il pense : « On ne peut jamais y atteindre. Il faudrait inventer une brosse... »

Il voit alors son chapeau en personne devant lui. Il est épouvanté : M. von Tragy lui a simplement enlevé la coiffure de la tête et, de ses mains gantées de rouge, lui donne de minutieuses chiquenaudes. Ewald regarde un moment, tête nue. Puis, d'un geste indigné il arrache l'ignominieux objet des mains précautionneuses du vieux monsieur et se le plante brutalement, impétueusement sur la tête. Comme s'il avait la chevelure en flammes : « Mais, papa... » Et il veut ajouter :

« Je viens d'avoir dix-huit ans, — et pourquoi ? Pour que tu me décoiffes, — un dimanche, à midi, devant tout le monde ! »

Mais il n'arrive pas à prononcer un mot et s'étrangle. Il est humilié, petit, comme dans des vêtements trop grands.

Et M. l'Inspecteur tout à coup s'écarte, gagne l'autre côté du trottoir, raide et solennel. Il n'a plus de fils. Et tout le dimanche déferle entre eux. Or, il n'est personne dans la foule qui ne connaisse le lien qui les unit, et chacun de regretter l'incident grossier et brutal qui les a séparés à ce point. On s'évite avec sympathie et compréhension et l'on n'est rassuré que lorsqu'on voit de nouveau le père et le fils à côté l'un de l'autre. On constate à l'occasion une certaine ressemblance croissante dans la démarche et dans les gestes des deux hommes, et l'on s'en réjouit. C'est qu'auparavant le jeune homme était loin de chez lui, dans une école militaire, dit-on. Il en est revenu un jour — Dieu sait pourquoi — très changé. Mais maintenant : « Non mais, voyez, — dit un vieux monsieur débonnaire à qui l'inspecteur vient justement d'octroyer un " Oui " — il penche déjà la tête un peu vers la gauche — comme son père... », et le vieux monsieur rayonne de plaisir devant cette découverte.

Certaines dames mûres aussi s'intéressent au jeune homme. Elles l'enveloppent un moment, en passant, d'un profond coup d'œil, le jaugent, et décident : « Son père fut un bel homme. Il l'est encore. Ewald ne le sera pas. Non. Dieu sait à qui il ressemble. A sa mère, peut-être — (au fait, où peut-elle être fourrée, celle-là ?). »

Ce qui est frappant dans cet instantané — quelque peu guindé — de la bourgeoisie de 1890, c'est la différence qui sépare Josef Rilke, l'inspecteur, le bel homme, et le noble M. von Tragy, lequel, au cours du récit, se voit attribuer une apparence distinguée et aristocratique et la voix qui révèle un ancien officier. Mais le père de Rilke portait un nom bourgeois et, contrairement à son ami intime le chevalier de Lanna, n'avait jamais été officier. Pourquoi le fils, soucieux de vérité au point de mentionner la mise à l'écart de sa mère et même sa propre insignifiance à côté du père, a-t-il anobli celui-ci ?

Pour la première fois à notre connaissance, s'exprime ainsi la conviction nourrie par Rilke pendant des décennies : il descendrait d'une très ancienne famille de l'aristocratie carinthienne. Bien qu'on lui ait souvent reproché cette conviction, elle n'a pas grand-chose à voir avec le snobisme commun. Au contraire : précisément parce que Rilke passe une partie de sa vie en contact étroit avec des membres de la haute et moyenne noblesse européenne, il n'a pas besoin de fonder ses origines en fournissant des preuves généalogiques ou héraldiques qui, dans la meilleure hypothèse, auraient semblé modestes. Mais toute sa vie il s'est senti l'héritier d'une longue suite de générations, et il a même précisé dans son testament que l'on devrait graver sur sa pierre tombale les armes de son arrière-grand-père, le greffier municipal du comté de Nostitz (deux lévriers dressés sur champ de sable et d'argent). C'étaient les armes des Rielko ou Rülkho, dont la souche se situait près de Neumarkt en Carinthie. Selon la tradition familiale, une branche de la famille avait émigré en Saxe où, sans prétention nobiliaire, sous les noms de Rülko, Rulike et finalement Rilke, elle avait acquis, entre autres, les domaines de Langenau et de Linda. Historiquement, cette branche saxonne et paysanne, dont la maison d'origine est une ferme de Türmitz près d'Aussig, s'est éteinte avec un Donath Rilke, mort vers 1625. Après de longs et vains efforts pour prouver ses origines nobles, l'oncle de Rilke, élevé à la noblesse héréditaire en 1873 par l'empereur François-Joseph, sous le nom de Jaroslav Rilke, chevalier de Rüliken, s'était approprié ces armes.

On ne peut donc savoir exactement si Rilke, qui n'a pas laissé de descendance masculine, était bien le dernier rejeton d'une famille demeurée, grâce au *Cornette* (comme les Berlichingen grâce au *Götz* de Goethe), plus célèbre en littérature que dans l'histoire. La tradition familiale, les armes, le sentiment intime de Rilke, font pencher pour une solution positive de l'énigme, mais il manque trop de maillons à la chaîne généalogique pour que l'on puisse en fournir la preuve. On peut penser que le désir de Rilke de posséder une ascendance aristocratique est une manière de protestation contre l'esprit philistin de ses parents, et qu'il voulait ainsi se leurrer lui-même sur une ambiance familiale où manquait quelque peu la distinction.

II.

La disposition d'esprit de Rilke ni ses dons ne sauraient s'expliquer par ses origines. Aussi loin que l'on puisse remonter dans le temps, ses ancêtres ont pratiqué tous les métiers par lesquels on gagne ordinairement sa vie, ils furent paysans ou intendants, soldats ou employés. On ne trouve parmi eux aucun poète, pas même un professeur, un savant ou un prêtre. Quant aux membres de sa famille qu'il a connus, on doute que le souffle de l'esprit ait pu lui venir d'eux : ni de l'oncle Otto Rilke, frère puîné de Josef et de Jaroslav (le quatrième frère, officier comme Otto, était mort en 1858), qui se donna la mort d'un coup de revolver parce que, capitaine, il avait cru que l'on avait désobéi à ses ordres ; ni de la grand-mère Rilke, considérée par Phia, pour une raison inconnue, comme « une femme impie et haïssable », à laquelle on rendait parfois visite, quand même, à Kremsier ; ni de la cousine de Rilke, l'élève de Liszt, Anna Grosser-Rilke, que René rencontra une seule fois. Il n'eut ni frère ni sœur, et dans la seconde génération, seuls les enfants de Jaroslav et de sa femme Malvine, née Edlen von Schlosser, furent pour lui, à l'occasion, des camarades de jeu : les filles, Paula et Irene, et les fils, morts prématurément, Max et Egon. (Ce dernier, au souvenir duquel est dédié l'un des *Sonnets à Orphée,* fut aussi le modèle du petit Erik Brahe dans *Les Cahiers de Malte Laurids Brigge.*) Jaroslav, homme capable, ambitieux et animé d'un vigoureux esprit de famille, a joué un rôle capital dans la vie de Rilke en favorisant ses études. Rilke n'a reçu d'aide pratique de sa famille que de cet oncle et de sa tante Gabriele, résidant à Linz, veuve du procureur Wenzel von Kutschera-Woborsky, de la famille du mécène de Beethoven, le baron Johann von Kutschera.

Si Rilke, dans sa poésie comme dans son maintien, donnait l'impression de ne connaître la vie quotidienne bourgeoise qu'à travers les livres, cela n'était pas dû à ses origines, mais à un don qui lui permettait d'évoquer sous nos yeux des formes de vie aristocratiques (surtout chez des femmes et des enfants nobles), et d'en imiter les attitudes. Son existence réelle avait un tout autre aspect :

> Le foyer de mon enfance fut un petit appartement de location à Prague. Notre modeste train de vie, un train de petits-bourgeois, devait se donner l'air de l'abondance, nos vêtements devaient faire illusion, et certains mensonges allaient de soi. Je ne sais ce qu'il en était pour moi. Je portais sans doute de très beaux habits, et jusqu'à ce que j'aille à l'école, je fus vêtu comme une petite fille [7].

En fait, après avoir dépensé la dot de Phia, on en vint à tricher quelque peu pour maintenir la façade. Les vins de table bon marché furent servis avec des étiquettes de choix et les lits entassés pour laisser de la place lors des réceptions, si bien que René devait parfois dormir derrière un paravent noir, orné d'oiseaux dorés. Avec

quelques éventails laqués japonais, des vues du Vésuve ou autres
motifs italiens, et une foule de colifichets, ce paravent de bambou
s'inscrivait dans l'inventaire d'une demeure qui ne différait guère de
cent autres semblables que par son salon de soie bleue. Elle devait en
fait ressembler passablement à l'humble logis où Rilke situe les
drames naturalistes de sa jeunesse, ou à celui qui, dans les *Histoires
du Bon Dieu*, est décrit comme « le petit logement dans la rue
Heinrich, avec les loquets luisants et les planchers peinturés », dont
le mobilier comporte « les meubles épargnés (...), le piano désac-
cordé, le vieux canari, le fauteuil hérité dans lequel il n'est pas permis
de s'asseoir * ».

C'est dans une demeure de ce genre que Phia éleva son fils. On a
adressé bien des reproches à cette éducation, sans songer qu'il n'était
pas le seul garçon que sa mère ait ainsi choyé et élevé comme une
fille. On peut également voir là la sentimentalité bien intentionnée et
inoffensive d'une femme qui ne peut pas se consoler de la perte de
son premier enfant. Et le fait d'être fils unique et gâté par sa mère fut
aussi, pour Rilke, un avantage. C'est à Phia qu'il doit le développement de son imagination, son goût du jeu, une familiarité précoce —
qui l'amènera bientôt à essayer d'écrire — avec le monde des
ballades de Schiller, que sa mère aimait lui lire. C'est elle qui posa les
principes de l'urbanité de Rilke, et de sa connaissance du français.
L'agilité corporelle qui se développe d'habitude grâce aux jeux et
bagarres avec des camarades de même âge, il semble l'avoir acquise,
au moins en partie, pendant les vacances d'été. Pendant l'été 1897,
par exemple, il se rendit avec ses cousins et cousines sur la plage de
Konstantin, en Bohême. Et quatre ans plus tard, il écrit dans une
lettre à son père demeuré à Prague : « Je mange comme un loup, je
dors comme un sac. » La précision suivante donne toutefois à
penser : « Mon courage fait des progrès, je commence à grimper aux
arbres. » Un garçon de huit ans ne s'exprime pas avec une telle
sagesse. Il grimpe sans même y songer. Son père lui avait-il reproché
son manque de courage ? En tout cas, le fausset de l'hystérie
réprimée est inscrit à la clé de plus d'une lettre du jeune Rilke.

Bien que Rilke ait été pourvu très tôt d'une nature extraordinai-
rement sensible et apte à la souffrance, les années d'enfance
précédant le séjour à l'école militaire semblent s'être déroulées de
façon tout à fait supportable. Les dessins de cette première période
pragoise en témoignent. Ils montrent des scènes de bataille, un
dragon abattu par un chevalier, et d'autres motifs habituels dans une
chambre d'enfant bourgeois d'il y a cent ans. Normale, aussi,
l'expression utilisée dans une lettre de vacances : « Je suis bronzé

---

* Seuil, t. 1, p. 537.

comme un Indien. » On ne peut pas non plus conclure à une disposition morbide, voire élégiaque, à la lecture de ce poème écrit par l'enfant de neuf ans, et intitulé *Chant funèbre* :

> Un général est mort à la guerre
> et muettes sont les salles qui virent sa gloire,
> où dans la splendeur royale,
> au palais du roi,
> il avait monté la garde avec ses hommes...

De telles conclusions induisent souvent en erreur (Goethe, dont le premier poème de quelque importance s'appelle *Pensées poétiques sur la descente aux Enfers de Jésus-Christ*, n'est pas devenu un poète chrétien). La mort d'un général, dans une famille d'officier, a d'autres connotations que dans la maison d'un clerc ou d'un savant. Les quelques lignes qui décrivent après coup cette époque, comme *La maison où je suis né* (dans le cycle *Offrande aux Lares*)

> Il n'a pas fui de ma mémoire
> le foyer de mon enfance,
> où je regardais des livres d'images
> dans le salon de soie bleue...

ou le poème, ultérieur et meilleur, intitulé *Enfance,* montrent, au pire, une enfance solitaire et mélancolique, mais dans l'ensemble satisfaisante, et disons-le tout net : normale. Ceci est confirmé par le témoignage du médecin qui, avant son entrée à l'école militaire en automne 1882, examina le jeune Rilke et lui trouva un développement conforme à son âge. Le fait que René, à l'école, obtint des notes au-dessus de la moyenne est également probant. Et bien des métaphores et images qui apparaissent dans ses lettres le confirment derechef, comme cette image de la pluie à la campagne, qui « fait de tout l'après-midi une seule heure longue, qu'aucun tintement de l'horloge n'arrête et qui dure infiniment, comme ces après-midi d'enfance que l'on passe à lire, la tête entre les poings[8] ».

III.

Les parents de Rilke avaient choisi l'école allemande dirigée par les piaristes, à cause, surtout, de son emplacement. Elle se trouvait au coin du Graben et de la Herrengasse, dans le quartier le plus élégant de Prague, et était fréquentée en majorité par les fils de la bourgeoisie aisée germanophone, parmi laquelle se trouvaient de

nombreuses familles juives et quelques protestantes. Contrairement
à d'autres élèves plus entreprenants, comme Egon Erwin Kisch et
Franz Werfel, qui fréquentèrent l'établissement l'un dix ans, l'autre
vingt ans plus tard, Rilke a eu peu de contacts avec ses condisciples,
ou même avec les jeunes Tchèques qui allaient dans une école
voisine. La querelle des nationalités, qui s'aviva si rapidement à la fin
du siècle, n'était nullement nécessaire pour que les jeunes représentants des deux ethnies s'arrachassent les cheveux. Rilke n'aurait pu
prendre part à ces bagarres et escarmouches pas toujours inoffensives (l'écrivain Oskar Baum, plus tard, y perdra la vue) — ne fût-ce
que parce que sa mère l'accompagnait sur le court chemin de l'école
et venait le chercher l'après-midi. Ce faisant, elle parlait français
avec lui, comme pour protéger contre le monde extérieur ce petit
seigneur en costume marin. Ainsi retarda-t-elle le processus d'accou-
tumance à la vie sociale, si important à cet âge, et plaça son fils qui
appartenait déjà à la minorité des Allemands de Prague, sous le signe
de l'isolement, même à l'intérieur de cette minorité. Si Rilke
entendit alors le « *Piaristen — schlechte Christen!* », (« Piaristes —
mauvais chrétiens! ») que l'on criait aux écoliers, à cause de la
stupidité ou de l'ivrognerie de certains membres de l'ordre, ou s'il
parcourut les nombreux « passages » de Prague, avec leurs cours
intérieures bordées de balcons découverts — de telles incursions dans
le monde extérieur n'ont pratiquement pas laissé de traces dans son
œuvre, à l'exception de la nouvelle *Frère et sœur.*

Certes, contre la volonté de sa mère, germanophone puriste, il
apprend quelques mots de « bohémien », comme on appelait le
tchèque, et ce, en dehors de ses heures de classe. Du reste, l'école
des piaristes ne se donnait guère la peine de tirer le maximum de ses
élèves. Elle avait visiblement peu changé depuis le temps où Fritz
Mauthner, qui deviendrait plus tard philosophe du langage, y faisait
ses études et vécut l'anecdote suivante, lors d'une « lecture dirigée »
du poème de Goethe *Le pêcheur,* sous la férule d'un prêtre obèse :
« L'un de nous, un magnifique garçon de l'Eger, avait correctement
accentué : *Halb* zog *sie ihn, halb sank er* hin (elle l'attira à demi, il
l'entraîna à demi au loin). Le misérable valet frappa du poing sur la
table et tonna : " J' vous ai ben dit, *halb* zock *sie ihn, halb* sonk'*r*
hien', y a un contraste'. " Et le pauvre garçon de l'Eger, pour ne pas
être collé, dut accentuer ainsi le " contraste ". »

Rilke garda le souvenir d'une enfance si douloureuse, que sa
confrontation avec elle fut l'un des ressorts de sa création poétique.
La cause de cette souffrance tient à la divergence entre la préparation
à laquelle on le soumettait, et le but que l'on souhaitait atteindre. Les
péchés par omission des parents sont d'autant plus incompréhensibles quand on pense que ce but — l'entrée dans une académie

militaire — était fixé dès le début. Le père avait servi dans l'armée pendant des années ; deux des oncles avaient été officiers, et la mère savait très bien quelles portes s'ouvriraient à un lieutenant ou à un capitaine de cavalerie (et donc à elle-même). Pourquoi négligea-t-elle, pourquoi Josef Rilke, qui avait une telle expérience militaire, omit-il pratiquement, tout ce qui aurait facilité l'accès au brevet d'officier — qu'il désirait lui-même — à leur unique enfant, si peu athlétique, si peu préparé aux contacts humains ? Si l'on ne peut attribuer aux parents un amour débordant pour leur fils, il n'y a pourtant aucune raison de supposer qu'ils étaient envers René plus indifférents que d'innombrables parents, bourgeois grands ou petits, lesquels confiaient l'éducation de leurs enfants à des bonnes. (Celles-ci changeaient souvent chez les Rilke, mais c'était plutôt la faute du père que de Phia ou de son fils.)

Le motif d'une telle négligence résidait sans doute dans un mariage depuis longtemps chancelant et conduisait à de telles tensions (René passait alors une bonne partie de la journée hors de la maison) que Phia partait de plus en plus souvent en voyage. Elle qui, de son propre aveu, « n'avait pas pensé en se mariant qu'un homme trouait des chaussettes », avait-elle réellement, comme elle l'affirma plus tard, un soir, en reprisant des bas, allumé une cigarette, par pur désespoir, et haussé les épaules aux questions de son mari ? Elle refusa de lui dire « quelle visite elle avait reçue », et provoqua ainsi une scène... En fait, ce mariage, qu'elle avait depuis toujours ressenti comme une mésalliance et qu'elle n'avait supporté aussi longtemps que par amour pour son fils, était irrémédiablement détruit. A partir de 1884, Phia loua un logis indépendant, tout d'abord à Prague, puis à Vienne, avec l'intention de veiller à l'éducation de son fils. Cela précipita un événement qui devait de toute façon se produire : le 1er septembre 1886, René entra à l'école militaire impériale et royale de Saint-Pölten, près de Vienne.

Rilke n'a jamais surmonté le choc qu'il subit, à l'âge de dix ans, en passant des tendresses maternelles à la rude vie d'une académie militaire. Le choc fut si durable que, malgré des tentatives répétées, Rilke ne parvint jamais à se libérer, par son travail artistique, des problèmes existentiels posés par son enfance naufragée — ou, selon sa propre terminologie : d' « accomplir » ou « métamorphoser » en poésie son enfance, ou du moins de retrouver un contact avec elle. Parmi les essais les plus anciens et les plus vivants qu'il fit pour y parvenir, on trouve la courte esquisse intitulée *Pierre Dumont* (1894), dont nous donnons ici quelques passages caractéristiques :

La locomotive lança un sifflement presque infini dans l'air bleu de cet après-midi d'août, lourd et flamboyant. Pierre était assis avec sa mère dans un compartiment de seconde classe. La mère, une petite femme agile dans une modeste robe de drap noir, avec un visage pâle et bon, des yeux tristes et éteints — une veuve d'officier. Son fils, un gamin de onze ans à peine, dans l'uniforme des écoles militaires.

« Nous sommes là », dit Pierre d'une voix haute et joyeuse, et il souleva vers le filet sa maigre petite valise grise. En grandes majuscules, on pouvait lire : *Pierre Dumont. I*re *année. n° 20.*

La mère regardait en silence devant elle.

(…)

On avait fini de manger. Pierre avait parlé avec animation. Quand sa mère lui versa du vin rouge, pourtant, et, les yeux humides, leva un peu son verre en le regardant avec intention, la bouchée lui resta dans la gorge. Son regard erra dans la salle. Il resta fixé sur l'horloge : il était trois heures. Encore quatre tours de cadran, pensa-t-il. Cela lui donna du courage. Il leva son gobelet et trinqua, assez violemment. « Un joyeux au revoir, petite mère ! » Sa voix sonnait dure et changée. Et vite, comme s'il craignait de s'attendrir de nouveau, il embrassa la petite femme sur son front blême.

(…)

« Sois bien sage, Pierre ! », dit la mère gravement.

« Et comment ! Je vais travailler... »

« En mathématiques, tu sais, tu as du mal ! »

« Tout ira bien, tu verras. »

« Et ne va pas prendre froid, la mauvaise saison commence, — couvre-toi bien. — La nuit, borde bien ta couverture, pour ne pas te découvrir ! »

« Ne t'inquiète pas ! » Et Pierre recommença à parler des vacances. Il inventa des péripéties si drôles que tous les deux, la mère et le fils, rirent de bon cœur... Soudain, il tressaillit. Au clocher de l'église, les cloches sonnaient à pleine voix.

« Six heures », dit-il en essayant de rire.

(…)

A présent, ils étaient devant le portail !

« Merci, maman, pour ce beau jour. » Le pauvre petit se sentait misérable ; il avait visiblement trop mangé. Il ressentait de violentes douleurs d'estomac et ses jambes tremblaient.

« Tu es pâle », dit Mme Dumont.

« Pas du tout. » C'était un fieffé mensonge, il le savait. Comme cela lui montait à la tête ! Il pouvait à peine se tenir sur ses jambes.

« Je ne me sens pas... » Sept heures sonnèrent ! Ils se jetèrent dans les bras l'un de l'autre et pleurèrent.

« Mon enfant ! » sanglota la pauvre femme.

« Maman, dans cent vingt jours, je... »

« Sois sage, porte-toi bien », et d'une main tremblante elle fit le signe de la croix sur le petit...

Mais Pierre s'arracha à elle. « Il faut que je me dépêche, maman, sinon je serai puni balbutia-t-il, et écris-moi, maman, et Julie, tu sais, et Belly... ».

Encore un baiser, et il était parti.

« Que Dieu soit avec toi ! » Il ne l'entendait plus.

Au portail, il regarda encore une fois autour de lui. Il vit la petite silhouette noire entre les arbres crépusculaires — et il ravala hâtivement ses larmes...
Mais c'était vrai qu'il se sentait bien mal.
Il entra en titubant dans le vaste hall... Il était si fatigué.
« Dumont ! » cria une voix brutale.
Le sous-officier de garde se dressait devant lui.
« Dumont ! Par le diable, vous ne savez pas que vous devez vous présenter ? »

Le texte, avec ses « petite mère », « petite valise », et sa molle sentimentalité, marque ses cent ans d'âge, et tant de violence a déferlé sur le monde, depuis lors, et même sur les enfants, que l'entrée dans une académie militaire ne nous paraît plus aussi tragique. Hermann Hesse, par exemple, qui haïssait l'école autant que Rilke l'avait haïe, évoque le même événement avec une grande froideur : « L'instant où (...) ma mère m'embrassa à la gare et me bénit et monta dans le train, et le train s'en alla, et je me trouvai pour la première fois " seul dans le vaste monde [9] ". » Il y a quand même entre les lignes de Rilke quelque chose qui domine l'empreinte de l'époque et les changements du goût, quelque chose qui nous a tous meurtris un jour : la peur, la peur nue de l'enfant devant le monde des adultes.

IV.

L'école de Saint-Pölten était-elle réellement l'enfer que, dès l'entrée, devina l'élève Dumont — derrière lequel nous pouvons deviner l'élève René Maria Rilke ? La question, même si l'on peut répondre par la négative, passe à côté de l'essentiel : car Rilke la ressentit comme telle. Saint-Pölten, et l'école de cadets de Mährisch-Weisskirchen où il fut envoyé en 1890, fonctionnaient comme d'autres établissements d'éducation, selon des prescriptions officielles et des usages fixés, et comportaient aussi des éléments subjectifs, ce que l'on appelait « l'esprit de l'école ». Le but général était la formation de l'élève au métier de soldat. Normalement, ceux qui sortaient avec la mention « bien » devenaient lieutenants, et ceux qui obtenaient la mention « satisfaisant » se retrouvaient cadets (contrairement à la Prusse, un « cadet » en Autriche-Hongrie était un aspirant-officier, et non le simple diplômé d'une école de cadets) ; ceux qui étaient pourvus du prédicat « insatisfaisant » devenaient sous-officiers. On entrait à Saint-Pölten en général après la quatrième année de scolarité, c'est-à-dire vers l'âge de douze ans. Les tensions à l'intérieur de la famille Rilke étaient telles, que l'enfant fut placé deux ans plus tôt que la normale, et en sus, comme élève payant. Plus tard seulement, il obtint une bourse, en raison des nombreuses années de service de son père.

Au temps de Rilke, les deux cents élèves de Saint-Pölten, divisés en quatre années d'études, étaient confiés à un commandant et à son aide de camp, tous deux nommés par l'empereur. Leur étaient adjoints dix officiers de grades divers, nommés par le ministère de la Guerre, un professeur d'instruction religieuse, plusieurs sergents engagés comme auxiliaires d'enseignement et chefs de sections, et de simples soldats, qui remplissaient les fonctions de serviteurs et d'infirmiers. Le règlement remis à ce personnel avait été modifié en 1875, et comprenait, outre l'enseignement des sciences et d'une éthique militaire, « les bases de la culture générale dont les officiers ont besoin pour tenir leur rang dans la société » — ce qui prouvait que même si Rilke était élevé dans un Etat cloisonné en classes sociales, l'ordre social impliquait que l'armée fût, sinon civile, du moins civilisée. L'emploi du temps prévoyait que l'on se levait à cinq heures en été, à six heures en hiver, et réservait la matinée à l'enseignement. Au repas de midi, les élèves étaient répartis en groupes de tables, dont chacun avait un président chargé de faire maintenir « l'ordre et les bonnes manières ». Une sieste venait ensuite, en plein air pendant l'été, puis à nouveau des cours jusqu'à la lecture de l'ordre du jour vers 16 h 30. Après le goûter, venaient les jeux et la musique. On dînait à huit heures, les lumières étaient éteintes à neuf heures. Reste à prouver si le sous-officier slovène marchait réellement devant les lits, comme Rilke le rapporte, en ordonnant à voix basse : « Couchés sur le côté droit, récitation du Notre-Père, endormez-vous ! »

Que les autorités impériales et royales aient été conscientes de leurs responsabilités et aient soumis les jeunes gens qui leur étaient confiés à une discipline sévère, mais ni brutale ni même (semble-t-il) chicanière, on le voit au plan des études que Rilke accomplit à Saint-Pölten, avec un certain succès, si l'on en juge d'après ses notes de dernière année. A propos de la « conduite » (« Konduite »), il faut remarquer que cette rubrique prend en compte d'éventuelles qualités de commandement (c'est-à-dire « prise d'influence favorable ou défavorable sur les camarades »). Une « simple » distinction valait à l'élève le droit de porter un galon à son col, et avec une « double » (Rilke l'obtint en troisième année) on arborait deux galons. En d'autres mots : cette élite était désignée et reconnue comme telle même à l'intérieur de la scolarité [10].

4ᵉ année, 1889-90

	1ᵉʳ semestre	2ᵉ semestre
Conduite	excellent	excellent
Application	très bien	très bien
Capacités	variables, meilleur en langues	
Caractère	tranquille, paisible, ambitieux	
Comportement	très gentil, modeste, complaisant	
Tenue	propre et ordonné	
Religion	excellent	excellent
Langue allemande	très bien	très bien
Langue bohémienne	très bien	très bien
Langue française	très bien	excellent
Géographie	très bien	bien
Histoire	très bien	très bien
Histoire naturelle	très bien	très bien
Physique	très bien	satisfaisant
Arithmétique et algèbre	satisfaisant	satisfaisant
Géométrie	satisfaisant	satisfaisant
Dessin libre	satisfaisant	satisfaisant
Calligraphie	satisfaisant	satisfaisant
Prescriptions de service et bienséance	excellent	excellent
Exercice	bien	bien
Tir en salle et cible	très bien	bien
Gymnastique	insuffisant	insuffisant
Escrime	satisfaisant	insuffisant
Chant et musique	bien	satisfaisant
Appréciation générale	bien	bien
Classement	12 sur 51	18 sur 51
Distinction	simple	simple

Examen de passage en gymnastique et escrime passé avec succès.

Malgré les mauvaises prestations en escrime et en gymnastique, rattrapées par un examen de passage, on ne penserait jamais à la vue de ce bulletin que l'élève concerné haïssait l'école. Au contraire, là où il réussit le mieux, ce n'est pas en science et *a fortiori* dans les disciplines athlétiques ou musicales, mais dans tout ce qui a trait à son entourage humain et scolaire. Il brille en « conduite », « application », « comportement », et en « prescriptions de service et bienséance ».

Ce qui transparaît derrière ces sèches formules, ce n'est pas la silhouette d'un élève buté, révolté ou même malheureux, mais résolument sage, d'un caractère calme et harmonieux. Si l'on compare ce bulletin avec les lettres que Rilke envoyait chez lui ou à ses efforts pour donner forme littéraire à ses expériences scolaires, on se prend à penser que cet élève modèle mortellement malheureux aurait pu résoudre son apparente contradiction intérieure par la violence, le suicide ou l'incendie des bâtiments, ou au moins la fuite. Mais des décisions aussi brusques n'étaient pas dans ses possibilités, et l'école était en tant de points si bienveillante que l'on ne pouvait même pas en venir à l'idée d'employer des solutions violentes. Là encore, les académies militaires impériales et royales étaient sans doute un reflet des structures de l'Etat, qui façonnait en elles des citoyens en uniforme.

L'esprit conciliant — typiquement autrichien ? — des autorités scolaires se révélait aussi dans ces cours d'allemand, matière où Rilke excellait. Grâce au professeur, particulièrement bienveillant envers lui, Rilke avait parfois le privilège de lire des poèmes de sa composition, avant la classe. Cette lecture n'était pas accueillie comme on aurait pu s'y attendre dans un internat de garçons, avec des rires, des cris ou des raclements de pieds, mais avec un silence respectueux. Moins que par la présence du professeur, ce silence était imposé par l'élève René Rilke lui-même (d'après les souvenirs d'un camarade de classe), considéré comme un « être à part », une personnalité. Si l'on compare cette situation avec l'interdiction d'écrire qui frappa le jeune Schiller, on mesure l'abîme qui sépare Saint-Pölten de la Karlsakademie — et qui séparait, il est vrai, l'élève Schiller du jeune Rilke.

Il faut aussi souligner, dans ce bulletin, les dons de Rilke pour les sciences naturelles. Contrairement à d'autres artistes du mot, les mathématiques et la physique ne lui demeurèrent pas fermés (dans le premier bulletin de Saint-Pölten, en automne 1886, il avait même obtenu un « très bien » en arithmétique et algèbre). Adulte, Rilke songea à entreprendre des études de sciences naturelles à l'université, et rédigea dans son âge mûr les souvenirs d'une expérience de physique à Saint-Pölten, en un petit essai intitulé *Rumeur des âges*, unique par l'étrangeté de la conception et la manière précise dont est conduit le récit. Certes, Rilke n'aurait pu, comme Goethe, devenir un chercheur scientifique. Mais ses notes d'école et quelques-uns de ses travaux prouvent que l'esprit adéquat à ces disciplines ne lui faisait pas défaut.

Les bulletins de Rilke, enfin, nous fournissent aussi des indications sur l'esprit de ces académies. Si l'on pense que l'on formait ici de futurs officiers, et que les forces centrifuges ne cessaient de s'accroître dans la monarchie danubienne, au point que les peuples assoiffés d'indépendance ne seraient plus réunis que par l'armée et les fonctionnaires (eux-mêmes unis par la langue allemande, langue officielle intérieure à l'exception du « honved » hongrois), on s'étonne de la tolérance manifestée par l'Etat et de l'aveuglement qui le fermait devant l'avenir. Bien que l'empereur ne se soit pas fait couronner roi de Bohème à Prague, comme il avait été couronné roi

de Hongrie à Budapest, il allait de soi que le jeune cadet germanophone apprenait aussi sa langue « bohémienne » (les élèves de
naissance hongroise étudiaient leur propre langue en même temps
que l'allemand). Il allait également de soi que les matières d'enseignement « civil » avaient, dans l'emploi du temps, priorité. L'équitation elle-même n'était enseignée, à Mährisch-Weisskirchen, qu'aux
élèves âgés d'au moins quinze ans. Pourtant, un officier spécialisé dès
ses débuts dans le génie ou le transport aurait été plus utile qu'un
sémillant lieutenant de hussards capable de tapoter du piano et de
parler français. Et naturellement les autorités de l'école ne fondaient
pas tous les cadets dans le même moule et ne les dressaient pas à
devenir des robots uniquement capables d'obéir aux ordres. Ils
réfléchissaient sur les capacités de leurs élèves, sur leurs aptitudes et
les particularités psychologiques de chacun, même s'ils portaient
leurs réflexions à la rubrique démodée des « dispositions d'esprit ».
Il est vrai qu'au moment où Rilke arriva à Saint-Pölten, Freud était
seulement chargé de cours à l'université de Vienne.

Ce que Rilke éprouva à l'académie militaire parvint à la
connaissance de ses parents, mais fut ignoré par la plupart de ses
camarades et certainement par tous ses professeurs. Sinon, le seul
d'entre eux qui eût noué avec Rilke une relation assez étroite, le
lieutenant Cesar von Sedlakowitz, ne lui aurait pas écrit plus tard (il
avait entendu célébrer les louanges de son ancien élève) une lettre
aussi familière. Le lieutenant y exprimait sa joie « de vous avoir
rencontré sur le sentier de votre vie, dans votre jeunesse dorée, vous,
le noble poète qui nous a donné un si riche trésor de vraie poésie [11] ».
Les sentiments étaient sincères, même si le langage trahit le
professeur d'allemand. Du reste, la lettre de Rilke, que le pédagogue
en retraite avait gardée et citait, n'était pas moins fleurie. « A côté de
tout cela, l'amie poésie ne connaît point de repos, lui avait confié son
élève, en style de tonnelle 1892, les cordes de ma lyre ne se rouillent
pas, ma main active éveille en elle l'harmonie réconciliatrice du son,
et elle résonne plus clairement que jamais. » Peu après, la correspondance s'espaça. Quand Rilke reçoit à l'improviste, de von Sedlakowitz devenu major-général, cette lettre bienveillante qui évoque tant
de souvenirs et ébranle le poète jusque dans les bases de son
existence, il entonne une autre chanson. Il n'aurait pas pu réaliser sa
vie, répond-il, « si pendant des décennies je n'avais pas renié et
refoulé tous les souvenirs de mes cinq années d'école militaire * ». Il
n'hésite pas à comparer Saint-Pölten et Mährisch-Weisskirchen avec
la « maison des morts » de Dostoïevski, et parle de ces années
scolaires comme d'une « longue épreuve de mon enfance, d'une

* Seuil, t. 3, p. 445/449.

violence beaucoup trop forte pour mon âge », après laquelle « je me trouvai devant les immenses tâches de ma vie, âgé de seize ans, comme un être épuisé, maltraité dans mon corps et dans mon esprit, retardé, frustré de la part la plus innocente de ma force * »...

Pour ne pas assommer littéralement le destinataire, qui s'était adressé à lui avec les meilleures intentions du monde, Rilke conclut par d'aimables fleurs de rhétorique. Malgré cette fin conciliante, et bien qu'envoyée à un homme qui n'était pas directement responsable, cette réponse figure, avec la *Lettre à son père* de Kafka et la lettre de Thomas Mann au doyen de l'université de Bonn, au nombre des grands règlements de comptes de la littérature allemande moderne.

On pourrait objecter que la réaction de Rilke est empreinte d'un accent trop doloriste et prétencieux. Qui oserait, aujourd'hui, même comme « simple poète », parler des « immenses tâches » de sa vie ? Il serait néanmoins erroné d'écarter ces plaintes, et d'autres du même genre concernant les années d'école, en les qualifiant de pose ou d'autostylisation tardive, même si en d'autres circonstances on a pu saisir Rilke en de telles attitudes. On peut faire abstraction des dommages spirituels, corporels et sociaux que cet établissement (plutôt moderne pour une école militaire) avait infligés à un être comme Rilke. Il n'en reste pas moins que celui-ci n'y avait pas reçu ce que l'on est en droit d'exiger d'une école : éducation et culture. Certes, Rilke a plus tard passé la *Matura* (maturité), à grand renfort de leçons particulières ; mais la familiarité aisée, naturelle, avec les chefs-d'œuvre de la culture occidentale — familiarité qui caractérisait le jeune Hofmannsthal et, malgré toutes ses mésaventures scolaires, Thomas Mann —, Rilke ne l'a jamais possédée. Ainsi dut-il apprendre tout seul l'anglais à l'âge adulte, afin de pouvoir lire Keats et Browning dans le texte ; puis, comme ces poètes et la mentalité anglo-saxonne ne l'intéressaient guère, il s'est hâté d'oublier leur langage (ce qui ne l'empêcha pas d'émettre un certain nombre de sottises au sujet de l'Amérique, car, comme beaucoup d'Européens, il tenait pour américain ce qui n'était que nouveau). Pour un homme qui aimait follement le paysage et le peuple russes, il affichait d'étonnantes lacunes dans sa connaissance de la littérature de ce pays ; c'est son éditeur qui l'amena, avec précautions, à Goethe, et à l'âge mûr, Rilke n'avait encore lu aucun drame de Kleist [12].

On pourrait ainsi multiplier les exemples. Ils soulignent le fait que, si l'élève avait éprouvé pour son école une horreur subjective, l'adulte reconnaissait qu'il avait été trompé. Son désarroi devant tant d'exigences de la vie pratique pouvait aussi être porté au compte

---

* Seuil. t. 3, p. 445/449.

d'une institution qui n'avait d'autre souci que de former des officiers.

A quel point Rilke a souffert de la vie dans son école, on le découvre dans quelques lettres déchirantes adressées à ses parents. « Chère maman, pense un peu comme je suis malheureux, j'ai eu hier une forte fièvre, mal à la tête et aux reins, et la nuit de terribles cauchemars... mort de fatigue, toujours une forte fièvre... Mais Dieu soit loué ! Papa va venir... » De même, ces lignes qu'un camarade connu jusqu'à présent sous le seul prénom d'Oskar adresse à ce même Papa, à Josef Rilke, qui avait vainement adjuré sa femme, à présent séparée de lui, de ne pas exciter par des lettres exaltées l'imagination déjà effrénée de leur fils.

> Plein de la plus profonde compassion pour René, écrivait Oskar à Rilke senior, je me permets de joindre un mot en faveur de ce pauvre garçon. Après quinze jours d'observation continue, j'ai dû malheureusement tenir pour réel un état que je croyais aussi, au début, imaginaire. Je suis resté presque deux semaines avec lui à l'hôpital et j'ai trouvé que ses migraines s'étaient beaucoup améliorées ; il était gai, s'entretenait avec nous, bref il n'était pas gravement malade. Hier, M. le médecin du régiment l'a fait sortir de l'hôpital, et quand il arriva ce matin, il avait très mauvaise mine, se plaignait de terribles maux de tête et tremblait de tout son corps. On voyait bien qu'il parvenait difficilement à tenir sur ses jambes.

Qu'y a-t-il derrière cette lettre ? L'impatience d'un officier de santé, trop rude, ou un jeu convenu entre René et son ami, qui, pour écarter les soupçons, employait la formule (étrangement mûre pour un garçon de quinze ans) : « que je croyais, au début, imaginaire » ? Ou encore les souffrances d'un « hystérique typique (...) se perdant dans ses états physiques [13] » ? Tout cela s'éclaircira quand on publiera l'ensemble de la correspondance datant de cette époque. Qu'importe : le corps de Rilke, trop choyé à la maison et, comme en témoignent ses notes en escrime et en gymnastique, mal préparé aux exigences de cette éducation, lui refusait ses services. Pour tout empirer, Amélie, une amie et lointaine parente qu'il avait rencontrée en 1885 pendant des vacances dans le Frioul, décida d'entrer au couvent. Amélie hante plusieurs poèmes de jeunesse, où Rilke l'évoque sous la forme d'une jeune fille aux boucles blondes. Après une cure inutile, pendant l'été 1890, à Salzkammergut, Rilke, à la demande de ses parents, fut mis en congé, et, en juin de l'année suivante, définitivement arraché à l'école militaire de Mährisch-Weisskirchen.

D'autres problèmes s'étaient ajoutés à cette faiblesse corporelle : la perte de la foi, et l'échec social, c'est-à-dire l'incapacité à fréquenter sans complications des camarades, comme le font tous les

jeunes. Conscient de ce handicap, et par répulsion envers le contact
corporel, il s'était imposé dès le début une attitude (involontairement
calquée sur la bigoterie maternelle) qui, espérait-il, l'aiderait à
survivre devant l'hostilité du monde extérieur :

> Dans ma raison enfantine, je croyais par ma patience approcher les
> mérites de Jésus-Christ, et un jour où je reçus un coup violent en plein
> visage, à tel point que mes genoux tremblèrent, je dis à mon injuste
> agresseur — je m'entends aujourd'hui encore —, d'une voix calme :
> « Je souffre cela parce que le Christ l'a souffert, en silence et sans me
> plaindre, et quand tu m'as frappé, j'ai prié mon bon Dieu de te
> pardonner. » Le misérable lâche resta un moment muet et immobile,
> puis il éclata d'un rire railleur auquel se joignirent en hurlant tous ceux
> à qui il raconta mon exclamation désespérée. Et je m'enfuis dans la
> niche de la plus lointaine fenêtre, ravalant mes larmes, qui ne
> déferlèrent, brûlantes et impétueuses, que pendant la nuit, quand
> dans le vaste dortoir retentissait le souffle régulier des enfants [14].

Qu'il ait dû passer pour un froussard aux yeux des plus durs de
sa classe, c'était déjà désastreux. Mais si Rilke, comme le rapporte
un témoin digne de foi, s'est vraiment refusé à aider un camarade à
faire un devoir de français sous prétexte qu'il ne fallait pas « tromper
le professeur », c'est bien lui qui s'est mis hors de la communauté où
il vivait. Et dans une communauté d'élèves, la solidarité contre les
professeurs va de soi [15]. Une telle façon d'agir est inimaginable chez
Hanno Buddenbrook, de même que chez l'élève Törless — pour ne
mentionner que deux projections littéraires contemporaines de
l'adolescent sensible, souffrant de l'incompréhension des professeurs
et de la brutalité des camarades.

V.

Bien que les épaulettes rêvées par ses parents et par lui-même se
fussent envolées hors de portée, les relations de Rilke et du monde
militaire sont demeurées toute sa vie ambiguës. Il lui fallut un certain
temps pour s'habituer à l'idée qu'il ne porterait jamais plus l'uniforme ; deux ans plus tard, il se persuadait encore qu'il n'avait ôté la
redingote de l'empereur « que pour la revêtir dans peu de temps... et
sois persuadée, assurait-il à sa mère dans une lettre, que je la porterai
avec honneur ». Même ses toutes premières poésies ont ce milieu
pour cadre, par exemple le *Chant funèbre* ou la réponse au roman de
Bertha von Suttner *Die Waffen nieder (Bas les armes)* publiée à
Pâques 1892. Inspirée par un siècle de poésie patriotique et dans un

style assez pénible à lire sous la plume d'un garçon de 16 ans tout juste échappé de l'Académie militaire, cette réponse se termine ainsi :

> Tenez ferme le sabre dans la main droite,
> n'abaissez jamais votre main,
> et si le pays est en détresse, *alors* soyez prêt à combattre
> prêts à mourir pour la patrie.

Les premiers textes en prose écrits par Rilke sont également une glorification de la vie militaire. Dans une *Histoire de la Guerre de Trente ans,* fragmentaire et toute chamarrée de lyrisme pubertaire, il évoque les grands hommes de ce temps — tous, à peu près, des généraux : Wallenstein, Tilly, Gustave Adolf. Une tendance élégiaque, en outre, donne ici ses premières fleurs, encore très épigonales et nourries de pensées et de tournures goethéennes, comme dans le petit poème *Résignation* (vers 1885) :

> Ah mon cœur s'est tellement ouvert à toi,
> douce et chère enfant,
> laisse-moi espérer en silence
> que nous serons heureux.

Plus tard, les deux courants, l'héroïco-épique et l'affectif-musical, s'éclairciront et se mêleront, pour un court moment. Alors naîtra le plus beau poème de guerre allemand (quoi que l'on pense, en théorie, de ce genre), le *Chant de l'amour et de la mort du Cornette Christoph Rilke.*

Puérilités ? Rêves diurnes d'un adolescent qui joue au soldat et qui a la poitrine étroite ? Pas forcément. L'été 1907, Rilke, dans une lettre à sa fille, se souvient d'un épisode passé depuis plusieurs années et qui l'a, on le voit au langage utilisé, marqué pour toujours :

> Quand je pense qu'après six ou sept heures d'équitation (je n'en avais pas plus) je ne savais encore rien. Trop peu de courage, ou de volonté, ou de résistance, ou Dieu sait quoi. Parfois, je m'en souviens encore, le jeune comte Kottulinski traversait le manège pendant que je montais. « Bravo », disait-il, puis il restait un moment : « Continuez, l'assiette est excellente », avec son accent coulant d'Autrichien. Puis j'étais de nouveau seul, je jouissais de la splendide animation de l'ensemble, mais je ne pouvais pas contrôler mon imagination. Je me figurais que c'était le soir d'une bataille. Je portais un uniforme sombre, poussiéreux, avec un col haut et une seule médaille. Comme mes cheveux étaient découverts, je perfectionnai ma vision : j'avais depuis longtemps perdu mon casque, il était quelque part dehors au milieu des mourants. Peut-être avais-je une blessure quelconque, là, à l'épaule, mais je n'avais pas daigné lui accorder un regard. Que mon

bras droit ne fût pas très mobile, je ne pouvais le nier, mais cela n'avait pas d'importance ; je sentais que je tenais solidement mon sabre de la main gauche. Et ainsi, dans cet état d'esprit, je quittai la reprise et m'engageai au milieu de la piste ; j'avais déjà inventé tant de choses, je pouvais bien ajouter encore un détail, m'imaginer là le quartier général, l'empereur, des généraux, des envoyés étrangers... J'allais faire un rapport court et objectif sur cette journée inoubliable. Des mots brefs, une modestie impénétrable : des chiffres. J'étais submergé par l'importance de l'instant, solennel jusqu'à l'émotion. Je me réjouissais du moment de tension qui naîtrait quand le grand salut de mon sabre, abaissé trois fois, de plus en plus bas, serait l'unique mouvement de toute l'assemblée. Mais à ce moment un chien fit irruption dans le manège — je m'en souviens encore, mon cheval broncha — et tu peux imaginer que toute la suite ne coïncida plus avec mon rêve, mais se déroula tout autrement, dans les plus misérables réalités. Le Bon Dieu s'était certainement demandé s'il devait mettre fin à mon délire ou à la leçon d'équitation. J'avais 16 ou 17 ans, il réfléchit et me laissa mes visions, pour voir si en vieillissant je ne leur trouverai pas un meilleur usage. Si je puis un jour le convaincre — me rendra-t-il les leçons d'équitation ?

C'est, raconté avec une franchise désarmante, une manifestation du Rilke velléitaire, qui voulait être cadet, et du Rilke qui devint, au lieu de cela, un poète, précisément parce qu'il ne pouvait pas « contrôler son imagination ». La destinataire, Ruth, alors âgée de seize ans, ne l'aura peut-être pas compris. Mais c'était avant tout à lui-même qu'il avait raconté l'incident.

En août 1914, enfin, cet Européen convaincu composera ces *Cinq chants* qui comptent parmi les meilleurs poèmes du genre, ou les moins scandaleux. En effet, ils ne couvrent pas l'ennemi d'ordures mais célèbrent l'intensité du sentiment qui s'était emparé de tout un peuple. Et en 1916, quand il fut appelé et se révéla un soldat si incapable qu'au bout de quelques semaines on l'exempta du service armé, il déplora sa propre insuffisance, lui qui avait tellement souffert de voir se réveiller le vieux trauma de l'école : « Il y a quelque part un reste de sang guerrier en moi, qui est humilié de me voir faire tant d'histoires et me révolter ainsi. » Si, comme l'affirme une biographie critique, ce sont réellement « l'opiniâtreté, la rigueur et une manière particulière de s'en tenir aux buts fixés » qui caractérisent la vie de Rilke, alors la dette de Rilke envers son passé militaire n'était pas aussi superficielle que l'on aurait pu le croire [16].

A Mährisch-Weisskirchen, tout cela était encore bien loin dans l'avenir. Ce qui remplissait là-bas ses jours et ses nuits, ce n'était ni la perspective d'une gloire poétique future ni le pressentiment que sa singularité actuelle pourrait tourner à son avantage. Ce qui lui importait alors, c'était seulement le contenu de l'expérience, la « réalité psychique que l'école militaire possédait *pour Rilke* [17] ».

Cette réalité se fait jour dans le seul travail réellement élaboré qu'il ait pu écrire sur son temps d'école, *La leçon de gymnastique,* dont nous donnons ici le début et la fin (dans la version définitive de 1902). La nouvelle décrit un événement que le jeune René — fils unique et choyé d'une mère faible et d'un père incompréhensif —, maladroit et peu entraîné, peu sociable et l'âme immensément vulnérable, avait vécu d'une manière à peu près identique au récit. Il n'est pas nécessaire d'être soldat ou gymnaste pour comprendre le triomphe et la tragédie de Karl Gruber, ni d'être germaniste ou critique pour sentir ici, pour la première fois, dans la prose de Rilke, le souffle du grand narrateur :

A l'école militaire de Saint-Séverin. Salle de gymnastique. La promotion est debout, en bourgerons clairs, sur deux rangs, sous les grands candélabres. Le professeur de gymnastique, un jeune officier au visage brun et dur et aux yeux moqueurs, a ordonné des exercices d'assouplissement et il répartit maintenant les différentes sections.
— Première section, barre fixe, deuxième section aux parallèles, troisième section au cheval de bois, quatrième section, grimper.
— Et rapidement, sur leurs sandales isolées à la colophane, les élèves se dispersent. Quelques-uns restent debout au milieu de la salle, hésitent, comme mécontents. C'est la quatrième section, les mauvais gymnastes, ceux qui ne trouvent aucun plaisir à ces exercices et qui sont fatigués après vingt flexions des genoux, et un peu confus et hors d'haleine.
Un seul d'entre eux, qui en de telles circonstances était d'habitude le dernier, est déjà debout près des mâts qui se dressent dans un angle un peu sombre de la salle, tout à côté des niches où sont suspendues les vareuses d'uniforme. Il a saisi le premier mât et le tire en avant avec une force exceptionnelle, de telle sorte qu'il oscille librement à l'endroit où d'habitude a lieu l'exercice. Gruber ne le quitte même pas des mains, il prend son élan et reste suspendu, assez haut, les pieds involontairement joints pour grimper en cette posture que d'ordinaire il ne réussissait pas à comprendre. Ainsi suspendu, il attend l'arrivée de sa section et considère, semble-t-il, avec un plaisir particulier la colère étonnée du petit sous-officier polonais qui lui crie l'ordre de descendre. Mais Gruber aujourd'hui est même désobéissant et Jastersky, le sous-officier blond, finit par s'écrier :
— Gruber, vous allez une bonne fois descendre ou grimper jusqu'en haut du mât. Sinon je préviens le lieutenant.
Et voici que Gruber commence à grimper, d'abord avec une sorte de précipitation impétueuse, soulevant peu les pieds, le regard dirigé vers le haut et mesurant avec une certaine crainte le morceau infini de mât qu'il lui reste encore à franchir. Puis ses mouvements se ralentissent ; et comme s'il jouissait de chaque prise comme d'une chose nouvelle et agréable, il se hisse plus haut que l'on a l'habitude de grimper. Il ne prend pas garde à l'émotion du sous-officier déjà surexcité, il grimpe et grimpe, les regards toujours dirigés vers le haut, comme s'il avait découvert une issue par le plafond de la salle et comme s'il essayait de

l'atteindre. Toute la section le suit des yeux. Et déjà, des autres
sections, l'attention se porte sur le grimpeur, qui d'habitude n'attei-
gnait que le premier tiers du mât, haletant, le visage rougissant et les
yeux irrités.
— Bravo, Gruber, crie quelqu'un de la première section.
Alors beaucoup de regards se dirigent vers le haut et pendant quelques instants le silence se fait dans la salle, mais à la même seconde,
tandis que tous les regards sont suspendus à Gruber, il fait tout là-
haut, près du plafond, un geste, comme s'il voulait les détacher de lui,
et comme apparemment il n'y réussit pas, il attache tous ces regards au
crochet de fer nu qui supporte le mât, et file en bas de la perche lisse si
vite que tous le cherchent encore en haut alors que depuis longtemps il
est debout en bas, fiévreux, en proie au vertige, et regarde avec des
yeux étrangement dépourvus d'éclat ses paumes qui brûlent *.

Gruber s'est surmené, et quand un sous-officier lui hurle
d'exécuter l'exercice suivant, il veut s'élancer, mais s'effondre sans
connaissance sur le sol. Tout d'abord, son ami Jérôme veut lui porter
secours, puis la consternation et la terreur se répandent dans la salle.
On arrête l'exercice, une section après l'autre, tandis que l'on
emporte Gruber inconscient.

Le rusé petit Krix fait le guet à la porte du cabinet où l'on a transporté
Gruber. Le sous-officier de la deuxième section l'en chasse en faisant
mine de lui donner une claque sur le derrière. Krix fait en arrière un
bond de chat, les yeux étincelants de malice. Il en sait déjà assez. Et
au bout d'un instant, lorsque personne ne l'observe, il confie à
Pavlovitch :
— Le médecin-major est venu.
On connaît bien Pavlovitch. Avec son insolence sans bornes, il
traverse toute la salle, comme si on lui en avait donné l'ordre, va
tranquillement de section en section et dit à voix assez haute :
— Le médecin-major est là.
Et il semble que même les sous-officiers s'intéressent à cette nouvelle.
De plus en plus souvent les yeux se tournent vers la porte, les
exercices se ralentissent de plus en plus ; et un petit aux yeux noirs est
resté accroupi sur le cheval de bois et, la bouche ouverte, regarde dans
la direction du cabinet. Il semble qu'il y ait dans l'air quelque chose
d'accablant. Les plus forts de la section font encore des efforts,
résistent, font des moulinets des pieds ; et Pombert, le vigoureux
Tyrolien, plie son bras et regarde ses muscles, à travers le coutil du
bourgeron. Oui, le petit et souple Baum fait encore quelques
redressements, et tout à coup ce mouvement est le seul dans toute la
salle, c'est un grand cercle rayonnant qui a quelque chose d'étrange au
milieu du repos général. D'un brusque mouvement le petit homme
s'est arrêté net, il plie sur ses genoux en sautant en bas de la barre et
lance une moue de mépris universel. Puis ses yeux obtus à leur tour se
suspendent à la porte du cabinet.

---

* Seuil, t. 1, p. 257.

A présent on entend chantonner le gaz et avancer l'aiguille de l'horloge. Et puis la cloche vibre qui donne le signal de départ, le son en est aujourd'hui étranger et singulier ; il s'interrompt d'ailleurs tout à coup, comme au milieu d'un mot. Mais le sergent-major Goldstein connaît son devoir. Il crie :

— Rassemblement !

Personne ne l'entend. Plus personne ne se souvient du sens qu'avait ce mot — avant. Quand ? avant.

— Rassemblement, croasse le sergent-major, d'une voix mauvaise et déjà les autres sous-officiers répètent :

— Rassemblement.

Et plus d'un cadet répète, comme pour lui-même, comme en sommeil : « Rassemblement, rassemblement. » Mais au fond tous savent qu'ils doivent encore attendre quelque chose. Et voici en effet que s'ouvre la porte du cabinet. Durant quelques instants on ne voit rien, puis paraît le lieutenant Wehl, ses yeux sont grands et irrités, ses pas sont assurés. Il marche comme à un défilé et dit d'une voix rauque :

— Rassemblement !

Avec une incroyable rapidité chacun trouve et prend sa place dans le rang. Personne ne bouge. Comme si le maréchal en personne était là. Et maintenant le commandement :

— Garde-à-vous !

Silence, puis, d'une voix sèche et dure :

— Votre camarade Gruber vient de mourir. Attaque d'apoplexie. Repos !

Silence.

Et après une minute seulement la voix du cadet de service, faible et discrète, prononce :

— Demi-tour gauche. En avant... marche !

Sans marcher au pas et lentement la promotion se dirige vers la porte. Jérôme est le dernier. Personne ne se retourne. L'air du couloir vient à leur rencontre, froid et sentant le moisi. Quelqu'un dit que cela sent le phénol. A voix haute Pombert fait une plaisanterie grossière à propos de cette odeur. Personne ne rit. Jérôme tout à coup se sent pris par le bras, comme si l'on sautait après lui. C'est Krix qui est suspendu à sa manche. Ses yeux étincellent et ses dents brillent, comme s'il voulait mordre.

— Je l'ai vu, chuchote-t-il hors d'haleine, et il serre le bras de Jérôme, et un rire est au fond de lui et le secoue. Il peut à peine poursuivre :

— Il est tout nu et tout affaissé et très long. Et à la plante des pieds il est cacheté.

Puis il rit d'un rire pointu et chatouilleux, il rit et s'agrippe à Jérôme dont il mord la manche *.

Il est évident que le jeune Rilke possède déjà, outre la facilité avec laquelle il écrit ses vers, une profondeur qui apparaît dans cette évocation d'une expérience très personnelle.

---

* Seuil, t. 1, p. 261.

Années d'apprentissage poétique

I.

Le 10 septembre 1891, le journal viennois *Das Interessante Blatt* publia un poème signé « René Rilke à Prague, Smichov », couronné d'un prix par la rédaction et consacré à un sujet actuel. Ce poème, qui portait le titre banal *La traîne est à la mode,* était le premier poème imprimé de Rilke.

> La traîne est à la mode —
> maudite mille fois,
> la voici, l'effrontée, qui se faufile
> dans le dernier numéro du journal !
> Et comme cette mode
> devient incoercible,
> on verra s'indigner
> le sévère hygiène public :
> c'est lui qui est menacé
> et proteste contre cette torture
> qui vous fait avaler
> la poussière en quantité étrange.
> Vite, avant même d'y penser,
> oublions la traîne,
> avant que la police
> ne la prenne au sérieux.
> On la verrait embusquée
> aux coins des rues avec de gros ciseaux,
> pour tailler bien vite
> chaque traîne qui passe.

On peut comparer ces vers avec les premières publications des contemporains de Rilke, par exemple avec les *Hymnes* de Stefan George alors âgé de vingt-deux ans :

Vois-tu le feuillage du buisson trembler en mesure
et sur le sombre éclat des flots lisses
le mince mur du brouillard s'émietter ?
Entends-tu le chant des elfes et la danse des elfes ?

On peut aussi rappeler le drame poétique *Gestern (Hier)* du jeune Hugo von Hofmannsthal, âgé de dix-sept ans :

Hier ment, aujourd'hui seul est vrai !
Laisse-toi mouvoir par chaque instant,
Ainsi seras-tu fidèle à toi-même ;
Suis l'humeur qui ne t'attend jamais,
Dépense-toi, ainsi te préserveras-tu ;
Les dangers d'une vie consumée te menacent :
Mensonge devient la vérité qui se fige !

On mesure ainsi la longueur du chemin que Rilke devait encore parcourir. Il appartenait, en outre, au nombre de ceux qui commencèrent à écrire avant d'avoir à dire quelque chose qui leur fût propre. Et pourtant, ce jeune homme encore non formé et même inéduqué, a pu faire de soi-même un poète : miracle d'une sévère autocritique, unie à l'opiniâtreté, à un talent incomparable et à des années de travail sur soi-même, « Quelle ascension, d'un tel point de départ ! » dit une fois Hofmannsthal en hochant la tête, à propos du long devenir du poète et de l'homme en Rilke. Le jeune Stefan Zweig qui, lui, avait douté de ses dons et de sa vocation en les comparant à la précoce perfection de Hofmannsthal, fut quelque peu consolé par la longue marche qui mena Rilke, de degré en degré, du kitsch à l'art. Rilke lui-même était beaucoup trop occupé pour se livrer à de telles réflexions ; il savait à peine, alors, *pourquoi* il composait des poèmes (car « la douleur précoce » et la « dure expérience » que, dans un répertoire des poètes contemporains paru en 1896, il désigne comme premiers motifs de ses « affabulations », n'ont jamais fait de personne un poète).

Après avoir quitté Mährisch-Weisskirchen, il alla se mettre au vert dans la villa Excelsior, dans le faubourg pragois de Smichov, louée par Jaroslav pour l'été 1891, et en septembre il entra à l'école de commerce de Linz. Il devait y effectuer un pensum de trois ans, mais il vint tout juste au bout de la première année. Non qu'il eût mal travaillé : un bulletin scolaire de l'année 1891-92 le montre plutôt comme un excellent étudiant, mais qui s'intéressait fort peu au commerce. Dans les disciplines linguistiques et scientifiques, il obtint des notes bonnes ou même brillantes, de même qu'en « application » et « conduite ». L'école de commerce n'enseignait pas la gymnastique et l'escrime, qu'il haïssait tellement, mais en sténographie,

« études commerciales et travaux de comptabilité », il n'obtint que la mention « satisfaisant », voire même « passable ». Il est quand même classé second sur cinquante-trois élèves. Ceci est d'autant plus remarquable si l'on songe aux quelque quatre-vingt-dix-sept heures de cours qu'il avait manquées. La vie dissipée menée par le jeune homme est cause de ces absences. Dans la chambre que Hans Drouot, un ancien camarade de régiment, lui a aménagée dans sa propre demeure, il lit beaucoup et écrit des poèmes. Il visite les musées et hante assidûment les bals masqués, où il se montre dans l'uniforme « qui demeurera longtemps encore son vêtement préféré ».

Plus tard, dans une lettre, Rilke désignera ce temps de Linz comme « le tournant décisif de (sa) jeunesse ». Il ne dira pas *pourquoi,* mais il est certain qu'il s'est mis alors à considérer la littérature comme le véritable contenu de son existence.

Sans pouvoir rivaliser avec Vienne ou Budapest, Linz était une ville où un jeune homme échappé à l'étroitesse de sa province et de son école, pouvait nouer un premier contact avec le « grand » monde.

Autre événement décisif rattaché à ce séjour de Rilke à Linz : une première expérience sexuelle qui, si l'on songe à ce que fut l'enfance du poète, semble s'être effectuée dans un climat d'indépendance remarquable. Dans une lettre à sa mère, Rilke explique son brusque départ de Linz, en mai 1892, par une « amourette idiote » dont il aurait à présent brisé « les liens [18] ». Dans les souvenirs de son amie Vally, un passage concerne cet épisode. Il y est dit que Rilke « s'était un jour enfui de Linz en compagnie d'une gouvernante considérablement plus âgée que lui », et qu'un télégramme reçu par le frère de cette gouvernante révélait que le couple avait trouvé refuge dans un obscur hôtel de banlieue, à Vienne.

La manière dont Vally semble froncer le nez en racontant l'histoire trahit la dame de bonne maison dont l'amoureux s'est enfui avec la bonne. L'attraction — œdipienne ? — exercée sur ce jeune homme par une femme nettement plus âgée que lui déterminera de nouveau l'expérience amoureuse la plus importante de sa vie, sa relation avec Lou Andreas-Salomé.

Après le départ précipité de Linz et les vacances d'été passées à Schönfeld (Bohême), Rilke entreprend, en automne 1892, à Prague, un troisième et dernier essai pour perfectionner sa culture fragmentaire. La possibilité lui en est offerte grâce à la prévenance de son oncle Jaroslav ; qui avait voulu faire à Joseph Rilke un legs de 10 000 ducats et se décidait à présent à utiliser cette somme pour l'éducation de René. Jaroslav, qui avait survécu à ses deux fils, souhaitait laisser à son neveu sa clientèle d'avocat, prospère et spécialisée dans les règlements des successions des grands propriétaires bohémiens. Il est difficile de dire si cette carrière a jamais été sérieusement envisagée. Dans la mesure où Rilke a pu s'intéresser à un métier quelconque, il avait voulu être officier quand il était enfant, et à trente ans il souhaita devenir médecin de campagne. Il a bien étudié le droit, mais seulement pendant un semestre, à la différence d'un autre étudiant malgré lui, Goethe, qui n'avait choisi cette discipline que pour des raisons familiales et sans conviction, mais qui mena son travail jusqu'à l'examen final. Quoi qu'il en fût, Jaroslav alloua à René une mensualité de deux cents gouldens, pour qu'il puisse préparer tout seul, comme « élève indépendant », à Prague, la « maturité ».

Vinrent alors trois années de travail intense, interrompues seulement par de courtes vacances d'été. En 1894, il passe celles-ci à Lautschin, en Bohême, où la branche autrichienne des Tour et Taxis a son château familial. Après avoir ainsi rattrapé d'un seul coup huit années de latin et de grec et subi chaque semestre un examen intermédiaire, Rilke passa sa « maturité » le 9 juillet 1894, avec la mention « très bien », au lycée du Graben, à Prague. Après la mort de Jaroslav, ses filles Paula et Irene poursuivront le versement des mensualités, tandis que la sœur de Jaroslav, Gabriele, logera le jeune homme chez elle, Wassergasse, dans le 2e arrondissement.

II.

Au nombre des maisons que fréquentait l'étudiant Rilke, il faut compter aussi celle d'une autre de ses tantes, la sœur de Phia, mariée à un colonel et mère d'une fille. Cette fille, la cousine de Rilke, Gisela Mähler von Mählerstein, lui avait fait faire la connaissance, le 3 janvier 1893, de son amie Valérie von David-Rhonfeld. Rilke fut aussitôt feu et flamme et dès le lendemain envoyait quelques vers à sa Vally :

> Jolis yeux brillants et clairs,
> Petites dents si fines, —
> Bouche de rose, cheveux bouclés,
> Et les mains si petites...

Le père de Vally est officier d'artillerie ; dans son ascendance paternelle, il compte un gouverneur de Dalmatie, Emil von David-Rhonfeld, du côté de sa mère le célèbre poète tchèque Julius Zeyer. Vally elle-même, un peu plus âgée que son admirateur, est une jolie

jeune femme, coquette, qui écrit des nouvelles et peint sur porcelaine. Avec elle commence la longue série des femmes dont Rilke
s'éprend, entre autres motifs, parce qu'il leur attribue, à tort ou à
raison, des capacités artistiques dont le développement lui tient à
cœur autant que le sien propre. Dès cette première liaison, il rêve de
vivre avec sa bien-aimée « dans l'exercice assidu de nos arts, nous
aidant réciproquement [19] ». D'une manière surprenante, ses opinions
sur l'amour et le mariage sont marquées dès le commencement par
un tel sens de la collégialité et d'un épanouissement non pas
commun, mais parallèle, que l'on y trouve à la fois du respect envers
l'individualité du partenaire et l'art de préserver son propre territoire. C'est une conception très émancipée et très moderne de la vie à
deux, mais Rilke ne la réalisera lui-même que d'une manière très
fugitive. Lors de la rencontre avec Vally, cette conception encore
irréfléchie n'était peut-être qu'une réaction au mariage désastreux
des parents, ou à l'image définitive (retardée par l'éducation de Phia)
de son propre rôle sexuel, ou encore à des expériences que nous ne
pouvons plus reconstituer.

Après ses heures de cours, le matin, avec des professeurs privés
qui se succèdent dans la maison de la Wassergasse, il passe l'après-
midi et la soirée auprès de Vally. Il aime bien travailler dans cette
chambre élégante, aux meubles de style, « car ici », dira-t-il plus
tard, « il avait de l'air, de la lumière et » — on attend le mot
« amour » — « des mets fins [20] ». Il initie à ses projets l'amie si
soucieuse du bien-être physique du poète, et lui fait partager les frais
de l'édition de son premier volume, *Leben und Lieder* (*Vie et
chansons*) (« Images et pages du journal intime de René Maria
Rilke »). Ce recueil de 87 pages, qu'il avait en vain proposé à
l'éditeur Cotta à Stuttgart, parut fin 1894 chez un éditeur de
Strasbourg. Ce sont pour la plupart des poèmes courts, mélodieux,
qui ne réservent pas de grande surprise (on n'apprend rien sur la
pensée de l'auteur ni même sur quelques-unes de ses expériences
réelles). Malgré des vers parfois boiteux :

> Il y avait dans les temps anciens un seigneur de Tollenstein
> et près de lui un époux, jeune, doux et fin...

ces poèmes révèlent, pour un début, une certaine subtilité et une
virtuosité familière des allitérations, rimes intérieures, enjambe-
ments etc. Ce sont du reste des poèmes épigonaux. Ils rappellent
parfois les *Grenadiers* de Heine :

> Il descend la rue vide
> le soir, en chancelant,

> portant sa vielle,
> le pauvre vieil homme.
> Tant de fois dans la nuit
> il a monté la garde,
> pour son bon empereur
> a vu maintes batailles...

parfois Eichendorff :

> Quand dans les bras d'un doux rêve
> le monde entier repose, silencieux,
> quand la lune s'est déjà levée
> là-haut sous la voûte du ciel...

Parfois, le poème est mélodieux :

> Chante à nouveau pour ma bien-aimée,
> voix de mon luth, illuminée d'amour,
> chante, chante dans la nuit...

ou encore cavalier :

> Pardi ! Que la criticaille
> juge comme elle le croit bon,
> mais les poètes lyriques
> n'en ont rien à faire !

Ou encore, les vers sont sages et résignés :

> SUPPORTER !
> C'est la devise du monde.
> Mais un mot plus terrible encore résonne à mes oreilles.
> Renoncer !

voire pleins d'ambition juvénile :

> Les connaisseurs de l'humanité disent
> qu'un génie est souvent destiné à périr !
> Non ! Si le temps ne crée pas de grands hommes,
> l'homme se crée son temps de gloire* !

On dirait que le jeune poète, qui n'a de foyer ni dans sa famille, ni dans sa croyance religieuse, ni dans la ville de ses pères, ni dans le « peuple », cherche à dissimuler un vide intérieur derrière les masques les plus variés. Le « vrai » Rilke, l'inchangeable, ne se

---

* Seuil, t. 1, p. 141.

cristallisera à partir de tout cela qu'avec les années ; dans l'intervalle, il essaye des rôles et se plaît tantôt dans celui-ci, tantôt dans un autre, tout en demeurant conscient de n'avoir au bout du compte que joué la comédie. « Je mens très souvent, assure son héros Ewald Tragy, selon les besoins je me fais tantôt meilleur que je ne suis, tantôt pire ; je devrais être, moi, entre les deux, mais j'ai parfois l'impression qu'il n'y a rien dans l'intervalle. »

La publication d'un volume entier, au lieu de poèmes éparpillés dans des revues (Rilke ne renoncera pas à ce mode de publication), permet au poète d'envoyer à des amis et connaissances un volume muni d'une dédicace. Il avait fait imprimer, après le titre *Vie et chansons,* les mots : « en hommage à Vally von R... », et envoya à l'oncle Zeyer, que sa qualité de poète rapprochait de lui, un exemplaire avec cette dédicace : « En toute admiration et dévouement sincère et admiratif ». Cette publication attira, d'une manière encore discrète, l'attention des éditeurs et des critiques. En avril 1895 parurent deux articles consacrés à ce premier recueil de poèmes, même si l'un d'eux, publié par le journal de l'éditeur strasbourgeois G. L. Kattentidt, n'était qu'un éloge de complaisance.

Plus tard, Rilke fera de ses dédicaces et envois un art plein de tact et d'élégance. Le *Livre d'Heures* sera « déposé dans les mains » de Lou, les *Elégies de Duino* seront déclarées « propriété de La Princesse de Tour et Taxis-Hohenlohe », et les *Sonnets à Orphée* publiés comme un « monument funéraire à Vera Ouckama Knoop ». Il aura le don de se rappeler ainsi au souvenir de ses relations influentes, même si cela ne doit servir qu'à venir en aide à des amis dans le besoin. Toutefois, il se distancie bientôt de *Vie et chansons,* d'une manière si décisive qu'il refuse de les inclure dans ses œuvres complètes et déclare qu' « il ne serait nullement déplorable » que les exemplaires eussent disparu jusqu'au dernier. Des poèmes publiés auparavant, il ne voulait, à juste raison, plus entendre parler. Le hasard seul a permis d'en conserver quelques-uns.

Il est un autre art que Rilke maîtrisa plus tard à la perfection, et qu'il n'a pas encore appris : l'art de prendre congé sans laisser derrière soi une ombre d'amertume. Quand, après avoir passé la « maturité », il part en été 1895 pour la plage de Misdroy, sur la Baltique, et là, se lie d'amitié avec la fille d'un médecin pragois en vacances, sa liaison avec Vally se dénoue aussi vite qu'elle était née deux ans et demi auparavant. « Chère Vally, lisons-nous dans une lettre digne de figurer dans un drame de jeunesse schillérien, merci de m'avoir rendu ma liberté, tu t'es montrée grande et noble même en cet instant pénible... Adieu. Et si jamais tu as besoin d'un ami, appelle-moi. Personne ne peut être pour toi un meilleur ami que René [21]. »

Mais Vally n'avait pas la moindre envie d'être grande ni noble. Elle voyait la situation d'un autre œil. Même si sa relation avec Rilke n'était pour elle rien de plus qu'un flirt, flatteur pour sa vanité, elle ne parvenait pas à oublier que cet homme, après s'être appuyé sur elle, lui donnait à présent son congé. Plus de trente ans après, elle se vengea (elle était alors une dame mûre, amère et non mariée), en écrivant ses souvenirs, au moment où elle vendit les lettres que Rilke lui avait adressées.

Elle donna alors à entendre que Rilke était probablement homosexuel, incapable d'aimer des jeunes femmes et en outre, dans sa jeunesse, d'une laideur repoussante.

L'accusation d'homosexualité est fondée sur le premier document autobiographique que nous possédons de la main de Rilke. C'est une lettre où, à la veille de son dix-neuvième anniversaire, il fait pour Vally et pour lui-même un bilan de sa vie et en vient à parler de la manière dont il a quitté l'école militaire. A Mährisch-Weisskirchen, est-il dit dans cette confession d'une excessive franchise, il avait noué, avec un camarade nommé Fried, « une alliance à la vie à la mort, avec baiser et poignée de main ». Mais quand Fried revint, quelque temps après l'enterrement de sa grand-mère, il n'avait plus voulu entendre parler de René : « J'appris plus tard, racontait celui-ci à présent à son amie, que d'autres camarades avaient traîné dans la boue notre alliance si pure et que Fried avait été averti en haut lieu de ne plus fréquenter aussi intimement le fou. »

Cette sorte de confession générale, nourrie de scrupule, de sentimentalité et de pédanterie, déclenchée par un anniversaire ou la célébration d'un événement privé, est une particularité de la littérature allemande, friande de jubilés. Mais rarement une confession de ce genre tomba en d'aussi mauvaises mains ! Dans les commentaires qu'elle envoya à l'acheteur d'une de ces lettres, Vally disait : « René parvint enfin à se libérer de l'école militaire détestée. Le bruit courut qu'il fut congédié pour " santé fragile ", on parla également de " démence ", voire même de " pédérastie [22] ". » La santé fragile était, nous l'avons vu, un fait. Personne n'aura pris au sérieux l'accusation de « démence ». Quant à l'homosexualité, dans l'état actuel de nos connaissances, on n'en trouve aucune trace dans toute la vie de Rilke.

Plus vraisemblable est la remarque acérée de Vally sur les relations féminines de Rilke : « Dans la mesure où, avec cette nature énigmatique, il peut être question d'amour, voire de constance, je suis sûre d'avoir été son seul " amour ". Plusieurs " femelles " ont été possédées par lui, mais son cœur n'y a pris aucune part, il était bien trop froidement jouisseur. » Voilà qui donne à penser. Tout d'abord parce que Vally fut sinon la seule, du moins la première femme à se targuer d'avoir vraiment été aimée par Rilke ; d'autre part, à cause de l'analogie qui existe entre cette remarque et d'autres, venues parfois du poète lui-même, comme celle-ci : « Je ne suis pas un amant, l'émotion en moi demeure extérieure, peut-être parce que personne ne m'a totalement bouleversé, peut-être aussi parce que je n'aimais pas ma mère [23]. » Des femmes se sont-elles aussi exprimées à ce sujet — considérablement plus solides que la précieuse Vally : « Aussi attentif, prévenant et tendre qu'il fût avec les femmes, dit une ancienne amante, il ne vécut jamais un véritable grand amour, ni dans son art ni dans sa vie. Aucune grande passion n'a jamais sérieusement ébranlé son équilibre. C'était un homme qui se maîtrisait parfaitement. » Et comme cette amante se nommait Claire Goll et que la discrétion n'était pas son point fort, elle ajoutait : « ... sauf au lit, mais c'est généralement le cas pour tous les hommes [23]. »

Jusqu'à quel point est-il exact que Rilke ne pouvait aimer jusqu'au don de soi-même ? Cette impuissance est-elle due à un mauvais rapport à sa mère ? On ne peut l'établir avec certitude. Il est toutefois possible que Rilke ait gardé dans ses relations avec les femmes, l'attitude distante qu'il observait dans toutes les expressions élémentaires de la vie. Quant à l'exceptionnel rayonnement qui frappait tant de femmes, cette « fluorescence » de son être [24] qui ne devait rien à son apparence (il n'était pourvu ni de beauté ni même d'une intéressante laideur), trop de témoignages contemporains l'attestent pour qu'il soit permis d'en douter. (Il était en ce temps-là rien moins que séduisant. La photographie de l'impétrant bachelier, assis, les bras posés sur le dossier du fauteuil, et le profil dessiné deux ans plus tard par Emil Orlik, montrent un jeune homme aux lèvres boursouflées, le menton fuyant, et l'expression peu avenante.)

III.

On n'aurait trouvé d'indications sur l'origine et le pays natal du poète ni dans *Vie et chansons* ni dans le poème sur la traîne ou sur le livre de sa concitoyenne pragoise Bertha von Suttner (« la furie de la paix », comme on la nommait dans les cercles d'officiers), ou sur d'autres thèmes à propos desquels il s'exprimait dans de fort obscurs journaux. Après la « maturité » et la rupture avec Vally, cependant, Rilke commença, au moins pour un temps, à inclure son environnement immédiat dans ses poèmes. Il lui arriva même de se sentir tchèque à l'occasion, même s'il n'attache à ce nuage slave que des termes fort vagues, déclarant par exemple qu'il était « quelque part », profondément, un Slave ». Le titre qu'il choisit pour son nouveau recueil de poèmes, publié fin 1895 début 1896, est caractéristique : *Offrande aux Lares*. Les Lares étaient, dans la Rome antique, les divinités protectrices du foyer et du pays natal. Bien que Rilke ne fût nullement un « Heimatdichter », un poète du terroir, il a deux fois dans sa vie chanté des paysages au sein desquels il se sentait chez lui : Prague et la Bohême, au début, dans *Offrande aux Lares*, et le Valais, à la fin de ses errances, dans *Quatrains Valaisans* *.

La ville de Prague, où il avait grandi, était extrêmement différence de la Prague actuelle. Au début des années 1880, quand il fréquentait l'école des piaristes, elle était, avec ses 170 000 habitants (300 000 avec la garnison et les faubourgs), la troisième grande ville de la monarchie, après Vienne et Budapest. La population était en majorité catholique (avec 10 % de juifs et seulement 2 % de protestants). Sur quatre habitants, trois parlaient le tchèque et un l'allemand. L'*establishment,* en conséquence, se recrutait surtout dans l'élément germanophone ; de là venaient les propriétaires de mines de charbon et d'usines sidérurgiques, les fabricants de textiles et marchands de houblon, les professeurs d'université et les médecins, les juristes et les hauts fonctionnaires. Avec son université Karl-Ferdinand fondée en 1348, et l'université technique (1806), (les deux établissements étaient les plus anciens du genre dans toute l'Europe centrale), avec ses deux théâtres de langue allemande, deux lycées et quatre « gymnases nationaux », une grande salle de concert, deux quotidiens avec chacun une édition du soir et du matin, de nombreux hebdomadaires et mensuels, la minorité allemande ne déterminait pas seulement la vie culturelle de Prague, mais aussi celle des trois millions d'Allemands des Sudètes qui vivaient à la frontière de la Bohême et de la Moravie. On trouve dans l'Histoire bien des preuves de cette suprématie. Par exemple, la première du *Don Juan* de Mozart a eu lieu dans l'un des théâtres allemands de Prague, et dans l'autre fut mis en scène pour la première fois intégralement le *Ring der Nibelungen* de Wagner. Angelo Neumann, chanteur d'opéra à ses débuts et depuis 1888 directeur artistique des deux scènes allemandes de Prague, s'est rendu célèbre par ses représentations d'Ibsen et de Gerhart Hauptmann, comme seul un Otto Brahm avait pu y parvenir.

Malgré ce rayonnement qui dépassait de loin le périmètre urbain de Prague, l'atmosphère spécifique de la ville baignait dans l'air confiné d'une serre, caractéristique de cette époque où le concept de « bohémien », tel qu'il apparaissait pour la dernière fois en littérature dans le *Witiko* de Stifter, allait se scinder définitivement en

---

* Le titre est en français.

deux, « tchèque », d'une part, et « allemand » de l'autre. L'îlot culturel et linguistique allemand était toutefois si éloigné de son territoire d'origine, allemand ou autrichien, que Henri Taweles, éditeur de la *Bohemia,* le journal le plus ancien et le plus considéré de Prague, pouvait désigner ses lecteurs comme des « gens de culture allemande ». Là, la majorité tchèque était sortie depuis longtemps de sa phase patriarcale. Le comte Franz Anton von Kolowrat, adversaire de Metternich à la cour de Vienne, avait l'habitude de satisfaire à toutes les requêtes qui commençaient par « Je m'appelle Wenzel et je suis bohémien. » Le sentiment d'une conscience slave s'était développé de telle façon, dans les sessions du parlement bohémien qui eurent lieu après 1848, puis après 1862, que l'esprit libéral avait de part et d'autre fait place à un esprit conservateur et nationaliste. L'université, par exemple, fut alors divisée en deux établissements, un allemand et un tchèque. S'ajoutait à cela, littérairement très productive, une forte présence juive, que les Allemands s'obstinaient à considérer comme étrangère.

Dans la minorité allemande, le mauvais rapport entre l'offre culturelle et la consommation locale limitée, l'isolement au milieu de l'environnement slave, l'éloignement des pays germanophones, menaient à une sorte de consanguinité, un désert où des écrivains de plus en plus doués écrivaient pour un public de plus en plus restreint, en un idiome de plus en plus affaibli parce que coupé du sol natal. Linguistiquement, Rilke, Kafka et Werfel, c'est bien connu, ne disposaient plus que d'un trésor appauvri ; ils devaient s'accommoder d'une situation que Rilke écrivit ainsi (en une langue qui, d'un rien, manque échapper à la syntaxe) :

> Le malheureux contact entre deux corps linguistiques qui ne se conviennent pas mutuellement, provoque dans nos pays cette perpétuelle usure des lisières du langage, et il s'avère ensuite que tout homme né à Prague a entendu des débris de langage si corrompu que, plus tard, il ne pourra se défendre de ressentir une certaine répugnance, voire de la honte, pour tout ce qu'on lui a transmis de plus tendre et le plus tôt [25].

Parmi les « débris de langage » spécifiquement pragois, on pourrait citer une inclination pour les épithètes et les métaphores saugrenues, mais aussi pour le « bohémien de cuisine », jargon germano-tchèque. On a même vu dans la prédilection de Rilke pour le subjonctif (Alfred Andersch l'accusait d'en être l'inventeur), une réaction contre la forme pragoise qui utilise de préférence l'auxiliaire *mögen (das Haus möchte zusammenbrechen* [26]).

La langue tchèque est donc en soi un thème de *Offrande aux Lares.* Quelques-uns de ces courts poèmes, pour la plupart en vers de quatre pieds, ont quelque chose de topographique, comme un guide poético-touristique : *Le Hradschin, Au carrefour de Loretto, Sur le Wolschan*. D'autres traitent d'épisodes tirés de l'histoire du pays ou de la vie de ses grands hommes : *L'empereur Rudolf, La défenestration, A Friedland*. Plus révélateurs que ces descriptions ou les réflexions autobiographiques ou anticléricales, on trouve quelques poèmes où Rilke prend position. C'est tout d'abord, *Kajetán Týl*, dont le sous-titre fait allusion à une exposition « tchèque » organisée à Prague en 1895 et boycottée de façon spectaculaire par la population germanophone. Le clou en était une reproduction de la chambre où Kajetán Týl, en 1834, avait composé le chant *Kde domov muj* (« Où est ma patrie ? »), qui devint après 1918 l'hymne national de la république tchécoslovaque.

> C'est donc là que le pauvre Týl
> a écrit son chant " Kde domov muj ".
> En vérité : à celui qu'aiment les muses,
> la vie ne donne rien de trop.
> (...)
> Une chaise, un coffre en guise de table,
> un lit, un crucifix de bois et une cruche...

Cette description sensible du décor où avait vécu le héros national tchèque, sous la plume d'un poète pragois de souche allemande, aurait attiré l'attention générale, dans l'état d'esprit qui régnait alors, si l'auteur avait été un peu plus connu. Une autre profession de foi vint, elle aussi, trop tôt, sous la plume d'un poète encore ignoré : c'est le poème *In dubiis,* étonnamment apolitique pour une œuvre dont l'auteur a vingt ans :

> La sauvage discorde des nations,
> nul écho n'en vient jusqu'à moi,
> je ne suis d'aucun côté,
> car le droit n'est ni là, ni ici...

Ligne de conduite qu'il suivra toute sa vie. Ce poème eut moins de résonance que cet *Air populaire*, le plus connu de ses poèmes de jeunesse :

> Ils m'émeuvent tant,
> ces airs de Bohême,
> glissant dans mon cœur
> leur lourde langueur.
>
> Qu'un enfant fredonne
> en sarclant son champ,

un rêve t'en donne
l'écho quand tu dors.

Tu as beau errer
par toute la terre,
après des années
te revient cet air *.

D'autres poèmes, dans *Offrande aux Lares,* montrent à leur tour
que le tout jeune Rilke, peu versé dans la littérature allemande
contemporaine, avait perçu, dans son isolement, les problèmes qui
agitaient les esprits à Munich, à Vienne, et dans le lointain Berlin —
ou qui, du moins, les agitaient encore tout récemment. Rilke, en
effet, découvrit le naturalisme alors que celui-ci n'était plus à son
apogée. Le cycle *Offrande aux Lares* contient cependant certains
poèmes qui relèvent du genre « poésie de la ville ». *Derrière Smichov*
est même de la « poésie populiste », bien inattendue chez Rilke :

Ils vont dans la chaleur brûlante du couchant,
ils sortent des usines, hommes, filles —,
sur leurs fronts bas, fermés,
la misère est écrite en sueur et en suie.

Les visages sont mornes, l'œil
éteint. Lourdes, les semelles raclent
Le chemin, traînant poussière et huées
sous leurs pas, comme le destin.

On voit dans ces vers quel intérêt limité portait Rilke à la
dénonciation des injustices sociales. Le signe de cette indifférence
n'est pas tellement cette manière d'écrire en fils de bourgeois, de dire
« filles » et « fronts bas et fermés », ou de prendre acte, sans plus, de
la misère ; Gerhart Hauptmann n'avait pas dépassé ces limites, et
Brecht n'était pas né. Mais le titre seul du poème indique déjà à quel
point cet univers était foncièrement éloigné de Rilke — et que, selon
la nature des choses, il ne pouvait en être autrement. Car Smichov,
sur la rive gauche de la Moldau, au sud du « Petit Côté », faubourg
industriel de Prague et siège d'une grande usine de wagons, n'était
pas une communauté de travailleurs allemands, mais tchèques. Les
Tchèques formaient la majorité du prolétariat : il n'y avait guère
d'ouvriers allemands. La question des nationalités coïncidant avec la
question sociale, la littérature germanophone de Prague, même si
elle se voulait réaliste et descriptive, demeurait pour le fond et la
forme une littérature bourgeoise. Rilke devinait que sa médiocre
connaissance du tchèque ne lui permettait pas de représenter

---

* Seuil. t. 2, p. 60.

l'environnement slave pour lui-même, sans l'opposer à l'univers allemand. (Même Kafka, qui connaissait le tchèque mieux que Rilke, ne put y parvenir.) Dans *Histoires pragoises,* Rilke a encore une fois abordé ces thèmes, mais dans ses poèmes il n'y est pratiquement jamais revenu.

Il s'engage à l'époque dans une autre impasse, en se lançant dans une expérience de genre socialiste qui mérite à peine d'être signalée comme une curiosité d'histoire littéraire. Il édite une revue baptisée *Wegwarten, (Chicorées sauvages),* dont le premier numéro paraît avec le sous-titre « Chansons offertes au peuple ». Pour son contenu comme pour son style, le petit cahier de quinze pages ne présente rien de nouveau. Avec ses vers tintants d'allitérations (*Seliger Sterne schimmernde Sterne,* troupe scintillante des étoiles heureuses), il marquerait plutôt une rechute dans la première manière de Rilke, le genre boîte à musique. Les *Chicorées sauvages,* qui paraissent presque en même temps que l'*Offrande aux Lares,* ont sur ce dernier recueil l'avantage d'être gratuites. Non seulement Rilke les édite lui-même (la demeure des Kutscher, Wassergasse, lui sert de bureau), mais il distribue le premier cahier aux hôpitaux et à des clubs variés, et va même jusqu'à les offrir de sa main aux passants, à un carrefour très fréquenté, semblable, selon un témoin digne de foi, « à un abbé vêtu de noir, avec de longs cheveux bouclés[27] ».

L'idée n'est pas nouvelle. Dans l'un de ses premiers articles, il a précisément dénoncé les tracts poétiques édités par le poète social-démocrate Karl Henckell, à Zurich, sous le titre de *Sonnenblumen (Tournesols)* — pas tout à fait gratuitement, mais si bon marché que n'importe qui pouvait les acquérir. Très nouvelle, en revanche, désarmante à force d'idéalisme, de coquetterie et de naïveté, est l'introduction écrite par Rilke en tête du premier cahier des *Chicorées sauvages :*

> Juste un mot :
> ... Vous publiez vos ouvrages dans des éditions bon marché. — Vous facilitez ainsi l'achat au riche ; vous n'aidez pas le pauvre. Car pour le pauvre tout est cher. Et même pour deux kreuzer, si la question se pose : un livre ou du pain ? Ils choisiront le pain ; le leur reprochez-vous ? Si vous voulez donner à tous, — alors *donnez !* — Paracelse raconte que la chicorée sauvage se change, tous les cent ans, en un être vivant ; la légende se réalise en ces poèmes ; peut-être, dans l'âme du peuple, accéderont-ils à une vie supérieure.
> Je suis pauvre moi-même ; mais cet espoir m'enrichit. — Les *Chicorées sauvages* paraîtront une ou deux fois par an. Cueillez-les, et puissent-elles vous être une joie !
>
> René Maria Rilke.

A ce stade de sa carrière, si ce mot, avec ses connotations de
« performance » peut s'appliquer à un poète aussi exclusif, on
remarque pour la première fois, en Rilke, une contradiction. Il suffit
de se demander quelle place occupe Rilke, sur l'échelle de l'arri-
visme, entre ses contemporains Franz Kafka et Thomas Mann. A une
extrémité, voici un auteur (Kafka) qui s'intéresse à peine à la
publication de ses œuvres. A l'autre extrémité, voilà un « grand
écrivain » (Mann) qui sut très bien comprendre où étaient, en
affaires, ses avantages. Cette opposition n'est pas réservée aux temps
modernes ; à côté de Kleist, qui n'a jamais rien réussi dans la vie
pratique, on trouve Goethe, dont le succès dans ce domaine n'est
plus à démontrer. Mais le cas de Rilke est surprenant. Plus d'une
protectrice, riche (et par là même un peu ignorante du monde) s'est
étrangement trouvée d'accord avec le jugement porté par Sigmund
Freud, connaisseur d'hommes dénué d'illusions, pour accorder à
Rilke le statut de « grand poète (mais), quelque peu désemparé dans
la vie [28] ». Or, en cette période de sa vie, Rilke déploie une activité
extraordinaire, on pourrait même dire un véritable zèle d'homme
d'affaires. Et il ne faut pas oublier qu'il est encore avant tout, et
même professionnellement, un étudiant : pendant le semestre d'hiver 1895, par exemple, il suit des cours d'histoire de la littérature, de
philosophie et d'histoire de l'art, et au printemps 1896, de droit.

On peut fixer à l'hiver 1892 le début de sa carrière de poète. Il
cherche alors les amis et parents qui pourraient l'aider à placer ses
manuscrits. Phia et bientôt Vally mobilisent pour lui leurs relations.
Puis Rilke se réclame d'un professeur de Saint-Pölten, l'écrivain
Franz Keim, en envoyant *Vie et chansons* aux éditions Cotta. Dans la
même lettre, il mentionne Alfred Klaar, rédacteur à la *Bohemia* pour
les rubriques d'art et de musique, et plus tard professeur de lettres à
l'université allemande technique de Prague. Quant à son professeur
d'université, le germaniste August Sauer, désigné par Karl Kraus
comme un « âne influent », Rilke ne se borne pas à le considérer
comme un ami : il lui demande de rédiger le rapport qui lui
permettra d'obtenir une bourse du ministère autrichien de la
Culture, alors que le poète a depuis longtemps tourné le dos à
l'Autriche. La femme de Sauer, la poétesse Hedda Rzach-Sauer,
s'emploie dès le début à lui venir en aide, de même que le dessinateur
Emil Orlik, le poète Hugo Salus, le romancier Paul Leppin et le
traducteur Friedrich Adler. Ces mailles sont si serrées, et le monde
littéraire pragois si petit, que le cahier du mensuel *Deutsche Arbeit,
Travail allemand,* où paraît le *Cornette* dans sa première version en
octobre 1904, contient aussi des textes de Adler, Leppin et Hedda
Sauer.

Tout en mettant à profit ses relations, Rilke s'efforce de se faire une place — visible aussi de l'extérieur — dans la vie culturelle pragoise, bien que celle-ci ne l'impressionne guère. La publication des *Chicorées sauvages* y contribue, de même que celle d'un très éphémère supplément autrichien de la revue *Jung-Deutschland und Jung-Elsass (Jeune Allemagne et Jeune Alsace)* réalisée par un éditeur strasbourgeois. Rilke ne se gêne pas pour détourner quelques collaborateurs des *Tournesols* de Henckell et les atteler à son char, les *Chicorées sauvages*. Il y parvient aussi bien avec Christian Morgenstern qu'avec un autre poète, le prince Emil von Schönaich-Carolath, dans le château duquel, à Holstein, il recevrait plus tard les impulsions décisives qui le mèneraient aux *Cahiers de Malte Laurids Brigge.* Pour leur donner un élan nouveau, il envisage même de mettre les *Chicorées sauvages* au service d'une guilde de poètes, fondée à Dresde par Harry Louis von Dickinson, pseudonyme Bodo Wildberg ; il est difficile de dire si Rilke effectua cette démarche par amitié ou par intérêt. En tout cas, le troisième et dernier cahier des *Chicorées sauvages*, anthologie des poètes contemporains présentés comme des « poètes modernes allemands », parut en 1896, à Dresde, sous la double direction de Rilke et Wildberg.

Des relations de cette sorte peuvent commencer par une correspondance ; par la suite, elles nécessitent un contact personnel. Rilke s'était rendu à Munich, où il avait fait la connaissance du romancier Ludwig Ganghofer, et aussi à Strasbourg, dès 1894. Avec son ami l'acteur et dramaturge Rudolf Christoph Jenny, il va, à la Pentecôte, à Vienne, où il voit pour la première fois Karl Kraus. Il fait aussi un séjour à Budapest pour la célébration du millénaire du royaume de Hongrie.

Viennent ensuite deux voyages à Dresde et des vacances chez sa cousine Gisele à Salzkammergut, avec un détour par Gmünden, où une comédienne qu'il adorait depuis des années vient d'obtenir un engagement au théâtre d'été. Quand Rilke, en 1896, va s'installer à Munich, il a déjà derrière lui des poèmes, des esquisses dramatiques, des articles et des textes courts, parus dans une vingtaine de publications allemandes et autrichiennes. Or, il s'agit presque exclusivement d'œuvres de jeunesse, immatures et jugées par lui-même insuffisantes. Il faut donc attribuer ce succès non seulement à son talent, mais au zèle qu'il déploie pour le faire valoir. Ses projets journalistiques deviennent si ambitieux qu'en août 1897, Rilke demande à la revue portugaise *Arte* si elle accepterait des articles allemands. Il faut préciser qu'il n'a pas le moindre lien pratique ou spirituel avec le Portugal, et ignore même que la revue a cessé de paraître en juillet 1896[29].

Entre-temps, Rilke est devenu membre de l'Union des artistes allemands de Bohême et, ce qui est plus important pour lui, de

Concordia (Union des écrivains et artistes allemands de Bohême).
Ce groupement est dirigé par Alfred Klaar et se réunit la plupart du
temps à la Maison de l'Allemagne (à présent Maison slave). Là, il
peut s'entretenir avec des poètes déjà connus, qui sont eux aussi
membres de l'Union ou qui viennent donner des conférences à
Prague, comme le nouvelliste et chercheur Karl Emil Franzos ou
Max Halbe, auteur du drame à succès *Jugend, Jeunesse*(1893), à qui
Rilke demande la permission de lui dédier une pièce de théâtre qu'il
vient de composer, *Im Frühfrost (Gelée blanche)*. Halbe, au bout de
cinq semaines et après une demande renouvelée, se déclare d'accord : aussitôt Rilke transmet sa pièce, ainsi mise en valeur, à
l'éditeur de Halbe, S. Fischer — non sans en avertir son collègue,
qu'un tel tour de passe-passe laisse pantois. Theodor Fontane, à qui
il a envoyé un exemplaire de *Offrande aux Lares,* se contente de lui
écrire son approbation, tandis qu'Arthur Schnitzler ne semble pas
avoir répondu à l'envoi du deuxième cahier des *Chicorées sauvages.*
Detlev von Liliencron, au contraire, dont Rilke a imité en une courte
ballade le *Sühneversuch (Tentative de conciliation),* devient un ami
actif et un promoteur, même dans les années qui suivront, quand
leurs styles seront devenus différents. Rilke, qui s'entend à nouer des
relations mais aussi à rendre service à ses amis, ne se borne pas à
l'inviter à Prague, mais soutient financièrement son aîné en détresse
en organisant une lecture des œuvres de Liliencron. « Soirée
Liliencron gros succès. Matériellement et intellectuellement ! » rap-
porte-t-il à leur ami commun Wilhelm von Scholz. « J'envoie à notre
cher Detlev aujourd'hui 300 marks et l'assurance de nombreux
nouveaux amis aussi enthousiastes ! » Toutefois, son admiration pour
le grognard prussien va de pair avec un dénigrement de la vie
culturelle pragoise ; il avait auparavant écrit à Scholz les difficultés
qu'il avait rencontrées pour organiser cette manifestation, avec ses
concitoyens, « ces horribles philistins, (...) qui prononcent le nom de
Liliencron " Blumencron " ou " Lilienfeld " ».

   Culte de l'amitié, manie de l'association et esprit d'entreprise :
tout cela s'accorde si mal à la personne de Rilke, que l'on est tenté de
postuler l'existence de deux poètes. Il y aurait, d'une part, l'ermite
de Muzot, aristocrate et contemplatif, et d'autre part, le blanc-bec
arriviste, apte à changer de rôle selon les besoins (ainsi joue-t-il, dans
la préface des *Chicorées sauvages,* le chanteur aphone qui coquette
avec sa propre inexpérience). Mais si l'on considère son handicap de
départ (Rilke n'était pas issu, comme Hofmannsthal et Mann, d'une
famille de grands bourgeois cultivés, et n'était pas non plus, comme
Stefan George, habitué à fréquenter des hommes importants), on ne
peut guère lui reprocher d'avoir aussi âprement cherché à
« s'élever ».

Il faut reconnaître que Rilke avait d'excellentes manières et — héritage maternel? — qu'il savait non seulement se bien tenir, mais se mettre en valeur, malgré toute sa modestie. Il y avait encore en ce temps-là, en Europe, une société qui, n'ayant pas besoin de s'affirmer comme telle, savait garder des frontières perméables à la culture. Il en va ainsi en France jusqu'à aujourd'hui. Si Rilke, arrivé à l'âge mûr, ne se sentait nulle part aussi bien que dans les domaines de dames nobles ou au moins fort riches, ce n'était ni à cause de ses goûts exquisement raffinés ni même par simple bon sens (il y était mieux choyé que partout ailleurs) : en fait, ces femmes souvent très cultivées participaient à la vie littéraire de leur temps. La littérature germanique ne serait pas plus riche si Rilke avait écrit les *Elégies de Duino* dans une chambre d'hôtel munichoise ou un appartement de location à Berlin. Mais les aurait-il écrites ?

L'influence réciproque de la culture sur la société apparaît également dans le flirt que mène Rilke avec Láska van Oestéren, dont il a fait la connaissance au printemps 1896. Láska, qui a déjà publié des poèmes et de courts récits dans *Bohemia,* demande à collaborer aux *Chicorées sauvages.* Phia Rilke et Mme van Oestéren, les deux mères, se fréquentent déjà, le cercle amical inclut bientôt le frère de Láska, Friedrich Werner van Oestéren, qui fera plus tard parler de lui avec un roman dirigé contre les jésuites : *Christus, nicht Jesus (Le Christ, non Jésus).* La famille van Oestéren passait l'été au château de Weleslavin, à l'ouest de Prague, propriété du prince Pálffy. Rilke s'y rend souvent, il y est le bienvenu. Dans quelques missives poétiques adressées à la belle Láska, il se nomme « le poète du château », allusion au *Tasso* de Goethe. Il aime, d'ailleurs, ce genre de fiction, et signe en 1906, dans une lettre à la princesse de Broglie, « *votre poète exilé R. M. R.* ». C'était peut-être le déguisement qui lui permettait, par exemple, dans une lettre de quatre pages écrite à la gare de Weleslavin, de prendre congé de son hôtesse en lui donnant huit fois de suite le titre de « baronne ».

Lors d'une réception à Weleslavin, il présente à la dame de la maison Siegfried Trebitsch, futur écrivain et traducteur de Shaw, de six ans plus âgé que lui, et se comporte si bien que l'autre, brillant officier de dragons issu d'une riche famille, note avec admiration à quel point Rilke est déjà fait aux « us et coutumes du grand monde [30] ».

IV.

Pendant son époque pragoise, Rilke n'a pas seulement écrit des poèmes et quelques textes en prose, mais aussi plusieurs pièces de théâtre. Outre *Das Turmzimmer (La chambre de la tour)* et *Vigilien (Vigiles)*, il écrivit une pièce en un acte, *Murillo* (un peintre trouvé évanoui devant une maison, à l'étranger, dévoile son identité en dessinant avec un morceau de craie, sur son lit de mort, une tête de Christ), et le *Hochzeitsmenuett (Menuet pour des noces)*, dont le thème est également la peinture. Les deux œuvrettes, composées en 1894/95, consistent chacune en un monologue lyrique et rappellent, de loin, *La mort du Titien*, de Hofmannsthal.

Plus importante est la pièce en un acte publiée dans le deuxième cahier des *Chicorées sauvages*, *Jetzt und in der Stunde unseres Absterbens (Maintenant et à l'heure de notre mort)*. Hélène — le prénom favori du jeune Rilke — ou Hella, est une jeune et jolie femme, dénuée de toutes ressources, qui loge, avec sa sœur de treize ans et sa mère mourante, chez le propriétaire Lippold. Celui-ci a depuis longtemps des vues sur la jeune femme :

> Hélène, n'avez-vous donc pas compris les regards que je jette sur vous... cela ne vous réchauffe pas un peu... Non !...

Il menace de jeter à la rue la misérable famille. Dans son désespoir, Hélène choisit le seul moyen de retarder l'expulsion assez longtemps pour que sa mère puisse mourir en paix ! Elle paye le loyer en entrant dans le lit du peu scrupuleux propriétaire. Pendant que le sacrifice s'accomplit au sous-sol, la mère, qui ne se doute de rien, parle à sa fille cadette, Trudi, d'une faute commise longtemps auparavant. Très jeune encore, elle s'était fait faire un enfant par Lippold (qui n'a pas reconnu son amante dans la vieille femme consumée de chagrin qui loge chez lui avec ses deux filles). L'enfant, c'est Hélène. Après cette confession, la mère, soulagée, meurt. Mais la jeune Trudi, qui n'a pas très bien compris ce que Lippold exige de sa sœur, a soudain une illumination. Elle court à la porte et crie dans l'escalier : « Hella ! Hella ! » Puis elle revient au lit de mort de sa mère et récite un Notre Père. Le rideau tombe.

Le critique de *Bohemia* déclara que la pièce était « une ballade en vêtements de tous les jours, mais pas un drame ». Il n'avait pas tort car il ne suffit pas pour convaincre d'accumuler en quelques pages pauvreté, mort, inceste et hasard aveugle, même en y ajoutant des détails réalistes, comme un décor semblable à celui qu'avait joint Hauptmann à la première édition de *Vor Sonnenaufgang (Avant le lever du soleil)*, ou le discours du propriétaire pressant sa victime :

> Savez-vous (il regarde cyniquement Hélène), quand une femme a de quoi, elle peut s'offrir le luxe d'entretenir sa vertu comme d'autres ont un chien ou un canari... mais... vous...

A vrai dire, ces lignes sont une sorte de « praticable » dialectique de la scène naturaliste, repris en toute innocence dans le
prochain drame de Rilke, dans un passage où la rancuneuse Vally
flairait « le blasphème le plus bas et d'irritants discours contre le
capitalisme ». Car dans *Frühfrost (Gelée blanche)* aussi, une jeune
fille vertueuse se vend, cette fois, sous la pression de sa mère et pour
sauver son père de la prison :

> Ceux d'en haut — les riches (lui enseigne la vieille entremetteuse), il
> leur est facile de prêcher. Ils sont assis devant une table couverte de
> plats, ils s'empiffrent et remplissent leur grosse panse et parlent avec
> de belles paroles de ce qui est « bien » et « noble » et des masses
> corrompues ! — Et après ils courent dans les rues sales et dans les
> coins, après les filles, ils les séduisent et les mènent à la misère et à la
> mort... Qui donc nous rend mauvais ? — Qui ? Nous-mêmes ? Laisse-
> moi rire ! — C'est eux, avec leurs grandes gueules qui parlent de nous
> améliorer et de nous éduquer !

Gelée blanche, première pièce de Rilke imprimée, fut représentée à Prague en 1897, avec le jeune Max Reinhardt dans le rôle du
père. Malgré le succès de la première, la pièce ne tint pas l'affiche.
Pourquoi Rilke, qui pendant des années nourrit un amour
malheureux pour le théâtre et continue à écrire des pièces, n'est-il
pas devenu un dramaturge ? Il avait, certes, une manière avant tout
lyrique d'appréhender le monde. Il ne parvenait pas à choisir entre le
naturalisme et le symbolisme. Mais il s'ajoute à cela un autre
problème : l'épuisement pragois du langage. Les tirades que nous
avons citées, écrites en un autrichien vague, difficilement localisable
et assez peu authentique, le démontrent suffisamment. Contrairement à Hauptmann avec ses Silésiens et ses Berlinois, à Zuckmayer
avec ses Berlinois et ses Rhénans, Rilke ne disposait pas d'une
population dont il pût directement recueillir le langage. Pour écrire
ses drames, il dut utiliser un allemand que Werfel définit comme
« apatride » et « stérile [31] ». En outre, on réserva un accueil très froid
à ses pièces pragoises, marquées par un naturalisme bien adapté au
théâtre, certes, mais déjà passé de mode. D'un public qui venait
d'acclamer la *Liebelei* de Schnitzler, on ne pouvait attendre qu'il
s'enthousiasmât pour *Maintenant et à l'heure de notre mort.* Enfin,
Rilke manquait d'invention dramatique. *Vigiles* avait été composé
d'après une idée de Friedrich Werner van Oestéren ; *La chambre de
la tour* repose sur un thème (la fille qui, dans le désarroi de ses sens,
échappe à son amant en sautant par la fenêtre) qui apparaît aussi
dans l'essai *Böhmische Schlendertage (Flânerie bohémienne)* et la
nouvelle *Frère et sœur ; A présent et à l'heure de notre mort* est inspiré
par une œuvre de Rudolf Christoph Jenny, que Rilke admirait

démesurément. Malgré cela Rilke a continué quelques années encore ses essais de dramaturge. C'est seulement au début du siècle nouveau qu'il devient un poète et, en tant que tel, gagne pérennité et influence : comme poète, épistolier, narrateur, avec une forte coloration autobiographique.

Gelée blanche devait être sa dernière œuvre pragoise. Rien ne le retenait plus dans sa ville natale. Ses seuls liens familiaux étaient des contacts occasionnels, amicaux et distants, avec son père, ou des lettres échangées avec sa mère qui habitait la plupart du temps à Vienne. Il n'avait à Prague ni amitiés solides, ni perspectives de travail, ni obligations qui, dans la mesure où il ne s'agissait que de correspondances, n'eussent pu tout aussi bien être tenues ailleurs. Il ne se rendait que rarement à ses cours et n'a jamais terminé ses études universitaires. Il fallait qu'il parte, loin de l'atmosphère natale qui, rétrospectivement, lui paraissait « presque irrespirable, lourde d'étés à la saveur morte et d'enfance insurmontée [32] ». Kafka, dans des circonstances semblables, s'en ira à Berlin, Werfel à Hambourg. Rilke choisit Munich — l'une des rares décisions pratiques de son existence, dont le cours extérieur, malgré toute son activité artistique, sera souvent abandonné au hasard.

Munich et la rencontre de Lou

I.

Le premier logis de Rilke à Munich, 48 Briennerstrasse, était composé de deux pièces confortables et calmes, au rez-de-chaussée. S'il pouvait s'offrir un appartement aussi bien situé, c'était grâce à une modeste allocation de son père et aux mensualités des filles de Jaroslav. Les cousines, Paula et Irene, n'exécutaient pas cette mission de bon cœur, mais elles étaient tenues, par le testament de leur père, d'aider Rilke pendant ses études. Ce fut sans doute pour cette raison qu'il s'inscrivit à l'université de Munich, comme il l'avait fait à Prague, pour y étudier la philosophie. Pendant le semestre d'hiver 1896, il suivit, entre autres, un séminaire de Theodor Lipp sur les fondements de l'esthétique.

Il ne lui fallut pas longtemps pour se lier d'amitié avec un autre étudiant qui suivait les mêmes cours. Wilhelm von Scholz, berlinois, plus âgé d'un an que Rilke, et dont le premier volume de poèmes venait d'être publié, avait déjà fait des études et servi un an comme lieutenant avant de découvrir la littérature. Pendant cet hiver, tout en se livrant avec Rilke à un échange de pensées que stimulaient des visites presque quotidiennes à l'heure du thé, Scholz écrivait surtout des poèmes et des articles ; sa carrière de dramaturge, dont le point culminant serait sa pièce à succès *Wettlauf mit dem Schatten* (*Course avec l'ombre*), (1920) représentée à l' « Intendentur » du Hoftheater de Stuttgart et traduite en de nombreuses langues, était encore loin devant lui. Outre le séminaire, il se sentait lié à Rilke par une activité commune sur une scène littéraire où, en 1896, se déroulaient des manifestations de toutes sortes.

Il y avait d'abord les fournisseurs en littérature de divertissement, superficielle mais florissante, flagellée par Maximilian Harden dans la personne et l'œuvre du dramaturge Paul Lindau. Harden aurait pu prendre comme cible de ses sarcasmes le poète épique Paul Heyse, ou le lyrique Emmanuel Geibel, mort depuis longtemps. Il avait fait ses débuts dans la critique théâtrale et se consacra plus tard au journalisme politique. D'après lui, le poète réclamé et acclamé par ce public fin de siècle ne devait pas « appartenir à la détestable engeance qui nomme un chat un chat et canaille une canaille ; il devait être lisse et coulant, expert dans tous les arts de la falsification (...), mais avant tout il devait avoir de l'esprit. Le docteur en philosophie Paul Lindau avait de l'esprit, ce n'était pas en vain qu'il avait lu avec zèle, des années durant, les feuilles de chou boulevardières... Ses pièces étaient vraiment ravissantes ; (...) tout se déroulait toujours dans de beaux appartements, les gens se comportaient avec presque autant d'élégance que chez Crésus en personne ; et il y avait " des caractères " : quelqu'un, par exemple, disait tout le temps : " Mettons que je n'ai rien dit ", et un autre parlait constamment en allitérations rimées, avec des ritournelles ; c'était la vérité crachée [33] ».

Ces auteurs avaient leurs ennemis : les naturalistes, et des écrivains fraîchement débarqués d'autres provenances et en route vers des buts différents. Comme ils composaient des poèmes, on les ridiculisait en les nommant *Neutöner*, « nouveaux musiciens ». Parmi ces poètes, on trouvait, auprès de Stefan George, Hugo von Hofmannsthal et Rilke, Alfred Mombert, Maximilian Dauthendey, Richard von Schaukal, Börries von Münchhausen et Otto Julius Bierbaum.

Au théâtre, on jouait Hauptmann (1896, *Die versunkene Glocke, La cloche engloutie*) et Sudermann (*Morituri*), mais aussi des dramaturges que l'on ne trouve plus aujourd'hui que dans les manuels d'histoire littéraire, comme Georg Hirschfeld (1896, *Die Mütter, Les mères*) ou Ernst von Wildenbruch (*Heinrich und Heinrichs Geschlecht, Henri et la lignée d'Henri*). *L'éveil du printemps,* de Wedekind, venait d'être publié et attendrait dix ans encore sa première représentation. Parmi les grands narrateurs, Raabe (1896, *Die Akten des Vogelsangs, Les dossiers de Vogelsang*) et Fontane (*Les Poggenpuhl*), touchaient à la fin de leur carrière, tandis que Mann et Hesse débutaient. Deux poètes célèbres, avec lesquels Rilke nouera bientôt des relations plus étroites, venaient de faire paraître des œuvres assez importantes : Richard Dehmel (*Weib und Welt, Femme et monde*) (où se trouve le poème *Venus Consolatrix* qui lui valut une accusation d'atteinte à la décence) et Detlev von Liliencron (*Poggfred*, poème épique en tercets).

Scholz et Rilke se lisaient l'un à l'autre les poèmes qu'ils venaient de composer et en faisaient la critique dans les journaux où ils avaient accès. Rilke commenta ainsi la *Frühlingsfahrt* (*Promenade printanière*) de Scholz dans le *Deutsches Abendblatt* de Prague, et lui envoya un exemplaire signé de *Offrande aux Lares*. Scholz renvoya l'ascenseur en critiquant *Couronne de rêve* de Rilke et lui dédia son recueil de ballades *Hohenklingen*. Ils se tutoyèrent bientôt, et il alla de soi que Rilke fut invité à la réception et au dîner offerts au *Bayerischer Hof* pour le mariage de son ami, qui épousa en 1897 la fille d'un général. On le reçut volontiers, plus tard, dans la demeure du jeune couple, Arcisstrasse, et il passa les fêtes de Pâques dans le domaine que le père de Scholz, ancien ministre des Finances de Prusse, avait acquis au bord du lac de Constance. Ils partageaient l'inquiétude que leur inspirait Liliencron, en perpétuelles difficultés financières. Le poète avait écrit son chef-d'œuvre avec ses *Adjutantenritten* (*Les chevauchées d'un aide de camp*), mais persistait à rimer avec acharnement. Le vieux hussard n'était d'ailleurs nullement rébarbatif. Il était accueillant envers tout le monde et si serviable que, comme le disait Scholz, il n'aurait jamais eu le cœur de ne pas trouver de talent à un jeune poète débutant[34]. On ne pouvait pas laisser dépérir un tel homme. De Berlin, Dehmel organisa un cercle de soutien à Liliencron, avec l'aide de ses amis munichois Rilke et Scholz, à qui se joignirent le jeune Richard Strauss et Ludwig Ganghofer. Rilke fit la connaissance de Liliencron en 1898, par l'intermédiaire de Dehmel.

Rilke n'eut pas que ces amitiés éclatantes pour Scholz, et plus tard Hofmannsthal ou Kassner : il se lia aussi étroitement avec des écrivains sensiblement plus âgés que lui, de plusieurs décennies parfois. Liliencron, par exemple, était né en 1844, Ganghofer en 1855, Dehmel en 1863. Ces relations s'expliquent peut-être aussi par le fait que le jeune Rilke, même s'il traversa plusieurs crises difficiles et put parler du caractère « décomposant » de sa période de *Sturmund-Drang*, ne cherchait guère à accomplir de révolution dans l'écriture. Sa révolte n'était pas dirigée contre la littérature, mais contre sa famille et sa ville natale. Contrairement à ses aînés Goethe et Schiller, à ses contemporains George et Wedekind, et à ses cadets Werfel et Brecht, Rilke ne s'opposa jamais résolument aux conceptions artistiques établies : il s'en éloigna en douceur et avec discrétion. Sa répulsion envers tout acte de violence y était sans doute pour quelque chose. En outre, la mode était alors, en Autriche, de chercher à se vieillir (par exemple en exhibant un soupçon de ventre ou un lorgnon, comme Rilke en porta un moment). Les goûts de Rilke étaient plutôt conservateurs, et il n'était pas dénué d'un certain snobisme. Tout cela réuni faisait qu'à vingt ans, fort ambitieux et souvent heureux de vivre, Rilke paraissait étrangement sans âge.

Ce qui, bien sûr, ne l'empêchait pas de courir les bals du

carnaval avec « Puck » Goudstikker, qui réalisait avec sa sœur, dans l'atelier photographique « Elvira », d'excellents portraits (entre autres, la meilleure photo de jeunesse de Ricarda Huch). Il fournissait les amis éloignés en savoureux ragots munichois, comme l'annonce des fiançailles de Frank Wedekind avec la femme divorcée de Strindberg, ou la nouvelle que Siegfried Wagner, lors d'une réception, avait été « regardé avec des yeux ronds par toutes sortes de vieilles et jeunes filles ». En ce temps-là, Rilke se lia d'amitié avec Franziska, ou « Fanny », von Reventlow, qui, après avoir fui la maison de ses parents et le domicile conjugal, gagnait sa vie à Munich avec des travaux d'écriture, se battait pour assurer son existence, changeait d'hommes comme de robes et se trouvait continuellement déçue. Avec elle, Rilke explora un peu la vie de Schwabing ou « Wahnmoching », dont elle était une figure typique, elle, l'aristo- crate du nord de l'Allemagne, tombée parmi les Marie-couche-toi-là munichoises. Elle venait de donner le jour à un fils et cachait obstinément le nom du père. Wedekind, George et ses disciples Wolfskehl et Klages, de même que les fondateurs de l'*Insel* (Heymel, Schröder, Bierbaum), participaient à cette vie chacun à sa manière, et même le vieux Liliencron ne trouvait pas assez de mots pour louer « le petit peuple d'ici, — ô Dieu, ces douces femmes ! ». Rilke, lui, eut relativement peu de contact avec la bohème munichoise de son temps. Nous ignorons si, lui qui avait si peu de goût pour le chapeau mou et la veste de velours, il fréquenta les lieux de rencontre préférés des artistes de Schwabing vers 1900, le café Stéfanie (appelé aussi *Grössenwahn*, café de la folie des grandeurs), ou le *Simpl* tenu par Kathi Kolbus.

Rilke, toutefois, se montrait à présent en société, dans la mesure où il avait acquis une certaine célébrité comme poète — même si la « gloire » était encore assez loin. Il n'en était plus réduit à paraître dans des journaux de province, mais était publié dans des feuilles au public de plus en plus étendu. On peut ainsi mesurer la croissance de sa célébrité comme sur les cercles d'un arbre. Il est imprimé pour la première fois en 1896 dans le *Simplicissimus* et dans *Jugend,* dans *Zukunft* en 1897, dans *Gesellschaft* et le *Literarisches Echo* en 1899, dans l'*Insel* en 1900.

Dans le même temps, il avait confié à plusieurs journaux une annonce concernant la publication, au début de 1897, du recueil de poèmes *Couronne de rêve* :

> Monsieur mon éditeur a fait des prospectus
> où il a écrit (on connaît ce genre de chiffon)
> cette belle parole qui fait peur aux modernes :
> « Un livre pour le Noël des jeunes filles. »

Mon but, c'est le grand, l'immaculé.
Tout ce qui est honnête, libre et frais,
c'est de l'art, dispensateur de joie,
qui transfigure le monde et ennoblit notre vie.

C'était dans les mœurs de cette fin de siècle, où la publicité était encore au berceau et où l'on ne connaissait pas d'agences de *public relations*. Chacun annonçait la publication ou l'exposition de ses œuvres en composant soi-même un texte, ou en citant une autre plume, mais toujours de sa propre autorité.

Les mots « cadeau de Noël pour jeunes filles » sont loin d'être inexacts. Bien des vers de jeunesse de Rilke donnent l'impression d'être destinés aux pensionnaires d'un internat de jeunes filles. Ils sont légers et parfumés, mais insignifiants malgré leur virtuosité technique, et d'une tonalité douceâtre parfois insupportable. Même *Couronne de rêve* contient encore des vers comme ceux-ci :

Je rêve, enfoui sous la vigne
avec mon ange blond ;
ses petites mains tremblent, minces comme des elfes,
sous la brûlante pression des miennes.
[...]
Dans notre poitrine, enneigé de bonheur,
dort un silence ensoleillé.
Puis vient dans sa robe de soie
un bourdon qui nous bénit...

Quand il eut parcouru le chemin qui mène du rimailleur au poète, Rilke répondit à sa manière aux questions que nous nous posons sur la valeur de telles strophes. « Je savais si peu de choses, écrit-il en 1904 en pensant à son œuvre de jeunesse, ma sensibilité était si immature et craintive, et en outre je rassemblais toujours pour les premières publications ce que j'avais écrit de plus mauvais et de plus impersonnel, parce que je ne pouvais pas me résoudre à livrer ce qui m'était vraiment cher ; et cela, bien sûr, fit de pitoyables livres [35]. »

Ce fut pour d'autres raisons que se trouvèrent parmi les œuvres ainsi retenues, les poèmes intitulés *Christus Visionen*, (*Visions du Christ*). Les huit premiers avaient été écrits en 1896-1897 et Rilke les avait envoyés à la revue *Gesellschaft*, dont le directeur ne se décida pas à les publier. Quand Scholz, peu après, voulut faire paraître le cycle, augmenté entre-temps, dans une revue de sa connaissance, Rilke à son tour refusa ; il avait plusieurs motifs, écrit-il, pour garder par devers lui les *Visions du Christ* (elles ne furent publiées, à l'exception de quelques strophes, qu'en 1959). L'un de ces motifs était sans doute un conseil de Lou Andreas-Salomé, à qui Rilke avait

lu quelques passages et dont l'essai *Jésus le Juif* coïncidait en plus
d'un point avec l'image d'un Sauveur abandonné par Dieu, tel que
Rilke l'avait dessiné. Un autre motif, plus important, est le caractère
tendancieux de ces poèmes à l'allure de légende : un Christ qui se
repent d'avoir propagé une « fausse doctrine » apparaît en différentes circonstances, mais toujours dans le temps présent, dans des
endroits spécifiques comme le cimetière juif de Prague, ou une église
de campagne au bord du lac de Garde, ou à Munich. C'est là que se
réalise la plus forte apparition, ou vision, du Sauveur. Dans l'épisode
intitulé *Jahrmarkt*, (*Foire*), pendant la Fête d'Octobre sur la There-
senwiese, le poète traverse au hasard la foule en liesse jusqu'à ce
qu'il rencontre une attraction inattendue :

En me frayant un chemin dans la cohue,
je me trouvai soudain au bord du pré
devant une boutique. Au-dessus de l'entrée était écrit
en pauvres lettres hésitantes et humbles :
« La vie de Jésus Christ et ses souffrances. »

Il entre et regarde : le Sauveur représenté sur un crucifix
commence à parler. Il se plaint de ne pas trouver le repos, semblable
au Juif errant, depuis que ses disciples « enivrés par les hâbleries de
leur vaine foi » l'ont « volé » à son tombeau. Aussi mourra-t-il
toujours et partout, aussi longtemps qu'il y aura des chrétiens
croyants :

Mon sang coulera éternellement de mes plaies
et tous croiront que mon sang est du vin,
et ils boiront le poison et le feu.

La nuit (le Christ séduit par une prostituée) n'est pas moins
blasphématoire, de même que le onzième et dernier de ces poèmes,
La Nonne, où le mélange de symbolisme païen et chrétien a pris une
couleur lesbienne. Pour la forme et le langage, les *Visions,* qui
annoncent déjà les prières du *Livre d'Heures,* dépassent de loin la
Couronne de rêve et les *Apôtres* publiés en mars 1896. Ce court récit,
nourri de Darwin et de Nietzsche mal assimilés, et que Rilke
désignait quand il l'écrivit comme « ma profession de foi mi-sérieuse,
mi-satirique », se déroule à la *table d'hôte* d'un hôtel élégant, où une
baronne polonaise fait la quête pour les victimes d'un incendie dans
un village voisin. Tous les assistants se déclarent prêts à verser une
offrande, hormis un monsieur aux vêtements démodés, dernier hôte
arrivé à table. Quand le tour de donner vient à lui, il refuse, en
paroles flamboyantes, d'assister les pauvres, car : « Seul le fort a le
droit de vivre..., les rangs s'éclairciront ; — mais un petit nombre de

grands hommes... bâtiront un empire de leurs bras forts, nerveux, dominateurs, sur les cadavres des malades, des faibles, des infirmes. » Puis cet annonciateur du surhomme disparaît aussi soudainement qu'il était apparu dans cette société mondaine (dans l'œuvre de Rilke, il apparaît une seconde fois sous la figure de Rezek, dans *Frère et sœur*).

Plus tard, Rilke a comparé l'état d'esprit où étaient nés ses premiers poèmes, éclectiques et tournant autour d'un centre non localisable, à un miroir orienté dans tous les sens et laissant tomber toutes les images [36]. Ainsi, le recueil de poèmes publié en 1898 sous le titre *Avent* montre aussi clairement la virtuosité du poète que l'absence de toute note personnelle capable de dépasser la simple mélodie. Le volume, avec ses 88 pages, commençait par des *Gaben (Dons)*, courts poèmes dédiés chacun à un ami. Venaient ensuite quelques poèmes de voyages réunis sous le titre *Fahrte (Promenades)*. Rilke qui venait d'aller à Venise, prenait place, ainsi, pour la première fois, dans la longue file des poètes pour qui cette ville a joué un rôle dans leur vie ou leur œuvre : Goethe et Byron, George Sand et Alfred de Musset, Chateaubriand et Platen, Nietzsche et Wagner, D'Annunzio et Hofmannsthal, Thomas Mann et Proust, Pound et Hemingway. Mais aucun d'eux n'a chanté la ville sur des modes aussi variés que Rilke, qui avait déjà situé là-bas une des *Visions du Christ* et évoquera de nouveau Venise dans le *Journal de Schmargendorf,* dans les *Histoires du Bon Dieu* et bien d'autres œuvres, jusqu'à la première des *Elégies de Duino*. Il s'y rendra également à maintes reprises. A nul autre que lui ne fut donc donné de célébrer le nom et le destin de Venise sous une forme aussi élégante :

> (Le mot français) *Venise :* ce nom merveilleux, effacé, semble traversé d'une fêlure et ne plus tenir que par miracle — correspondant ainsi à l'existence actuelle, tout aussi étrange, de ce royaume, de même qu'autrefois « Venezia » correspondait à la puissance de l'Etat, à son action, à sa splendeur : aux galères, aux verreries, aux dentelles et aux coûteux tableaux qui représentaient tout cela. Tandis que *Venedig* paraissait pointilleux et pédant, valable seulement pour le temps bref et malheureux de la domination autrichienne, un nom pour registre, écrit méchamment par des bureaucrates sur d'innombrables liasses, d'une encre triste, voilà ce qu'on lit dans le mot : *Venedig.*

Déjà dans *Avent,* il parvient — après une visite de quatre jours — à représenter quatre fois Venise, et chaque fois d'une manière différente et pourtant adéquate. En comparaison, les deux dernières parties du cycle sont d'une qualité inférieure. On y trouve même du kitsch, comme ces vers émanés de phantasmes infantiles :

L'enfant blond chante :
pourquoi pleures-tu, mère ? Même si ton fuseau
est vide, — courage !
Je suis ton enfant blond, ta couronne,
et tu as du sang noble...

Et un poème dédié à Richard Dehmel traduit, dans sa grotesque attitude de supériorité envers la « femme », à quel point Rilke est immature, ou plus exactement à quel point sa dextérité poétique avait précédé en lui la croissance de l'homme :

Et s'ils te parlent de honte,
toi que la douleur et le souci ont égarée —
Oh, souris, femme ! Tu es au bord
du miracle qui va te consacrer.

Si tu sens en toi ce gonflement timide,
si ton corps et ton âme s'élargissent —
oh, prie, femme ! Ce sont les vagues
de l'éternité.

II.

Parmi les clients du café Luitpold, et à la table d'hôte de la pension, Blütenstrasse, où Rilke s'était installé après son retour d'Italie, se trouve aussi un écrivain qui apparaît sous le nom de Thalmann dans la seconde partie d'*Ewald Tragy*, laquelle se déroule à Munich et est largement autobiographique. Il est représenté comme un petit homme noir aux larges épaules et à la redingote râpée, qui loge dans une mansarde de Schwabing et repousse avec une acuité méphistophélique les avances de Tragy en quête d'appui. Thalmann n'est autre que le romancier Jakob Wassermann, né en 1837, qui mettait la dernière main aux *Juifs de Zirndorf*. A côté des amis que Rilke rencontre aux soirées littéraires et dans ses cafés favoris, le Luitpold, le café Wien et plus tard aussi l'Odéon, apparaît maintenant Wassermann, l'original, l'ambitieux, marqué par sa jeunesse vécue dans une rude pauvreté. Rilke, qui écrit la critique de son roman *Le Moloch* (1902) restera plus tard en contact avec lui, mais ne pourra s'enthousiasmer ni pour l'œuvre ni pour l'homme — sans doute à cause de ses propres relations, problématiques, avec le judaïsme et les juifs. Malgré tout, cette connaissance de hasard lui a plus apporté, en fin de compte, que ses amitiés avec des hommes comme Scholz, Halbe et Ganghofer *.

---

* Wilhelm von Scholz (né en 1874). Dramaturge et romancier (*Le Juif de Constance, Meroe*). Max Halbe (1865-1944). Dramaturge (*Jeunesse*, 1903).

Wassermann lui recommanda la lecture de Dostoïevski et de Tourgueniev (Rilke avait déjà lu quelques œuvres de Tolstoï à Linz), de même que le roman *Niels Lyhne,* de Jens Peter Jacobsen, dont le héros grandit dans un domaine, au Danemark, jusqu'à ce que la mort inattendue d'une jeune tante bouleverse son existence. Ses parents meurent aussi prématurément. Puis viennent les coups du sort, pas toujours immérités, et les déceptions comme la perte d'une amie qui épouse un autre homme, et le mariage de son meilleur ami avec une femme sur laquelle Niels avait jeté ses regards. Une relation ultérieure avec elle se termine aussi tragiquement que les vains efforts de Niels pour prendre pied dans la vie et parmi les hommes. Orphelin, isolé, sans soucis d'argent mais aussi sans métier — il compose quelques poèmes — et, selon son propre aveu, « perdu dans ses rêves mais assoiffé de vie », il s'enlise dans la mélancolie. Un dernier essai pour donner un sens à sa vie par le mariage et la paternité, échoue avec la mort de sa jeune femme, et, peu après, celle de son petit garçon. Niels Lyhne n'a à présent plus rien qui vaille la peine de vivre : pas de métier et pas de famille, pas d'espoir ni de foi, pas même une non-croyance ou une anti-croyance auxquelles il puisse tenir — n'a-t-il pas, malgré ses convictions originelles, prié au chevet de son enfant malade ? Quand éclate la guerre de 1864, il s'engage comme volontaire dans l'armée danoise. Il reçoit une balle dans les poumons et meurt de la mort difficile et solitaire de l'incroyant. (Jacobsen, traducteur et défenseur de Darwin au Danemark, avait d'abord intitulé ce livre *L'Athée*).

C'est le roman du développement d'un homme qui, fatigué, chimérique et triste, aurait préféré ne pas se développer du tout. Ce livre fascinant a influencé de nombreux ouvrages d'avant la guerre. Quand Jacobsen par exemple représente l'amitié entre deux jeunes gens comme « une passion faite de nostalgie (...), d'admiration, d'oubli de soi et de fierté », faite « d'humilité et d'un bonheur au souffle paisible », on croit lire *Tonio Kröger*. A juste raison, car Thomas Mann admirait le Danois. Stefan George traduisit en allemand quelques-uns de ses poèmes, Arnold Schönberg mit en musique ses *Gurrelieder,* et Heinrich Vogeler illustra le roman. Dans des images comme « les vacances de la Pentecôte s'envolèrent dans les prairies semées des fleurs du printemps », ou bien « Edele était tête nue, elle ne portait d'autre bijou dans les cheveux qu'une fleur en filigrane d'or, dont le motif se répétait sur le bracelet qui enserrait le haut de son bras », s'incarnaient les aspects décoratifs du Jugendstil, mieux que dans n'importe quelle œuvre de la littérature narrative.

Rilke, qui séjourna beaucoup au Danemark et traduisit des passages de Jacobsen, se prend d'un tel intérêt pour ce roman qu'il l'emporte partout avec lui, avec la Bible, et continue à se nourrir de cet univers tout en travaillant aux *Cahiers de Malte Laurids Brigge*. Il voit dans Jacobsen le poète qui prend part à toute vie, même la plus petite, la plus invisible, et métamorphose « le menu en grand, l'invisible en visible ». L'œuvre de Jacobsen contient beaucoup des propres expériences et convictions de Rilke : l'idée d'une « mort particulière », des objets munis d'une vie (« Tous ces meubles de province qui se pressaient contre les murs comme s'ils avaient peur des hommes »), la conception de la vie comme un échec devant le monde extérieur, et la solitude comme part inaliénable de l'existence humaine. Le style de la narration, lui aussi, empreint de minutie naturaliste, de lyrisme et d'images religieuses, de même que les nombreuses réminiscences de Darwin et de Nietzsche, révèlent entre Rilke et Jacobsen un accord qui s'étend jusqu'au domaine personnel et biographique. On croit parfois apercevoir derrière Niels Lyhne non seulement Malte Laurids Brigge, mais Rilke lui-même, qui à Paris fera les mêmes expériences que Niels dans le Copenhague de Noël :

> Il entra donc dans un assez grand restaurant (lit-on dans l'évocation du soir de Noël que Niels, comme Rilke le fera si souvent, passe volontairement seul). Tandis qu'il était assis là, attendant d'être servi, il observait derrière un vieux présentoir à journaux les gens qui entraient. C'étaient presque exclusivement de jeunes gens ; quelques-uns venaient seuls, d'autres avaient une attitude un peu provocante, comme s'ils voulaient interdire aux assistants de les prendre pour des compagnons de misère, d'autres encore ne pouvaient dissimuler qu'ils n'étaient invités nulle part en un tel soir ; mais tous avaient une prédilection pour les coins cachés et les tables situées à l'écart.

Le premier cadeau offert par l'artiste peintre Paula Becker à son amie Clara Westhoff, future épouse de Rilke, fut un exemplaire de *Niels Lyhne*. Rilke offrit à son tour à Paula son exemplaire de *Madame Marie Grubbe*, de Jacobsen, où il avait inscrit quelques vers du poète (mort en 1885) :

> C'était un poète solitaire,
> un pâle poète de la lune...

S'il n'avait été qu'un poète des ambiances néo-romantiques, Jacobsen n'aurait pas joué un grand rôle dans le développement de Rilke. Mais le Danois, très éloigné du flou lyrique, était un travailleur précis, qui cherchait dans les dictionnaires la signification exacte des mots les plus usités : habitude que Rilke devait bientôt prendre lui aussi.

On pourrait penser que le destin s'était servi de Jakob Wassermann pour diriger la vie de Rilke sur d'autres voies. La connaissance
de l'œuvre de Jens Peter Jacobsen ne fut pas le seul enrichissement
qu'il dut à Wassermann. Grâce à lui, Rilke rencontra une femme
dont l'image, à partir de cette heure, deviendra indissociable de sa
vie.

III.

Quand il fait sa connaissance, au début de mai 1897, en prenant
le thé chez les Wassermann, Lou (Louise) von Salomé est une jeune
femme blonde de trente-six ans, pleinement épanouie, qui peut déjà
rêver à sa jeunesse aventureuse et passe pour l'une des figures les
plus fascinantes de son temps. Elle était venue au monde en 1861,
fille du général Gustav von Salomé et de sa jeune femme, née Wilm,
issue d'une riche famille germano-danoise. Le père, balte d'origine
huguenote, s'était distingué en 1830 lors de l'assaut de Varsovie ;
avec vingt-cinq des plus jeunes colonels de l'armée russe, il avait été
élevé par Nicolas Ier à la noblesse héréditaire et nommé par
Alexandre II inspecteur des armées.

En compagnie de ses frères aînés, Lou — les yeux bleus, un
front étonnamment haut, une silhouette garçonnière jusque dans son
adolescence — avait grandi dans le vaste logement de fonction où
vivaient les Salomé, dans le bâtiment de l'Etat-Major général, en
face du Palais d'Hiver, au cœur du Saint-Pétersbourg « officiel ».
C'était une maison ouverte à tous, aux manières seigneuriales. Les
cinq frères de Lou lui servaient de camarades de jeu, une bonne
d'enfant, russe, s'occupait de son bien-être corporel et une gouvernante française (qui interrompait les bavardages de l'enfant par un
sec : « *En français, s'il vous plaît !* »), de son éducation. Dans son âge
mûr, Lou, contrairement à Rilke, se remémorait volontiers son
enfance et ses années de jeunesse, en particulier les veilles de Noël
enneigées et les longues promenades pendant lesquelles elle sautillait
à la main du général, vêtu de sa tenue de campagne. Son sentiment
de fraternité et de protection était si inébranlable qu'elle le transfé-
rait parfois sur toute l'humanité. Quand éclata la guerre de 1914,
Freud lui demanda avec une ironie résignée : « Vous attendiez-vous
à cela, vous l'étiez-vous imaginé ainsi ? Croyez-vous encore en la
bonté de tous les grands frères ? »

Gustav von Salomé, figure, dans l'univers de Lou, du père bon,
parfois coléreux, mais toujours tout-puissant, mourut en 1879 : juste

à temps pour que lui soit épargnée la vue de la première aventure amoureuse de sa fille. L'incident n'aurait pas choqué seulement ses étroites et sévères convictions luthériennes. Avec une amie, Lou, un matin, s'était rendue à la chapelle de l'ambassade hollandaise, sur la perspective Nevski, où Henrik Adolph Gillot, le prédicateur préféré de tout Pétersbourg, prêchait. Qu'il exerçât à la cour les fonctions de précepteur des enfants du Tsar ne nuisait pas à son prestige, pas plus que son apparence, qui le rajeunissait sensiblement. A quarante-trois ans, il était sans doute le seul prêtre de Saint-Pétersbourg à ne point porter la barbe, pas même une moustache, et ses cheveux ondulés étaient négligemment rejetés en arrière à la manière du jeune Franz Liszt. Avec tout cela, Gillot possédait une solide intelligence et était un théologien éclairé, qui à l'occasion prenait un vers d'un poète classique comme thème de son prône, au lieu des traditionnels versets de la Bible. Lou, qui avait depuis longtemps perdu la foi, pria Gillot, par écrit, de lui accorder un entretien, en ajoutant que ce qui la poussait à cette démarche n'avait rien à voir avec des problèmes religieux. Elle ne s'intéressait donc, semblait-il, qu'à lui-même, elle, une étudiante de dix-sept ans, qui rendait visite à un prêtre entouré de femmes et encore jeune, dans la maison de celui-ci, pour bavarder avec lui. Quand on la conduisit dans le bureau du prêtre, elle hésita un instant sur le seuil, et courut vers lui. Il ouvrit les bras et s'exclama : « Tu viens donc à moi [38] ? »

Peu importe si cette première rencontre s'est réellement déroulée comme Lou l'a racontée, d'une manière à peine déguisée, dans son roman *Ruth*. Ce n'est, de toute façon, nullement impossible, car toute sa vie durant elle fut d'une impulsivité désarmante, bien qu'un peu exaltée à l'occasion. Il est certain en tout cas qu'à partir de ce moment, elle lui rendit régulièrement visite, qu'elle lui doit une grande partie de sa culture et, mieux encore, sa force d'argumentation et la manière vigoureuse, presque virile, dont elle s'attaquait aux choses spirituelles. Après qu'elle eut, dans une heure de faiblesse, raconté cette visite à sa mère, une rencontre eut lieu entre la veuve du général et l'éducateur, rencontre dont le point culminant fut cet échange de répliques : « Vous êtes coupable envers ma fille ! » — « Mais je *veux* être coupable envers cette enfant ! » L'inéluctable était en train de se produire : Gillot-Pygmalion tombait amoureux de sa créature. (Fait caractéristique, le surnom de « Lou », qu'elle conserva et sous lequel elle est entrée dans l'histoire, vient de lui ; pour ce non-Russe, la prononciation des diminutifs affectueux Liolia ou Lioliotschka présentait des difficultés.) Mais Gillot était marié et père de deux filles adolescentes. Un divorce aurait provoqué un scandale sans précédent et signifié la fin de sa carrière. Quand il en arriva finalement à une explication, Lou tomba des nuages. Ou bien feignit-elle seulement, assise sur ses genoux, de s'évanouir ? Quoi qu'il en fût, il apparut soudain que le mentor vénéré comme un dieu était un homme de chair et de sang bouillonnant, et qu'il pensait à abandonner sa famille pour épouser son élève.

C'est Lou, qui, pour la première fois, se déroba à un homme amoureux au moment où (et elle y était bien pour quelque chose) il se tournait entièrement vers elle et lui avait ouvert son cœur. Elle n'agissait pas ainsi par froideur, mais parce que, encore à demi inconsciemment, elle voulait préserver sa liberté et soupçonnait aussi qu'une liaison sexuelle serait préjudiciable à leur amitié. Elle parvint toutefois à garder comme ami le soupirant déçu et ébranlé dans sa confiance en soi — même si Gillot devait se remettre lentement du coup qu'il s'était un peu attiré en se surestimant. C'est lui qui la confirma au début de 1880. Puis il lui conseilla de poursuivre ses études en Suisse. Il était entendu que sa mère l'accompagnerait.

Au *Polytechnikum* de Zurich, l'un des rares établissements qui en ce temps-là admettaient des femmes, Lou s'inscrivit comme auditrice aux cours de philosophie, théologie, étude comparée des religions et histoire de l'art. Quand, en 1882, sa santé menacée exigea un climat plus chaud, elle choisit Rome et on la confia à Malvida von Meysenburg, dont les *Mémoires d'une idéaliste* venaient de paraître. Malvida, pionnière féministe et combattante pour l'idéal d'une Allemagne libéralement gouvernée, était liée d'amitié avec Wagner et Liszt, tout comme avec Mazzini et Garibaldi. Lors de la pose de la première pierre du *Festspielhaus* de Bayreuth, elle avait fait la connaissance de Nietzsche et de son ami, le philosophe moraliste Paul Rée ; tous deux lui rendirent visite dans sa villa de Sorrente. Finalement, elle se fixa à Rome, où elle reçut la jeune étudiante russe et la mère de celle-ci. Ainsi, Lou, dont l'esprit indépendant rappelait peut-être à Malvida sa propre jeunesse, devint-elle l'hôte bienvenu de la via della Polveriera, près du Colisée. Lors d'une soirée, elle fit bientôt la connaissance de Rée, qu'elle initia, au cours de promenades nocturnes dans Rome, à son projet favori : louer, avec quelques amis, hommes ou femmes, peu importait, une habitation dans une petite ville d'université, et là, étudier tous ensemble. Rée, âgé de trente-trois ans et issu d'une famille aisée, fut aussitôt tout feu tout flamme pour ce plan qui (comme Lou, l'avouera plus tard) « se raillait des mœurs alors en cours dans la société ». Et quand Nietzsche, peu après, arrive également à Rome, il tombe lui aussi sous le charme qui émane de Lou. Il la décrit à un ami comme « l'œil perçant d'un aigle et le courage d'un lion, et au bout du compte une enfant très féminine », et il lui fait une proposition de mariage, qu'elle refuse[39]. Rien ne définit mieux la souveraineté avec laquelle cette jeune fille de vingt et un ans manie la vie ou du moins les hommes, que la manière dont elle s'enchaîne les deux soupirants et sait les tenir en même temps à distance, et la manière dont elle fait porter sa réponse négative à Nietzsche par Rée, qui a lui aussi demandé sa main, sans se brouiller avec l'un ni l'autre.

Finalement, les deux jeunes philosophes raccompagnent les dames en Suisse. En chemin, Lou et Nietzsche font l'ascension du Monte Sacro, dans l'Orta du nord de l'Italie, épisode qui demeurera dans la mémoire de Nietzsche comme un sommet de leur entente spirituelle. A Lucerne, on prend la célèbre photographie qui représente Lou à genoux dans une carriole, faisant mine (grotesque retournement de l'exhortation de Zarathoustra : « Si tu vas chez les femmes, prends ton fouet ! ») de houspiller avec un petit fouet ses admirateurs attelés devant elle, Rée et Nietzsche. Lors de la première de *Parsifal,* en juillet 1882, Lou fut présentée personnellement au Maître, en présence de la sœur de Nietzsche, Elisabeth, qui même après la querelle de son frère avec Wagner, est de nouveau à Bayreuth.

Lou se rend finalement avec Elisabeth à Tautenburg, en Thuringe, où Nietzsche l'a invitée à un séjour de vacances. Il lui lit des passages du *Gai Savoir,* qu'il vient de terminer, elle se fait aider par lui pour la rédaction de ses premiers articles et aphorismes, et apprend tant de choses, ce faisant, que, selon le mot de Rée, elle aura à Tautenburg, « grandi de quelques pouces ». (Pour leur éviter de devenir étrangers l'un à l'autre, Rée lui avait demandé de confier ses pensées à un journal qu'il aurait le droit de lire ; Lou agira plus tard de même avec Rilke.) Pour Nietzsche, ces semaines sont les plus belles de sa vie. Elles sont une oasis dans son incessante errance de chambre d'hôtel en chambre d'hôtel, et sont une rémission, strictement mesurée, dans la maladie progressante et l'isolement. Lou lui envoie aussi le poème qui commence par ces vers :

> C'est sûr, comme l'ami aime l'ami,
> ainsi je t'aime, vie d'énigme —
> Que j'aie pleuré en toi de joie ou de douleur,
> que tu m'aies donné bonheur ou peine...

Ce poème fut mis en musique par Nietzsche, sous forme d'un *Hymne à la vie* pour chœur et orchestre, et mentionné avec reconnaissance dans *Ecce Homo.* C'est la seule des compositions de Lou qu'il veut voir publiée, « afin, dit-il avec pathos, qu'il y ait quelque chose que l'on puisse chanter en mémoire de moi ».

La générale, entre-temps, fait tous ses efforts pour détourner sa fille de son idée de *ménage à trois* avec Nietzsche et Rée ; elle prend conseil de ses fils et mêle à l'affaire Malvida et Gillot, qui envoie à Lou des lettres d'exhortation, l'une de Rome, l'autre de son lointain Pétersbourg. Ils auraient pu s'épargner cette peine, car lors d'un séjour des trois comparses à Leipzig, la liaison se dénoue d'elle-même. Nietzsche consterné s'aperçoit que Lou tutoie Rée et préfère la société de celui-ci à la sienne ; sa méfiance, sa faiblesse devant les intrigues de sa sœur, et aussi un certain manque de franchise qui l'empêche d'en venir à une explication, provoquent la rupture. A tous ces motifs s'était ajouté le refus de Lou de prêter l'oreille aux remarques dédaigneuses de Nietzsche à propos de Rée. En fait Nietzsche s'était laissé aller à toutes sortes de déclarations irréfléchies, non seulement contre son ami et rival, avec lequel il se brouille passagèrement, mais aussi contre Malvida, qui lui avait fait faire la connaissance de l'inconstante amie, ce « petit singe sec, sale et qui sent mauvais... » Il lancera un jour ces mots aimables à Lou, qui aura le bon réflexe de recevoir en silence tous les reproches qui la concernent. Après un an et demi, la tempête s'est calmée. Ce serait bien, écrit-il de Nice en 1884, si « le Dr Rée et Mlle von Salomé, à qui je dois réparation pour le mal que ma sœur lui a causé », lui rendaient visite [40]. C'était trop tard. Il n'a jamais revu l'amie.

Lou a compté sans aucun doute parmi les femmes, et même les êtres humains, les plus importants dans la vie de Nietzsche, avec sa mère et sa sœur. Quand, à la mort de Richard Wagner, il pensa à cet ancien ami, à ce dur ennemi, celui-ci lui sembla « l'être le plus complet » qu'il ait connu. Il laissa alors échapper spontanément cette remarque complémentaire, une sorte d'épitaphe, elle aussi : « Lou est de loin l'être le plus intelligent que j'aie jamais rencontré. »

Nietzsche s'effondra en juin 1889 à Turin, et demeura, pour le reste de sa vie, un malade mental. Pendant ce temps, sa renommée s'était répandue dans toute l'Europe. Cela n'était pas dû seulement à la tragédie de son destin personnel ni à la force explosive de ses dernières œuvres, mais aussi à la première biographie du philosophe, écrite par Lou Andreas-Salomé : *Friedrich Nietzsche à travers ses œuvres*. C'est un livre dépassé sur d'innombrables points, mais qui vaut toujours la peine d'être lu, et contient des déclarations qui n'allaient nullement de soi à l'époque. Elle affirme, par exemple, qu'en Nietzsche « plusieurs personnes ont vécu en état d'hostilité perpétuelle, se tyrannisant mutuellement » : « Un musicien extrêmement doué, un philosophe de la libre pensée, un génie religieux et un poète-né. » Aujourd'hui, on placerait les accents sur d'autres points. Le livre de Lou parut en 1894, la même année que *Vie et chansons* de Rilke.

La relation avec Rée dura quelques années, tandis que celui-ci travaillait à son œuvre principale, *Die Entstehung des Gewissens* (*La naissance de la conscience*), et qu'elle passait son temps en lectures, voyages, et quelques travaux littéraires. Parmi les hommes qu'elle rencontra alors, se trouvaient le psychologue Hermann Ebbinghaus et le sociologue Ferdinand Tönnies : sans se laisser arrêter par leurs sentiments amicaux envers Rée, ils demandèrent tous les deux la jeune fille en mariage. Quand, au moment de ses fiançailles avec l'orientaliste Friedrich Carl Andreas, elle déclara qu'elle entendait maintenir sa relation avec Rée, ce dernier, suffoqué par la démesure de cette indépendance d'esprit, prit lui-même congé de leur communauté d'habitation. Lou avait trop tiré sur la corde et s'était ainsi privée d'un homme dont elle ne répara jamais la perte. Dans le paragraphe de ses mémoires, si impersonnels d'habitude, où elle raconte leurs adieux définitifs, on entend résonner, en même temps que la tristesse, de la pitié pour l'ami qu'elle abandonnait totalement. Rée fit de tardives études de médecine et devint médecin des pauvres sur le domaine de son père en Prusse occidentale. Quelques années plus tard, il mourut dans les Alpes, au cours d'un accident dont les circonstances ressemblent à un suicide.

Le futur mari de Lou était né à Java. Après des années d'errance aventureuse, passées pour la plupart dans le Proche-Orient, il travailla comme lecteur au séminaire oriental de l'université de Berlin. Il était fait d'un autre bois que les précédents soupirants de Lou : quand il vit qu'elle ne voulait pas se décider et qu'elle invoquait des prétextes pour le tenir à distance, il s'enfonça un couteau dans la poitrine, sous les yeux de Lou. Même Lou ne pouvait pas résister à un tel geste (qui n'était pas feint et manqua d'être mortel). En juin 1887, alors que l'élève Rilke, âgé de douze ans, entrait à Saint-Pölten, Lou von Salomé fut mariée à Andreas par Gillot, appelé exprès de Pétersbourg, et... elle se refusa à son mari, le soir même et pour toujours. Pendant quarante-trois ans, jusqu'à la mort d'Andreas en 1930, ils vécurent l'un près de l'autre dans une union qui dut souvent être un enfer... même s'il était exact que Lou avait destiné à son mari, avec plaisir, « la plus chère, la meilleure, la plus belle des amantes [41] ».

On s'est beaucoup interrogé sur les raisons qui avaient poussé Lou à prendre cette décision. Se refusa-t-elle à son époux, qu'elle estimait et pour qui, sur le tard, elle éprouva à sa manière de l'affection, parce qu'il l'avait d'une certaine manière contrainte au mariage ? Ou parce qu'il avait quinze ans de plus qu'elle et lui rappelait trop vivement Gillot ou son père (*en famille,* Andreas et Lou s'appelaient « petit père » et « petite mère ») ? Ou parce que l'homme trapu et barbu, qu'elle dépassait de quelques centimètres, malgré toute la tendresse qu'elle éprouvait, lui était physiquement désagréable, comme Rée auparavant ? Le motif auquel on penserait en premier lieu *n'était pas* le bon : Lou n'était nullement frigide, dans l'érotisme aussi elle était une femme passionnée et selon les mots de Peter Gast, l'ami de Nietzsche : « d'une stature très bien proportion-née, blonde, et sur le visage une expression de la Rome antique », et avec des idées qui laissaient entrevoir « qu'elle s'était aventurée jusqu'à l'extrême horizon de la pensée morale et intellectuelle, (...) un génie d'esprit et d'âme ». Mariée, elle eut plusieurs flirts, avec le rédacteur social-démocrate Georg Ledebour à Berlin, avec Frank Wedekind à Paris et Richard Beer-Hofmann * à Vienne. Puis elle tomba amoureuse d'un médecin russe en exil, le Dr Ssawely, que nous pouvons imaginer, selon le rapport de Lou elle-même, comme un géant barbu « avec des dents étincelantes capables d'arracher d'un mur les clous les mieux enfoncés » (!). Son successeur fut le Dr Heinrich Pineles, professeur de médecine intérieure à l'université de Vienne, et qui aurait bien voulu l'épouser ; mais Lou ne voulait pas entendre parler de divorce et se borna à venir, de Berlin, lui rendre visite de temps en temps. Au même moment, elle avait — avant l'entrée en scène de Rilke — toute une série de jeunes amoureux demeurés anonymes, et même des amoureuses. Elle attendit peut-être un enfant de Rilke, et un, presque certainement, de Pineles. Elle se fit avorter. Ce qui est sûr, c'est qu'après un temps de vie commune avec un amant, il s'ensuivait chaque fois une période de plusieurs mois pendant lesquels on ignore où elle demeura. Andreas, qui avait le sang chaud et tendait à la jalousie, ne savait pas grand-chose de tout cela. Il s'en tenait à sa gouvernante, avec laquelle il eut deux enfants : sa fille adultérine prendra soin de la vieillesse de Lou.

Deux traits caractérisent les amours de Lou : le partenaire devait être plus jeune qu'elle, et c'était elle qui fixait l'intensité et la durée de leur liaison. Wedekind, entre autres, en fit l'expérience. Après une promenade nocturne dans Paris, il l'invita à prendre un café dans sa chambre et constata avec dépit qu'il ne prendrait rien d'autre. Elle a raconté l'épisode, avec quelques omissions, dans sa nouvelle *Fenitschka* (1898). L'amoureux déçu se vengera en donnant à l'insatiable séductrice, dans *L'Esprit de la terre,* écrit un peu plus tard, le nom de *Lulu.*

A cette époque, le début et le milieu des années 90, elle s'était fait depuis longtemps un nom en littérature, grâce à ses romans plus ou moins autobiographiques comme *Ruth* et *Le combat pour Dieu,* son livre sur Nietzsche et de nombreux articles et critiques. Pendant le voyage à Vienne qu'elle fit, en 1895, avec son amie Frieda von

---

* Richard Beer-Hofmann : (1866-1945), poète, romancier et surtout dramaturge néo-romantique (*Le comte de Charolais,* 1905). Il avait dû fuir les nazis et mourut à New York.

Bülow, elle rencontra Beer-Hofmann, et aussi Arthur Schnitzler, Hugo von Hofmannsthal, Peter Altenberg*, et Marie von Ebner-Eschenbach**, qu'elle admirait beaucoup. A Berlin, au contraire, elle était surtout intéressée par le théâtre naturaliste ; elle fréquentait le cercle de la *Freie Volksbühne****, avec les frères Hart****, Wilhelm Bölsche*****, Arno Holz******, Max Halbe, Otto Brahm******* et Gerhart Hauptmann********, dont *Hanneles Himmelfahrt* (*L'Ascension de Hannele*) l'avait particulièrement enthousiasmée. Le résultat de ces contacts et de ces efforts, entre autres, fut son livre, publié en 1892, sur *Les personnages féminins d'Ibsen*, où elle présentait comme des variétés sympathiques de femmes émancipées Nora (*Maison de poupée*), Hélène Alving (*Les revenants*), Hedwig (*Le canard Sauvage*), Rebekka (*Rosmerholm*) et Ellida (*La dame de la mer*), et critiquant vivement, au contraire, Edda Gabler, dans la pièce du même nom. Peut-être voulait-elle ainsi éloigner d'elle-même cette fille de général mariée avec un professeur. Tout en écrivant des romans et des critiques, elle cherchait toujours la solution d'un problème qui l'occupait depuis ses jeunes années et qui ne commença à s'éclaircir que sous l'influence de la psychanalyse : comment surmonter le doute et la perte de la foi, étant donnée la difficulté de vivre sans une forme quelconque de familiarité avec un Dieu ? Ce souci l'avait amenée à Gillot et à Nietzsche, avait provoqué son admiration pour *Hannele* et lui avait donné l'idée d'un essai sur *Jésus le Juif,* qui parut en 1896 dans la *Neue Deutsche Rundschau*. Cet essai fit une telle impression sur Rilke qu'il envoya à l'auteur, anonymement, quelques poèmes.

IV.

Dans la courte lettre par laquelle il se rappelle au souvenir de Lou après leur première rencontre, Rilke fait de nouveau allusion à

---

* Peter Altenberg (1859-1919). Personnage de la bohème viennoise, auteur d'aphorismes et de portraits à la K. Kraus.

** Marie von Ebner-Eschenbach (1830-1916). Comtesse moravienne qui avait un talent de narratrice que l'on a comparée à George Eliot (*Lotti l'horlogère, Bozena*).

*** Freie Volksbühne : théâtre populaire, fondé en 1890, destiné au public ouvrier.

**** Les frères Hart : Heinrich Hart (1855-1906) et Julius Hart (1859-1930). Poètes et critiques, mêlant des sentiments divers : socialisme, sentiment national, monde visionnaire.

***** Wilhelm Bölsche (1861-1939), écrivain naturaliste.

****** Arno Holz (1863-1929), écrivain naturaliste (*Le livre du temps*, sur les misères de la ville).

******* Otto Brahm : directeur du théâtre Freie Bühne fondé en 1889.

******** Gerhart Hauptmann : (1862-1946). Dramaturge et écrivain fécond, figure importante de cette époque. (*Avant le lever du soleil*, drame lourdement réaliste et *Les Tisserands.*)

l'essai dont un ami lui avait recommandé la lecture, à cause de certaines similitudes avec les *Visions du Christ*. Il rendait hommage à l'écrivain, son collègue, qui « avait exprimé avec une si magistrale clarté et la gigantesque énergie d'une sainte conviction, les " visions " nées de mes rêves poétiques ». Mais ces lignes visaient surtout à séduire la *femme* et représentent un véritable chef-d'œuvre d'érotisme subtil.

Quelle destinataire pourrait rejeter sans la lire la lettre d'un jeune poète commençant ainsi : « Madame, — hier, ce n'était pas la première heure crépusculaire que je passais auprès de vous » ? Cette femme n'interrogera-t-elle pas aussitôt sa mémoire, et peut-être aussi sa conscience, surtout si l'image poétique de « l'heure crépusculaire » est évoquée une seconde fois dans cette lettre qui n'est même pas longue ? Car l'après-midi précédent, fait entendre Rilke, n'était qu'une affaire de société, un thé chez Wassermann, bien différent en cela de cet autre après-midi, intime, où il avait lu l'essai : « Cette heure-là, au crépuscule, ajoute-t-il avec intention, je fus seul avec vous. » Dans son travail, Lou avait esquissé quelques directions de pensée qui préoccupaient également Rilke. Ce fait tout simple, digne à peine d'être signalé par une formule courtoise, prend à présent figure de mystère ; « Je pense toujours que si l'on doit remercier quelqu'un pour quelque chose de très précieux, ce remerciement doit demeurer, entre eux, un mystère. »

Puis il s'arrange pour barrer toute retraite à la femme assiégée. Il lui demande la permission de lui lire quelques-unes des *Visions* et exprime l'espoir de la rencontrer au théâtre le lendemain. Il ne lui laisse donc pas le choix. Si elle ne voulait pas le revoir, elle devait ou bien le congédier ouvertement au théâtre, ou rester à la maison et renoncer à la représentation, car, entre parenthèses, nous sommes à une époque où les bonnes manières prescrivent, entre autres, ceci : « Si l'on aperçoit des amis au théâtre, il n'est pas convenable de leur faire des signes avec vivacité. Il suffit de les saluer d'une simple inclination de tête. Si cela concerne des personnes d'un rang élevé, il faut marquer son respect en se levant à demi, mais en prenant soin de ne pas les déranger. On salue à proprement parler ses amis pendant l'entracte [42]. » Là où un salut est une affaire aussi bien réglementée, ne pas saluer équivalait à une gifle.

Lou ne fit rien de tel, si l'on en juge d'après la seconde lettre de Rilke, ornée de vers, qui assaille Lou sur tous les tons dont il dispose. Il la chante comme un preux chevalier qui part à la quête du Graal : « J'étais très triste. J'ai erré dans la ville et à l'entrée du Jardin Anglais, quelques roses à la main, pour vous offrir ces roses. » Ou comme un petit enfant orphelin :

J'ai trouvé sur des chemins lointains
des roses. Avec cette tige
que je sais à peine tenir,
je voudrais te rencontrer.
Avec ces enfants pâles
et sans foyer je te cherche, —
et tu serais maternelle
pour mes pauvres roses...

Il la chante aussi comme un amant fougueux (« ... tremblant de l'unique volonté de vous rencontrer n'importe où ») et, dans un post-scriptum, apparaît même comme un Don Juan narquois qui jette un regard derrière le rideau pour évaluer l'effet de ses paroles : « Je serai averti pour l'après-midi d'aujourd'hui ? » Il fallait donc qu'elle lui réponde le jour même (aujourd'hui, elle aurait téléphoné), à cet amoureux qui — par une irrésistible attirance ? — se conduit comme un importun et en même temps comme un enfant timide. Le hasard voulut qu'il dût justement répondre à un ordre militaire de rappel, à Leipa, en Bohême. C'était une simple formalité en ces jours de paix totale. Il fait pourtant de l'événement un tableau tragique et s'en sert adroitement comme moyen de pression : « Ce rappel, malgré toutes les conséquences possibles, m'effraye moins que l'obligation de m'en aller d'ici. C'est cela qui me fait très peur. » Le succès ne pouvait pas manquer. « René Maria Rilke a lu chez moi trois de ses *Visions* », écrit Lou dans son journal, et bientôt après, le dimanche de Pentecôte, on lit de nouveau : « Rilke ici à 6 heures, lecture. » Pendant ces derniers jours de mai et les premiers jours de juin 1897, elle devient son amante, peut-être lors d'une excursion à Wolfrats-hausen, non loin du lac Starnberg, où elle loue une maison pour l'été.

Pendant les études et voyages en commun qui vont suivre, Lou a fait bien plus encore et bien autre chose que d'introduire Rilke dans les cercles de la culture russe et dans le monde des idées nietzs-chéennes. Les cercles culturels, avec lesquels il était déjà en harmonie par son contact avec la langue tchèque, Rilke en aurait fait la connaissance sans son amie, de même qu'il avait déjà découvert le monde de Nietzsche dans ses *Visions du Christ* et dans *Apôtres*. Ces thèmes étaient dans l'air de cette fin de siècle. Ainsi, parmi bien d'autres, Hauptmann s'était occupé du personnage du Christ, et Thomas Mann de Nietzsche et de littérature russe (en dehors du fait que l'un avec Anna Mahr dans *Einsame Menschen — Les Solitaires —* et l'autre avec Lisaveta Ivanovna dans *Tonio Kröger,* avaient déjà représenté ce type de jeune intellectuelle russe libérée de toute convention, que Lou incarnait si bien).

Ce que Rilke doit à cette femme, c'est beaucoup plus qu'un vague sentiment de parenté d'esprit, ou la conscience de correspondances idiosyncrasiques comme l'amour des animaux (que Lou devait à son mari, dans la mesure où ces choses sont transmissibles), ou des similitudes biographiques, comme l'appartenance à la minorité allemande de Prague et de Pétersbourg. Il lui doit tout d'abord le bonheur de connaître, à l'âge de vingt-deux ans, l'amour d'une femme de trente-six ans, belle, extrêmement intelligente et sexuellement habile et — point capital en regard de son enfance — maternelle. « Je suis venu si pauvre vers toi, dit une note du journal de Rilke, destinée à Lou, je suis venu presque comme un enfant vers la femme riche. Et tu as pris mon âme dans tes bras et tu l'as bercée... Alors tu m'as baisé au front et pour cela il te fallut t'incliner profondément. » Cet amour qui, au cours des ans se change en une profonde amitié, est un cadeau inespéré, qui demeurera comme un point fixe dans la vie intérieure du poète. Sous l'influence de Lou (celle-ci, plus tard, sur l'avis de Pineles qui avait de bonnes connaissances psychiatriques, saura l'utiliser de plus en plus dans une intention thérapeutique), l'exubérance de Rilke se tempère, de même que son contraire, les dépressions qui ne cessent de l'accabler. Même s'il essuie de nombreux échecs sur le chemin de l'équilibre intérieur et n'atteint jamais vraiment son but, on peut dire que sans Lou il n'aurait jamais pris avec lui-même cette distance qui lui permettait à l'occasion de parler avec un clin d'œil de son exaltation « pré-wolfratshausienne [43] ». Sous cette influence, le littérateur dépendant des êtres, qui avait passé de nombreuses heures dans les cafés, les salles de rédaction et les « premières », se change en un poète qui peut vivre des mois entiers tout seul et pour qui la nature, jusqu'à présent simple décor, devient une expérience. Esthétiquement, il prend conscience du paysage, du temps et des bêtes; concrètement, il s'habitue à une nourriture simple, bientôt presque exclusivement végétarienne, et marche pieds nus l'été, comme Lou, qui tient cette habitude de son mari. Avant tout, Lou lui donne un sentiment de protection qui se maintient jusqu'à la fin. Il lui écrit sa dernière lettre deux semaines avant de mourir.

Deux points fondamentaux prouvent que cet amour a touché les couches les plus profondes de son être. A vingt-deux ans, Rilke change de prénom et d'écriture. En septembre 1897, paraît dans une revue viennoise un article signé pour la première fois « Rainer Maria Rilke », comme il se nommera désormais; Lou lui avait donné l'idée de germaniser le prénom « René ». (A la fin de sa vie seulement, il reprendra passagèrement et pour des raisons linguistiques le prénom de René : dans sa correspondance en français avec Baladine Klossowska). Si l'on compare son écriture de 1896, oblique, fuyant en hâte sur le papier, commerciale et banale, avec celle que Rilke utilise à présent, on s'étonne une fois de plus de la force de la passion qui s'est emparée de lui et le rend capable de changer radicalement son écriture d'un jour à l'autre. Car sa nouvelle manière, empreinte d'une courtoisie désuète, avec ses « S » à la boucle étirée vers le haut (« l'esprit devenu tout à coup léger », selon son amie) et non dépourvu d'un soupçon de narcissisme, ressemble de manière frappante à celle de Lou. Il reste à savoir si l'on peut effectivement déceler dans son écriture une « névrose obsessionnelle [44] » ; l'élégance et la relative décontraction de ce graphisme sont toutefois frappantes.

Rilke semble, d'une manière inattendue, avoir été aussi un amant décontracté, au moins avec Lou et certainement un peu grâce à elle. Il était, c'est vrai, dans les années où l'homme normal a le maximum d'activité sexuelle ; et si une petite anomalie lui a rendu l'érection douloureuse, cela peut aussi bien avoir accru sa disponibilité que l'avoir atténuée [45]. Avec son sans-gêne habituel, Lou, plus tard, l'a comparé à un autre homme, désigné seulement par la lettre B. Rilke, dans cette confrontation, fait bonne figure, dans son apparence extérieure (« Blonds tous les deux, avec une bouche sensuelle et un front splendide... ») comme en amour, où elle lui attribue un tempérament « tendre » qui « se dépense sans retenue ».

Rilke n'était pas seulement un grand poète de l'amour, il a également célébré l'élément sexuel, l'acte d'amour, plus tard, tout naturellement, aussi éloigné de la lubricité que de la pruderie — comme peu d'autres poètes l'ont fait. On peut lire dans le *Livre d'Heures* :

Donne à Quelqu'un, Seigneur, la grandeur et la gloire
et bâtis à sa vie un ventre qui soit beau,
érige son sexe en portail
dans la blonde forêt de duvet
et suscite, par le membre de l'Indicible,
le chevalier en tête des blanches cohortes,
des milles germes qui s'assemblent *.

Citons encore *Leda* — l'un des classiques de la poésie érotique de la littérature mondiale — et le « dieu secret des fleuves du sang ** » dans la *Troisième Elégie,* ou encore les poèmes dits « phalliques » de 1915. Selon toute apparence, il paraît se comporter dans ce domaine d'une manière beaucoup plus libérée que dans toutes les autres occasions de contact humain, où il éprouvait souvent des difficultés. On peut tirer la même conclusion de l'exclamation de Lou se remémorant leur liaison amoureuse : « Je fus ta femme pendant des

---

* Seuil, t. 2, p. 118.
** Trad. Armel Guerne, Seuil, t. 2, p. 353.

années parce que tu fus la première réalité, où l'homme et le corps
sont indiscernables l'un de l'autre, fait incontestable de la vie
même *. » Quand on sait que Rilke, en partie à cause de la bigoterie
de sa mère, et de la grande déception de celle-ci devant cet enfant
mâle, et en partie à cause de l'école militaire qui lui avait révélé ses
insuffisances physiques, avait appris à considérer son corps comme
un ennemi, on mesure l'expérience libératrice que fut son amour
pour Lou.

Les lettres qu'il écrivit cette semaine-là témoignent aussi d'une
félicité qui ne lui fut pas accordée une seconde fois. « Ma claire
source, balbutie-t-il, c'est à travers toi que je veux voir le monde ; car
alors je ne verrai pas le monde, mais toi, rien que toi, toujours toi,
toi ! » Une autre fois, nous lisons : « Chaque brise que tu sens sur ton
front t'embrasse avec mes lèvres, et chaque rêve te parle avec ma
voix. » Puis, d'un ton familier et intime et cependant comme un écho
lointain au *Werther* de Goethe (si toutefois Rilke l'avait lu à ce
moment-là) : « Reviens, maintenant. C'était si triste, lorsqu'en
disant " bonne nuit ", je n'avais pas de réponse. En m'endormant, je
le disais encore plusieurs fois à voix haute — et j'attendais...
j'attendais... » Ils ne manquent pas non plus, les indices de ce
changement de perspective qui ne se produit que sous l'assaut d'une
grande passion et s'exprime dans le fait que l'on regarde le monde
sous un angle tout différent. Aussi est-on étonné de rencontrer dans
ces lettres un Rilke qui semble un proche parent de... George
Gross : « Je vis malheureusement parmi des hommes, raconte-t-il
après une visite à ce Munich qui lui était si familier, si bruyants qu'ils
dérangent mes rêves, et naturellement je ne connais personne. Ce
sont des gens qui parlent d'excursions, de pluie, et de l'éducation des
enfants, se font de profonds saluts en ricanant et se frottant les
mains, et se disent dix fois par jour " bonjour " à voix démesurément
haute. »

Il va de soi que de telles effusions n'étaient pas mises sous les
yeux d'Andreas, et que celui-ci ignorait aussi bien leur existence que
le motif qui les avait inspirées. Lou dispose d'un étonnant pouvoir de
discrétion, car on ne peut douter que la vraie nature de sa relation
avec Rilke est encore dissimulée au mari même quand ils vivent à
trois dans la même maison et voyagent ensemble. De quelque
manière qu'elle s'y prenne, elle préserve la façade. Rilke devient
bientôt un ami de la famille et de la maison, qu'Andreas rencontre
volontiers quand il lève le nez de ses livres. — Les messieurs ont-ils
grand-chose à se dire quand Lou quitte la pièce ? Plus d'un quart de
siècle les sépare, et Andreas s'intéresse aussi peu à la poésie que

---

* Trad. Philippe Jaccottet, in *Rilke*, coll. Ecrivains de toujours, Seuil 1970, p. 29.

Rilke aux études iraniennes. Mais ils savent tous deux ce qu'ils se doivent à eux-mêmes, l'un à l'autre et à Lou. Rilke est assez attentif pour envoyer à Noël 1899, de Prague, pratiquement les mêmes vœux au P. Dr Friedrich Carl Andreas et à Frau Louise Andreas-Salomé. Andreas à son tour lui fera savoir en 1903 par Lou que les lettres adressées par le poète n'étaient lues que d'elle seule.

Ces mesures de précautions, que Lou et Rilke prirent plus tard et non seulement par égard pour Andreas (« le Loumann », l'homme de Lou), les amenèrent à détruire bien des preuves écrites de leur passion — et malheureusement dans ce nombre la moitié environ des poèmes que Rilke avait adressés à Lou, et qu'il voulait publier sous le titre *Pour te fêter,* par analogie avec le cycle *Pour me fêter,* paru en 1899, et qu'il abandonna à la demande de Lou. Parmi les pièces échappées à l'autodafé, il y a quelques vers qui auront droit à une place d'honneur tant que l'on écrira et lira des poèmes d'amour. Rilke les avait écrits en juillet 1897 et les reprit, à la prière de Lou, dans la deuxième partie du *Livre d'Heures :*

Eteins mes yeux : je te verrai encore,
ferme mes oreilles : je t'entendrai,
et sans pieds je marcherai vers toi,
et sans bouche je t'invoquerai.
Brise-moi les bras, je t'étreindrai
avec mon cœur comme avec une main,
arrête mon cœur et mon cerveau battra,
et si tu jettes mon cerveau dans le feu,
je te porterai dans mon sang.

V.

Le rappel militaire n'était qu'une fausse alerte. Le télégramme envoyé de Prague : « Libre et bientôt heureux ! » fut suivi de près par son expéditeur. En juin 1897, il s'installe avec Lou et Frieda von Bülow dans la « Lutzhäuschen » à Wolfratshausen, rebaptisée plus tard la maison « Loufried » (le nom restera à la fin à la villa de Göttingen où Lou et Friedrich Carl Andreas passeront le restant de leurs jours). August Endell, l'architecte du Jugendstil, vient de Munich, tout proche, en visite, amenant un jour Sophie Goudstikker et la sœur de celle-ci, Mathilde, alias Puck, pour laquelle il dessine, dans la Von-der-Tarn-Strasse, l'atelier *Elvira,* avec son célèbre escalier. A l'occasion, Wassermann fait une apparition, et un autre ami de Lou, le critique Akim L. Volynskii, va et vient pendant un moment ; Lou a fait sa connaissance lors d'une visite à Pétersbourg et il lui parle de la Russie, pays natal de Lou, qu'elle connaît à peine, hormis la capitale. Rilke, qui a envie d'aller en Russie, écoute attentivement.

Sur les photos qui ont fixé l'idylle estivale, Volynskii apparaît les yeux flamboyants, athlétique, comme le jeune Picasso, et Endell, avec un lorgnon et un béret basque ou même un chapeau de paille, a l'air d'un professeur en vacances. Frieda von Bülow, romancière et ancienne maîtresse du politicien colonial Carl Peters, qu'elle avait suivi en Afrique comme envoyée de la Ligue des femmes nationales-allemandes, est assise, sans participer, telle une duègne. Rilke, toutefois, dans une redingote démodée boutonnée jusqu'au col, avec sur le visage une expression d'écolier effarouché, n'a d'yeux que pour Lou : celle-ci porte une blouse de paysan russe aux larges manches et a noué ses cheveux en chignon, avec quelques mèches floues retombant sur le visage et cachant un peu le front haut. Sur l'une des photos apparaît aussi Andreas, qui est venu de Berlin à la mi-juillet après s'être annoncé par télégramme, si bien que Rilke et Endell établissent provisoirement leurs quartiers dans un village voisin.

Au début d'octobre, on revient à Berlin, Rilke est tellement pris par le charme de Lou qu'il délaisse Munich à sa gauche et prend congé de ses amis de Bavière par une lettre envoyée de Berlin. Il prend une chambre meublée à Wilmersdorf, 8 Im Rheingau, non loin de la demeure d'Andreas, où il se montre presque chaque jour. Le poète, qui plus tard ne sortira plus qu'avec chapeau, canne et guêtres, fend du bois pour Lou, l'aide à essuyer la vaisselle et se rend utile au ménage. Lou lui prépare ses plats préférés, du bortsch et de la bouillie russe au gruau, tandis qu'Andreas travaille dans la bibliothèque, la seule pièce assez grande de la maison. Sur le conseil de Lou, Rilke se prépare à deux voyages. L'un, déjà quasi décidé, le conduira au printemps à Florence. Aussi apprend-il l'italien et suit-il des cours d'histoire de l'art à l'université de Berlin. L'autre l'emmènera, à un moment quelconque, vers la Russie. Il commence à apprendre le russe et est bientôt si avancé que, avec hésitation il est vrai et seulement avec l'aide de Lou, il peut lire quelques pages de Tourgueniev et de Tolstoï dans l'original.

Comme sa vie est plus calme et mieux dirigée qu'à Munich, il trouve plus de temps pour écrire, aller au théâtre et se rendre dans le monde. Lors d'une matinée (genre de représentation inaugurée par Rudolf Steiner), il voit pour la première fois une pièce de Maeterlinck. Le soir, il accompagne souvent Lou, qui lui aplanit bien des chemins ; elle l'introduit ainsi chez le couple de peintres Reinhold et Sabine Lepsius. Dans leur somptueuse demeure, Kantstrasse, a lieu précisément une lecture de Stefan George. Elle l'amène aussi chez l'éditeur Samuel Fischer et la femme de celui-ci, Hedwig, qui compteront bientôt au nombre de ses amis. Outre Karl Vollmoeller *, Carl Hauptmann ** et d'autres écrivains, il fait enfin la connaissance de Richard Dehmel ***. Ce sont les poèmes de Dehmel qui seront lus par Rilke lors de la première soirée de conférences qu'il organisera lui-même, sur la poésie moderne, au début de mars 1898 à Prague. Il s'est arrêté dans cette ville en se rendant en Italie et a l'intention, sur le chemin de Florence, de s'arrêter chez sa mère, à Arco, près du lac de Garde.

Pendant tout ce temps, il n'a nullement oublié Phia. Une correspondance régulière les relie tous deux, et pendant les mois qu'il a passés à Wolfratshausen et à Berlin, il a souvent pensé à elle, alors que son père, avec qui il s'était brièvement entretenu l'année précédente, à Munich, le préoccupe fort peu. Le recueil *Pour me fêter,* publié après le retour d'Italie, contient un cauchemar caractéristique :

A de pauvres saints de bois
ma mère a fait une offrande,
et ils s'étonnaient, muets et fiers,
derrière les bancs durs.

Ils ont, pour leur peine ardente,
oublié tout merci,
ils n'ont connu que la flamme des cierges
de leurs froides messes.

Mais ma mère est venue
leur donner des fleurs.
Ma mère a cueilli ces fleurs,
toutes, dans ma vie.

Tous les poèmes ne sont pas ainsi rétrospectifs, dans ce cycle qui définit une phase de développement intermédiaire de Rilke, immédiatement avant le *Livre d'Heures,* et représente une manière d'adieu au jeune poète qu'il fut. En tête du petit volume figurent des remerciements à Heinrich Vogeler, qui a pour chaque page dessiné une vignette ou quelques arabesques, et à la « Société pour l'encouragement de la science, de l'art et de la littérature allemands en Bohême », dont les membres venaient de l'inviter à faire une lecture à Prague. A cet aveu de dépendance extérieure, correspond une dépendance intérieure, trahie par des réminiscences de George (le mot *erkiesen*, « élu », est ainsi élevé provisoirement à la dignité

---

* Karl Gustav Vollmoeller (1878-1948) : dramaturge, auteur d'un *Miracle* pour 2 000 personnages.
** Carl Hauptmann (1858-1921). Frère aîné de Gerhart Hauptmann. Romancier naturaliste, dramaturge plutôt expressionniste.
*** Richard Dehmel (1863-1920) : poète célèbre à l'époque.

de vocable favori) et même de Wagner : « Et je veux me munir de cette armure (le vieux mot *Brünne*) tant que je sens que mon cœur se dilate. » Il embouche donc lui aussi cette trompette, pour voir s'il peut lui arracher un son.

D'autres vers sont plus spontanés, ressentis d'une manière plus personnelle, comme les motifs italiens ou la glorification de cette tendre jeune fille, un peu fatiguée, qui se trouve juste à la lisière de l'éveil de ses sens, et doit être protégée devant les hommes, qui abuseraient bientôt d'elle au profit de leurs « entreprises de reproduction », comme Peter Altenberg nommait la chose. A ces femmes-enfants, si présentes dans les dessins du Jugendstil et la littérature fin de siècle (dans *Volga* de Lou, *Tristan* de Mann, *Dorf-Village* d'Altenberg), Rilke a dédié de nombreux poèmes, où il cherche à se transférer jusqu'au fond de leur âme :

> Vous êtes, jeunes filles,
> comme jardins d'avril
> qui rêvent dans le soir :
> printemps, sur tant de pistes,
> mais de but, nulle part *.

Toutefois, il porte aussi à son paroxysme une maladie stylistique de la fin du siècle. Dans les quelque cent pages de la première édition, qui, à peu d'exceptions près, contiennent chacune un court poème, on n'en compte que douze dont au moins un vers ne commence pas par « et ». Pas moins de huit poèmes commencent par cet invisible mot de liaison, qui aurait paru au Rilke ultérieur, beaucoup trop « à peu près » pour le vers initial d'un poème.

VI.

A Wolfratshausen et Berlin, Rilke travaille aux onze nouvelles qui paraîtront en 1898 sous le titre *Am Leben hin (Au fil de la vie)*. Quelques-unes ont des traits autobiographiques, ou contiennent une critique familiale qui dans *Ewald Tragy*, écrit peu après, prendra forme de satire. Mais déjà dans ces esquisses apparaissent Josef Rilke, la cousine Irene, la tante Gabriele et d'autres membres de la famille, tout le milieu allemand de Prague, en une parodie à peine voilée. Il se confronte à nouveau avec la bigoterie de sa mère dans *Unis*, histoire d'une bigote nommée... Sophie, qui, par sa sollicitude

---

* Seuil, t. 2, p. 74.

d'un genre spécial, enlève tout goût de la vie à son fils malade revenu à elle. Une autre nouvelle, *Toutes en une,* nous présente un sculpteur sur bois qui, paralysé, fait des madones qui ressemblent toutes à une jeune fille de ses amies. Quand celle-ci se fiance avec un autre, l'infirme essaie de toutes ses forces d'échapper à cette obsession et se coupe les mains. A ce texte est réservé un destin particulier : ce sera la première œuvre de Rilke traduite. Cette traduction, en langue russe, paraîtra grâce à Volynskii dans une revue de Pétersbourg, six mois après la publication de l'original allemand.

La production dramatique de Rilke, en ce temps-là, est placée elle aussi sous le signe des conflits familiaux. *Ohne Gegenwart (Sans présent)* dépeint une crise conjugale dénouée par le suicide de la sœur de la jeune femme. Dans *Mütterchen (Petite mère),* Rilke oppose le mariage bourgeois, où s'use prématurément une femme dévorée de chagrin, à l'insouciance de la jeune sœur non mariée. Les deux pièces sont courtes et rappellent Maeterlinck, dans la mesure où la tension dramatique ne se déroule pas sur la scène, mais apparaît à travers ses retentissements sur la vie intérieure des personnages.

Deux pièces en un acte, écrites alors, sont plutôt des drames de l'âme que des actions dramatiques. On ne les retrouve que dans les œuvres posthumes. Elles traitent d'un autre thème qui occupait Rilke à l'époque : la réalisation de la femme, dont il avait pu voir des exemples différents chez sa mère, chez Lou et chez Franziska von Reventlow. Ainsi *Höhenluft (L'air des cimes)* expose l'état d'âme d'une jeune mère, chassée de sa maison pour s'être laissé aller à une liaison amoureuse. Elle préfère alors vivre pauvre avec son enfant, mais indépendante dans une chambre sous les toits (d'où le titre), plutôt que de revenir dans sa famille de philistins aisés. Dans les quelques pages d'un autre drame demeuré à l'état de fragment, et qui apparaît aussi dans le journal de Rilke sous la dénomination de *Brautpaar-Stoff (Le couple, argument),* Zénaïde Stolbow (qui ne porte pas par hasard un nom slave) est pleine du sentiment de la valeur à part entière de la femme devant l'homme, mais est tout aussi dégagée d'animosité envers lui :

> Vois-tu, ce sont des habitudes de femme ! Il faudra aussi que tu t'en débarrasses (dit-elle à une fiancée qui vient de lui lire un passage du journal de son futur époux). S'il te l'a donné, lis-le — et tais-toi !... Il n'y a là rien de mal, entre « amies » cela n'aurait pas d'inconvénient. Mais *nous* sommes davantage : des amis, d'une certaine manière. Des êtres humains entre eux.

Peut-être retrouvons-nous ici le phantasme si courant de la femme-camarade. Cette exhortation est peut-être un emprunt à Lou, dont l'essai sur l'émancipation des femmes, qui paraîtra en 1899 sous le titre *Der Mensch als Weib (L'être humain en tant que femme)*, fera époque. Mais alors il ne faut pas omettre de signaler que, *elle aussi*, elle doit beaucoup à Rilke, et que cet essai précisément a des résonances rilkéennes, comme cette définition de la femme (définition enrobée dans toutes sortes de lieux communs psychologiques et anatomiques) comme un être où le sexuel dispose de « cent portes d'or et cent chemins de fête [46] ».

Dans le *Journal de Schmargendorf* (plus tard : *de Worpsswede*), que Rilke tient depuis 1898 sous l'impulsion de Lou et dont il lui lit à l'occasion des passages, on trouve l'un des courts récits les plus riches en impressions que nous ayons de sa main : *Frau Blahas Magd (La servante de Mme Blaha)*. Anouchka, une jeune fille de la campagne, handicapée mentale, est servante chez Mme Blaha, mariée à un employé des chemins de fer. Dans le misérable appartement de ville où seuls quelques enfants du voisinage lui tiennent compagnie, la jeune fille se consume de solitude et de nostalgie de son village natal. Avec ses économies, elle s'achète un théâtre de marionnettes, qu'elle a vu dans une vitrine en se promenant pour faire ses achats de Noël. Jouer avec les marionnettes est la seule passion de sa vie. Quand un homme, qu'elle a rencontré dans une taverne et perdu bientôt de vue, la laisse enceinte, elle étrangle l'enfant et le cache dans l'armoire de sa chambre. Aux enfants des voisins, seuls, devant qui elle aime jouer avec son théâtre, elle raconte qu'elle possède « une poupée encore plus grande ». Un jour, elle va chercher le bébé mort et le montre aux enfants qui s'enfuient épouvantés, puis elle décapite le petit cadavre et les marionnettes. La poupée, familière à Rilke depuis son enfance de petite fille, et parfois profondément haïe, revient dans de nombreux poèmes, dans un essai de 1914 intitulé *Poupées* et, sous la forme d'un symbole de pleine valeur, dans la *Quatrième Elégie*.

Parmi les nouvelles qu'il lit à Lou, on trouve des prises de position sur le climat politique dans la Bohême de la fin du siècle : les deux *Histoires Pragoises* (1899). Le héros de la première, *Le Roi Bohusch*, est inspiré d'une personnalité historique, le tapissier bossu Rudolf Mrva, espion placé auprès de l'organisation secrète tchèque Omladina, et dont on avait trouvé le cadavre en novembre 1893 dans un appartement de Prague. Le « roi Bohusch » de Rilke — on le surnomme ainsi — est un homme bossu, dont la présence est tolérée par les artistes et intellectuels réunis au National-Café de Prague. Pour se mettre en valeur devant eux et en imposer à son amie, Bohusch initie l'étudiant anarchiste Rezek à son secret : dans la cave de la maison qu'il habite avec sa mère, il a découvert la porte d'un passage souterrain qui serait propre à dissimuler des conspirateurs. Rezek, qui est le seul activiste de ce groupe de Tchèques patriotes,

certes, mais peu disposés aux engagements extrêmes, décide effectivement de tenir leur prochaine rencontre dans ce passage. Quand
Bohusch revient quelques jours plus tard dans la cave, il voit un rai
de lumière sous la porte et épie un groupe de jeunes Tchèques qui
fomentent un complot. Il est découvert de son côté et soupçonné
d'être un espion, mais il les persuade de son innocence. C'est
seulement quand la conjuration est mise en danger par une lettre
pleine de rodomontades envoyée par le bossu à son amie, que Rezek
le juge dangereux pour leur sécurité, et l'élimine. (Dans la vie et la
mort du bossu, Rilke a donné à l'élément tchèque un arrière-goût
d'horreur et de cruauté, que l'on retrouve également dans *La
servante de Mme Blaha* et dans la petite esquisse triviale *Le rire de Pán
Mráz*).

Le Roi Bohusch, qui se déroule dans un contexte exclusivement
slave, est relié à la seconde histoire, *Frère et sœur,* par la figure de
l'étudiant Rezek. Dans cette seconde nouvelle, la tension naît de
l'opposition entre la veuve tchèque du forestier, qui va à Prague avec
son fils Zdenko et sa fille, et les Allemands avec lesquels elle entre en
contact. Parmi ceux-ci, il y a un colonel et sa femme, qui par son
arrogance bourgeoise et germanique ressemble quelque peu à Phia.
Il y a aussi une jeune pharmacienne sympathique, qui après la mort
de Zdenko loue la chambre de celui-ci et en une conclusion
réconciliatrice, convient d'un échange linguistique avec la fille :
« J'aimerais tant savoir un peu mieux l'allemand, dit-elle. Peut-être
auriez-vous besoin d'un peu de tchèque, vous aussi ? — Oui, souffla
Land, j'aime votre langue *. »

Rilke, qui fut toujours le critique le plus exigeant de sa propre
production, a défini les deux nouvelles comme « la matière brute non
utilisée de *l'Offrande aux Lares* ». La raison de ce dénigrement est
évidente. Tandis que *Le Roi Bohusch,* sorte de roman politico-
policier avec une teinte idiosyncrasique (par exemple dans la
prédilection pour les scènes de cimetière) compte au nombre des
œuvres les plus passionnantes nées sous la plume de Rilke, *Frère et
sœur* souffre d'un excès de dialectique. Auprès des Tchèques qui
doivent s'affirmer devant les Allemands, les vieux s'opposent aux
jeunes, les serviteurs aux maîtres, les paysans aux citadins, l'idéaliste
Zdenko au pragmatique Rezek. De petites particularités du narrateur, comme l'emploi de *etwan* pour *etwa* ou *welcher* pour *der***,
dérangent moins le fil de sa plume qu'un ritardando lyrique, toujours
perceptible à contretemps :

---

* Seuil, t. 1, p. 126.
** Nous avons laissé ces exemples intraduisibles, que l'on peut comprendre avec
quelques connaissances d'allemand. (N.d.T.)

Ainsi, dans le tumulte de plus en plus sauvage, grandit une joie mystérieuse. Aux côtés d'un chevalier d'argent, le prince reconnaît une pâle jeune fille en bleu, et il éprouve aussitôt de l'amour pour elle et de la haine pour celui qui l'accompagne. Ce double sentiment jaillit en lui, dans le même instant, rouge et rapide. Et, déjà, il a fait roi le chevalier d'argent ; car sur sa cuirasse polie coule un flot de pourpre de plus en plus large et sanglant, jusqu'à ce qu'enfin le chevalier s'écroule sous le poids de ce manteau princier *.

Selon son goût, on trouvera ce passage « romantique » ou « kitsch ». Mais cela n'a strictement rien à voir avec la nouvelle *Frère et sœur,* tandis que, d'autre part, la description des clients assemblés au café au début du *Roi Bohusch* nous permet tout à fait de saisir le caractère de l'intelligentsia tchèque. On pense soudain à un maître de la narration satirique, Thomas Mann. Par exemple, le poète qui au National-Café s'absorbe dans son verre d'absinthe et à la question « comment va le moral », répond « c'est le printemps », est un frère du nouvelliste Adalbert dans *Tonio Kröger,* qui masque son incapacité à se concentrer sous un « Dieu damne le printemps ! ». Comme Tobias Mindernickel et le petit M. Friedemann, Bohusch est un infirme, et le critique littéraire de la table d'hôte pourrait venir tout droit de chez Thomas Mann ; ce monsieur est en effet :

Distingué par un cou d'une longueur exceptionnelle et, comme l'avait dit un jour un méchant confrère juif, par une pomme d'Adam particulièrement courtoise qui accompagnait chaque gorgée à travers la solitude du gosier, jusqu'au bord du col où elle ne pouvait plus s'égarer, puis, serviable et empressée, remontait à son poste **.

Rilke lui aussi s'amusait parfois à larder un collègue de ses pointes.

La coïncidence est plutôt due au hasard, et ne doit pas cacher la fondamentale dissemblance de Mann et de Rilke. Dans leur biographie, toutefois, on peut mettre en parallèle ces voyages de formation faits pendant leurs années de jeunesse, l'un allant en 1896-1898 à Rome et Palestrina, l'autre en 1898 à Florence et Viareggio.

---

* Seuil, t. 1, p. 89.
** Seuil, t. 1, p. 44.

Des villages à la Potemkine

I.

Après avoir rendu visite à sa mère dans la ville d'Arco, encore autrichienne en ce temps-là, Rilke arrive à Florence à la mi-avril 1898, après de longues heures de train qu'il a passées assis sur des valises. Il prend une chambre à la pension Benoît, sur le Lungarno Serristori, en deçà de San Miniato, près du Ponte delle Grazie. (Une plaque commémorative orne aujourd'hui la maison. On y lit que Rilke, rédigeant ici au printemps 1898 son *Journal Florentin*, « confirma sa vocation poétique » — *confermò la sua vocazione poetica.*) Sa chambre, située au quatrième étage, ouvre sur les jardins du toit-terrasse et lui offre une belle vue sur la ville. Dès le premier soir, il fait une longue promenade jusqu'à la cathédrale et au Palazzo Vecchio, passant devant la Loggia dei Lanzi et traversant la cour des offices pour rejoindre l'Arno.

Parmi les personnes dont il fera la connaissance pendant son séjour, figure le peintre Heinrich Vogeler, qui l'invite à venir lui rendre visite à Worpswede. Un jour, à sa grande surprise, Rilke rencontre aussi Stefan George, dans les jardins Boboli. Leur dernière rencontre a eu lieu dans le salon de Lepsius, où Rilke, mêlé à d'autres admirateurs, l'a écouté. Intimidé par les manières solennelles du poète et peut-être même espérant que George ne se souviendrait pas de lui, Rilke essaie de s'éclipser rapidement. Mais l'œil aigu du Maître l'a déjà repéré, et George l'entraîne dans une longue discussion où il se montre prévenant et enjoué, en homme heureux d'être débarrassé de ses devoirs de représentation[47]. En allant et venant, George fait comprendre à Rilke qu'il s'est présenté trop tôt devant l'opinion publique. Ce reproche touche Rilke, mais coïncide déjà foncièrement, à cette époque, avec sa propre opinion. Ils se séparent en bons termes, et chacun d'eux réservera un accueil favorable aux livres de l'autre. Mais Rilke et George ne se rencontreront plus.

Rilke passe les semaines suivantes en parfait touriste et inspecte consciencieusement toutes les églises, fontaines, escaliers, cours, peintures et statues.

Et faut-il dire comment ma journée se déroule ? demande-t-il tout de suite après son arrivée, dans l'un des rares « poèmes de circonstance », au sens goethéen du mot, qu'il nous ait laissés :

> Tôt le matin je vais par les Viale rayonnantes,
> vers les palais, où je grandis dans toute ma gloire,
> et sur la Piazzale, en plein air, je me mêle
> au peuple brun, au cœur fou de la folie.
>
> L'après-midi je prie dans les salles de tableaux,
> où les Madones sont si brillantes et douces.
> Et quand plus tard je quitte la cathédrale,
>
> c'est déjà le soir dans la vallée de l'Arno,
> je suis silencieux et lentement fatigué et je me peins
> Dieu en or...

Le « Piazzale en plein air » est peut-être le Piazzale Michelangelo, au-delà de la pension, bien que ni là ni ailleurs dans cette ville il ne puisse être question de « peuple brun », et de folie moins encore. Présenter les Florentins sous ces couleurs du folklore méditerranéen, c'est aussi loin de la réalité que l'image d'un Rilke sociable se mêlant à une foule carnavalesque. Contrairement à beaucoup d'autres Allemands visitant l'Italie, il a peu à dire sur les Italiens eux-mêmes, sans doute parce qu'il vient d'un Etat aux peuples divers, où des modes de vie différents ne sont pas et ne seront pas de sitôt considérés comme de l'exotisme. S'il connaît si peu l'Italie à cette époque, c'est aussi parce que, s'il parle brillamment le français, assez bien le russe et passablement le tchèque, il fait en italien un nombre de fautes considérable (dans son poème, il a mis *Piazzale* au féminin). Dans les notes qu'il prend alors pour Lou et que l'on rassemblera plus tard sous le titre de *Journal Florentin*, il lui arrive assez souvent de mal orthographier des mots, même usuels : Palazzo Publico pour Pubblico, Buffamalc(c)o, Fra Bartolome (Bartolommeo), lucc(h)esisch (lucquois), Dante G. Ros(s)etti, et d'autres.

Mais ses études préparatoires à l'université de Munich et à Wolfratshausen lui permettent de faire des progrès rapides dans la compréhension de la peinture et de l'architecture de la Renaissance. La comparaison avec la seule ville italienne qu'il connaisse déjà s'impose d'elle-même. Il dresse alors des oppositions aussi colorées qu'exactes :

> Florence ne s'ouvre pas aux passants, comme Venise. Là, les clairs
> palais sereins sont pleins d'une telle confiance, et comme de belles
> femmes ils s'attardent au miroir des canaux et s'inquiètent de paraître
> leur âge...
> Il en va autrement à Florence : les palais opposent leurs fronts muets à
> l'étranger d'une manière presque hostile, et un défi aux aguets
> demeure longtemps autour des sombres niches et des portails, et le
> soleil le plus éclatant ne parvient pas à en effacer les dernières traces.

Parmi les peintres, Botticelli est l'un de ses préférés et le
demeurera pendant des années, créateur de Madones virginales dont
les gestes et le visage mélancoliques trahissent la déception d'une
maturité jamais atteinte, comme si elles n'étaient pas devenues des
fruits, mais étaient demeurées fleurs. Il néglige Cimabue et Giotto,
tout comme Duccio et d'autres Siennois. Rien de ce qu'il écrit sous
cette forme d'impressions en suite libre, dans son journal, sur Fra
Angelico, Giorgione, Benozzo Gozzoli et Raphaël, n'est réellement
nouveau. Mais ces notes suffisent à prouver son goût et la sûreté de
son jugement. Leonard de Vinci n'a pas encore pris pour lui toute
son importance ; Michel-Ange, en revanche, lui apparaît d'autant
plus grand, surtout comme sculpteur. Rilke traduira plus tard ses
poèmes. Dès le début, il reconnaît en lui la personnalité artistique
dominante vers laquelle aurait pu se tourner un siècle fatigué et
doutant de soi. Par ce point de vue, il s'apparente directement à
Herman Grimm, Karl Justi, Heinrich Wölfflin, Paula Modersohn-
Becker et autres prophètes du culte de Michel-Ange qui se répandit
en Allemagne à la fin du siècle. « Que l'on s'imagine un article
consacré à Michel-Ange dans un journal quelconque, remarque-t-il,
peu importe que ce soit un blâme ou une louange. Avec ces phrases
pleines de subtilité juive et polies à blanc par l'usage. Je crois qu'il
aurait fracassé le critique comme un bloc de marbre mal taillé. » En
se moquant de la subtilité des autres, Rilke ferme les yeux sur la
sienne : « Quand j'écris pour le *Bremer Tageblatt,* avoue-t-il un peu
plus tard au peintre Otto Modersohn, j'écris toujours un peu dans ma
barbe et je tiens ma main gauche devant ma bouche : comme cela
c'est un peu plus journalistique. »
Il a une autre idole, moins plausible à première vue : le plus
jeune frère de Laurent le Magnifique, Julien de Médicis, qui
succomba en 1478 dans un attentat préparé par la famille et le parti
des Pazzi, qui voulaient mettre un terme à la domination des
Médicis. (Julien, âgé de vingt-cinq ans, fut poignardé pendant la
grand-messe dans la cathédrale de Florence. Laurent en réchappa
d'extrême justesse. Il fit pendre, plus tard, certains des conjurés.)
Rilke s'imagine que Julien et sa maîtresse cachée, une jeune fille du
peuple, ont eu, outre Julien de Médicis (le futur pape Clément VII),

un autre enfant. Cet enfant n'aurait connu ni son père ni sa mère morte en couches. Comment un tel enfant aurait-il grandi, avec quels sentiments aurait-il vécu ? Dans le personnage de Giuliano, le second Julien, « un amour de printemps qui devait mourir en voulant devenir été », on trouve des motifs qui viendront beaucoup plus tard à maturité. Le motif de l'enfant engendré sans le savoir par un héros et né après la mort de celui-ci, nous le rencontrons à nouveau dans la première version du *Cornette*. Celui de la mère mourant à la naissance de l'enfant, dans le *Requiem pour une amie,* et celui des *Frühentrückten,* « ceux qui nous ont quittés trop tôt », dans la *Première Elégie de Duino.*

Durant ces semaines de printemps florentin, Rilke se sent lui-même, parfois, le messager d'un été imminent, même s'il n'est pas défini davantage. Dans de tels accents, on ne peut pas manquer de percevoir des résonances nietzschéennes, surtout quand il s'efforce de marquer une frontière entre sa propre conception de l'art, aristocratique et élitaire, et celle des touristes qui, le lorgnon sur le nez et le Baedeker à la main, avalent le Bargello et la Signoria, les Offices et le palais Pitti. « Sachez donc, prône-t-il sur le ton de Zarathoustra, ce qu'est l'art : le moyen de s'accomplir comme individu, comme solitaire. Ce que Napoléon était vers l'extérieur, chaque artiste l'est vers l'intérieur. Il va de victoire en victoire comme sur les marches d'un escalier. Mais Napoléon a-t-il jamais vaincu pour l'amour du public ? » — A quoi l'on pourrait rétorquer : Napoléon, au moins après 1806, n'a combattu et vaincu que pour se maintenir en faveur auprès du « public » français. — Au philistin de la culture, Rilke préfère même ce voyageur, qui, à Venise, vantait les mérites d'une côtelette dégustée au luxueux hôtel Bauer Grunwald. Car ce touriste a au moins vécu « quelque chose de vivant, de personnel, d'intime », et a même fait preuve ainsi, dans la mesure de ses possibilités, de « bon goût et de capacité à apprécier les bonnes choses ». (Bien qu'il mange peu et se loge modestement, Rilke connaît bientôt les restaurants et les hôtels en vogue en Europe.)

Les impressions et les notes de voyages, on le sait, suscitent l'aphorisme. Pendant son voyage, Rilke utilise lui aussi cette forme pourtant inhabituelle chez les poètes lyriques. On la trouve déjà dans le *Journal Florentin* (1898) et dans ses suites, le *Journal de Schmargendorf* (1898-1900) et le *Journal de Worpswede* (1900). Ils représentent tous un état intermédiaire entre le journal kafkaïen, d'où l'on pourrait, sans en rien modifier, tirer des pages entières pour les insérer dans le reste de l'œuvre, et le type de journal à la Bertolt Brecht ou à la Jünger, qui, outre des conversations d'atelier avec soi-même et des fragments d'œuvres, contiennent aussi des détails personnels et des commentaires sur les événements quotidiens. Ainsi trouve-t-on dans le *Journal Florentin,* à côté de considérations artistiques d'ordre général (sur la sculpture polychrome, par exemple, ardemment discutée à l'époque par Hauptmann et nombre d'autres), des invocations à la lointaine Lou (« O splendide, toi qui m'as fait si vaste »), des notes sur ses œuvres (sur les *Chants de jeune fille* publiés dans *Pour me fêter*), et des considérations dignes de Schopenhauer et de Nietzsche :

> Dieu est la plus ancienne des œuvres d'art. Il s'est très mal conservé, et de nombreuses parties ont été plus tard approximativement reconstituées. Mais pouvoir parler de lui et avoir vu ce qu'il en reste fait naturellement partie de notre culture.

Il présente sous cette forme aphoristique même le bilan des journées florentines, adressé à Lou : « Vois : j'ai cru que je reviendrai avec une révélation sur Botticelli ou Michel-Ange. Et je ne rapporte qu'un message sur moi-même, et il porte de bonnes nouvelles. » Cette remarque est aussi un bon résumé du *Journal,* qui, dès le début, sert moins la recherche de quelque vérité que la découverte de l'auteur par lui-même. On n'est pas loin, ici, de l'une de ses plus célèbres citations, de ce « Tu dois changer ta vie », qui, à la fin du poème *Torse archaïque d'Apollon,* décrit de manière exemplaire l'effet du (grand) art sur le spectateur (réceptif).

II.

Epuisé par la splendeur des vieilles pierres florentines, Rilke part en mai 1898 pour Viareggio, qui était encore, à cette époque, une station thermale très fermée — la famille royale italienne s'y rendait aussi — mais dépourvue du décorum artificiel qui lui déplaira tant, plus tard, à Capri. Il y reste trois semaines, pendant lesquelles il rédige le *Journal Florentin,* entreprend des excursions à Pise et à Lucques, visite des villages montagnards des Apennins, Pietrasante et Sarzana, jusqu'à la carrière de marbre de Carrare. A l'hôtel, il lie amitié avec sa voisine de table, une femme de trente ans, Helene Voronine, de Saint-Pétersbourg, qui suit une cure avec son père et sa mère. Il se promène avec elle au bord de la mer et dans la *pineta,* et lui recommande les livres de Jacobsen et de Ralph Waldo Emerson, qui, malgré sa nationalité américaine, est à cette époque l'un de ses auteurs préférés. Quand, un soir, lors d'une promenade sur la plage, elle se montre déprimée, il la distrait — jouant pour la première fois le rôle de consolateur — en lui demandant de compter les lucioles :

« Une luciole, vous la voyez ? » Elle hocha la tête. « Là aussi » — « Et là — et là », poursuivais-je, l'arrachant ainsi à elle-même. « Quatre, cinq... » compta-t-elle après moi, tout excitée ; alors, je ris ; « Ingrate : c'est cela, la vie, six lucioles, et des foules d'autres. Et vous voudriez le nier ? [48] »

Il lui aura sans doute parlé, aussi, d'une aventure qu'il vécut pendant ces journées. Un matin, il est assis à son balcon et écrit, devant la mer et le jardin de l'hôtel, quand un crissement sur le gravier du chemin lui fait lever les yeux. Il y voit soudain un moine, vêtu d'une robe noire et un masque sur le visage, qui demande l'aumône. Quand un jeune garçon sort de l'hôtel et met une pièce dans l'escarcelle du moine, le poète a l'impression qu'une jeune fille se tient en bas devant la porte, et remet à la mort qui est venue la chercher, son cœur, avec ces mots : « Je me suis trompée, prends cela et va-t'en. Je ne peux pas encore. Je suis vraiment fatiguée, vraiment. Je ne peux plus aimer, prends-le. Mais laisse-moi encore regarder. » Alors le moine s'éloigne aussi soudainement qu'il est venu, se retourne à la porte du jardin, regarde derrière lui comme s'il attendait quelqu'un, puis disparaît.

(Quand Rilke quitte l'hôtel, plus tard, il a oublié l'apparition. Mais il remarque qu'un basset appartenant à la maison a l'air tout à fait troublé et ne se laisse plus caresser. A-t-il vu lui aussi le phénomène ? Le soir, en rentrant d'une promenade, Rilke apprend que le basset a été frappé par le sabot d'un cheval et qu'il est mort sur le coup.)

De cette impulsion et de quelques autres naît bientôt, après le retour de Rilke à Berlin, sa pièce la plus riche en effets, *La princesse blanche* (« Une scène au bord de la mer »). Elle est publiée en 1899 dans la revue *Pan*. Il la travaille à la fin de 1904. Entre autres modifications, la disposition sur un axe central, à laquelle le jeune auteur tenait, selon la mode du Jugendstil, cède la place à une disposition typographique normale. C'est Eleonora Duse qui doit tenir le rôle principal de cette seconde version ; le projet échoue malheureusement, bien que Rilke ait lu lui-même son texte à l'actrice.

L'action se déroule quelque part sur la côte de Ligurie, à la fin de la Renaissance. Nous découvrons la « princesse blanche » sur la terrasse, donnant sur la mer, de sa somptueuse villa. Le prince avec lequel, toujours vierge, elle vit un mariage malheureux, s'en est allé à cheval pour quelques jours, pour la première fois depuis leur mariage onze ans auparavant.

Quand la musique, le soir, l'apaisait, si bien
qu'il n'avait nul désir de rien,

je lui offrais mon lit. Son œil me remerciait
longuement. Sa lèvre dure se taisait.
Il s'endormait ainsi. Et moi j'étais
sans la moindre inquiétude. La nuit,
je me redressais, parfois, et je l'observais,
cette ride profonde entre ses sourcils,
et je voyais : il rêvait d'autres femmes
(de cette blonde Loredan peut-être,
qui l'aimait tant*)...

Elle veut alors envoyer hors de la maison sa sœur, la jeune
Monna Lara, et son vieux et fidèle serviteur Amadeo, car elle attend
la visite de son amant, longtemps désiré, jamais revu. Au coucher du
soleil, quand la barque de l'amant passera sur la mer, devant elle,
elle lui fera signe d'accoster cette nuit. Elle a réservé toute sa passion
pour ces noces tardives. « Mon sang débordait », répond-elle à sa
jeune sœur, qui, troublée elle-même par sa propre sensualité, lui
demande comment elle a supporté toutes ces années de virginité :

Son appel souvent était si intense
qu'il me réveillait, je me retrouvais en pleurs
et dans le silence j'éclatais de rire
et mordais l'oreiller jusqu'à ce qu'il se déchire**.

Au moment où Monna Lara et le vieil Amadeo vont s'en aller,
un messager surgit dans la cour et annonce que la peste a éclaté dans
les villages voisins. Les fossoyeurs parcourent le pays, toute une
racaille est sur les chemins, le messager conseille la prudence et se
retire avec Amadeo. Monna Lara, bouleversée par ces nouvelles,
veut tout faire pour venir en aide à cette misère. Même la Princesse
Blanche s'offre à servir les malades et à s'occuper des morts !

A partir de demain ce sera mon travail quotidien —
et le travail de mes longues nuits.

A partir de demain ?

De demain, sœur. Aujourd'hui c'est à lui
que j'appartiens, à lui qui vient.
Riche pour lui seul, acquise à lui,
comme l'héritage de ses aïeux***.

Le reste de l'action, si l'on peut employer ce mot pour un tel
drame de l'âme et des sens, est donné en une seule indication

---

* Trad. Maurice Regnaut, *La Princesse Blanche*, Action poétique.
** Trad. Maurice Regnaut, *ibid.*
*** Trad. Maurice Regnaut, *ibid.*

scénique. Tandis que le soleil disparaît à l'horizon, la « princesse blanche » reste seule sur la terrasse et regarde au loin, comme si elle cherchait quelque chose sur la mer. Quand, au loin, un bruit de rames devient perceptible, elle porte la main au sac qui pend à sa ceinture, comme pour se préparer à faire signe. Soudain, elle voit surgir au-dessous d'elle, dans le jardin, un Frère de la Miséricorde, un masque sur le visage, aussitôt suivi d'un autre Frère. Les deux sombres figures se chuchotent quelque chose et désignent la villa. Paralysée par la terreur, la « princesse blanche » s'efforce de tirer son mouchoir et de faire signe ; elle n'y parvient pas et reste comme pétrifiée. Pendant ce temps, on entend glisser la barque, « plus faible, de plus en plus lointain, le bruit de rames se perd dans le tumulte énorme de la mer que la nuit a presque envahie » *. Au dernier moment, on voit apparaître à une fenêtre, en haut de la villa, une claire silhouette de jeune fille qui fait signe, « d'abord pour appeler ; s'arrête un instant, puis fait signe autrement : pesamment et lentement, à coups hésitants, comme on fait signe pour un adieu * ».

C'est un drame lyrique d'une grande beauté, très intense, dans l'esprit de *Le Fou et la mort,* de Hofmannsthal, de *Fiorenza* de Mann ou de *La Mort de Tintagile,* de Maeterlinck. Des éléments biographiques y ont sans doute une grande place. Quand Rilke entra dans sa vie, Lou venait elle aussi de vivre onze années de faux mariage. Malgré les réminiscences étrangères et extérieures, nous nous trouvons bien dans le monde intellectuel de Rilke. Marquée déjà en ce temps-là par l'expérience de la peur et de la vie indissolublement liée à la mort, ce monde englobe aussi la croyance en la plus grande capacité d'amour de la femme, et en la passion inassouvie, incluse dans le désir.

III.

De Viareggio, en passant par Prague et Berlin, Rilke part pour Zoppot, station balnéaire sur la Baltique. Là, lui semble-t-il, il reçoit de Lou un accueil plutôt froid, après leur longue séparation. Au début du mois d'août, il revient à Berlin, et prend une chambre à la villa Waldfrieden, Hundekehlestrasse, dans le quartier de Schmargendorf alors encore très campagnard. Le Grunewald (forêt des environs de Berlin) est à sa porte, il le traverse souvent avec Lou, pieds nus, pour aller à Paulsborn, « en croisant des chevreuils apprivoisés qui venaient flairer les poches de nos manteaux ».

Pendant l'hiver 1898, il commence à retravailler quelques notes et impressions italiennes. Il écrit *La princesse blanche,* et *Spiel, (Jeu)* proche par ses thèmes de l'œuvre précédente et dédiée au peintre du Jugendstil Ludwig von Hofmann. Il écrit aussi les *Notizen zur Melodie der Dinge (Notes sur la mélodie des choses),* qui ne seront publiées que dans ses œuvres posthumes. A côté de l'Italie, tout le réseau de problèmes évoqués par le mot « Prague » fait aussi valoir ses droits : l'enfance perdue, la vocation artistique lentement cristallisée à partir de la détresse de cette enfance, le conflit de génération, les affrontements familiaux, les appartements de location avec tout ce que cela implique de médiocrité sociale. Dans *Ewald Tragy,* écrit à cette époque, Rilke se confronte si ouvertement avec cet univers que l'on croit parfois, derrière les pages, lire des notes intimes, un journal, ou l'histoire d'un malade. De ce monde non italien, le dos tourné au soleil, naquit également *Die Liebende (L'amante)* croquis psychologique d'un ménage à trois (une jeune fille entre deux hommes, un ancien ami extrêmement cultivé et le fiancé vigoureux et plein de vie qui a remplacé celui-ci). *Die Letzten (Les derniers)* est dû au même courant d'inspiration.

Les derniers : ce sont Harald, rejeton d'une famille autrefois distinguée et puissante, et sa mère, veuve, avec laquelle il partage un meublé. Ses activités d'orateur et d'écrivain lui permettent de représenter des opinions socialistes (même si ce mot n'est pas prononcé), encouragé par son amie Marie, une jeune fille du peuple. Mais Harald est d'une santé fragile, et au fur et à mesure que sa maladie s'aggrave, sa mère, à laquelle il prêtait peu d'attention au début, va redevenir le personnage principal et même le centre émotionnel de sa vie — ce qu'elle avait cessé d'être depuis l'enfance de Harald. Il abandonne tout d'abord Marie, puis son travail. Sa mère le soigne. A la fin, le fils, que l'approche de la mort rend fiévreux, identifie dans son délire sa mère avec une jeune fille vêtue de blanc (outre la noblesse, le blanc symbolise aussi chez le jeune Rilke l'attirance sexuelle), ou avec un fantôme qui hante la famille. La conclusion de cette petite œuvre, qui prolonge la problématique de la mère et du fils ébauchée dans *Unis,* baigne dans un érotisme étouffant et n'évite l'inceste que de bien peu. Rilke lui-même, à qui la rédaction de ce texte a peut-être produit l'effet d'une catharsis, estimait beaucoup cette nouvelle. Une atmosphère domestique, un ton d'écrivain populaire-réformateur rappellent les expériences de Prague. D'autres éléments, comme le fantôme familial, le château dans le Nord et l'omniprésence d'aïeux morts depuis longtemps annoncent déjà le monde de *Malte Laurids Brigge.*

Durant ces quelques mois, Rilke a également une intense activité de journaliste : la modestie de son train de vie ne le dispense pas de ce travail. Il écrit des critiques, entre autres un commentaire élogieux du premier récit de Hermann Hesse, *Une heure avant minuit.* Il visite des expositions et des galeries, écrit des articles sur *L'art nouveau à Berlin* (Henry van de Velde et autres marchands d'art) et les *Impressionnistes.* Il s'essaye aussi à la critique de théâtre, par exemple à propos d'une représentation du *Pelléas et Mélisande* de Maeterlinck. Bien qu'il affiche du dégoût pour le journalisme, il en a tout de même assimilé la mentalité et les techniques, comme on peut le constater d'après la conclusion de sa critique : « Mais on s'arrangea pour être d'accord avec tout et l'on quitta le théâtre dans les meilleures dispositions d'esprit : un bon appétit et une opinion établie. » Pourtant, il exprime peu après sa méfiance envers les critiques et il explique à un correspondant que « les œuvres d'art... sont d'une infinie solitude, et que rien ne les atteint moins que la critique [49] ». (Rilke partage avec Hermann Hesse cette ambiguïté face à la presse. Hesse, plus tard, s'exprimera avec dédain sur « le siècle du feuilleton ». Mais il en rédigera de temps en temps de remarquables.)

Enfin, durant cette halte entre l'Italie et la Russie, Rilke s'occupe intensément de théorie artistique et historique. En témoignent aussi bien ses comptes rendus que les scènes *Im Gespräch (Conversations),* réunies plus tard en un volume avec *L'amante* ou *Les derniers* (artistes, mécènes et collectionneurs discutent dans un palais vénitien), et l'essai *Sur l'art.* C'est la réponse de Rilke à l'étude de Tolstoï parue en 1897, *Qu'est-ce que l'art ?* où l'écrivain russe avait condamné sans appel toute forme d'art qui ne vise pas avant tout à produire un effet éthique ou religieux (condamnant ainsi la plupart de ses propres livres). Plus tard, Rilke rejettera en bloc ce postulat, le qualifiant de « honteux et stupide ». A cette époque, il procède avec plus de prudence, et se borne à répliquer par ses propres thèses exposées déjà pour l'essentiel dans le *Journal Florentin* (non publié alors). En résumé, ces thèses affirment que tout art porte son but en soi-même, que son essence ne consiste pas en son action sur l'environnement ou la postérité, mais réside dans sa seule existence, et que l'artiste, semblable à l'enfant par sa liberté ingénue et sa façon de dissiper ses richesses, recrée chaque fois à nouveau Dieu et le monde :

> Les autres ont Dieu derrière eux comme un souvenir. Pour le créateur, Dieu est l'accomplissement ultime, le plus profond. Et quand les âmes pieuses disent : « Il est », et que les âmes tristes pensent : « Il était », l'artiste sourit : « Il sera. » Et sa foi est plus que de la foi ; car lui-même, il édifie ce Dieu.

Il est donc logique qu'il nomme Hofmannsthal, dont il avait vu en mars 1899, avec Schnitzler, *Les Noces de Sobeide* et *L'Aventurier et la chanteuse,* « dissipateur démesuré et insatiable », dans une lettre de remerciement, car c'est exactement l'idée qu'il se faisait en ce temps-là de l'artiste.

Ses écrits, l'étude du russe qu'il poursuivait avec Lou, et les cours d'histoire de l'art à l'université de Berlin lui laissaient peu de temps pour voyager. En décembre, il passe quelques jours à Hambourg, où il rencontre Dehmel et Liliencron, et passe les fêtes de Noël dans la famille Vogeler à Brême. Avec Heinrich Vogeler, qui s'est fixé là-bas en 1894, il se rend finalement à Worpswede, pour prendre un premier contact avec ce paysage qui revêtira plus tard, pour lui, une telle importance. Au printemps, il fait une visite de courtoisie à Phia, à Arco, et revient à Berlin par Vienne, où il fait la connaissance de Hofmannsthal et Rudolf Kassner, et assiste à l'ouverture de la *Sezession* *. A Berlin, Lou et son mari sont plongés dans les derniers préparatifs avant leur départ pour la Russie.

IV.

Pour son premier voyage en Russie, Rilke accompagne le ménage Andreas. De Berlin, ils se rendent tous les trois, en passant par Varsovie, à Moscou, où ils arrivent le Jeudi Saint, le 27 avril 1899. Ils y restent tout juste une semaine, pendant laquelle ils rendirent visite à Léon Tolstoï, au peintre Léonide Pasternak et au sculpteur le prince Paul Troubetzkoï ; là, Lou habite chez sa mère avec son mari, tandis que Rilke loge dans une pension de famille. Il y rencontre de son côté Helene Voronine, qui lui fait les honneurs de sa ville natale, et il visite l'Ermitage et autres curiosités. Il fait aussi la connaissance du peintre Ilia Repine et assiste à une adaptation théâtrale de la nouvelle de Gogol, *Tarass Boulba*. Les lettres où il expose ses premières impressions de Russie à sa mère, à Fanny von Reventlow, Frieda von Bülow et autres amies, manifestent un enthousiasme à souffle coupé. Le 28 juin déjà, il est de retour à Berlin, après une courte visite à Danzig et Oliva. Le séjour en Russie avait à peine duré six semaines.

Lou et Rainer passent le plus fort de l'été sur le Bibersberg près de Meiningen, chez Frieda von Bülow, qui à vrai dire a rarement droit à un tête-à-tête avec ses hôtes :

Je n'ai pas eu grand-chose de Lou et Rainer pendant ces six semaines
de cohabitation (se plaint-elle à une amie), après un long voyage en

---

* Le pavillon de la *Sezession* a été construit en 1898 par l'architecte Olbrich. En forme de cube, le pavillon devait servir de salle d'exposition au mouvement artistique de la « Sécession », qui voulait rompre avec les salons officiels. (N.d.T.)

Russie entrepris ce printemps (avec le « Loumann »), ils s'étaient jetés corps et âme dans l'étude du russe et travaillaient tout le long du jour avec un zèle phénoménal : langue, littérature, histoire de l'art, histoire générale, histoire culturelle de Russie, comme s'ils devaient se préparer à un terrible examen. Quand nous nous rencontrions pour les repas, ils étaient si épuisés et fatigués qu'ils n'avaient plus la force de tenir des conversations intéressantes [50].

Le zèle de Rilke, encore intensifié par les expériences du premier voyage et la joie d'en projeter un second, est réellement phénoménal et lui réserve à l'automne 1899 une moisson particulièrement riche : en août et septembre le cycle de poèmes *Les Tsars* dans *Le livre d'images,* de la fin septembre à la mi-octobre le *Livre de la vie monastique* en première partie du *Livre d'Heures,* en novembre les *Histoires du Bon Dieu,* composé également cet automne. Ces œuvres comptent parmi les plus populaires, déjà du vivant de Rilke.

Le second voyage en Russie, effectué en compagnie de Lou (cette fois Andreas reste à la maison, à Wilmersdorf), commence le 7 mai 1900 et les emmène de nouveau d'abord à Moscou, où ils fréquentent Pasternak, le professeur de littérature Nikolaï I. Storochenko, l'écrivain d'art et collectionneur Paul Ettinger et la pédagogue Sophia Nikolaïevna Schill, qu'ils avaient déjà rencontrée à Berlin. Ils visitent les musées et les églises : la galerie Tretiakov, le Kremlin, le musée historique, la cathédrale Uspenski et la colonie d'artistes d'Abramzevo, située un peu à l'écart, « une sorte de Worpswede russe ». A la fin du mois de mai, ils partent pour un voyage circulaire dans le Sud. Un ami, le prince Serguei I. Chachovskoï, les aide à en établir le plan. Une visite à Iasnaïa Poliana n'est pas prévue, mais quand ils rencontrent par hasard, à la gare Kourski, Pasternak, et que celui-ci les présente à un habitué de la maison Tolstoï, un M. Boulanger, ils interrompent leur voyage et décident de rencontrer l'écrivain dans son domaine. Boulanger enverra un télégramme, et Lou et Rainer attendront la réponse à Tula. De Iasnaïa Poliana ils se dirigent vers Kiev, qu'ils visitent à fond pendant la semaine de la Pentecôte, la cathédrale Vladimir, la cathédrale Sainte-Sophie et avant tout le cloître de Petcheskaïa Lavra avec ses catacombes. A la mi-juin — nous donnons d'abord sommairement leur itinéraire et nous reviendrons ensuite sur quelques-unes des principales étapes — ils descendent le Dniepr par Krementchug vers Kresl, et de là prennent le train pour Poltava et, par Charkov et Voronesch, pour la Volga, qu'ils atteignent à Satatov. Après la visite du musée Pouchkine (ils avaient déjà assisté à la fête du centième anniversaire de sa naissance l'année précédente à Pétersbourg), ils font un long voyage en bateau sur la Volga, remontent le fleuve de Saratov vers Samara, Kazan et Nijni-

Novgorod jusqu'à Jaroslavl, près de laquelle ils partageront un moment la vie quotidienne des paysans. Après une courte halte à Moscou, désert en été, ils reviennent aux rives de la Volga, dans le village de Nisovka, où ils passent quelques jours chez le poète-paysan Spiridon D. Drojjine et ensuite chez le seigneur de celui-ci, un lointain parent de Tolstoï, le comte Nikolaï A. Tolstoï. Après ce séjour à la campagne, passé de manière tantôt paysanne, tantôt seigneuriale, ils reviennent à Pétersbourg, où leurs chemins se séparent. Lou part pour la Finlande, rendre visite à une partie de sa famille, Rainer reste seul dans la grande ville étrangère. Il écrit à l'amie une lettre maussade et masochiste, pour laquelle il implore ensuite son pardon (« Reviens bientôt... Oui, sois ici déjà dimanche. Tu n'imagines pas comme les jours sont longs à Pétersbourg. ») Mais il se reprend bientôt, visite assidûment la bibliothèque et les musées et se rend à Peterhof, où Lou, jeune fille, passait les étés. Pendant ces journées, où son intérêt pour l'art russe atteignit un point culminant, il noue aussi des relations avec les éditeurs de la revue littéraire et artistique *Mir iskusstva,* avec la princesse Maria K. Tenicheva, l'historien de l'art Alexandre N. Benois, auquel il rendra une autre visite en 1906 à Versailles, et avec Serge Diaghilev, alors à peine âgé de trente ans. — Après le retour de Lou, ils partent via Danzig pour Berlin, où ils arrivent le 26 août, après une absence d'environ trois mois et demi. Le lendemain même, Rilke part pour Worpswede.

Rilke, qui peut lire le russe mais ne le parle et ne l'écrit qu'imparfaitement, passa en tout quelque cinq mois en Russie, presque toujours en compagnie de son amie (sa « cousine », comme Sophia Schill l'écrit une fois à Drojjine), qui certes maîtrise la langue, mais connaît peu le pays et les gens, à l'exception de la cosmopolite Saint-Pétersbourg. (La demi-Russe Lou von Salomé est et semble si peu russe, que Drojjine, bien qu'elle parle couramment, la considère comme une Allemande... Parce que seuls des fous d'étrangers seraient venus à l'idée de jouer au moujik volontairement et sans obligation sociale ?) — Quant à Rilke, sa connaissance de la Russie n'est guère meilleure. Il a, c'est vrai, beaucoup étudié, mais seulement dans les livres. Bien des aspects de la « psyché » russe, son éventail émotionnel et en général tout ce que, en Occident, on définissait comme « imprévisible », lui restent aussi fermés que bien des côtés de la réalité physique du pays : l'hiver russe, la Crimée que l'on ne s'attend pas à trouver méridionale, les plaines de la Sibérie et ses problèmes sociaux. Rilke ne fait aucune allusion à un détail qui, vers 1900, est noté pratiquement par tous les voyageurs, avec souci ou complaisance selon leur tempérament : les tensions sociales et politiques, au cas où d'urgentes et profondes réformes ne viendraient pas les apaiser, doivent dans un avenir imprévisible, mener à une explosion.

L'image rilkéenne de la Russie naît à partir de nombreuses petites illusions, qui font dans leur ensemble penser à ces façades hâtivement édifiées, entre lesquelles Potemkine (comme l'avait raconté un diplomate saxon) avait promené la Tsarine dans un pays illusoirement florissant. Qu'il s'agisse d'illusions inoffensives, auxquelles nous devons plus d'un beau poème et des aperçus précieux sur des données effectivement « typiques » de la Russie, cela ne change rien à leur éloignement de la réalité. Il a existé d'autres malentendus féconds de ce genre, par exemple l'image de la Grèce telle que se l'est représentée le classicisme allemand.

Pourquoi Rilke, qui avait aussi voyagé comme journaliste et qui, en tant que tel publiera plus tard les essais *Art russe* et *Tendances de l'art moderne russe,* et qui savait si bien observer les décors à Paris et à Munich, y renonça-t-il en Russie ? Il le fit en partie par principe (pourquoi se soucierait-il de politique en Russie alors qu'il l'ignorait en Autriche ?) — et aussi parce que ses amis et hôtes russes s'efforcèrent souvent de lui dérober la réalité. Mais avant tout, il le fit parce qu'il avait *besoin* d'illusion, parce que, en quête d'un foyer, par amour pour Lou, dans son sentiment d'une affinité élective d'âme et d'esprit avec le peuple russe, ou pour n'importe quel autre motif, il s'était forgé une idée très personnelle de la Russie et des Russes, et tout ce qui contredit cette idée, fût-ce sa propre vue, est résolument écarté.

> Kiev m'est antipathique (écrit-il de là-bas à sa mère), parce que, à cause de la domination polonaise, il y manque beaucoup de cette âme russe que j'aime tant, il y a... des chemins de fer électriques, de larges rues avec de grands magasins,... de grands hôtels, etc. J'essaie de remarquer aussi peu que possible tout cela et je voue toute mon attention aux églises et aux cathédrales, dans lesquelles il y a de vieilles icônes et de précieuses reliques [51].

Cette faille entre la Russie réelle et ce que la Russie signifie pour lui explique aussi le fait paradoxal que Rilke, qui aime tant ce pays, n'y reviendra jamais. Pendant les années qui précédèrent la Première Guerre mondiale, il parcourt assidûment l'Italie, la Scandinavie, la France, l'Espagne et l'Afrique du Nord, il ne pense jamais à s'installer en Russie et à y vivre passagèrement comme il l'a fait à Paris et le fera plus tard en Suisse. Malgré cela, ou à cause de cela, il pourra considérer la Russie, jusqu'à la fin de ses jours, comme son véritable pays.

L'impression fantastique que la Russie lui procure s'étend jusqu'aux habitudes et aux ustensiles de la vie quotidienne. Dans le logement de Schmargendorf (après son retour de Worpswede, il déménage de la villa Waldfrieden pour s'installer Misdroyer Strasse), il s'arrange un coin russe, où trouvent place, auprès de toutes sortes de coffrets et de croix, la copie, faite par Helene Voronine, d'un tableau du peintre Viktor M. Vasnetzov. Même à Berlin, il parle russe dès qu'il le peut, et prie Pasternak et d'autres correspondants de lui écrire dans leur langue maternelle. En 1904, une photo prise dans sa salle de travail, à Rome, le montrera avec une barbe à la Raspoutine et vêtu d'une chemise russe, boutonnée sur l'épaule. Tout cela n'est pas de la pose, mais l'expression d'une sympathie à la limite de la parenté d'esprit, pour tout ce qui est russe, sympathie que Pasternak remarque lui aussi quand Rilke lui remet la lettre de recommandation d'un ami commun :

> Se tenait devant moi un jeune étranger, fragile et blond, en manteau de loden vert..., toute l'apparence extérieure de ce jeune Allemand, qui avec sa barbe et ses favoris comme du duvet, ses grands yeux bleus enfantins, purs et interrogateurs, ressemblait davantage à un jeune « intellectuel » russe, son noble métier, son âme heureuse de vivre, presque puérile, son enthousiasme rayonnant, à peine contenu, pour tout ce qu'il avait vu en traversant la Russie, me captivèrent aussitôt [52]...

Ils deviennent amis et se rencontreront encore plus tard à Rome et en Suisse. Dans sa dernière lettre à Pasternak, écrite quelques mois avant sa mort, Rilke résume sa relation avec son pays d'élection, la Russie, en l'une de ces images simples et monumentales qu'il sait parfois trouver, même pour exprimer des détails secondaires. La Russie, écrit-il, a été « scellée pour toujours dans les murs de fondation de ma vie ». Pasternak a dessiné Rilke à Moscou et le représentera plus tard, de mémoire, dans un portrait à l'huile, qui montre le poète perdu dans ses rêves, à l'écoute d'une voix intérieure, les tours du Kremlin à l'arrière-plan. Son fils, le poète Boris Pasternak, qui, alors âgé de dix ans, assista à la rencontre à la gare Kourski, admire également Rilke et le traduira en russe. Rilke dédie à la poétesse en exil Marina Tsvetaeva-Efron, amie de Pasternak, son dernier poème important, l'élégie écrite en juin 1926 : « Ces pertes dans le Tout, Marina, ces étoiles qui croulent * ! »
Ce qui fascine Rilke, dans la Russie, ce sont en premier lieu ses êtres humains. Il en a déjà rencontré quelques-uns en Allemagne et en Italie, comme Akim Volynskii, Sophia Schill et Helene Voronine. Parmi ceux qu'il rencontre dans leur pays, c'est Pasternak qu'il

---

* Seuil, t. 2, p. 460.

préfère, et c'est Tolstoï qui l'impressionne de la manière la plus durable.

Pasternak, donc, établit la liaison entre l'écrivain russe et le poète autrichien. Le peintre, qui fréquentait la maison Tolstoï, avait convaincu le vieillard, en avril 1899, d'inviter le couple Andreas et leur compagnon de voyage, qui venaient d'arriver à Moscou. Tolstoï était l'écrivain préféré de Lou, surtout à cause de sa position intermédiaire entre le Slave obstiné qu'était Dostoïevski, et Tourgueniev l'occidentalisé. Tolstoï avait à présent soixante-dix ans et il s'entretint avec Lou et son mari, devant le thé servi par un laquais dans un samovar d'argent. Andreas avait l'intention de poursuivre son voyage jusqu'en Transcaucasie, et Tolstoï l'interrogea sur les religions perses. Rilke, de loin le plus jeune du groupe et à l'époque à peine capable de suivre une conversation en russe, avait sans doute surtout écouté lors de ce premier contact avec « le comte », comme il nomma son hôte dans ses lettres à des amis allemands, comme si ce titre, fastidieux depuis longtemps pour Tolstoï, représentait le caractère le plus important du célèbre romancier. Si, à cette occasion, ils en étaient venus à un véritable échange de pensée, Tolstoï aurait reconnu Rilke lors de sa seconde visite.

Au sujet de cette visite, qui eut lieu en début de l'été 1900, nous possédons plusieurs récits de Rilke et un de Lou. Ils cherchent tous à cacher le cours réel de l'entrevue sous des anecdotes plus ou moins illusoires : le Russe aurait serré son visiteur sur son cœur (il ne saurait être question d'autres invités), et lui aurait, en une conversation secrète et profonde, dévoilé des aperçus jusqu'alors dissimulés à tout le monde. En lisant avec attention la plus répandue de ces versions, on comprend que Tolstoï était beaucoup moins l'homme bon et sage que Rilke voulait voir en lui, que le vieillard démoniaque deviné par, entre autres, Thomas Mann, qui ne le connaissait pas personnellement.

Nous laissons la voiture au portail, écrit-il à Sophia Schill dès le lendemain, après une description détaillée de son long voyage de Toula à Iasnaïa, tout d'abord en train de marchandises puis en carriole, et remontons sans bruit, vrais pèlerins, la paisible allée forestière, jusqu'à ce que la maison nous apparaisse dans toute sa blanche longueur. Un domestique se charge de nos cartes. Un instant plus tard, nous apercevons derrière la porte, dans la pénombre du vestibule, la silhouette du comte. Son fils aîné ouvre la porte vitrée, et nous nous retrouvons dans le corridor en face du comte, du vieillard que l'on aborde toujours en fils, même quand on ne veut pas rester sous sa paternelle autorité. Il m'a semblé plus petit, plus voûté, blanchi ; et le regard clair, sans ombre, qui attend les visiteurs, qui volontairement les sonde et, sans le vouloir, les bénit, de quelque indicible bénédiction, paraît indépendant de ce corps de vieillard. Le comte reconnaît Mme Lou et la salue très cordialement. Il s'excuse, et promet de nous rejoindre à partir de deux heures. Nous sommes au but ; tranquillisés, nous restons dans le grand salon en compagnie du fils, nous errons avec lui dans le grand parc sauvage pour revenir deux heures plus tard. La comtesse range des livres dans le vestibule. De mauvaise grâce, avec une expression de surprise sans aménité, elle se tourne un instant vers nous pour déclarer, sèchement, que le comte est peu bien. Par bonheur, nous pouvons répliquer que nous venons de le voir. La comtesse est un peu désarmée. Néanmoins, elle n'entre pas avec nous, éparpille les livres dans le vestibule et crie à la cantonade, d'une voix irritée : « Nous sommes à peine installés ! » Puis, comme nous attendons dans le petit salon, une jeune dame survient, on entend des éclats de voix, de violents sanglots, les paroles d'apaisement du vieux comte qui nous rejoint, pose quelques questions d'un air absent, irrité, et nous abandonne de nouveau. Vous imaginez notre attente, l'anxiété d'être mal tombés. Mais, un instant plus tard, le comte reparaît, tout à nous cette fois, attentif, nous mesurant de son vaste regard. Et pensez, Sophia Nikolaïevna : il nous propose une promenade dans le parc. Au lieu du repas que nous avions souhaité et redouté à défaut de mieux, il nous offre la possibilité d'être seuls avec lui dans le beau paysage au sein duquel il a porté les graves pensées de son ample vie. Depuis deux jours, étant de nouveau souffrant et réduit au café au lait, il ne prend plus part aux repas ; c'est donc l'heure qu'il peut le plus aisément dérober aux autres pour la déposer dans nos mains comme un cadeau inespéré. Nous suivons lentement les longs chemins envahis par la végétation, dans un riche dialogue qui, comme la première fois, doit au comte sa chaleur et son élan. Il parle russe, et quand le vent ne couvre pas sa voix, je ne perds pas une syllabe. Il a passé sa main gauche dans la ceinture, sous sa veste de laine, la droite repose sans peser sur le corbin de sa canne ; de temps en temps, il se penche, d'un geste qui semble vouloir saisir, en même temps qu'elle, le parfum qui flotte autour, pour cueillir une fleur ; il en boit l'arôme dans le creux de sa main, puis, tout en parlant, laisse négligemment la fleur vidée tomber dans la surabondance sauvage du printemps, qui ne s'en trouve pas appauvri *.

Rilke omet de dire que Tolstoï n'avait ostensiblement pas répondu au télégramme envoyé par Boulanger, en d'autres termes : que lui-même et Lou ont fait irruption, bon gré mal gré, chez le vieil écrivain malade (« un vieillard... rapetissé, voûté, blanc, ... maladif, souffrant de nouveau depuis deux jours »). Sophia Andreïevna Tolstoï, toujours « comtesse » et dame de la maison, même quand Rilke la dépeint comme une sorte de servante hargneuse (Lou, elle-même mariée à un homme plus âgé qu'elle et difficile, a négligé d'intervenir ici en conciliatrice), essaie d' « envoyer promener » les deux visiteurs. Tout se termine, comme souvent dans la maison

---

* Seuil, t. 3, p. 12.

Tolstoï, par une scène de famille dissimulée tant bien que mal aux visiteurs. Sans souci de l'hospitalité proverbiale de la campagne russe, Tolstoï n'offre aux visiteurs fatigués par le long voyage et leur promenade de deux heures, ni le déjeuner attendu ni même des rafraîchissements, mais les entraîne dans une seconde promenade. On peut à peine douter que lui et sa femme essayaient de se débarrasser des importuns — Rilke, en un mot révélateur, se désigne lui-même, avec Lou, comme des « intrus ». Lou, qui péchait parfois par présomption, avait sans doute eu l'idée de cette visite impromptue. Elle avait souvent ce genre d'initiatives, non sans complaisance envers soi-même [53].

Ajoutons quand même que Rilke, s'il a eu par exception, cette fois, un comportement étrange, ne doit pas être jugé — pas plus que Lou ou même Tolstoï — selon les critères de la bienséance bourgeoise. L'image du vieillard flânant dans les prés fleuris et agités par le vent printanier, appuyé sur sa canne à bec de corbin, révèle déjà le burin de l'artiste.

V.

Rilke découvre la Russie sur deux plans différents : en touriste cultivé, et, surtout lors de son voyage dans le Sud, en pieux pèlerin. Touriste, il visite assidûment les musées et les bibliothèques et fréquente les savants et les artistes et un nombre frappant de comtes et d'altesses des deux sexes, des étudiants d'université comme Storochenko et Schill, des peintres comme Pasternak (qui est aussi professeur à l'école des Arts de Moscou) et Repin, des écrivains comme Ettinger et Benois. Outre ce chemin qui le mène vers les hauteurs, vers la noblesse et la grande bourgeoisie, un autre, dès le début, le mène « vers en bas », vers le peuple. Cela commence tout de suite après l'arrivée à Moscou, quand Lou et Rainer, bien que Tolstoï leur ait conseillé de « ne pas se mêler à ce mouvement populaire superstitieux », fêtent la nuit de Pâques au Kremlin. « Une seule fois, pour moi, ce fut Pâques », écrit-il sur un ton biblique cinq ans plus tard, de Rome. L'église Saint-Pierre lui était alors apparue « comme une grande maison vide, comme un palais ». Cette unique fête de Pâques, dit Rilke, « fut en ce temps-là, pendant cette longue nuit insolite, agitée, où tout le peuple se pressait, et quand Ivan Velikii (la grande cloche du Kremlin) me frappa dans l'obscurité, coup après coup. Ce furent mes Pâques, et je crois que cela suffit pour une vie entière ; le message m'a été donné en cette nuit moscovite, avec une étrange grandeur, il m'a été donné dans mon sang et dans mon cœur[54]. »

Contrairement à Tolstoï, qui aime ses moujiks sans se faire d'illusions sur leur compte, Rilke ferme les yeux devant les côtés peu attrayants du peuple russe de cette époque, sa superstition, son ignorance, sa cruauté occasionnelle. Ces hommes sont pour lui, en partie grâce à Dostoïevski (l'écrivain russe qu'il connaît le mieux), et certainement grâce à Lou, qui voit en eux « un peuple d'intériorité qui se donne sans façon », porteurs et incarnation d'un concept de Dieu qui se distingue entièrement du christianisme occidental et mondial. Le Dieu « russe » est indéfini et invisible, un Dieu à venir, saisi dans son développement, qui habite de préférence les paysans et les mendiants, les enfants, les bêtes et les choses : tout ce qui n'a pas encore subi la faille de la prise de conscience, la séparation entre le moi et le monde, tout ce qui est encore naïf et irréfléchi, lié à la nature et prêt à se soumettre à ses lois. A la loi de l'humilité, surtout, et à une sorte de pesanteur de l'âme, qui fait tout tomber en Dieu comme au centre de la Création. Un Dieu du pressentiment et de la sensation, donc, et non de la raison, et, moins que tout, de la théologie. Rilke n'est pas un mystique : l'*unio mystica,* la fusion de l'âme avec Dieu, lui demeure totalement étrangère. Il n'est même pas un croyant au sens orthodoxe du terme, mais, comme Niels Lyhne, un athée un peu mélancolique, un incroyant à la mauvaise conscience. A la place du Dieu abordable par la raison, représenté par les peintres occidentaux sous une forme humaine, que Rilke a appris à connaître auprès de ses parents et à l'école, apparaît à présent un Dieu indiqué plutôt que représenté sur les icônes et qui doit d'abord être créé par le peuple, en un état de naïveté enfantine (ou, dans une heure de grâce, par le poète). Dans la première partie du *Livre d'Heures,* Dieu apparaît à travers les métamorphoses les plus variées, comme un « Dieu voisin », comme un jeune oiseau craintif, tenu avec précaution dans la main d'un croyant tout aussi apeuré, comme « l'obscurité d'où je naquis », comme une église ou une cathédrale :

> Nous t'édifions de nos mains tremblantes,
> nous dressons l'atome sur l'atome,
> mais qui peut t'achever,
> ô, dôme...

Chacun apporte sa contribution, le jeune moine :

> Vois, Dieu, un nouveau venu pour te bâtir,
> hier encore un enfant...

et le grand maître :

Nous sommes des ouvriers : apprentis, compagnons, maîtres,
et nous t'édifions, haute nef centrale.
Et parfois un homme grave, venu de loin,
passe comme une lumière dans la foule de nos esprits
et nous montre d'une main tremblante un geste nouveau.
(...)
Alors résonne la multitude des marteaux
et dans les montagnes on frappe coup sur coup.
A la nuit seulement nous te laissons :
et tes contours en devenir s'enténèbrent.

Dieu, tu es grand.

Après la nuit de Pâques au Kremlin, Rilke ne rencontra le peuple russe, dans lequel il croyait voir incarnée cette piété patiente, que lors de son second voyage, dans le Sud. Il le rencontra tout d'abord près de Jaroslavl, dans une hutte de paysans, « toute neuve et parfumée de résine avec ses poutres de bouleau non écorcé », qu'il habita pendant quelques jours au début de juillet 1900 : « Un banc tout autour de la pièce, un samovar, sur le sol un large sac rempli pour nous de foin frais meublaient l'intérieur ; dans l'étable vide, à côté, une deuxième botte de paille, bien que la paysanne voisine nous ait fait cordialement remarquer que la première était bien assez large [55]. » C'est sans doute lors de ce séjour qu'on lui posa une question très habituelle, mais formulée d'une manière quasi légendaire, et qui résonna longtemps en lui : « Depuis combien de fois vingt-quatre heures es-tu ici ? » Et quand une vieille paysanne l'embrasse en lui disant adieu et constate : « Toi aussi, tu n'es que du peuple ! » — le poète hypersensible, qui peu d'années auparavant avait distribué ses *Chicorées sauvages,* « chansons offertes au peuple », à un carrefour pragois, peut un instant succomber à l'illusion d'avoir trouvé le chemin de ses semblables.

Un second séjour à la campagne est arrangé par Sophia Schill. De Pétersbourg, elle a envoyé à son amie Lou, à Berlin, au printemps, un paquet de livres, qui contient, outre le *Chant d'Igor,* des poèmes de Spiridon Drojjine. Rilke, à qui Lou communique le petit volume, est enthousiasmé par le naturel de cet art poétique — à l'étonnement de la très lettrée Sophia Nikolaïevna, qui écrit elle-même sous un pseudonyme et rejette le poète paysan comme un vulgaire épigone. Après que le *Prager Tagblatt* eut publié deux poèmes de Drojjine traduits par Rilke, elle se fait fort de procurer à celui-ci et à Lou, pour leur prochain voyage, une invitation de Drojjine. Ainsi Rilke reçoit-il, sans s'y attendre le moins du monde — il s'en souvient encore un quart de siècle après —, une lettre qui le prie de venir et d'inaugurer la petite maison de rondins que lui, Drojjine, vient de bâtir pour y écrire sans être dérangé. Rilke se rend alors à Nisovka et habite avec Lou dans la maisonnette qui, sur les conseils du propriétaire du domaine voisin, Nikolaï Tolstoï, avait été mise en état de recevoir des visiteurs aussi distingués. Ceux-ci croient être enfin coude à coude avec la « vraie » Russie : « Pendant ces jours, assure Rilke à Sophia dans une lettre de remerciements, nous faisons un grand pas dans le cœur de la Russie, dont nous guettons depuis longtemps les battements avec l'espoir qu'ils nous indiqueront, pour le restant de notre vie, la mesure juste. » (Malgré cette belle métaphore, la destinataire demeure persuadée que les visiteurs, comme elle l'écrit de son côté à Drojjine « idéalisent un peu notre réalité russe ».) Le jour même de leur arrivée, le maître de maison leur lit quelques poèmes. Le lendemain matin de bonne heure, quand Drojjine dort encore, Rainer et Lou vont marcher pieds nus dans l'herbe pleine de rosée, au bord de la Volga ; « Ils croient, remarque Drojjine avec scepticisme, que c'est bon pour la santé. » Ils se trouvent bien dans la maison de rondins, où le Russe entrepose ses livres, avec vue sur le jardin, comme Rilke le raconte à sa mère, « et plus loin nous voyons la grange où hiverne le foin coupé dans ses prés. Il est " starost " du petit village où tous le considèrent avec un grand respect, l'été il se livre à son habituel travail de paysan, et chaque hiver, il redevient poète ».

L'idylle chez le poète attaché à la glèbe dure trois jours, après quoi Lou et Rainer déménagent pour s'installer dans la maison du propriétaire du domaine, pourvue de tout le confort. Là, Rilke, qui s'intéresse par-dessus tout aux histoires et traditions familiales, trouve une fois encore sa pâture, quand la mère du comte lui parle de la vie de ses ancêtres, avec toutes sortes de détails étranges.

Outre l'homme russe, qu'il imagine planant — avec recueillement — dans l'espace, Rilke aime le paysage russe, il découvre même en Russie « le paysage » au sens propre, par le seul fait, déjà, que l'ordre de grandeur est tout autre qu'en Bohême, semée de villages, ou en Toscane. Alors que la plage et la mer, dans *La princesse blanche,* étaient un décor (« La mer ne peut être présentée en scène que dans les yeux des personnages », disait-il dans une indication de mise en scène), la plaine russe prend pour lui, lors du deuxième voyage, une existence particulière considérable. Ce n'est pas exactement la Sarmatie de Bobrowski * que nous rencontrerons ici, mais un paysage spirituel et topographique de caractère résolu-

* Johannes Bobrowski (1917-1965), romancier et poète de RDA, célèbre également dans les deux Allemagnes. On connaît surtout de lui son roman *Le moulin de Levin* et des poèmes sur la « Sarmatie », la Basse-Vistule, son pays natal.

ment oriental, sans que, d'ailleurs, le nom du pays ou du fleuve soit nécessairement cité.

> Le pays est vaste, sous le vent, plane,
> livré à de très grands cieux
> et soumis à de vieilles forêts.
> Les petits villages qui se rapprochent
> disparaissent à nouveau comme des bruits
> et comme un hier et un aujourd'hui
> et comme tout ce que nous vîmes.
> Mais le long de ce fleuve
> s'élèvent toujours de nouvelles villes
> qui viennent comme à coups d'ailes
> au-devant de notre voyage solennel.

Ces vers se trouvent dans le *Livre d'Heures,* où la transposition poétique du voyage de Rilke est réalisée pour l'essentiel.

VI.

Avec les *Nouveaux Poèmes,* les *Elégies de Duino* et les *Sonnets à Orphée,* le *Livre d'Heures* appartient aux grandes œuvres de la poésie moderne de langue allemande. Son titre vient des *Livres d'heures,* bréviaires destinés à la prière des laïcs et souvent ornés de miniatures, qui étaient en usage depuis la fin du Moyen Age pour établir une division spirituelle du cours de la journée. Dans leur ensemble, les poèmes de Rilke représentent une sorte de journal spirituel ; ils naissent, et non fortuitement, pendant les années où George lui aussi écrit *L'année de l'âme* (1897), Strindberg *Le chemin de Damas* (1898) et Tolstoï *Résurrection* (1900). L'analogie avec un bréviaire est soulignée par la fiction inventée par Rilke : ces poèmes sont des prières qu'un moine russe note dans sa cellule ; suivie dans le premier *Livre,* cette fiction n'est maintenue que sporadiquement dans le deuxième et abandonnée dans le troisième. L'ensemble de ces poèmes, première œuvre de Rilke publiée par les Editions Insel, en 1905, avec pour titre complet : *Le Livre d'Heures, contenant trois livres : Le Livre de la vie monastique, le Livre du pèlerinage, le Livre de la pauvreté et de la mort,* est dédié à Lou, bien que celle-ci n'ait pris part qu'aux expériences « russes » à proprement parler, qui ont été notées en majorité en automne 1899 à Schmargendorf. L'influence de Lou sur l'élaboration littéraire de leur commune expérience russe est limitée, dans la mesure où la jeune femme a certes donné d'innombrables impulsions à Rilke, mais semble ne pas lui avoir transmis de formulations utilisables. Ses propres explications, par exemple, en ce qui concerne la littérature russe, sont illisibles (« ... d'ultimes sincérités fondamentales parlent presque puérilement et immédiatement des fins dernières (*Letzlichkeiten*) du développement, comme si celui-ci naissait plus directement, plus soudainement, des éléments originels, pour des prises de conscience [56] »). Le deuxième livre, écrit en 1901 à Westerwede, et le troisième, en 1903 à Viareggio, reposent pour la plus grande part sur des impressions et des démarches de pensée dans lesquelles Lou n'était pas directement impliquée : mariage et paternité, la tension entre une existence familiale et la vie d'un créateur, la pauvreté dans les grandes villes, l'interférence de la mort et de la vie.

Dans le titre *Le Livre d'Heures* se mêlent le souvenir des vieux Livres d'Heures français, dont Rilke avait vu quelques exemplaires particulièrement beaux lors de son premier séjour à Paris, et des éléments très personnels. Il avait, nous l'avons vu, commencé à écrire des poèmes dès son plus jeune âge. Les vers coulaient trop facilement de sa plume, et leur musicalité cachait trop souvent la platitude de leur thème et de leur contenu. Tout cela change quand se produit l'éveil de sa conscience artistique, quand s'accroît sa connaissance des œuvres des grands contemporains, et que s'accomplit le lent processus de recherche de soi-même, avec l'aide de Lou. Une source si agréablement murmurante ne risquait certes pas de tarir, ni le poète d'être victime d'une crise semblable à celle que décrit Hofmannsthal dans *La lettre de lord Chandos,* et qui l'aurait fait douter de tout langage humain. Mais Rilke perd tout de même très vite la foi en sa capacité à faire de la bonne poésie par ses propres forces. Il se ressent de plus en plus comme un simple vaisseau où une force inconnue verse « ses » poèmes, ou comme la bouche qui proclame un message dicté de l'extérieur, ou « d'en haut » — non comme un homme qui fait de la poésie, mais dans lequel, ou à travers lequel, naît la poésie. En ce temps-là déjà, il déclare, non sans un sentiment pathologique d'étrangeté, comme s'il s'agissait de quelqu'un d'autre : « Des vers français sont nés sur un chemin qui menait à Halensee », ou : « Le premier poème russe m'est venu aujourd'hui tout à fait à l'improviste dans la forêt [57]. » S'il en va déjà ainsi pour des poèmes en langue étrangère, à quel point doit être oppressant ce sentiment d'être livré à l'inspiration, quand, dans sa langue maternelle, rien ne « vient » ! L'attente (non l'attente d'être en humeur de polir de jolies rimes, mais celle d'une poésie inspirée, qu'il n'y a plus qu'à coucher sur le papier en hochant la tête avec un soupir) sera pour lui, parfois, une véritable torture. Lou pensera alors que n'importe quelle occupation, fût-ce la plus insignifiante, vaudrait mieux pour lui que cette façon de se maintenir disponible à l'inspiration, pendant des mois et avec une perpétuelle mauvaise conscience. (Rilke s'amusa amèrement, avec elle, à ce jeu de pensée qu'ils nommaient entre eux « la décision de devenir employé des postes »). De là, en partie, la jubilation avec laquelle est saluée, dans la prière d'introduction, *l'heure* où le moine peut prier et le poète écrire :

> L'heure alors s'incline et m'effleure
> de son gong métallique et clair ;
> tous mes sens vibrent. Je sens : je puis...
> et je saisis la forme du jour [*].

Il est évident que Rilke essaie aussi d'éclairer dialectiquement ce qui le trouble et le fascine dans la Russie. Il est ainsi amené à la comparer à l'Italie pour des raisons qui ne sont pas uniquement biographiques. En de tels instants, il ressent le séjour à Florence comme une préparation à celui de Moscou, dans le sens où l'on se prépare par l'étude du passé à saisir le présent et l'avenir. La Renaissance italienne, sommet et incarnation de l'art occidental et particulièrement de la peinture religieuse, ressemble, aux yeux de Rilke, à un printemps qui, se desséchant prématurément, n'a pas entraîné d'été à sa suite :

> La branche de l'arbre Dieu, qui s'étend sur l'Italie,
> *a* déjà fleuri.
> (...)
> Seul, le printemps de Dieu fut là-bas,
> seul son fils, le Verbe,
> s'accomplit...

Outre le Christ, qui dans l'art de la Renaissance, a joué un rôle plus grand que Dieu le Père, la Vierge Marie appartient aussi aux figures favorites des peintres, de Fra Angelico à Tiepolo en passant par Botticelli et Michel-Ange :

> Alors celle qui trop tôt s'éveilla fruit,
> la timide, belle en sa frayeur,
> la servante visitée, fut aimée...

Mais elle aussi, elle n'avait enfanté que le Fils de l'Homme :

> Malheur, elle n'a pas encore enfanté le Très Grand.
> Et les anges, qui ne consolent pas,
> se tiennent étranges et terribles autour d'elle.

---

[*] Seuil, t. 2, p. 91.

Il faut dire que cette culture occidentale était normative, elle établissait des règles et nommait les êtres et les choses, si bien qu'à force d'identification et d'explication, l'essence particulière — de Dieu, de l'artiste ou du moine à qui Rilke « place cette prière dans la bouche » — est enténébrée :

> Et tes images sont devant toi comme des noms.
> Et si la lumière en moi s'embrase
> avec laquelle ma profondeur te reconnaît,
> elle se dissipera en flamboyant sur ton cadre...

Le contraire de tout ce substrat « occidental » indiqué ici plutôt que décrit, c'est l'âme russe :

> Avec une branche, qui jamais ne l'égale,
> Dieu, l'arbre, une fois encore deviendra
> messager d'été, bruissant de maturité,
> dans un pays où les hommes épient,
> où chacun est aussi solitaire que moi...

Le chercheur de Dieu est solitaire et de préférence pauvre. Non parce que la Pauvreté, selon un mot souvent cité et persiflé du *Livre d'Heures,* est « une grande lumière de l'intérieur », mais parce que la première Création de Dieu par l'homme, célébrée ici par Rilke, ne peut être achevée que par les pauvres ; car les riches sont des hommes de cour, opposés aux lois de la nature. Dans l'une des *Histoires du Bon Dieu,* ce motif prend une tournure ironique, car il est confié à un auditeur qui « avec minutie, ... s'est penché sur la question sociale », en d'autres termes : qui a essayé de maîtriser, par des réformes sociales, la pauvreté agréable à Dieu, sinon voulue par lui.

Les *Histoires du Bon Dieu,* publiées à Noël 1900, sont une œuvre autonome, et servent en même temps de commentaires en prose aux poèmes du *Livre d'Heures.* Le titre original, *Du Bon Dieu et d'autres choses, raconté à des grands pour des enfants par Rainer Maria Rilke,* définit exactement la situation narrative. Même si le « je » narrateur ne leur parle pas directement, il se tourne vers les enfants de la petite ville où se situe l'action. Il raconte ses histoires à la voisine qu'il raccompagne à la maison, au professeur ou à son jeune ami hémiplégique Ewald. Mais en fin de compte elles sont toujours destinées aux enfants, aux enfants qui sont à l'âge où par exemple on voudrait savoir : « De quoi a l'air le Bon Dieu ? » Le danger de mièvrerie n'est pas loin, et Rilke ne lui a pas toujours échappé. Ainsi, la parabole (racontée aux nuages) *Comment le dé à* *coudre devint le Bon Dieu**, est une petite robe amusante qui sied mal à l'idée importante qu'elle prétend revêtir, et qui est exprimée de manière plus convaincante dans quelques poèmes du *Livre d'Heures* : Dieu peut être présent même dans l'objet le plus insignifiant, et l'enfant est plus près de lui que l'adulte.

D'autres, au contraire, par exemple *La chanson de la justice*** ou *Comment le vieux Timofei mourut en chantant****, comptent parmi les meilleurs textes en prose de Rilke. Les histoires qui se déroulent en Russie parlent d'expériences immédiates vécues ou entrevues et reviennent aux souvenirs italiens. Car dans ce pendant au *Livre d'Heures,* l'Italie est comparée à la Russie et, en tant que patrie spirituelle et émotionnelle, jugée trop légère, à une exception près. L'exception, c'est Michel-Ange (Dans l'histoire *Celui qui écoutait les pierres*****) qui, ici comme dans toute l'œuvre de Rilke, représente avec Tolstoï et Rodin l'image du père-artiste.

Rilke puise dans la Russie ce qui lui convient et le métamorphose, sans s'inquiéter de la carence d'un contenu réel, pour le faire sien. Si, dans cette image illusoire de la Russie, même fixée dans un langage enthousiasmant, nous n'avions devant nous que la vision particulière d'un poète, cette image nous intéresserait à peine aujourd'hui. En réalité, elle contient des constatations qui ont depuis longtemps dépassé l'idiosyncrasique et le personnel et ont pénétré dans notre conscience collective. Ainsi, la thèse (encore contestée en 1900) de l'épuisement de l'art occidental et surtout de la peinture religieuse figurative et anthropomorphique, est devenue dans l'intervalle un véritable lieu commun. Le chant de louanges, adressé par Rilke à la manière « russe » d'appréhender Dieu, naît à son tour dans un besoin qui a, depuis, lancé d'innombrables autres hommes dans des directions (du Zen aux sectes californiennes les plus abstruses) dont ils se promettaient plus de consolation que des églises. Celles-ci, dit un poème célèbre du *Livre d'Heures,*

> ... ceinturent Dieu
> comme un fugitif et se lamentent ensuite sur lui
> comme sur une bête prisonnière et blessée.

Le positivisme, lui aussi, avec sa coûteuse croyance selon laquelle un phénomène nommé est saisi dans son être, est lui aussi, dans l'intervalle, apparu comme un sophisme, et a fait naître une profonde méfiance envers le langage comme envers toutes les

---

* Seuil, t. 1, p. 510.
** *Ibid.*, p. 491.
*** *Ibid.*, p. 485.
**** Seuil, t. 1, p. 506.

sciences, qui en définissant gratuitement un symptôme croient avoir débarrassé le monde de ses causes. Rilke n'a pas découvert le premier les espaces vides de la culture occidentale, décrits dans *Le Livre d'Heures;* il n'était pas un penseur systématique, et Kierke-gaard et Nietzsche (pour ne mentionner qu'eux) avaient sondé bien avant lui ce bâtiment vermoulu. Malgré cela, se dessinent déjà dans ce cycle les contours d'une évaluation critique de l'époque et de sa culture. Sans avoir jamais été un poète « engagé » au sens courant du terme, Rilke, dans ses œuvres de quelque importance, s'établit dès à présent sur des positions qui n'ont rien de commun avec l'actualité de l'époque, mais d'autant plus de similitude avec la conscience de l'homme moderne.

Avec tout cela, on oublie facilement que ses études russes et ses voyages poursuivent un but pratique : il espéra pendant des années subvenir à son continuel manque d'argent en exerçant une « activité silencieuse comme traducteur de russe ». Ces plans ne se réalisèrent pas, mais il a quand même traduit en allemand des poèmes de Lermontov, Fofanov et Drojjine, une courte nouvelle de Yantche-vetsi, le vieux *Chant d'Igor* et *La Mouette* de Tchékov. La traduction de cette pièce n'a pas été conservée. Il voulait aussi traduire *Oncle Vania* et ressentait une grande sympathie envers Tchékov, dont les drames pauvres en action avaient des points communs, malgré de nombreuses différences dans la forme, avec les siens et ceux de Maeterlinck.

Bien que les réminiscences russes de Rilke aient été au cours du temps enfouies sous d'autres expériences, des thèmes russes revien-dront dans toutes ses œuvres ultérieures, dans le *Livre d'images* et les *Nouveaux Poèmes,* en deux personnages inoubliables des *Cahiers de Malte Laurids Brigge,* dans les *Elégies de Duino* et les *Sonnets à Orphée.* Rilke toutefois a rigoureusement rejeté, plus tard, toutes les données politiques, sociales, économiques, et tenu la révolution d'Octobre pour une tempête superficielle, qui laisse au calme les eaux profondes. Il considérait la Révolution russe un peu comme Goethe l'événement le plus lourd de conséquences de son époque, la Révolution française : moins repoussante qu'irraisonnée. (Il faut se rappeler que l'un avait quarante ans en 1789, et l'autre quarante-deux en 1917, qu'ils étaient tous les deux des hommes mûrs et n'étaient plus capables de réviser fondamentalement leur image du monde politique et social. Quand Rilke, après la guerre, apprit que le jeune compositeur russe Nicolas Nabokov, qui résidait à Weimar, n'avait pas l'intention de retourner dans son pays natal, il resta sans voix et sembla « ne plus savoir comment poursuivre la conversa-tion[58] ». Il avait eu une peine extrême à se familiariser avec l'idée d'une Russie changée par la Révolution et la guerre civile, au point d'être méconnaissable, et d'où fuyaient des centaines de milliers de ses fils. Lors de contacts occasionnels avec des amis russes, surtout des émigrants, il était déconcerté : « Ils m'épuisent, ces hommes, qui crachent leurs sentiments comme du sang, et je n'absorbe plus de Russe qu'en très petites doses, comme de la liqueur [59]. »

Mais comme il était un poète, Rilke a à sa manière beaucoup deviné de la Russie ; de ce qui demeurait caché aux autres. Un document poétique de cette appréhension intuitive nous est demeuré : ce sont ses poèmes en langue russe, dont huit nous sont parvenus. Il s'agit de courtes pièces, proches par leurs thèmes des poèmes du *Livre d'Heures,* qui — comme toute sa connaissance et reconnaissance de la Russie — sont, selon le mot de Lou, « grammaticalement fâcheuses », c'est-à-dire imprécises, voire fausses, mais qui cependant produisent un effet « incompréhensiblement poétique d'une manière quelconque ».

« Des solitudes avoisinantes »

I.

Worpswede est situé sur la lisière méridionale du *Teufelsmoor*, le « marais du diable », en Basse-Saxe, non loin de Brême. Dans ce plat paysage de marais et de lande, étalé sous un ciel haut, et dont les rares habitants aux demeures dispersées vivaient de la culture des légumes et de l'exploitation des tourbières, s'installèrent, à la fin du siècle dernier, quelques peintres. Ils avaient pour la plupart étudié aux académies de Düsseldorf et de Munich, et voulaient à présent aller leur propre chemin. Le premier fut Fritz Mackensen, venu en 1884 à cause d'une affaire d'amour avec une jeune fille originaire de Worpswede. L'isolement poétique du village, l'atmosphère claire et humide, scintillante, qui exaltait les contours et les couleurs, lui plurent tellement qu' « il y revint quelques années plus tard avec ses amis Hans am Ende et Otto Modersohn. Bientôt après, le Brêmois Fritz Overbeck et Heinrich Vogeler se joignirent à eux.

Dans sa monographie écrite en 1902, *Worpswede,* Rilke dédie à ces deux peintres un court chapitre, après une introduction générale sur la peinture de paysage. Ce faisant, il ne mentionne pas le membre le plus doué du groupe : le peintre Paula Becker, qui épousa Modersohn devenu veuf. Rilke la passe sous silence parce qu'au temps où il rédigeait ce texte, il n'avait pratiquement rien vu des œuvres de la jeune femme. Après une exposition prématurée à la *Kunsthalle* de Brême — elle en avait assumé les frais avec l'aide de son amie Clara Westhoff —, elle avait été durement malmenée par un critique local. Ensuite, pendant des années, elle ne peignit plus que pour elle-même, et son mari lui-même ne put voir tous ses travaux. Quand Rilke la découvrit et reconnut qu'elle « peignait sans égards et tout droit », et que ses toiles n'étaient « nullement worpswediennes, et telles que personne n'a pu encore en voir ni en

peindre de semblables », la monographie était parue depuis longtemps et Paula Modersohn-Becker était arrivée à l'âge de la
maturité.

L'opinion publique était devenue attentive à la colonie de
Worpswede pour la première fois en 1895, quand Mackensen se vit
attribuer la médaille d'or à l'exposition annuelle du Palais de Glace à
Munich, et que la Nouvelle Pinacothèque acquit une toile de
Modersohn. Tandis que Vogeler et, dans une certaine mesure, Hans
am Ende accédaient à la célébrité comme graveur et dessinateur, les
autres peignaient de préférence le pauvre et mélancolique paysage,
tel qu'on le voit sur des tableaux comme *L'Automne dans le marais*
de Modersohn ou *Jour de tempête* d'Overbeck, ou des scènes
quotidiennes du village comme *Le prône de mission* ou *Famille en
deuil*, de Mackensen. La colonie de Worpswede, oubliée depuis
longtemps et tout récemment redécouverte, ne forma que passagèrement une école proprement dite. Mais les artistes restèrent liés entre
eux par la communauté d'âge et le voisinage, et par leurs efforts pour
opposer un art réaliste aux tableaux mythologiques d'Anselm
Feuerbach et Hans von Marées. Cet art réaliste pouvait avoir
quelques points communs avec Julius Langbehn, « le Rembrandt
allemand », qui plaidait pour un nouvel éveil des vieilles vertus
allemandes. Paula Modersohn-Becker, qui pour sa part préférait
travailler à Paris, exprima en une phrase l'essence de ce fluide
nordique : « Ici, on finit par parler luthérien [60]. »

Vogeler, né en 1872, était le plus jeune et de loin le plus célèbre
du groupe. Il avait acheté au maître d'une briqueterie une vieille
maison située au bord de la dune, le *Barkenhoff*. Il y travailla lui-
même plusieurs années, l'agrandit et la rendit habitable. Une cave
fut creusée, on ajouta plusieurs chambres et un atelier, la porcherie
devint bibliothèque et on installa la presse sur laquelle le maître de
maison pouvait lui-même imprimer ses gravures. C'était tout à fait
dans l'esprit du Jugendstil, au programme duquel figurait la pénétra-
tion de l'art dans la vie domestique et quotidienne. Au demeurant,
cette presse était d'autant plus nécessaire qu'à cette époque les
travaux de Vogeler étaient réclamés partout. Le poète Rudolf
Alexander Schröder * vint le chercher à Worpswede et le persuada
de collaborer à la revue *L'Insel*, qu'il venait de fonder avec son
cousin Alfred Walter Heymel, dans une pension de Munich. Quand
la revue devint une maison d'édition et que Heymel s'aménagea dans
la Leopoldstrasse un logement luxueux avec un bar et autres

---

* Rudolf Alexander Schröder (1878-1962). Peintre, poète, architecte et décorateur, qui
fonda la *Bremer Presse* pour préserver l'art du beau livre. Auteur de nombreux recueils
poétiques d'une écriture élégante.

extravagances, Vogeler dut dessiner pour lui sa vaisselle d'argent, tandis que Schröder et Paul Ludwig Troost, que plus tard sa *Maison de l'art allemand* rendit célèbre, se chargeaient de la décoration intérieure. Au même moment, Vogeler réalisait aussi une page de titre très admirée pour *L'empereur et la sorcière,* de Hofmannsthal, et des illustrations pour des livres de Maeterlinck et de Jacobsen. Bientôt, sa renommée s'étendit à toute l'Europe. Ses pages ornées d'arabesques, ses cartes de visite, faire-part de mariage, vignettes et autres, étaient aussi appréciés en Russie, où l'on demandait à Rilke de parler de lui, qu'en Angleterre (le journal *The Studio,* lié à Aubrey Beardsley, avait déjà, lors de la mort de celui-ci en 1898, publié un long article sur son successeur présumé, Heinrich Vogeler) ou en Espagne, où la revue catalane *Joventut* lui consacre en 1900 un numéro spécial, auquel collabore le jeune Pablo Picasso. Sans parler de l'Allemagne : le prince Johann Georg de Saxe fit dessiner son ex-libris par Vogeler, et la Kronprinzessin Cäcilie l'en-tête de son papier à lettres.

Quand Rilke, à l'automne 1900, arrive au *Barkenhoff* pour un séjour de plusieurs semaines, Vogeler lui attribue la chambre mansardée donnant sur la cour — contre la volonté de la vieille servante qui n'aime pas entendre l'invité d'en haut « prier », c'est-à-dire réciter à voix haute ses poèmes. (Rilke a coutume de procéder ainsi partout où cela lui est possible, et s'estimera heureux, en Suisse, d'avoir auprès de lui une hôtesse aussi serviable que Frieda Baumgartner, qui s'occupe de lui tandis qu'il travaille aux *Elégies,* « pleine de sollicitude et sans souci quand je poussais, de tout là-haut [la chambre où Rilke travaille à Muzot est au premier étage, la cuisine et la salle à manger au rez-de-chaussée] de fantastiques clameurs, et quand je recevais des signaux de l'espace et leur répondais en vrombissant et tirant de grandes salves pour les saluer[61] »).

Au *Barkenhoff,* on n'en est pas encore là. En revanche, il cause d'autres soucis : il s'entête à paraître dans le village avec la tenue qu'il arbore pour aller et venir dans la cour, une « rubaschka » semblable à un tablier, verte et nouée par une ceinture, et des bottes tartares. Quand il se montre un jour réellement ainsi vêtu, les paysans s'en offusquent et disent avec un regard lourd d'arrière-pensées : « En voilà un qui porte sa chemise par-dessus son pantalon ! »

En restaurant la *Güldenkammer* (« chambre au goulden ») à l'hôtel de ville de Brême, Vogeler était entré en contact avec le conseiller en construction de chemin de fer Woldemar Becker et la famille de celui-ci. L'homme, qui venait de prendre sa retraite, avait exigé que même la plus douée de ses enfants, sa fille Paula, apprenne quelque chose de pratique, bien que dès son plus jeune âge elle se soit intéressée à l'art. Comme elle persiste à présent, après avoir terminé les études qui lui permettraient d'être professeur, à devenir peintre, il lui permit d'aller à Worpswede pour y apprendre le dessin auprès de Mackensen ; le vieux monsieur pensait que celui-ci, de même que Vogeler avec sa fine silhouette d'aristocrate, étaient les seuls artistes fréquentables dans la colonie de Worpswede. Là-dessus, l'amie de Paula, Clara, âgée de vingt-deux ans, fille du marchand brêmois Heinrich Westhoff, avait elle aussi pris, son courage à deux mains et s'était loué une vieille maison au toit de chaume, non loin du *Barkenhoff*. Vogeler, qui avait fait la connaissance de Paula chez ses parents et de Clara à un cours de danse, présente aux deux jeunes filles son ami revenu de Russie.

Paula et Clara reçoivent Rilke à bras ouverts. Quand il ne travaille pas aux poèmes qui figureront dans le *Livre d'Heures,* il leur rend visite et les écoute évoquer Paris, où elles ont étudié et habité ensemble, boulevard Raspail. On en vient alors à parler du professeur de Clara, Auguste Rodin. Ainsi, sans s'en douter le moins du monde, Rilke reçoit de nouveau de la main d'une femme la clé d'un nouveau pays et la connaissance d'un nouvel artiste, qui sera pour lui un exemple capital. Si Lou lui avait ouvert le chemin qui menait à la Russie et à Tolstoï, Clara, par sa présence et ses récits, le prépare à la découverte de Paris et de Rodin. Rien d'étonnant s'il se sent si bien à Worpswede : « Votre village fut pour moi, écrit-il en remerciant, plus tard, de Berlin, dès le premier instant, plus qu'une bienveillante étrangeté... Vous êtes si aimable et vous m'accueillez comme un vrai frère. » Il écrit des poèmes, lit Jacobsen et Hauptmann, se plonge dans l'œuvre de Böcklin et de Rodin, et laisse la région agir sur lui. Grâce à de nombreuses analogies avec la Russie et au contact quotidien avec les peintres, la région devient pour lui si vivante, qu'il la représente, dans l'une de ses rares descriptions de paysage, avec les yeux d'un peintre :

J'ai dit (note-t-il à propos d'une conversation avec Clara Westhoff) qu'une chose m'avait touché à un point si étrange : les fortes couleurs qui, sans soleil, quand nulle part la lumière ne rayonne, persistent. C'était pendant ces jours de ciel gris, où il pleuvait légèrement : mais rien n'en était pâli ou incertain, au contraire. Toutes les couleurs étaient devenues encore plus vives. Le violet des grandes surfaces des landes prenait des nuances satinées de tonalité chaude, et une chèvre, qui passait sur la lande, était comme en ivoire. Indépendante du ciel morne, la terre se déroulait avec ses couleurs bariolées et vivantes, et même au lointain ne disparaissait pas dans le brouillard. Brun sombre, le toit du grand moulin se tenait devant les nuages, et les bras vigoureux des ailes dessinaient nettement une croix. Et ce qui n'aurait pu se détacher au loin semblait se rapprocher ; une chaumière, rouge avec des colombages verts, le toit de paille moussu, un grand marronnier dans le feuillage pendant duquel on voyait nettement les claires écorces des fruits, un buisson noircissant à la porte d'entrée plongée dans l'ombre et là, un seul dahlia rouge, brûlant de maturité.

Son extraordinaire perception des couleurs permettra à Rilke, plus tard, d'être l'un des premiers à reconnaître la radicale nouveauté de Cézanne. Sans transition, le journal continue ainsi :

> Les roses rouges n'ont jamais été si rouges
> qu'au soir noyé de pluie.
> Longtemps j'ai pensé à ta douce chevelure...
> Les roses rouges n'ont jamais été si rouges.

Ces vers font allusion à Paula. Clara sera mentionnée plus tard. Même si Rilke était sur le point de tomber amoureux des deux femmes, les fiançailles de Paula avec Modersohn mettent un point final à ses rêves. En tout cas, il est rarement seul en ces jours enchantés. On peut se demander où commence, dans ce mode de vie, l'afféterie, et où se situe la frontière qui sépare le rêve de la réalité. Quand, par exemple, Rilke boit du lait de chèvre, un soir, avec des amis, il écrit : « Au commencement du crépuscule, leur lait s'assombrit, et deux heures après minuit, voici qu'il est tout noir. » On ne sait pas très, bien : croit-il réellement que le lait change de couleur avec les heures du jour, ou l'a-t-il bu dans un gobelet sale [62] ? Tout est vécu ensemble, nature et art, musique et littérature, même quand on se rend de Worpswede vers un musée ou un théâtre de Brême ou de Hambourg, et que l'on passe la nuit en ville. Le but de ces promenades, auxquelles prennent part Rilke, Modersohn, Mackensen, Clara, Paula et sa sœur Milly, de même que Heinrich Vogeler et son frère Franz, peut être la représentation, à Hambourg, d'une pièce de Carl Hauptmann, frère aîné de Gerhart. Le lendemain, on entend *La Flûte enchantée,* le troisième et dernier jour, ils visitent tous une galerie privée avec des tableaux de Böcklin et de Corot. Rilke passe de nombreuses heures avec Vogeler, Mackensen et Modersohn, qu'il regarde travailler dans leurs ateliers, et s'entretient avec Carl Hauptmann, en visite à Worpswede. Malgré toute sa sympathie pour l'homme, il ne peut guère communiquer avec la pensée de cet écrivain qui, gibier tout désigné pour la psychanalyse, souffre de la gloire de son frère. Il fréquente surtout Paula, le « peintre blond », et son amie Clara qui, désignée comme « la sculptrice brune », revient souvent dans les pages du journal. Il se promène avec l'une ou avec l'autre, il leur tient compagnie tandis qu'elles travaillent, il les accompagne au village, il leur fait la lecture, en présence d'autres amis :

Je donne de nouveau une soirée. Il y a eu un bel instant (...), les jeunes filles sont venues de la colline sur la lande, vêtues de blanc. Le peintre blond d'abord, souriant sous un grand chapeau de Florence... Puis j'ai salué tout le monde... Nous étions tous dans l'obscur vestibule, nous habituant les uns aux autres, quand arriva Clara Westhoff. Elle portait une robe de batiste blanche sans corset, dans le style Empire. Avec un corsage court et légèrement cintré en dessous, et de longs plis lisses. Autour du beau visage sombre flottaient les noires boucles pendantes, légères, qu'en accord avec son vêtement, elle laisse retomber sur ses joues... Elle attend, toute disponible à ce qu'elle va vivre à présent... Ce fut très bon, de lire ainsi *La Princesse Blanche*. J'en ai reçu moi-même une très forte impression de sonorité et de puissance, il fut seulement regrettable que Carl Hauptmann, toujours prêt à théoriser, m'ait forcé à parler, ce qui n'a rien donné. Les jeunes filles n'ont pas participé à la discussion. Elles croyaient toutes à la *Princesse Blanche*.

Les cheveux dénoués et la robe sans corset rappellent un peu le *Kunstwart,* jusqu'à la rose omniprésente qui devient un symbole de tout cet automne :

Devant le peintre blond, précisément, je ressens cela de nouveau : comment ses yeux, dont la pupille sombre était si lisse et si dure, se déploient, comment, à la manière des roses épanouies, ils deviennent tendres et chauds en s'ouvrant et gardent de douces ombres et de faibles lumières, comme à la pointe et sur la coque des bourgeons qui s'écartent.

Rilke est à tel point possédé par ce symbole de la rose que, inconsciemment, il s'essaie déjà à composer son épitaphe :

Je me suis inventé une nouvelle tendresse. Poser doucement une rose sur mes yeux fermés, jusqu'à ce que je ne sente presque plus sa fraîcheur et que seule l'âme veloutée de ses pétales plane sur l'image comme le sommeil avant le lever du soleil.

La « tendresse » revient dans *Malte Laurids Brigge*, mais là ce sont des camélias blancs que la mère, revenue du bal, laisse sur le lit, et que Malte, quand il « sentit combien ils étaient frais* », pose sur ses yeux brûlés par les larmes.

Tout ne se déroule pas ainsi, comme en rêve, sous le signe d'Eros et de Narcisse. Il y a aussi des heures où l'on boit et où l'on danse (« Hauptmann avec Westhoff », note Rilke, désapprobateur — mais rien ne peut le convaincre de danser lui aussi). Une humeur grave à l'excès, et la jalousie lui font voir dans ces réjouissances rien

---

* Seuil, t. 1, p. 610.

que « de la farce… l'horrible fin de la sociabilité allemande ». Même dans ses relations avec les pêcheurs et les ramasseurs de tourbe du village, il manque d'aisance et de tact, contrairement au jovial Mackensen. Il y a en lui quelque chose de snob, plutôt par timidité que par arrogance : « Fête de la moisson, écrit-il à propos d'une autre soirée à Worpswede, pas chez les gens du peuple, elle a déjà eu lieu chez les… ah Dieu, chez… eh bien, chez ceux qui. Mais les peintres y vont. Le peintre blond en robe blanche, qui fut si sérieuse hier, est là, la sculptrice est là avec toute sa sombre vitalité. »

Au début d'octobre 1900, Rilke, qui s'était déjà décidé à rester et avait loué une maison à Worpswede, revient brusquement à Berlin. Outre son inclination, manifeste pour la première fois, à changer de lieu soudainement et sans motif, le souhait d'échapper à l'attrait de Clara Westhoff a sans doute joué un rôle dans cette décision.

II.

Rilke passe les mois d'hiver dans ses deux pièces de la Misdroyer Strasse, à préparer un troisième voyage en Russie, projeté pour 1901. Il travaille à un essai sur Alexandre A. Ivanov, peintre de sujets religieux, qui a placé tous ses espoirs dans son art, et a passé un quart de siècle sur un seul tableau pour constater à la fin que l'œuvre ne répondait pas à son attente. En même temps, il correspond avec ses amis de Moscou, Pasternak, Storoschenko et Ettinger, et aussi Diaghilev, avec l'aide duquel il espère organiser une exposition d'art moderne russe dans la *Sezession* de Vienne. Il corrige son troisième recueil de prose, les *Histoires du Bon Dieu,* et s'efforce d'acquérir chez l'éditeur de Tolstoï les droits allemands du drame *Le cadavre vivant.* Bref, son expérience russe s'intensifie en esprit une dernière fois, sans que cette floraison hors saison ait abouti — hormis la seconde et la troisième partie du *Livre d'Heures* — à autre chose qu'à la publication de deux essais sur les artistes russes contemporains. Les projets d'exposition s'écroulent bientôt, ni la traduction de Tolstoï ni l'essai sur Ivanov ne seront terminés, bien que Rilke ait alors pris connaissance d'un drame théâtral dont le héros est un peintre et ressemble quelque peu à Ivanov.

Au début du mois de décembre, Lou invite quelques amis à une soirée dans sa demeure de Schmargendorf : Rilke, Gerhart Hauptmann et sa future femme Margarete Marschalk, et Heinrich Vogeler, qui était justement à Berlin. Hauptmann trouve Rilke si sympathique qu'il lui envoie un exemplaire, signé, de *Michael*

Kramer, tout juste achevé, et l'invite avec Lou à une répétition au Deutsches Theater. Rilke est profondément impressionné par la pièce et estime qu'il n'a encore jamais fait « d'expérience théâtrale d'une telle qualité ». Le conflit entre le vieux Kramer, un brave peintre académique, professeur, et son fils génial et adoré ; le malentendu entre la vocation artistique et l'échec au sens bourgeois du mot, vécu par le fils et aggravé par les problèmes de la puberté ; la mort du jeune peintre ; les figures de Lachmann, résigné à sa propre médiocrité, et de Michaline, douée et travailleuse, mais, « en tant que femme », mal acceptée : Rilke n'a qu'à regarder dans sa propre vie ou parmi ses amis de Munich, de Berlin et de Worpswede, pour se sentir touché par ces thèmes et la manière dont le dramaturge les traite. Il écrit à celui-ci une lettre détaillée d'approbation et inclut dans le *Livre d'images* une dédicace : « Ce livre est dédié à Gerhart Hauptmann, en affection et par reconnaissance pour *Michael Kramer.* »

Au printemps 1901, Rilke formule aussi l'une de ses rares prises de position sur un événement social. Ce texte peu connu est une lettre ouverte à l'éditeur de la *Zukunft*, à qui il signale un procès criminel récemment plaidé à Vienne, et qui l'avait impressionné à plus d'un point de vue. Un livreur de journaux, sans ressources, souffrant de crises d'épilepsie et passagèrement au chômage, avait lui-même opéré d'un abcès son petit garçon, dont il s'occupait pendant que la mère travaillait. L'enfant était mort d'hémorragie. Le père, terrifié et ne sachant plus que faire du petit cadavre, l'avait coupé en morceaux et avait essayé de le brûler dans le fourneau. Ce crime commis par désespoir et non par volonté homicide, avait été si bien exploité par l'avocat général et la presse, qu'il ne restait pratiquement pas d'autre choix aux jurés que de se prononcer pour le meurtre avec préméditation, et de condamner ainsi l'infanticide à la pendaison.

Laissant de côté l'aspect purement criminologique et juridique du cas, Rilke se tourne avant tout contre les faux-monnayeurs et chevaliers d'industrie du langage. Il part en guerre contre le président du tribunal et ses traits d'esprit (« Pour les malades des nerfs », avait déclaré celui-ci lors d'une séance du tribunal, « le dépeçage des cadavres n'est pas une occupation bénéfique »), contre le procureur, qui avait tiré de « la majesté de la mort » et « du tragique de l'expiation », tous les clichés habituels du bourrage de crâne, et contre les journaux, dont Rilke juge les comptes rendus « d'un ton léger et négligent », « presque supérieur, découpés en petites bouchées apéritives par des intertitres dignes de romans de colporteurs ».

Ce qui différencie la *Lettre ouverte à Maximilian Harden*

d'autres prises de position dues à des écrivains comme Zola ou Böll, c'est la plongée effectuée par Rilke dans sa propre enfance. Dans son effort pour se mettre à la place d'un père qui voit son enfant mourir dans ses mains, Rilke réveille en lui les souvenirs d'un enfant qui tentait de soigner un oiseau malade ou un chat blessé, et se montrait maladroit. Quelque chose d'inattendu arrive et lui fait peur (« ... peut-être voit-il saillir les entrailles de la bête »), jusqu'à ce qu'il se sauve, et précipite la conclusion en lançant la bête contre un mur. « Je ne veux ajouter aucun commentaire à ce souvenir », remarque Rilke, en un mouvement caractéristique de retrait. On pourrait toutefois rappeler que, quelques semaines auparavant, lors d'une rencontre avec Hauptmann dans la maison de Lou, Rilke avait parlé de la relation avec la bête comme d'un lien existentiel. Bien que Hauptmann ait été l'invité d'honneur, Rilke, contrairement à son habitude, avait accaparé la conversation et expliqué en détail qu'il ne voulait habituer aucune bête à lui, car si l'animal était malade ou accidenté, il était ainsi fait qu'il ne pourrait pas lui venir en aide. « Il sera difficile de t'aider », dira-t-il encore en 1922 dans le sonnet dit *Sonnet du chien*[63].

Il faut signaler aussi, à la même époque, que la signature de Rilke figure au bas d'une pétition demandant la modification du § 175 du code civil allemand, concernant l'homosexualité. La pétition demandait que « les actes sexuels entre personnes du même sexe » ne soient punis que « s'ils sont accomplis par la violence, sur des personnes de moins de seize ans, ou s'ils provoquent un scandale public... » La pétition fut signée par Dehmel, Hauptmann, Liliencron et Schnitzler, mais n'entraîna aucune modification de la loi.

Si Rilke était vraiment revenu à Berlin pour, grâce à son travail, mettre une distance entre Worpswede et lui, il faut convenir qu'il avait échoué ; il écrit à Clara presque chaque jour. En outre, la lettre — pour lui qui compose sa correspondance aussi soigneusement que d'autres auteurs leurs œuvres destinées à l'impression — est chez lui soumise à cette même loi de « l'attente de l'heure », qui règle sa création poétique. « Un projet d'écrire ne fait jamais une lettre. — Une lettre doit vous arriver comme une surprise et on ne doit pas reconnaître le jour et l'endroit de sa naissance. » De fait, ses lettres de cet automne et de l'hiver ont quelque chose de bondissant, comme si, au début de la lettre, il ne savait pas où celle-ci va le mener. L'état d'âme est plus important que le contenu. La découverte des toiles « d'un étrange Français, Cézanne », ne contrebalance guère l'idylle culinaire qu'il imagine pour Clara et lui :

> Dans la petite maison, il y aurait de la lumière, une douce lampe voilée, et je me tiendrais devant le fourneau et je vous préparerais le

dîner : de beaux légumes ou du gruau, — et sur une assiette de verre,
le lourd miel luirait, et le beurre froid, couleur d'ivoire, apparaîtrait
calmement sur le bariolage d'une nappe russe. Il faudrait qu'il y eût du
pain, un pain complet robuste et grenu, et des biscottes, et sur une
longue assiette étroite un peu de ce pâle jambon de Westphalie,
parcouru de bandes de graisse blanche comme des nuages étirés dans
le ciel vespéral. Pour boire, le thé serait prêt, du thé jaune d'or dans
des verres aux soucoupes d'argent, exhalant un doux parfum, ce
parfum s'allierait à la rose de Hambourg et s'allierait aussi à l'œillet
blanc ou l'ananas frais... De gros citrons, coupés en tranches,
sombreraient comme des soleils dans le crépuscule doré du thé,
l'illuminant doucement de leur pulpe rayonnante, et sa claire surface
lisse frissonnerait à la montée de leurs sucs amers. Il faudrait aussi des
mandarines rouges, où le soleil est replié tout petit, comme un foulard
de soie italienne dans une coquille de noix. Et il y aurait des roses
autour de nous, hautes, qui se pencheraient sur leurs tiges, ou
couchées, soulevant légèrement leur tête, et d'autres qui vont de main
en main comme des jeunes filles au jeu de la danse. Voilà ce que j'ai
rêvé. Rêves prématurés, la petite maison est vide et froide, et ma
demeure d'ici est aussi vide et froide...

Appétissante fantaisie de poète, foyer de rêve, riche en révélations littéraires et psychologiques ! Historiquement, cette vision
appartient au mouvement de réforme de la fin du siècle, le style
relève encore du langage imagé de la jeunesse, avec pas moins de
quatre métaphores introduites par « comme », dont la première (les
bandes de graisse rappelant les nuages) fait penser à une affiche pour
boîtes de conserve aux premiers temps de la publicité. (Venant de cet
épistolier végétarien, la seule mention du jambon est une sorte
d'hommage). Les citrons, eux, comptent parmi ses fruits favoris,
qu'il utilise à la manière de Schiller avec ses tiroirs remplis de
pommes. Rilke, plus tard, en Suisse, fera placer une coupe pleine de
citrons dans la pièce où il travaille : « Comme je le *vis,* ce parfum de
citron, écrit-il à une amie, Dieu sait ce que je lui dois [64]... » Le
symbole sexuel de la pulpe et de la coquille de noix est repris dans le
Requiem pour une amie : dans la description (débouchant sur un
éloge de la subjectivité) de l'autoportrait de Paula Modersohn-
Becker enceinte (1906) :

Car tu étais experte en fruits mûrs.
Tu les étalais sur des coupes devant toi
et pesais leur poids à l'aide des couleurs.
Et tu vis les femmes aussi comme des fruits
et les enfants moulés de l'intérieur
dans les formes de leurs vies.
Toi-même enfin tu te vis comme un fruit,
tu te défis de tes vêtements et te plaçant

devant le miroir, tu t'y laissais couler
jusqu'au fond de ton grave regard
ne disant pas : c'est moi, mais : ceci est.
A la fin ton regard était si peu curieux,
dénué de possession et d'une pauvreté si vraie,
que même toi il ne t'attirait plus. Saintement *.

Et finalement, cuisiner pour quelqu'un prend une signification affective aux yeux de cet homme qui a fait ses premiers essais, pour s'amuser, dans son enfance, en vêtements de fille, et souhaitera dans son âge mûr, lors de ses crises de nostalgie domestique, une femme qui ferait la cuisine pour lui. Il préfère des mets simples et sans viande. Mais quand il engagera des gouvernantes, à Muzot, il attachera à leur science culinaire beaucoup plus d'importance qu'à la propreté, la discrétion ou l'exactitude.

Quelques semaines après cette lettre qui se terminait par de prosaïques conseils ménagers (« Si vous commandez une cocotte " fait-tout " chez un grand quincaillier, vous aurez à peine besoin de remuer ; il n'y a presque aucun danger de voir s'attacher les aliments »), il échange son tablier de cuisine contre une lyre et envoie à Clara, pour son anniversaire, le *Cornette,* avec la prière « de le lire par un beau soir, en robe blanche », et de bien le conserver, car c'est l'unique manuscrit. (Il adressera plus tard la même prière à l'éditeur de la monographie *Worpswede,* dont il n'existait aussi qu'une seule copie. Détail qui illustre bien la sécurité de la vie quotidienne avant 1914, au moins en Europe occidentale, de même que la confiance toute naturelle avec laquelle des hommes comme Rilke ou Mann — qui abandonnaient un manuscrit original à la poste italienne ! — s'en remettaient aux services publics, et, semble-t-il, avec juste raison.)

A cette époque déjà, les lettres de Rilke, que Franz Werfel comparait à des poèmes « qui ne subsistent que sous une légère pression, sinon ils deviendraient cristal » sont caractérisées par leur exacte référence aux plus fines oscillations de l'âme du destinataire. Sauf dans ses lettres d'affaires aux éditeurs ou à des gens comme Lou, et plus tard aussi à Marie de Tour et Taxis ou Nanny Wunderly-Volkart, à qui il parle surtout de lui-même, il se réfère chaque fois avec précision à ce que son correspondant lui a raconté ou écrit. En « émettant » sur la même « longueur d'ondes » que son partenaire, il éveille des souvenirs communs, comme ici une petite sculpture qu'il avait admirée dans l'atelier de Clara et dont il parle maintenant assez souvent : « Faites vite photographier vos travaux, demande-t-il, surtout l'enfant au genou relevé, que j'aime tellement. » Cette

---

* Seuil, t. 2, p. 302.

capacité de se mettre à la place de l'autre s'étend même aux jours où ils ne se connaissaient pas encore :

> Vous rappelez-vous, chère Clara Westhoff, le soir dans la petite salle à manger bleue ? Vous me parliez alors de ces jours qui formaient barrage avant votre voyage à Paris. Sur le souhait de votre père, vous avez dû différer votre départ et essayer de fléchir sa mère. Vos yeux, déjà divinateurs et captivés par les lointains et les beautés nouvelles, avaient dû revenir, s'habituer au visage très proche d'une vieille femme grave et distinguée, et aller de pénibles chemins parmi les rides et les plis.

On peut se demander si Clara, dans laquelle Mackensen affirmait voir une Penthésilée, avait alors un langage et des sentiments aussi maniérés : la réponse est négative. Ce ton précieux était l'apport du seul Rilke. Après le mariage de Clara, Paula Becker et Heinrich Vogeler notèrent l'assombrissement de la jeune femme, et en tinrent Rilke pour responsable, lui qui avait voulu faire de la vie de sa femme une « éternelle cérémonie ».

A la fin de janvier 1901, Clara vient à Berlin, en compagnie de Paula qui s'est fiancée et, à la demande de son pédant de père, doit suivre des cours de cuisine pour se préparer au mariage. Elle ignorait, pensait-il, quelles graves conséquences aurait son union avec Modersohn, honnête veuf pourvu d'une fille d'un premier mariage. « Ton devoir est de te dévouer entièrement à ton futur mari », exhortait-il sa fille, en digne retraité des chemins de fer. Il n'avait jamais soupçonné le génie de Paula. Aussi lui prescrivait-il de « se consacrer à lui selon son caractère et ses vœux, d'avoir toujours en vue son bien et de ne jamais se laisser guider par des pensées égoïstes [65] ». Selon les mœurs de l'époque, il est certes grand temps pour Paula de porter la bague au doigt : « Ta petite fiancée a à présent vingt-cinq ans », écrit-elle un peu mièvrement pour notre goût actuel, à son fiancé demeuré à Worpswede, « Toi, cher, mien, fervent et bon, toi. » Si les fiançailles de Paula ont surpris ou même ému Rilke, il ne se l'avoue pas ; sauf si l'on veut voir un aveu de ce genre dans ses propres fiançailles et son mariage.

III.

Sur ce mariage, les renseignements ne nous sont parvenus qu'avec une extrême parcimonie (seul, son voyage africain de 1911 gardera la même dose de mystère). Comme il arrive dans de tels cas, on s'est livré à toutes sortes de spéculations. On soupçonna que

Rilke, dont la fille est née sept mois plus tard, « avait dû » se marier, au sens bourgeois de cette obligation. D'autre part, comme nous n'avons pas encore accès aux lettres et autres documents qui concernent cet événement, nous restons dans le vague. Tout cela a conduit les biographes à traiter comme un détail insignifiant ce mariage, et même toute la vie conjugale de Rilke (Angelloz et Butler lui consacrent trois pages l'un sur 375, l'autre sur 425 !) En réalité, l'expérience du mariage, comme celle de la paternité, ont laissé des traces profondes dans la vie et l'œuvre de Rilke. C'est pourquoi, sans considérer le fait comme accessoire, et sans glisser dans le rôle du narrateur omniprésent, nous exposerons ici ce que nous tenons pour certain.

A la mi-février 1901, Rilke abandonne son logement de la Misdroyer Strasse, où Clara et Paula lui avaient souvent rendu visite lors de leur séjour à Berlin, et s'installe dans un hôtel. Au même moment, il fait savoir à sa mère que « des circonstances inattendues » avaient rendu impossible son troisième voyage en Russie, projeté pour l'été, voyage que dans une autre lettre antérieure d'une semaine, il avait présenté comme allant de soi. A la fin de février, la mère de Paula Becker écrit de Brême qu'elle venait d'apprendre les fiançailles de Clara Westhoff. Les efforts, jusqu'à présent plutôt sporadiques, accomplis par Rilke pour gagner un peu d'argent par des travaux littéraires occasionnels, s'intensifient de manière visible ; il s'était jusqu'alors borné à accepter de tels travaux, et il les recherche à présent, comme il l'avait déjà fait à Prague. Il demande par exemple à la revue viennoise *Ver Sacrum,* qui l'avait publié l'année précédente, si l'on pourrait l'employer comme rédacteur. En revenant de sa visite annuelle à sa mère, à Arco, il veut faire une lecture à Munich. « A la suite des mêmes circonstances qui m'ont fait m'échouer ici à l'improviste, écrit-il, en réclamant ses honoraires, à la rédaction de la revue annuelle *Avalon* qui lui a dédié un numéro, il devient nécessaire que je traite l'argent avec attention. » En même temps, d'une manière apparemment très inattendue, il fait noter sur son livret de baptême, à la sacristie de Saint-Heinrich à Prague, sa sortie de l'église catholique (ce que Phia n'a jamais su) ; on ajoute par erreur qu'il était alors devenu protestant. A un libraire berlinois de ses amis, il emprunte cinquante marks « pour un voyage nécessaire à Brême », en alléguant qu'il « ne connaissait pour ainsi dire personne » à Berlin et ne savait à qui s'adresser [66] — comme si Lou Andreas-Salomé et son mari étaient soudain disparus de la surface de la terre.

A Brême, Rainer Maria Rilke épouse, le 28 avril 1901, la protestante Clara Westhoff, et passe sa lune de miel avec elle dans le sanatorium *Weisser Hirsch,* près de Dresde. Séjour inhabituel pour un jeune couple en voyage de noces, mais le fiancé vient d'avoir la scarlatine et est encore « tout juste convalescent » au moment du mariage, si bien qu'il doit « laisser les choses aller leur chemin sans beaucoup participer[67] ». En outre, la méthode de Lahmann, avec sa balnéothérapie et sa nourriture de préférence végétarienne, correspond à sa propre idée d'une vie saine et proche de la nature. Fin mai, il s'installe avec sa femme dans une ferme de Westerwede, près de Worpswede, où il passe l'été et l'automne dans un travail astreignant. Son seul enfant, une fille, Ruth, vient au monde le 12 décembre 1901 (peut-être à sept mois, comme il était né lui-même).

Si l'on veut y voir clair, il faut d'abord se dire que la manie du mariage est contagieuse, et que celui de Rilke n'est que l'un des trois que l'on fête au même moment à Worpswede. En même temps, ou presque, que Rilke et Clara, Modersohn se marie avec Paula et Vogeler avec son amie de longue date, Martha Schröder, dont le portrait exposé à la Kunsthalle de Brême avait été son premier grand succès. La « famille » — Vogeler et Modersohn avec leurs femmes et Clara Westhoff — se détache donc de la colonie de Worpswede, qui, à bien d'autres points de vue, pensait déjà d'autre manière. Ainsi, Hans am Ende et Fritz Mackensen, qui étaient certes des artistes mais aussi des officiers de réserve, désireux de maintenir la façade, avaient déjà appris avec désapprobation que Modersohn (la chose avait été colportée par un villageois excité revenu en courant) avait peint, dans un petit bois de sapins écarté, un nu d'après son épouse.

Ce qui décida Rilke à se marier, c'est sans doute moins les noces de ses amis que ses propres difficultés et besoins, dans sa relation avec Clara comme avec Lou. Il connaît Clara depuis six mois. Ils s'entendent bien et ont aussi fait l'épreuve de l'obligatoire séparation momentanée, quand il était allé à Berlin à la fin de l'automne. En revenant, il lui écrit qu'il voudrait la rencontrer à Westerwede et non, comme projeté, aller d'abord chez les parents de Clara à Brême. Lors de cet entretien, à la mi-février 1901 à Westerwede, ils ont dû décider de se marier. Bien des éléments de la vie de Rilke, alors, même si l'on a dit de lui qu'il se conduisait « en littérateur, en loueur de chambre avec une caisse de livres, en hôte de passage[68] », indiquent qu'il était mûr sinon pour le mariage, du moins pour se fixer quelque part. Ses parents sont séparés, sans que Josef ni Phia se soient remariés. Il a lui-même vingt-cinq ans et n'a rien du bohème ni du vieux garçon. Il n'a ni frère, ni sœur, ni proches parents qui pourraient l'héberger un moment. Les cousines qui considèrent les études de Rilke comme terminées, sont sur le point de supprimer leur aide financière. En dehors du peu qu'il gagne et d'une petite subvention de son père, il ne dispose d'aucun revenu. Mais Clara a son propre métier, même si elle ne vend que rarement ses sculptures, et elle est issue d'une famille qui n'est pas sans fortune.

Les derniers jours de février, quand Clara annonce leurs fiançailles, Rilke reçoit de Lou une lettre lourde de conséquences. Dans cette lettre, en épigraphe de laquelle elle inscrit dramatiquement « dernier appel », l'amie de longue date lui donne son congé en bonne et due forme ; moins à cause de ses relations avec Clara, qu'elle ne mentionne que brièvement (« ... au cas où tu contracterais un lien... »), que pour reconquérir sa propre indépendance intérieure. Si elle lui a toujours permis, jusqu'à présent, de s'appuyer sur elle, c'était pour tenir une promesse qu'elle avait faite à son ami le médecin viennois Pineles. Pineles, à qui elle avait beaucoup parlé de Rilke, avait parfois redouté que celui-ci, comme le poète russe Vsévolod M. Garchine, finisse un jour par un suicide. Entre-temps, — poursuit la lettre — elle avait trouvé le chemin d'elle-même et voulait le suivre jusqu'au bout. C'est un chemin qui la ramène à sa propre personne, presque ensevelie pour avoir si longtemps materné Rilke. Ce chemin est enfin libre devant elle, « car c'est seulement maintenant que je suis jeune, maintenant que je puis être ce que d'autres deviennent à dix-huit ans : tout à fait moi-même ». — Comme si précisément la fille de général, préparant le *Polytechnikum* de Zurich à l'épouvante de toute sa famille, n'était pas « tout à fait elle-même » à dix-huit ans ! Plus blessant encore, venant de l'ex-amie de Nietzsche mort dans les ténèbres de l'esprit, et de Rée vraisemblablement suicidé, était l'allusion à l'éventualité que l'exaltation de Rilke, mêlée d'hypocondrie, pourrait « conduire à une maladie de la moelle épinière ou à une maladie mentale ». Après cette flèche empoisonnée, la lettre se termine par une note réconciliatrice, que Rilke reçoit comme telle. Lou lui donne à entendre que, en cas de profonde détresse, c'est-à-dire de suicide menaçant ou de maladie grave, il pourra toujours s'adresser à elle.

Cette lettre, où l'amie et la confidente de toutes ses détresses lui déclare qu'il est menacé de folie, et qu'elle-même est « déchirée, torturée, surmenée » (*sic*) par ses relations avec lui, cette lettre où on lui signifie son congé d'une habitude devenue d'une importance vitale, a durement touché Rilke. D'autre part, il sait naturellement lui aussi que leur relation, depuis le retour de Russie et surtout depuis son séjour à Worpswede, a fondamentalement changé. Reste encore à évaluer à quel point le « dernier appel » est une réaction à l'annonce du mariage de Rilke. Elle a lu le *Journal de Worpswede*, écrit pour elle, elle ne peut pas avoir été surprise par cet événement. Pourtant, même si sa relation avec Rilke avait pris entre-temps d'autres formes, la perte de son ancien amant (on ne pouvait encore savoir qu'il resterait son ami pour la vie) au profit d'une femme tellement plus jeune — Lou avait presque quarante ans, Clara vingt-deux — ne peut lui avoir été indifférente. En tout cas, Lou sait où il en est. On a presque l'impression que dans cette phase de sa liaison, elle le pousse dans les bras de sa rivale : « Il lui *faut* à tout prix un soutien et une amitié exclusive, écrit-elle à Frieda von Bülow juste avant le " dernier appel ", sinon avec moi, au moins avec n'importe qui. »

Quant aux autres amis, le mariage de Rilke les déconcerte, d'emblée, à cause de la différence essentielle et évidente qui existe entre les époux, dont on ne peut dire, avec la meilleure volonté, qu'ils sont créés l'un pour l'autre. Leur disproportion physique donne déjà à réfléchir. La jeune femme est robuste, pleine de vitalité, et son époux plutôt souffreteux est, comme le professeur Andreas à côté de Lou, un peu plus petit qu'elle. En outre, le visage de Clara, sans beauté réelle, mais vigoureux et révélant du caractère, contraste avec celui de Rilke, étrangement flou avec ses cheveux négligemment rejetés en arrière et sa barbe clairsemée. Ces différences d'aspect physique sont amplement commentées. La mère de Paula les juge « un couple si disparate au premier regard », que l'annonce de leurs fiançailles la remplit d'étonnement. Rudolf Alexander Schröder trouve que Rilke avait l'air petit auprès de sa femme, et Gustav Pauli, directeur de la Kunsthalle de Brême et lié d'amitié avec les nouveaux époux, a l'impression que les rôles, entre eux, sont inversés[69]. Modersohn raconte à Paula une visite qu'il a reçue : « Qui est venu ? Tu le devines : Clara Westhoff avec son petit Rilke sous le bras. » Ce ton haineux montre que Rilke n'avait pas été accepté par la colonie de Worpswede aussi franchement que lui, de son côté, l'avait reçue dans son cœur. Il se sent chez lui là-bas, certes, mais au fond il reste un étranger. Même si les tensions demeuraient la plupart du temps imperceptibles, il est à Worpswede le poète parmi les peintres, l'Autrichien chez les Allemands, le mélancolique parmi les joyeux buveurs qui prennent la vie à la légère, le génie parmi les talents ; car le développement de Vogeler était déjà terminé, et celui de Paula Becker avait à peine commencé.

Quand Paula avait fait la connaissance de Clara, elle avait écrit dans son journal — elle qui était aussi passionnée que l'autre était réservée — : « Je voudrais qu'elle soit mon amie. Elle est grande et superbe, elle l'est comme être humain et comme artiste. » Quelques mois après le mariage de Clara, Paula doit constater que, au moins passagèrement, elle ne joue plus guère de rôle dans la vie de son amie. Celle-ci attend un enfant, et elle entre totalement dans son rôle de future mère. Il est vraisemblable que Paula a ressenti le mariage de Clara comme une trahison envers l'art, et envers un lien qui existait avant l'entrée de Rilke dans leurs deux vies. Certes, elle s'était mariée, elle aussi, entre-temps. Mais tandis que le débonnaire et insignifiant Modersohn n'exerce aucune influence sur Paula et que celle-ci se détache bientôt de lui de cœur et dans son art, Clara, au début, s'oriente entièrement selon Rilke. « Vous avez beaucoup dépouillé de votre ancien moi et vous l'avez étalé comme un manteau sous les pas de votre roi », lui reproche Paula dans une lettre qui contient aussi quelques remarques acerbes sur le « roi » Rilke et ses « sceaux bariolés », qu'il n'appose « *pas seulement* sur ses lettres à la fine écriture ».

Rilke n'avait aucun talent pour émousser les sarcasmes dirigés contre lui. Au lieu d'imiter le badinage de Paula, ou de faire quelques kilomètres pour parler à la colonie de Worpswede, ou même d'observer, pour réfléchir, une trêve épistolaire, il répond par retour du courrier, de Brême, où il a à faire. Comme pour bien montrer que le coup de Paula a porté, il lui retourne ses reproches et la rend elle-même responsable de leur éloignement : elle n'a rien fait pour s'intégrer au développement de son amie, engagée à présent dans une silencieuse croissance. Cette explication fait entrer en scène Modersohn, placé derrière sa femme : « Quel orgueil dans les mots de Rilke, il nous dit que Paula doit attendre devant la porte jusqu'à ce que sa noble épouse et grande artiste en ouvre les battants, Paula n'a pas réussi à la suivre dans ses hauteurs. »

Le désaccord ne se dissipe qu'à Paris, où Paula, provisoirement séparée de son mari, rend souvent visite au ménage Rilke. Le tact n'était pas son point fort, et elle était du nombre de ces femmes qui, pour ainsi dire, ne se parfument même pas l'esprit. Que sa critique fût justifiée, Rilke en est convenu des années plus tard, sans nommer Paula expressément ou peut-être en n'ayant pensé qu'à elle :

Il y a en Clara beaucoup de la jeune fille (écrit-il à un jeune ami), et en revanche une grande nostalgie d'avoir une vie de femme, et pourtant, là où elle se soumet, elle est aussitôt plus disciple que femme, plus élève et partisane, et cela non au sens le plus fort, mais dans la mesure où elle s'abandonne et imite. Je ne crois donc pas qu'elle aurait pu être une femme aux côtés d'un homme : en se dévouant à une autre vie, elle ne devient pas forte, mais souple, reflet au lieu d'antagonisme, — même si, comme elle le croit parfois à présent, elle aurait dû avoir un tout autre destin, un vraiment grand mariage, beaucoup d'enfants : rien, à la fin, n'aurait été plus facile pour elle, rien n'aurait eu qu'un seul sens. Qu'elle soit tombée sur moi, c'est vrai, c'est particulièrement difficile : car je n'avais pas le pouvoir d'être bénéfique, ni à l'artiste en elle, ni à ce qui aspirait à une existence de femme. Plus je m'éloignerai, plus je me retirerai complètement de sa vie, mieux cela vaudra pour elle... Que le travail artistique et la vie soient quelque part une alternative, chacun le découvre en son temps, — mais pour la femme, ce choix doit signifier en vérité une douleur et un adieu sans pareils[70].

IV.

Avant de réfléchir sur leur vie conjugale, Rilke et sa femme durent d'abord en assurer les bases pratiques. Pendant l'année et demie qui s'écoule entre son mariage et le premier séjour à Paris, Rilke travaille avec plus d'acharnement que jamais. Si Rilke a jamais eu l'âme bourgeoise, ce fut durant ces mois, où le mari fraîchement émoulu et le futur père cherche désespérément un travail qui lui permette de ne pas sombrer. Le train de vie dans la ferme de Westerwede, bienveillante, entourée d'arbres fruitiers penchés sous le vent d'est et de tombes moussues (Vogeler et d'autres amis avaient dû la remettre en état), est suffisamment bon marché. Rilke l'évalue à 250 marks par mois, et comme Clara veut apporter sa quote-part, il n'a plus à en fournir que la moitié. Mais il n'est pas tellement facile de se procurer même 125 marks. Ses livres ne rapportent pratiquement rien, si bien qu'il doit s'efforcer de trouver des commandes occasionnelles parmi ses relations. Il écrit des lettres de quémandeur, dont quelques-unes sont suivies de succès : sur une recommandation d'August Sauer et d'autres mécènes, la *Concordia* de Prague lui accorde un prêt. Mais tous ne peuvent pas le soutenir aussi promptement que Pauli, qui lui procure des articles pour un journal de Brême et la commande d'un livre sur Worpswede, ou l'historien d'art Richard Muther, collaborateur de la revue viennoise *Die Zeit* et éditeur de la monographie de Rodin que Rilke veut écrire à Paris. D'autres veulent l'aider, mais ne le peuvent, comme Schnitzler à Vienne, à qui il demande s'il y aurait une possibilité de trouver là-bas un poste de correspondant dans un journal, ou Axel Juncker à Berlin, dans la maison d'édition duquel Rilke espérait être employé comme assistant littéraire. D'autres, en revanche, semblent ne pas avoir entendu ses appels à l'aide, comme la Munichoise Julie Weinmann, à qui, prévoyant, il avait dédié un petit poème de *Avent* et à qui il demande à présent un prêt pour pouvoir écrire toute une année sans souci d'argent.

Pour comble de malheur, son espoir d'obtenir un succès sur scène vient de s'évanouir. La pièce composée à Schmargendorf, *La vie quotidienne*, est complètement tombée lors de la première à Berlin, fin 1901, sans que l'action y soit pour quelque chose. Un peintre fait la connaissance d'une femme, Hélène, en laquelle il croit avoir rencontré « l'âme sœur » ; quand ils se revoient, ils comprennent que c'était une illusion. Il s'aperçoit alors que Mascha, le modèle qu'il regardait à peine, l'aime, et est plus proche de lui que l'autre femme. Mais sur cette action dramatique, Rilke a greffé l'idée que la vie prosaïque qui donne le titre de la pièce et est incarnée par Mascha, est inconciliable avec l'imagination, représentée par Hélène. Ceci peut être exact, mais n'apparaît pas impérativement dans la trame que nous venons d'exposer. Cette faiblesse fit échouer la pièce, dont le langage, au demeurant, sonnait creux en maints endroits : « Les gens y parlent, remarque Heinrich Hart, qui, avec son frère Julius, avait dans ses *Kritische Waffengänge,* aidé le naturalisme à s'établir, comme parleraient des anges préraphaélites, un lis à la main... Le public s'étranglait de rire. » Dur jugement, même si cela entraîne l'heureuse conséquence de détourner Rilke du drame, forme décidément qui ne lui convient pas.

C'est le *Livre d'images* qui en bénéficie, recueil de quarante-cinq poèmes pris pour la plupart au *Journal de Schmargendorf* et au *Journal de Worpswede,* de qualité et de thèmes variables. Le recueil paraît en juillet 1902. Des épisodes de l'histoire russe y côtoient des « chansons de jeunes filles » douceâtres, des impressions parisiennes jouxtent la poésie de la nature, des motifs scandinaves et bibliques se mêlent. C'est une œuvre de transition, entre la poésie de jeunesse avec son trop-plein de sentiment, et les *Nouveaux poèmes,* travaillés avec précision. On y trouve, entre bien d'autres, le *Finale* si souvent cité, et si caractéristique de la fin du siècle :

> La mort est grande.
> Nous sommes siens,
> bouche riante.
> Lorsque nous nous croyons en plein cœur de la vie,
> elle ose pleurer
> au cœur de nous-mêmes*.

Le *Livre d'images* marque aussi le premier sommet atteint par Rilke dans ses efforts (également typiques de l'époque) pour intervenir le plus possible sur l'apparence extérieure de ses œuvres. Vogeler doit exécuter la vignette de la page titre. Rilke tient aussi à ce que tout le texte soit imprimé en majuscules :

> De même que l'essence de la prose consiste en une longue ligne, un large format de page et des caractères calmes, coulant sans heurt, le caractère des vers est exprimé au mieux par la station dressée, l'aspect monumental même des plus petits mots. Rien n'est sans importance,

---

* Seuil, t. 2, p. 161.

rien, là, n'est sans fermeté. Chaque mot qui participe au cortège triomphal des vers doit marcher au pas, et le plus petit ne doit pas céder au plus grand en dignité extérieure et en beauté.

Hofmannsthal, à qui il avait fait envoyer un exemplaire du livre, remercie de l'envoi, en ajoutant que « les malheureuses majuscules, beaucoup trop grandes... » avaient « sensiblement atténué la joie de cette lecture ». Il ne soupçonnait pas que Rilke était lui-même le responsable de cette typographie particulière. — Quelques-unes des pièces les plus fortes du *Livre d'images,* et parmi celles-ci *Jour d'automne,* furent, il est vrai, ajoutées seulement en 1906, dans la seconde édition considérablement augmentée. A cette époque, Rilke joue donc, avec peu de succès et encore moins de plaisir, le brasseur d'affaires littéraires, car les soucis d'argent se dressent, « campés sur leurs jambes écartées au milieu du chemin qui mène à l'avenir ». Il offre de se rendre à Darmstadt comme lecteur et associé du Landgrave de Hesse, et travaille à une traduction (demeurée à l'état de fragments) de l'*Histoire de la peinture russe du XIXᵉ siècle,* de son ami de Pétersbourg Alexandre Benois. Entre-temps, il fait la critique des nouvelles publications de Friedrich Huch*, Hermann Bang, Thomas Mann et d'autres ; parmi les œuvres concernées se trouvent *Les Buddenbrook.* Rilke prophétise à propos de leur auteur : « On devra absolument noter ce nom », et *Le siècle de l'enfant,* de l'écrivain et pédagogue suédoise Ellen Key, qui comptera bientôt au nombre des meilleurs amis de Rilke. Naturellement, il fait un tour à Brême, où il donne une conférence sur Maeterlinck, dont le drame *Sœur Béatrice* est représenté pour l'inauguration de la Kunsthalle. Le bâtiment servait de décor, et le texte fut déclamé sur le perron, devant un nombreux public. A cette occasion, il rencontre Alfred Walter Heymel, un promoteur, dont les chemins croisèrent plus tard le sien. Cet homme aux dons multiples, qui servit de modèle au *Prinz Kukuck* (Prince Coucou) d'Otto Julius Bierbaum** et, selon Gustav Pauli, déjà à cette époque « séducteur de femmes et scandale pour la vertu », est le fils naturel d'un haut fonctionnaire saxon et d'une Américaine. Quand Rilke fait sa connaissance, il vient, avec Schröder, Bierbaum et la fortune de son père adoptif, de fonder les Editions Insel.

Pour pouvoir écrire sans être dérangé, Rilke se fait servir ses repas, au moyen d'un passe-plat, dans le bureau qu'il s'est aménagé

---

* Friedrich Huch (1873-1913) : cousin de Ricarda Huch. On le décrit comme un athlète, amoureux des sports, mais auteur d'œuvres frêles (*Peter Michel, Mao, Enzio*).

** Otto-Julius Bierbaum (1865-1910) : Auteur de romans à clés peu aimables pour la société de son temps (*Prinz Kukuck,* 1907). Ses poèmes, pastiches de rococo et de Minnesang, ont eu une immense renommée et sont tombés dans l'oubli. A contribué a répandre la mode du cabaret en Allemagne.

au grenier ; de là, quelques marches le mènent dans le vestibule, qu'il utilise comme salle de séjour et qui contient des meubles procurés par Vogeler, rustiques pour la plupart. Entre-temps, Clara travaille jusqu'à la limite de sa délivrance, dans son atelier, dans la maison voisine. Parmi les invités qui rendent visite au jeune couple dans sa retraite campagnarde, pendant l'été et l'automne 1901, on rencontre d'abord Josef, puis, après le départ de celui-ci, Phia Rilke. Une photo de famille Rilke-Westhoff montre la quinquagénaire en dame de la grande ville, robe noire garnie de fourrure et chapeau, tandis que Clara et sa mère, tête nue dans des vêtements blancs, ont l'air de domestiques. Les messieurs, Rilke et son beau-frère, le futur peintre Helmuth Westhoff, regardent au loin avec soumission. Mais une photographie ne peut pas satisfaire le besoin de tradition qu'éprouve Rilke. Il faut pour cela un tableau, et Rilke invite à Westerwede le peintre dresdois Oskar Zwintscher, pour qu'il fasse le portrait de Clara. C'est un luxe qu'il ne peut nullement se permettre : il allègue en guise d'excuse que des enfants doivent grandir « sous les beaux portraits de jeunesse de leur mère ». Les portraits que Zwintscher réalise, celui de Clara d'abord puis, plus tard, de mémoire, celui de Rilke, déplaisent tellement à celui-ci que sa mine s'assombrira encore des années plus tard quand le nom du peintre surgira dans la conversation. En revanche, le buste de Rilke par son épouse compte parmi les meilleures œuvres de Clara.

Pour le seul jour du 18 janvier 1902, quand sa fille vient d'avoir cinq semaines, Rilke écrit de sa main soignée pas moins de quatorze lettres (il ne tape pas à la machine et évitera plus tard le « répugnant » téléphone autant qu'il le pourra). Avec une activité si fébrile, il lui reste bien peu de temps pour une vie de famille. De toute manière, ce genre de vie ne le retient que très sporadiquement, la plupart du temps comme un interlude dans sa vie quotidienne, comme à ce Noël 1907 où il va avec la petite Ruth chercher à la poste un sapin envoyé de Bohême, et le décore ensuite. Mais ce ne sont que des épisodes, car Rilke est foncièrement de ces hommes qui font des pères médiocres, mais d'excellents grands-pères. Bien que, selon ses forces, il s'occupe de façon touchante de sa fille, toutes les vertus du père de famille lui manquent, à l'exception d'un modeste talent culinaire. — Après la naissance de Ruth, dans la ferme écartée et enneigée, semblable à une carte de Noël, il avait été, c'est vrai, pendant quelques semaines, un papa rempli de fierté :

Que vous dirai-je de Ruth (écrit-il à Fanny von Reventlow à Munich). Elle a des cheveux châtains, des yeux très bleus, un front sérieux et des mains merveilleusement belles. Mais, vous savez ce qu'il en est quand on parle d'un enfant chéri à soi, les mots sont trop grands et

trop étroits à la fois, trop grossiers, trop gauches, pour exprimer ce
que l'on pense. En tout cas, la vie est devenue toute neuve d'un seul
coup : plus riche d'un nouvel avenir, de toute une vie !

Les seuls moments de repos que s'accorde Rilke pendant ses
mois de Westerwede sont des visites chez un poète, le prince Emil
von Schönaich-Carolath, ancien collaborateur des *Chicorées sauvages,* qui l'a invité dans son château de Haseldorf, près de
Pinneberg à l'embouchure de l'Elbe. La première fois, il va y passer
quelques jours avec Clara ; en été 1902, il passe de nombreuses
semaines seul à Haseldorf, tandis que Clara et l'enfant rendent visite
à des amis hollandais. Lors de ce séjour, on l'héberge dans un
pavillon de chasse au milieu d'un grand parc, où il lit les épreuves du
Livre d'images et fouille les archives du château pour y consulter des
documents sur l'histoire des Reventlow et d'autres familles germano-
danoises. De nombreux éléments en seront repris dans *Malte Laurids
Brigge,* et imprégneront plus tard le sentiment de la vie du poète. Car
après Weleslavin (beaucoup plus petit d'ailleurs), près de Prague, et
exploré dans des conditions très différentes, Haseldorf est son
premier « château », la première propriété d'une famille aristocratique, domicile passager, où il est livré à lui-même — ce qui, toute sa
vie durant, lui importera plus que les « bonnes adresses », bien qu'il
sache aussi estimer celles-ci. Là, il peut travailler et nourrir l'illusion
si chère d'avoir échangé son absence de gîte contre un refuge
protecteur. Son travail, à son tour, même si le texte ne sera couché
sur le papier qu'à Paris, distillera les êtres et les meubles, les chiens et
les « choses », les arbres et les portraits d'ancêtres, flottant dans la
pénombre d'un château, et les changera en poésie — processus qui se
renouvellera souvent dans sa vie.

Quand, après plus d'un an, il lui devient clair que sa tentative de
fonder une famille et un foyer a échoué pour des raisons psychologiques, financières, et avant tout professionnelles (ni Rilke ni Clara ne
peuvent s'épanouir comme artistes dans cette retraite), ils décident
d'émigrer à Paris. Là, il écrira la monographie de Rodin et elle se
perfectionnera auprès du sculpteur. La petite Ruth sera recueillie par
la grand-mère Westhoff, à la campagne, près de Brême. — Rilke
sait-il, quand il défait ainsi la communauté d'habitation qu'il formait
avec sa femme et sa fille, en automne 1902, qu'il réserve à cette
dernière une enfance encore bien plus difficile que la sienne, dont
pourtant il souffrira toute sa vie ? Car Ruth, fille unique elle aussi,
vivra tantôt chez sa mère, tantôt chez sa grand-mère, et fréquentera
des écoles variées, mais sera rarement chez son père, dont les efforts
distraitement affectueux pour s'occuper d'elle ne seront guère
couronnés de succès. « Trouvera-t-on une école ou quelqu'un qui

s'occupera de cette chère créature ? » demandera-t-il plus tard, avec le plus grand sérieux, dans une lettre, comme si la vie de sa fille était un roman à épisodes [71]. Qu'il doive, lui-même, être ce « quelqu'un », cela ne lui parvient que rarement à la conscience.

Les efforts de Rilke pour se fixer dans ses rôles d'époux, de père, de propriétaire, muni de surcroît d'une activité professionnelle, sont encore compliqués, il faut bien le dire, par sa volonté d'aider en même temps sa femme à travailler et à se faire reconnaître. Partout, il s'active en faveur de Clara : auprès de la *Sezession* de Vienne, à qui il demande d'accepter une œuvre de Clara lors d'une prochaine exposition ; auprès de Paul, qui achète une de ses sculptures pour la Kunsthalle de Brême et lui envoie des élèves à Westerwede ; et auprès d'Alfred Lichtwark et de Gerhart Hauptmann, qu'il prie d'appuyer la demande de bourse effectuée par Clara. Sa première lettre à Rodin, déjà, contient les salutations de Clara — elle avait travaillé sous la direction du sculpteur en 1899 — c'est-à-dire, dans le langage dévot de Rilke, qu' « elle avait joui du grand bonheur de pouvoir travailler à Paris près de vous et de *l'éternité qui entoure votre personne* », ces derniers mots étant répétés en français. Qu'il pense ainsi sérieusement, on le verra plus tard, lors de sa querelle avec Rodin. Ce qui le touchera plus douloureusement encore que le manque d'égards avec lequel Rodin le chasse de chez lui, c'est la pensée que Clara (qui habite alors en Allemagne) sera l'innocente victime de cette brouille. « Pourquoi faut-il qu'elle partage le malheur qui me frappe ? » demande-t-il au maître.

S'il veille ainsi à l'avancement de Clara, c'est que Rilke est persuadé que le devoir de l'amant consiste à protéger la sphère personnelle de l'autre et à l'aider à trouver le chemin de soi-même. Une vie à deux, c'est-à-dire ne faire qu'un en étant deux, n'est peut-être pas impossible *a priori*, mais ne peut se réaliser qu'aux dépens de l'un ou de l'autre, tandis qu'un partenaire ou l'autre renonce à une partie de sa propre liberté, et à se réaliser soi-même. Aussi ne s'agit-il pas, même dans le mariage, d'abattre les frontières entre deux êtres et de niveler leurs différences. Vouloir réaliser une telle fusion avec deux êtres d'égale valeur est un espoir fallacieux, artificiellement introduit dans la notion de mariage, comme cet espoir de bonheur qui a détruit des générations entières de couples et qui, pourtant, ne cesse pas d'être invoqué par les amis et les parents : « Il ne vient à l'idée de personne, écrit, en hochant la tête, le jeune marié à son ami le poète Emmanuel von Bodmar, d'exiger d'un homme qu'il soit " heureux " — mais s'il se marie, on est très étonné quand il ne l'est pas ! »

Rilke exprime de semblables opinions à maintes reprises pendant les premières années de son mariage, et pose ainsi chaque fois

tantôt un point du problème, tantôt un autre. A Paula, il écrit que
« les véritables unions » sont seulement celles qui « interrompent
rythmiquement de profondes solitudes » ; à Friedrich Westhoff, frère
aîné de Clara, que « toute union ne peut subsister que dans le
renforcement de deux solitudes avoisinantes », tandis que tout ce
que « l'on a l'habitude de nommer don de soi est par essence nuisible
à l'union » ; dans l'une des *Lettres à un jeune poète* adressées à Franz
Xaver Kappus, il fustige le mauvais usage que font la plupart des
hommes de leur sexualité. « Elle n'est pour eux qu'un excitant, une
distraction dans les moments fatigués de leur vie, et non une
concentration de leur être vers les sommets*. » Dans un célèbre
poème du *Livre du pèlerinage*, deuxième partie du *Livre d'Heures*,
composée à Westerwede en septembre 1901, ce sont les revendica-
tions possessives de la vie conjugale qui attirent sa critique :

> N'aie point de crainte, Dieu. Ils disent *mon*
> de toutes choses qui sont patientes.
> Ils sont comme du vent qui frôle les branches
> et dit : *mon* arbre.
> (...)
> Ils disent *mon* quand l'un d'eux nomme
> le prince son ami, en parlant avec des paysans,
> si le prince est très grand — et très loin.
> Ils disent *mon* de leur toit étranger
> et ne connaissent même pas le maître de leur maison.
> Ils disent *mon* et nomme cela propriété,
> alors que toute chose se ferme à leur approche,
> semblables à un charlatan aux tours usés
> qui parle de son soleil et ses éclairs.
> Ainsi disent-ils : ma vie, ma femme,
> mon chien, mon enfant, et savent pourtant bien
> que tout : vie, femme, chien et enfant
> sont des images étrangères, et qu'aveugles
> ils s'y heurtent de leurs mains tendues.

Le philosophe et critique autrichien Rudolf Kassner, ami de
Rilke depuis 1907, a comparé le comportement de celui-ci envers
Clara avec la manière dont un furet poursuit un lapin jusque dans son
dernier refuge, pour l'égorger. Cette vigoureuse formulation était
certainement exagérée et doit sans doute être attribuée à la princesse
Marie de Tour et Taxis, qui ne voyait pas d'un très bon œil Rilke en
époux (de même que Kassner en époux, d'ailleurs). On peut tout de
même réfléchir sur le fait que Rilke, qui mourut en 1926, ne ressentit
jamais le besoin de faire la connaissance de son gendre et de sa

---

* Seuil, t. 1, p. 325.

petite-fille. Ruth s'était mariée en 1922 et eut l'année suivante son premier enfant. Et Rilke n'aurait jamais plus revu Clara après 1918 si celle-ci n'était pas allée lui rendre visite en Suisse. D'autre part, après la séparation à l'essai de 1902, puis pratiquée régulièrement par la suite, il entretient avec Clara une correspondance si animée et si intime, que l'on a l'impression d'y voir une véritable amitié de cœur, née, il est vrai, après la dissolution effective de la communauté conjugale. Il fait toujours envoyer par son éditeur de l'argent à Clara, et la recommande à ses amis qui veulent faire faire leur portrait.

Clara Rilke-Westhoff, qui pensa un moment à demander le divorce, a-t-elle considéré la fin de leur union avec la même égalité d'humeur que son mari ? En fin de compte, c'était elle qui portait le souci de leur enfant. Et elle n'avait ni le succès professionnel ni les nombreuses amitiés de toutes nuances, l'amour inclus, qui l'aidaient, *lui,* de temps en temps, à surmonter sa solitude. Elle passa ses années de séparation et de veuvage à sculpter, la plupart du temps à Fischerhude près de Brême, où elle mourut en 1954, à l'âge de soixante-seize ans. Si l'on songe à sa nature d'Allemande du Nord, on peut penser qu'elle s'est tue sur beaucoup de choses, alors qu'une autre se serait répandue en bavardages ou se serait confiée à un journal ou à d'autres cahiers de notes. Si, dans la mesure où on le sait, elle ne s'est jamais plainte de son destin, c'est sans doute aussi parce que, malgré tout ce qui la distinguait de son mari, elle était totalement d'accord avec lui sur un point : la foi en l'art et sa primauté sur le mariage, et même sur la vie.

Mais en quoi consiste l'art de Rilke dans les années dont nous parlons ici ? Jetons un regard dans l'atelier du poète, qui vient de créer le *Cornette* et l'a envoyé à Clara avec la prière de le lire et de le conserver soigneusement. Ni lui ni elle ne soupçonnent que le petit poème allait devenir la plus lue de toutes ses œuvres, et serait pour des centaines de milliers de lecteurs l'archétype même de l'art rilkéen du langage.

Le Cornette

I.

Le *Chant de l'amour et de la mort du Cornette Christoph Rilke* se raconte aisément. Le jeune Junker Rilke, dix-huit ans, chevauche sur le champ de bataille et se présente chez le général Spork, homme redouté, qui commande la cavalerie. Le général nomme le jeune Rilke cornette (aspirant). A l'aube, l'escadron de Rilke est surpris par les Turcs. Le château où il a goûté le repos et la fête est incendié. Le cornette vient de passer sa première nuit d'amour dans les bras de la comtesse ; il saisit le drapeau et sort en hâte du château en flammes. Il saute sur son cheval, galope en tête de ses camarades et tombe, visible de loin sous le drapeau qui brûle et peu à peu se consume.

L'épisode est tiré du récit de la bataille livrée en 1664 à Mogesdorf et au Saint-Gothard. L'armée autrichienne, sous la direction de Montecuccoli avec ses mercenaires français et autres, rejeta au-delà de la Raab les Turcs qui avaient pénétré en Hongrie. Rilke raconte l'anecdote en trois cent cinquante vers environ, en une suite de vingt-six instantanés ou scènes qui sont encadrés d'une note d'introduction et d'une courte conclusion. La première version date de 1899, et fut écrite à Schmargendorf ; une seconde version, corrigée, parut en 1904 dans le mensuel pragois *Deutsche Arbeit ;* la troisième version, remaniée à son tour, fut publiée à Berlin fin 1906. L'éclosion ne se fit cependant qu'en 1912, avec la publication du *Cornette* dans la Librairie Insel. Le petit livre est aussitôt répandu à plus d'un million d'exemplaires et compte parmi les poèmes les plus célèbres de la littérature allemande.

Nous n'avons aucune raison de mettre en doute la version que donne Rilke de la naissance du poème, même si cette version est incomplète : « Le *Cornette* fut le cadeau inattendu d'une seule nuit, une nuit d'automne, écrit d'un seul trait à la lueur de deux bougies vacillant au vent nocturne ; le passage des nuages sur la lune en fut la cause, après que la matière m'en eut été suggérée, quelques semaines auparavant, par la découverte de certains papiers de famille, à moi parvenus par héritage [72]. »

Ces papiers étaient extraits d'un dossier que Jaroslav Rilke, qui cherchait à se faire anoblir, avait fait constituer en juillet 1870, d'après les Archives royales de Saxe (Christoph Rilke était un membre de la branche saxonne de la famille). Plus importantes que ces recherches, plus importantes aussi que le décor de bougies, lune et nuages, furent d'autres impulsions que Rilke passe sous silence. Le rang et le nom du héros révèlent que le *Cornette* eut un autre parrain : l'amour de la gloire, le vœu secret, peut-être, de s'égaler au père sur le champ de bataille. Le *Cornette* fut peut-être la réalisation littéraire de ce rêve d'action qui hantait le héros velléitaire évoqué par Rilke dans sa lettre sur la leçon d'équitation. « Que n'ai-je pas dû réprimer, se dit-il encore en 1920 en comparant ses expériences de l'école militaire avec les souvenirs de jeunesse d'un ami, parce que c'était impossible à garder et à transformer au cours de la vie, malgré tout ce dont j'ai peu à peu modifié le sens, pour le rendre supportable [73]. » Il entre aussi dans ce texte le besoin de surmonter le trauma de l'école militaire en revenant sur toute cette expérience, sous d'autres auspices et, pour ainsi dire, « en vrai ». Par sa brièveté et son intensité, le poème a l'allure d'un coup de main militaire : il ne fait pas qu'enchanter le lecteur, il l'enlève d'assaut. Un dernier élément joua enfin son rôle : la familiarité de Rilke avec la vie de château a influencé au moins les dernières scènes du *Cornette*. Siegfried Trebitsch, par exemple, écrit au sujet d'une soirée passée avec Rilke au château de Weleslavin :

> Une douce musique venait de commencer, et nous vîmes assez loin, la mince jeune fille de la maison, Láska van Ostéren, ouvrant une danse... Nous sommes allés en hâte dans le jardin, où, à la lueur des lampions doucement illuminés, nous avons commencé à flâner en bavardant.

Plus tard, les amis prennent congé de la dame de céans :

> « René, tu es fatigué, dit-elle à Rilke en riant. Je le vois à ton visage. Et vous, ajouta-t-elle en se tournant vers moi, demain matin sept heures, il faut que vous soyez en selle. »

Nous sommes déjà à mi-chemin du cornette Christoph Rilke, qui regarde lui aussi, d'un jardin nocturne, une fête, et se voit entouré par la sollicitude de la maîtresse des lieux.

Comme Rilke, en écrivant, n'avait pas sous la main les dossiers de son oncle, il plaça en tête de la première version, le « premier Cornette », une petite note :

> « Appel Rilke, seigneur de Langenau, Gränitz, Greussen, etc., a trois fils. Le plus jeune, Otto, prend du service dans l'armée autrichienne. Il tombe, à l'âge de dix-huit ans, comme cornette dans une compagnie du baron de Pirovano, lors d'un combat contre les Turcs (1664). »
> Ceci est le contenu d'un passage que j'ai trouvé dans de vieux registres. On peut le lire ainsi, ou de la manière suivante.

L'autorité avec laquelle le moi fictif de l'auteur prête au matériau brut un vêtement poétique, rappelle une autre introduction à un chant d'amour et de mort, *Les Souffrances du jeune Werther,* avant lequel Goethe a placé une déclaration semblable : « Tout ce que j'ai pu trouver de l'histoire du malheureux Werther... » Dans les deux cas, nous avons à faire à des œuvres de jeunesse qui sont devenues des best-sellers et causèrent plus tard des difficultés à leurs auteurs, qui avaient dépassé cette manière d'écrire. Si le vieux Goethe a souffert quand on s'obstinait à voir en lui l'auteur de *Werther,* la popularité du *Cornette* fut pour le Rilke de la maturité un fait concomitant dont même ses amis, agacés ou amusés selon leur nature, durent prendre conscience :

> Un jour, à Leipzig, pendant la guerre, je tendis à l'employé des postes, par le guichet, une lettre recommandée adressée à Rilke, se souvient Katharina Kippenberg. Le préposé lut le nom, et je me sentis légèrement tirée par la manche. Je vis alors le visage ému et embarrassé d'une jeune fille, employée de bureau, me sembla-t-il, debout derrière moi. « Est-ce le poète ? » demanda-t-elle. « Oui », fis-je. « Celui du drapeau ? » — « Oui » — « Ah... »
> Le soupir de ravissement n'était pas encore terminé quand le préposé m'adressa de nouveau la parole.

La popularité du *Cornette* a des causes solides : le thème du récit, les remaniements répétés du poète, et l'habileté en affaires du mari de Katharina, Anton Kippenberg, des éditions Insel.

Certes, depuis les batailles de matériel de la Première Guerre mondiale, on en a fini avec le romantisme de la vie militaire. Nous ne lisons pas dans le *Cornette* l'histoire d'un homme aux yeux crevés par la mitraille, ou enterré vivant ; nous voyons les sabres qui, « jet contre jet, s'abattent sur lui » et « sont une fête * ». La représentation de la nuit d'amour que le Cornette — après tout c'est un Rilke ! — passe avec la comtesse, et non, comme son âge le ferait supposer,

_____

* Seuil, t. 2, p. 88.

avec une fille de paysans dans une grange, paraît au lecteur d'aujourd'hui, malgré toute sa beauté formelle, peu crédible. Mais on aurait tort d'utiliser ce genre d'arguments, et à plus forte raison de faire intervenir ici toute expérience personnelle : une œuvre littéraire qui ne représenterait la vie et la mort que comme des processus déclenchés par des mécanismes purement matériels, physiologiques, sociologiques ou autres, nous satisferait moins encore.

Ce qui distingue ce poème d'autres du même genre, c'est, outre l'élan qui garde encore quelque chose du « souffle de son inspiration[74] » (on peut laisser le petit volume sur une étagère sans le lire, mais si on le prend, on ne peut jamais se contenter de le feuilleter), — son message, pour ne pas dire « sa morale ». Certes, l'idée d'une mort héroïque contre les « chiens de mécréants » ou autres canailles (on avait fait l'impossible, pendant la Première Guerre mondiale, pour changer le *Cornette* en pilote de chasse) — n'a plus rien d'attirant pour un jeune homme ; mais l'image de la vie goûtée dans l'ivresse et ensuite jetée au loin, a, depuis des siècles, perdu incroyablement peu de son charme.

En montrant dans le *Cornette* que « c'est beaucoup de sortir de l'enfance en un moment de virilité, et de se jeter, les joues encore rouges, dans la mort[75] », Rilke transpose poétiquement le sens donné à la vie par de nombreux jeunes, dont le modèle n'est pas un soldat, mais un sportif ou un musicien pop, qui préfère la mort à vingt-deux ans plutôt que la retraite à soixante-deux.

II.

Dans les trois versions du *Cornette*, élaborées en sept ans, on voit quels progrès Rilke a accomplis depuis ses débuts, grâce à ses dons, son ambition, et une sorte d'autocritique incorruptible. Mais la comparaison montre aussi à quel point l'effet de cette œuvre, écrite tout d'abord d'un seul jet, repose sur l'évaluation soigneuse du plus petit mot de liaison ou signe de ponctuation. Il ne pouvait y avoir de circonstances plus favorables, en effet, pour la genèse d'un poème ou d'un court récit en prose, que celles en lesquelles fut composé ce poème : une première version écrite dans l'incandescence de l'inspiration, suivie de deux remaniements (Rilke a entrepris le premier travail de révision en 1904, à Borgeby-gård, en Suède, le second en 1906 à Paris.) Si l'on se rappelle les nombreuses déclarations d'auteurs modernes sur le processus de création littéraire (Ernst Jünger affirmant qu'un texte ne saurait être réécrit trop souvent, ou Bertrand Russell prétendant que l'on n'écrit jamais aussi bien que l'on se le figure dans les bons jours, ni jamais aussi mal qu'on le croit dans les mauvais), on est en droit de voir dans le *Cornette* une œuvre venue au monde dans les meilleures conditions possibles.

On le voit déjà à la note préliminaire. La première version a une résonance subjective, la seconde laisse à l'écart l'auteur et se borne à répondre laconiquement aux questions (qui? quand? où?) situant l'histoire à raconter. Dans la troisième version seulement, la raide chronique s'anime, l'attente du lecteur s'intensifie : le Cornette reviendra-t-il sain et sauf?

> ... le 24 novembre 1663, Otto de Rilke/ en Languenau/ Graenitz et Ziegra/ à Linda fut investi de la portion du domaine de Linda laissée par son frère Christophe, tombé en Hongrie ; il dut toutefois souscrire une lettre réversale/ suivant laquelle l'investiture serait nulle et non avenue/ en cas que son frère Christophe (qui d'après l'acte de décès produit était mort comme cornette, dans la compagnie du baron de Pirovano, du Régiment de Cavalerie Imp. Autr. de Heyster), reviendrait *...

Cette note préliminaire donne à l'épisode ses coordonnées historiques. Avec une précision conforme à ce thème militaire, elle livre sur le héros principal les informations nécessaires : nom, lieu de naissance, grade, compagnie. Mais au lieu de faire entrer tout simplement Christoph Rilke dans la cavalerie, le poète le fait servir « dans la Compagnie du baron de Pirovano, du Régiment de Cavalerie Imp. Autr. de Heyster ». Le nom italien du commandant de la compagnie et le nom allemand du commandant du régiment, caractérisent l'armée de la monarchie habsbourgeoise aux multiples Etats, dans l'âme de laquelle nous pénétrons à présent. En quelques traits, Rilke conjure — sous des prémisses lyriques et non dramatiques — un monde qui rappelle de loin, au lecteur, celui du *Camp de Wallenstein* **.

Vient ensuite la première scène, avec le monologue presque aussi souvent parodié que récité : « Chevaucher, chevaucher, chevaucher, le jour, la nuit, le jour », qui peut rivaliser en célébrité avec le premier monologue du *Faust* de Goethe. A cette scène et aux suivantes, jusqu'au solennel « Cornette » de Spork (« Et c'est beaucoup », ajoute le narrateur — parce que c'était le grade le plus élevé qu'ait atteint Josef Rilke?), le poète n'a pas changé grand-chose. Le « chevalier » Rilke a cédé la place à un « Junker » plus

---

* Seuil, t. 2, p. 79.
** *Le camp de Wallenstein :* première partie d'une trilogie dramatique écrite par Friedrich Schiller de 1796 à 1799. L'action se situe pendant la guerre de Trente ans. Le général Wallenstein est exécuté par ses officiers.

juvénile, des traces de dialecte sont extirpées et tout ce qui était sentimental à l'excès est précisé. Au lieu de « Puis il glisse le printemps étranger sous sa tunique. Et elle descend sur les vagues solitaires de son cœur », on lit à présent : « Puis il glisse la feuille étrangère sous sa tunique. Et elle monte et descend sur les vagues de son cœur *. »

La onzième scène, au contraire, la libération de la femme enchaînée, pendant la chevauchée nocturne, est entièrement nouvelle. Son élaboration a coûté plus de peine à Rilke que tout le reste du *Cornette*. Dans une lettre à Clara, il parle du « passage que tu sais, et qui m'arrête », et il trouve que « la représentation superficielle et sans regard » de la première version y transparaît encore. A la mi-juin 1906, il peut annoncer qu' « au dernier instant », sur le texte imprimé, il a réussi à vaincre ce passage. La distance qui sépare la première version de la version définitive n'est nulle part aussi grande que dans cette scène centrale :

(1899)

La compagnie cantonne par-delà la Raab. Monsieur de Langenau la rejoint à cheval, seul, seul.
Soir brûlant. Une lumière descend sur la campagne, de partout à la fois. La lande prend feu, comme si soudain cent mains en flammes se tendaient vers le ciel. Et la lune mûrit vite dans cette incandescence. Elle roule, elle monte, très grande, très rouge. Monsieur de Langenau rêve.
Galope, galope.

Un arbre l'appelle.
Appelle, comme un blessé. Galope, galope.
Appelle. Alors il s'éveille et s'effraye : halte !
Un arbre l'appelle.
Il s'approche à cheval : une jeune fille brune y est liée,
crie : « Délivre-moi ! »

Et elle a la nuit dans les yeux, la jeune fille brune,
et le soir sur le dos, comme un manteau.
Il tranche violemment les liens, ceux des pieds d'abord, puis ceux des poignets, chauds d'un sang impatient. Et pour finir il délie la poitrine. Et sent sur ses doigts le premier souffle battre, comme une vague sur le rivage.
Et tremble.

Et déjà il est à cheval.
Et galope dans la nuit, seul. Serrant dans son poing des
liens sanglants **.

---

* Seuil, t. 2, p. 82.
** Trad. N. C. Les termes identiques dans les deux versions ont été empruntés ici à la traduction du Seuil.

1906

La compagnie cantonne par-delà la Raab. Monsieur de Langenau la
rejoint à cheval, seul. La plaine. Le soir. Le pommeau de la selle brille
à travers la poussière. Et voici que monte la lune.
Il le voit à ses mains.
Il rêve.
Mais quelque chose crie vers lui.
Crie, crie,
déchire son rêve.
Ce n'est pas un hibou. Miséricorde : l'unique arbre
crie vers lui :
Homme !
Et il regarde : cela se cabre. Un corps se cabre, au long de l'arbre, et
une jeune femme, sanglante et nue,
l'assaille : Délivre-moi !
Et il saute de cheval dans la noire verdure
et tranche les liens brûlants ;
et il voit ses yeux flamboyer
et ses dents mordre.
Rit-elle ?
Il frissonne.
Et déjà il est à cheval,
et galope dans la nuit. Serrant dans son poing des liens sanglants *.

Le sonore et descriptif « galope, galope » disparaît dans la
version définitive, qui est concrétisée comme une toile expressionniste représentant un paysage en flammes. Des 187 mots inclus dans
les 26 vers de la scène, il ne reste plus que 131 mots (dans le texte
allemand) et 19 vers. Les difficultés de Rilke concernaient certainement moins la représentation du paysage que la transformation
érotique et démoniaque de la jeune fille en « femme » — On
retrouve ici le voisinage de la *Salomé* de Lovis Corinth, de la *Judith*
de Gustav Klimt, et du *Péché* d'Edouard Munch. Si la jeune fille
(« brune » comme dans les chansons populaires), qui appelle et
attend patiemment son libérateur, pouvait être pour le cornette une
compagne de jeux comme cette autre à qui il adresse en esprit des
excuses (« Magdalena — d'avoir toujours été *ainsi,* pardonne ! »), la
figure de la jeune femme ne permet plus d'interprétation édulco-
rante. Elle « crie » : on lui a fait violence, et elle agresse à son tour le
cavalier qui veut la libérer. Son sauvetage, qu'elle ne subit pas
passivement, mais accueille avec des yeux flamboyants et des dents
qui mordent — « Rit-elle ? » demande le cornette — n'est que le
processus inverse de ce qu'elle vient de vivre, les chaînes et le viol.
De là aussi ce commandement plein de haine, parfaitement inadé-

* Seuil, t. 2, p. 83.

quat comme appel au secours : « Homme ! » C'est déjà l'interaction,
sinon de l'amour et de la mort, du moins du sexe et de la mort, qui se
déroulera de nouveau au château, sur un plan plus élevé.

Cette onzième scène est suivie de plusieurs autres, de la lettre à
la mère jusqu'au drapeau qui brûle au milieu des ennemis. Là, les
modifications apportées par Rilke se bornent pour l'essentiel au
style, au choix des mots ou de la syntaxe. Il roidit le cours de l'action,
remplace des phrases harmonieuses par des images plastiques et
épure le texte de toute scorie. Ainsi, on voit se refléter dans les yeux
du « paysan massacré » non plus « quelque ciel étranger et lourd »,
mais, plus terriblement, « quelque chose... Point de ciel ». L'évocation de la danse, rendue si vigoureuse par l'accumulation des verbes
substantivés (« On se balançait *(Sich Wiegen)* dans les vents d'été qui
sont dans les robes des femmes toutes chaudes »), remplace heureusement une formulation vague, proche du non-sens : « On cédait à
ces vents calmes, qui sont comme les ailes de fleurs étrangères. » Et,
comme le tremblement du jeune amant n'a rien à voir avec la
température, la question de la comtesse :

> « As-tu regret de ton grossier uniforme ? »

> Et il a froid comme s'il souffrait du vent ou de l'hiver.

> « T'ennuies-tu de ton pays ? »

devient, plus simplement :

> « As-tu regret de ton grossier uniforme ? »
> (...)
> « Tu frissonnes ? — T'ennuies-tu de ton pays ? »

A la manière d'une suite d'images impressionnistes, des phrases
courtes, comme appliquées à la pointe du pinceau, remplacent
souvent des tirades plus longues. Au lieu de « et il se tient là, il se
sent juvénilement nu, nouveau, mince », Rilke a écrit à présent :
« Et maintenant il n'y a rien sur lui. Et il est nu tel qu'un saint. Clair
et mince. » Au demeurant, l'emploi du point là où il faudrait une
virgule (« Plus brèves sont les prières dans un lit. Mais plus
ferventes »), les deux points là où l'on n'attendrait aucun signe de
ponctuation (« ... et enfin des rythmes peu à peu mûris : s'échappa la
danse * ») appartiennent aux moyens stylistiques utilisés dans le
Cornette, de même que l'allitération descriptive (« *steigt steinern ein*

---

* Le traducteur, Maurice Betz, a précisément omis les deux points.

Schloss, se dresse tout de pierre un château* »), la répétition (« comme en rêve, ils grondent, grondent »), ou la personnification d'objets inanimés (« le drapeau immobile a des ombres inquiètes. Il rêve »). Le sillon boueux, où l'on prie autrement que dans un lit, devient, en lointain écho du jargon soldatesque, un « misérable sillon** ». Au lieu des mots tendres qu'échangeront la comtesse et son amant, mots « venus d'histoires, de rêves, en cent langues », on trouve une merveilleuse métaphore : « Ils se donneront cent nouveaux noms et se les retireront l'un à l'autre, doucement, comme on détache une boucle d'oreille. » L'insignifiant « La nuit finit par se troubler » devient, ce qui constitue une indubitable amélioration : « Une fenêtre était-elle ouverte ? La tempête est-elle dans la maison ? »

Dans la première version, Rilke avait manqué le point culminant du poème, le moment où l'incendie éclate dans le château, en pleine nuit. Comparons avec la version définitive, économe en allitérations et rimes intérieures :

> Ce sont les poutres qui brillent. Ce sont les fenêtres qui crient. Et elles crient, rouges, vers l'ennemi qui est dehors dans la campagne flamboyante, elles crient : au feu ! Et le sommeil déchiré sur leurs visages, tous se pressent mi-fer, mi-nus, de salle en salle, de refuge en refuge, à la recherche de l'escalier.
> Et le souffle étranglé, les trompettes balbutient dans la cour.
> Rassemblement, rassemblement !
> Et des tambours tremblants***.

La première version, à côté de ce texte, semble une parodie de Wagner, ou une aiguille bloquée sur le disque rilkéen :

> A quoi sert de se barricader ? Trahison. Tout proches étaient les janissaires. Il faut des actes ! Des actes ! Des actes ! Malheur aux faibles qui s'éveillent d'un cœur timoré. Honte ! Lentement le dragon atteint le toit, qui vacille : craquement. Et dans la cour des cors épouvantés balbutient : rassemblement, rassemblement, rassemblement...****

La mort de Christoph Rilke, enfin, qui se déroule dans la version définitive en une seule scène, était à l'origine divisée en deux.

---

* L'allitération est intraduisible.
** Le mot *lumpig* a été élégamment traduit par « misérable ». Le terme allemand est plus trivial.
*** Seuil, t. 2, p. 86.
**** Il nous a semblé utile de donner un exemple en allemand : *Was hilft da verrameln ? Jetzt ist es verrathen. Ganz nahe waren Janitscharen. Thaten ! Thaten ! Thaten ! bedarfs.* (N.d.T.).

La conclusion, où apparaît la vieille femme que le courrier a vue pleurer, a été reprise presque sans changement. En fait, un para-graphe supplémentaire lui était adjoint — ce qui nous amène à la plus grande différence entre les deux versions. Car dans la première rédaction, le *Cornette* se terminait ainsi :

> Un cuirassier gigantesque (il est tombé plus tard au Saint-Gothard) porta la comtesse hors du château en flammes. Comme par miracle, la fuite réussit. Mais on ne sait pas son nom, ni celui du fils qu'elle mit bientôt au monde dans d'autres pays paisibles.

L'idée que cette première et dernière nuit d'amour ait pu être, non pas un renoncement à soi-même préfigurant la mort, mais la sage et bourgeoise occasion d'engendrer un descendant, est si vulgaire, que l'on pourrait la croire issue du cerveau d'un parodiste — comme les joies paternelles que Friedrich Nicolai, dans les *Joies du jeune Werther,* avait attribuées au héros goethéen. Mais nous avons déjà vu dans le *Journal Florentin* à quel point l'image du jeune héros mort prématurément et laissant un rejeton posthume (Rainer Maria Rilke rejeton lui-même d'une lignée d'ancêtres élevée au rang de héros ?) — était profondément enracinée dans le monde de représentation du poète. Aussi n'a-t-il pas remarqué, tout d'abord, cette rupture de style, pour ne pas dire ce manque de goût envers sa propre œuvre. Il a repris ce paragraphe sans changement dans la seconde version, qui pourtant est plus proche de la troisième que de la première. Le « fils » ne disparut qu'en 1906.

III.

Habent sua fata libelli — si les livres ont réellement leur destin, comme un Romain oublié depuis longtemps le pensait, le vieil axiome se vérifie avec le *Cornette,* dont le destin est étroitement lié à celui de son créateur, plus encore que n'importe quelle autre œuvre de Rilke.

Au printemps de 1905, Rilke, lors d'une cure au *Weisser Hirsch,* près de Dresde, fait la connaissance de la comtesse Louise von Schwerin, qui l'invite, ainsi que Clara, à lui rendre visite en son château. Lors de cette visite, et peut-être déjà au sanatorium, il lui lit, parmi d'autres poèmes, la deuxième version du *Cornette,* parue dans la revue *Deutsche Arbeit.* Louise von Schwerin est enthousias-mée et presse Rilke de publier l'œuvre sous forme de volume. Elle n'a pu vivre assez longtemps pour voir paraître la première édition, mais elle demeure liée à l'œuvre par la dédicace :

A la baronne Gudrun Uexküll
née comtesse von Schwerin
donné en souvenir d'une âme noble
en profonde amitié
en bien propre

L'âme noble est Louise von Schwerin, morte en 1906 ; sa fille Gudrun, qui fera elle aussi profiter Rilke de son hospitalité, est mariée au naturaliste balte Jakob von Uexküll.

Axel Juncker, qui avait déjà publié le volume de nouvelles *Les derniers* et le *Livre d'images*, réagit positivement. Il est prêt à publier en un volume le *Cornette*, d'autant plus qu'il veut abandonner sa librairie de la Potsdamer Strasse à Berlin et se consacrer à ses activités d'éditeur. Rilke est bien disposé envers lui, parce que cet homme originaire de Copenhague veut répandre en Allemagne la littérature scandinave et faire connaître des poètes modernes comme Else Lasker-Schüler, Max Dauthendey, et plus tard aussi Franz Werfel.

En outre, le flegmatique Juncker laisse à ses auteurs un droit de regard inhabituel sur la typographie de leurs livres. Rilke avait déjà fait plein usage de cette liberté avec le *Livre d'images*. Pour le *Chant de l'amour et de la mort du Cornette Christoph Rilke,* il prétend dès le début donner au livre un aspect noblement ancien, comme il convient à une vieille chronique. Le petit volume se voit donc muni des armes de la famille, avec les deux lévriers bondissants, d'un épais papier et de caractères à l'ancienne mode. (Du reste, le vieux mot *Weise* — traduit en français par « chant » — réserve depuis toujours une peine extrême aux traducteurs ; les transcriptions italiennes portent des titres comme *Canto d'amore...* (Florence 1943), *La Ballata d'amore...* (Turin 1946), *La Romanza d'amore...* (Florence 1948) et *La Storia d'amore...* (Vérone 1951), les anglaises se nomment *The Tale of...* (New York 1932), *Lay of...* (Wien 1947), *The Song of...* (sans lieu d'origine, 1950), *The Manner of Loving and Dying of...* (Londres, 1958), etc.

Les épreuves de caractères que Juncker lui envoie à Paris ne plaisent pas, tout d'abord, à Rilke ; l'une d'elles, un peu trop grande, est rejetée d'emblée comme « feuille de lecture pour le cabinet d'un oculiste ». C'est seulement après s'être mis entièrement d'accord avec Juncker, jusqu'au plus petit détail, que Rilke envoie le manuscrit prêt pour l'impression (en même temps que la seconde édition du *Livre d'images*). Paradoxalement, la plus populaire de toutes les œuvres de Rilke paraît tout d'abord dans une édition de luxe soignée par l'auteur et l'éditeur, en tirage limité à 300 exemplaires numérotés au prix de 4 marks, dont 0,60 mark ou 15 % constituent les honoraires du poète.

A peine la publication imminente du *Cornette* est-elle annoncée dans le *Börsenblatt für den deutschen Buchhandel** du 3 novembre 1906, que se présente Anton Kippenberg, lequel vient de reprendre l'année précédente les Editions Insel. En une lettre amicalement ferme, il se dit étonné de voir que Rilke n'a pas confié cette œuvre à l'Insel Verlag, comme il l'avait déjà fait pour les *Histoires du Bon Dieu* et le *Livre d'Heures*. Dans sa réponse, Rilke cherche à apaiser les choses et allègue les droits plus anciens de Juncker. Kippenberg doit pour le moment se satisfaire de cette explication. C'est seulement après un considérable échange de lettres et le versement d'un petit dédommagement à Juncker, que l'entreprenant Kippenberg réussit à récupérer les droits du *Cornette,* cédés pour une unique édition numérotée. Le chemin est ainsi ouvert devant la marche triomphale commencée par le poème sous la direction de Kippenberg, qui le fait paraître, sur les conseils de Stefan Zweig, en 1912, comme premier volume de l'Insel-Bücherei, au prix de 50 pfennigs. En 1917, on en a vendu cent mille exemplaires, en 1934 cinq cent mille, en 1959 un million. La prévoyance et l'énergie de Kippenberg, les multiples facettes de son esprit formé à l'école de Goethe, la prévenance pleine d'humanité dont lui-même et sa femme Katharina font preuve envers le poète souvent soucieux, changent bientôt ces relations d'affaires en une amitié qui ne sera troublée que de façon rare et passagère. Mais même Juncker surmonte sa déception (bien compréhensible devant le succès phénoménal du *Cornette*) et restera toujours en relation avec son auteur infidèle.

Rilke est d'autant plus satisfait de cet arrangement qu'il s'entend peu aux affaires et ne peut que se fier à Kippenberg, à qui au cours des années il rapportera beaucoup d'argent, pour ne pas se faire estamper. Il doit, finalement, vivre de ce que lui rapporte sa plume, et subvenir aux besoins de Clara et de Ruth. Juncker s'est montré si négligent dans la diffusion de ses livres et dans ses comptes, que deux ans après la première édition du *Cornette,* il ne peut verser à Rilke, pour cette œuvre et pour le *Livre d'images,* que 242,85 marks. Pour dix mille exemplaires du *Cornette* vendus dans la « collection à 50 pfennigs », comme on nomme la Insel-Bücherei à l'intérieur de la maison, l'auteur reçoit 400 marks. Ce ne sont pas des tantièmes princiers, c'est même moins, en pourcentage, que les paiements effectués par Juncker, à ceci près que les ventes se comptent

---

* Catalogue des publications de l'année édité par le syndicat de la librairie allemande. Existe toujours aujourd'hui.

effectivement, à présent, par dizaines de milliers. Après quelques mois, Rilke peut comparer l'allègre chevauchée de son *Cornette* sous la direction de Kippenberg, avec sa lente avancée sous la conduite de Juncker : « Cher ami, écrit-il à Kippenberg, de Venise, comme vous avez fait galoper ce bon Christoph Rilke. Qui aurait pensé cela[76] ! »

Bientôt arrivent les premières traductions : en 1913 une anglaise et une hongroise, en 1914 une italienne et une polonaise. Quand il s'agit de langues pratiquées par Rilke, Kippenberg lui fait examiner le texte. Dans certains cas, le poète y gagne de nouveaux amis, comme la comtesse Margot Sizzo, qui lui soumet en 1921 une traduction française, ou l'approfondissement de relations déjà existantes, comme celles qui l'unissaient à André Gide (qui envisage une traduction française mais abandonne bientôt ce projet), à la traductrice danoise Inga Junghanns ou à la princesse Aurelia Gallarati-Scotti, qui envoie en 1922 à Rilke une autre version italienne, en lui demandant de la réviser. A la fin, il en viendra, lui qui a traduit tant d'œuvres étrangères en allemand, à considérer le *Cornette* comme intraduisible, parce que sa beauté vient avant tout de l'élan qui jette le texte en avant, et que ce mouvement ne peut être transposé en une autre langue.

Pendant la Première Guerre mondiale, le *Cornette* se voit exploité à deux fins qui rendent Rilke également soucieux : pour la propagande nationaliste, et comme pâture aux compositeurs de musique. On peut facilement comprendre que la transfiguration de l'état militaire exprimée par cette œuvre ait rendu le poème encore plus populaire, surtout pendant les premiers mois de la guerre, où l'enthousiasme belliqueux était à son comble. Il paraît que dans bien des sacs à dos, le *Cornette* prenait place comme un élément idéologique du paquetage d'assaut, en compagnie de la Bible et du *Faust* de Goethe. Peu importe que Rilke, en cet automne de 1899, n'ait pu aucunement prévoir que son œuvre allait se faire aussi patriotiquement estropier, en opposition radicale avec sa conception de l'essence de la poésie (à laquelle il dénie la plus petite influence sur les événements quotidiens, sans même souhaiter qu'elle en exerce une). A l'occasion seulement, quand il s'agit d'amis et de connaissances qui, sous la pression des événements, se sont attachés de tout leur cœur au livre, il s'avoue, et leur avoue, que le *Cornette* s'accorde particulièrement bien avec l'expérience d'une génération qui est entrée en campagne drapeau au vent. Ainsi, il envoie en décembre 1914, au lieutenant de hussard blessé Friedrich Carl von Mosch, un exemplaire avec les vers suivants :

Je m'en souviens encore, de la nuit merveilleuse
où j'ai écrit ceci : comme j'étais jeune.

A présent, la volonté du destin
a répandu l'événement sur des milliers d'hommes,
le courage sur des milliers, la détresse,
et sur des centaines, l'héroïsme,
soudain : comme si jamais encore
ils n'avaient connu leur cœur. Le mien aussi était nouveau
pour moi en cette nuit lointaine
où imprévue, irréfléchie,
ce poème jaillit de moi...
Ainsi sommes-nous quelque chose, nous le sommes et l'ignorons
et le destin n'est pas plus que nous : ce qui veut.

L'identification, que l'on rencontre parfois, de Rilke avec le militarisme allemand, a donné bien des fleurs vénéneuses. On lit par exemple dans un ouvrage de référence est-allemand, que le poète ouest-allemand, spécialiste de Rilke, Hans Egon Holthusen, a applaudi à l'invasion de la Pologne par les Allemands en 1939 parce qu'il était « sous l'influence de Nietzsche, de Spengler et de Rilke[77] ». On peut ainsi remonter dans le temps jusqu'à l'appropriation pure et simple du *Cornette* par la propagande de guerre de 1914-1918.

Aussi désagréable que lui soit le détournement du *Cornette,* devenu une composante spirituelle du matériel d'armement, — Rilke ne peut plus l'empêcher. Entre-temps, le livre a pris un mouvement autonome. Karl Kraus a beau jeu de parader devant leur amie commune Sidonie Nádherný von Borutin, en se targuant d'avoir conseillé à Rilke d'interdire ces continuelles récitations du *Cornette,* et en ajoutant que Rilke était trop faible pour prendre des mesures de ce genre. (« Le *Cornette,* lui, aurait su se tirer d'affaire », dit-il dans une lettre à Sidie). Les représentations publiques ont depuis longtemps échappé au contrôle de l'auteur.

Il espère pouvoir prendre de l'influence sur un autre usage abusif de son œuvre : la mise en musique. Depuis la déclaration de la guerre, plusieurs versions musicales du *Cornette* courent çà et là. Les objections de Rilke ne s'adressent pas à telle ou telle composition — il ne sait pas lire les partitions et n'accédera que plus tard au monde de la musique —, mais à l'union du mot et de la note en général. Radicalement opposé en cela à Hofmannsthal, il ne voit pas dans cette union une forme artistique normale, mais « une course parallèle de deux arts, comme s'il s'agissait de déterminer un vainqueur ». Il doit bientôt constater que certains de ses proches lui refusent leur aide dans son combat. Ainsi, son amie « Benvenuta », la pianiste Magda von Hattinberg, défend la transposition musicale du *Cornette* réalisée par le compositeur hongrois Casimir von Pászthéry. Cette œuvre est jouée tout d'abord à Leipzig. Dans le public de la « première » se trouve Katharina von Kippenberg, à qui la musique ne déplaît pas (ce qui irrite Rilke). Avec Magda au piano et l'acteur Ferdinand Onowotschek déclamant le texte, une remarquable représentation, qui constitue aussi un événement de société, a lieu le 27 mars 1915. Les princesses Christine Windischgraetz et Marie de Tour-et-Taxis ont donné une soirée de bienfaisance dans le salon ovale du palais Auersperg à Vienne, au profit de la fondation « Merci aux invalides », protégée par l'empereur. Le *Cornette* et sa musique en sont le point culminant. La princesse Marie, suzeraine de Duino et depuis longtemps liée d'amitié avec Rilke, a expressément demandé son accord et l'a naturellement invité, non sans ajouter une remarque pincée : « Il ne faut pas compter sur vous pour vous rendre à ce genre de choses, tel que je vous connais [78]... »

Rilke ne peut pas refuser sa bénédiction à sa noble dame, mais pour sa part il préfère réellement demeurer dans sa campagne d'Irschenhausen. Dans une lettre, il exprime l'espoir que Magda, dont l'activité lui porte visiblement sur les nerfs sans qu'il ait la force de lui imposer plus de retenue, voudra bien en rester à ces deux « triomphes ». Il prie Katharina Kippenberg de faire cesser cette braderie musicale du *Cornette ;* elle répond que la maison d'édition n'a dans ce domaine aucune possibilité d'intervenir juridiquement. Son mari, qui pense toujours aux éventuels avantages financiers, obtient quand même quelques tantièmes sur les futures mises en musique — par exemple celle que vont réaliser l'intendant de l'Opéra de Berlin Max von Schilling et son élève Paul August von Klenau. Pour pouvoir également exercer un contrôle sur les illustrations qui commencent à pulluler, l'épouse de l'éditeur songe en janvier 1917 à charger Oskar Kokoschka d'exécuter quelques dessins sur les thèmes du *Cornette*. Rilke refuse, car il sait que Kokoschka n'est pas un artiste « à qui l'on peut proposer un objet qui ne soit pas venu de lui-même [79] ». Il avait vu juste, car « O.K. », qui certes aime bien le poète, mais flaire en lui un auteur à la mode idolâtré par l'aristocratie, n'aurait sans doute pas trouvé le style adéquat. On peut penser que ses illustrations auraient eu un aspect si étrange, que Katharina Kippenberg aurait dû rapidement, de ses mains soignées, refermer le carton.

Cette exploitation patriotique, accomplie contre la volonté du poète, vaut à Rilke les honneurs décernés par la maison de Habsbourg. C'est tout d'abord la remise de l'Ordre de François-Joseph, considérée par l'empereur Charles comme l'une de ses dernières décisions officielles. Dans une lettre de décembre 1918, adressée au « Praesidium du gouvernement de l'Autriche du Nord, à Vienne », Rilke, qui contrairement aux autres poètes que l'on s'apprêtait à honorer, Anton Wildgans et Richard von Schaukal, n'avait jamais été un « bon Autrichien », refuse poliment mais fermement, en alléguant qu'il souhaite préserver une « invisibilité personnelle », à laquelle son travail d'artiste le contraint. Si la gloire, comme Rilke le remarque à propos de Rodin, n'est que « la somme de tous les malentendus » qui « se sont rassemblés autour d'un nom », il faut mentionner pour finir le plan grotesque, projeté par des amis bien intentionnés : introduire le poète auprès de l'impératrice Zita, veuve de Charles, mort en exil en 1922. Selon un écrivain de sa connaissance, Otto von Taube, Rilke avait dû tout d'abord se présenter à une tierce personne, la première dame d'honneur de l'impératrice :

> Il fut invité à prendre le thé. Quand Rilke arriva, la dame d'honneur était déjà sur les lieux. Quand il entra dans la pièce, la dame d'honneur se leva et se précipita à sa rencontre : « Ah, cher monsieur Rilke, comme je suis heureuse de faire votre connaissance ! J'ai déjà tellement entendu parler de vous. Et vous avez tellement souffert à la guerre. Le cornette Rilke, celui qui a été tué, c'était bien votre frère ? Quand donc est-il tombé ? En 1916 ou en 1917 ? » — « En 1917 », répondit Rilke sèchement.
> Rilke ne rencontra jamais l'impératrice Zita.

Aujourd'hui, le *Cornette* mène dans les écoles, les statistiques de l'édition et les manuels d'histoire littéraire, la survie propre aux œuvres devenues classiques. Même — ou bien précisément — dans les époques les plus prosaïques, inaccessibles à l'enthousiasme, la perfection poétique du *Cornette* et la spontanéité avec laquelle Christoph Rilke existe, sans soutien métaphysique et pour ainsi dire par lui-même (car il ne meurt ni pour l'empereur Léopold ni pour « l'occident chrétien »), amènent sans cesse de nouveaux lecteurs à cette petite épopée.

Paris, la « ville terrible »

I.

Au printemps de 1902, on commande à Rilke une monographie de Rodin. Rilke écrit donc au sculpteur, du château de Haseldorf, une première lettre, où il explique son projet et annonce son intention de se rendre à Paris. Rodin répond amicalement et remercie de ses salutations son ancienne élève Clara Westhoff, à présent *madame* Rilke. C'est le point de départ d'une amitié dont les revirements occuperont toute une phase de la vie de Rilke.

Rilke a beaucoup à apprendre de Rodin, et Rodin, presque rien de Rilke. L'un, âgé de vingt-sept ans, est un poète encore peu lu et totalement inconnu à Paris ; l'autre, soixante-deux ans, un sculpteur depuis longtemps célèbre ; dans sa première réponse, il fait allusion à un livre qui vient de paraître à son sujet. Rilke lui aussi l'admire dès le début et ne faiblira pas dans sa vénération pour l'artiste, même quand l'homme perdra à ses yeux un peu de sa grandeur. Il n'est donc pas étonnant que ses lettres commençant par un « *Honoré maître* », passent rapidement à « *Mon cher maître* », « *Mon cher grand maître* » et « *Mon grand ami et cher maître* », pour, dans la lettre de justification qu'il envoie en mai 1906 après qu'on l'eut rejeté, retomber à un « *Mon maître* » distant. La réconciliation, et la relation sporadique établie ensuite s'expriment en un familier « *Mon cher et grand Rodin* ».

Rilke arrive à Paris à la fin du mois d'août 1902. Sur la recommandation d'un écrivain qu'il connaît depuis Prague, Arthur Holitscher, il prend une chambre rue Toullier, non loin du Luxembourg, au quartier Latin. Le 2 septembre déjà, il peut annoncer à Clara qui est restée à Westerwede :

Hier lundi, à trois heures de l'après-midi, je suis allé pour la première fois chez Rodin. Atelier rue de l'Université 182... Il a interrompu son

travail, m'a offert un siège, et nous avons parlé. Il s'est montré bon et doux. Il me semblait le connaître depuis toujours... Je l'aime beaucoup. Je l'ai senti tout de suite. Nous avons parlé de bien des choses (dans la mesure où mon bizarre français et son temps l'ont permis)...
Puis il s'est remis au travail et m'a prié de regarder tout ce qu'il y a dans l'atelier * [80].

L'entretien suivant a lieu le lendemain, à la Villa des Brillants, à Meudon. Rodin a invité chez lui le jeune étranger qui lui est visiblement sympathique.

Et maintenant, aujourd'hui. J'ai pris le train ce matin à neuf heures pour Meudon (gare Montparnasse, vingt minutes de trajet). La villa n'est pas belle. Trois fenêtres en façade, des murs de briques rouges à chaînes jaunâtres, un toit gris, pentu, de hautes cheminées. Au devant s'étale le désordre « pittoresque » du Val Fleury, une étroite vallée où les maisons, pauvres, évoquent celles des vignobles italiens. On tourne l'angle de la petite maison rouge et jaune et on se retrouve — devant un prodige : un jardin de pierres et de plâtres. Le grand pavillon qui avait abrité son exposition du pont de l'Alma a été transporté dans le jardin qu'il semble occuper entièrement, à côté de quelques ateliers où travaillent des praticiens et Rodin lui-même. C'est une impression extrêmement forte et singulière que cette vaste halle claire avec toutes ces sculptures blanches, éblouissantes...
Avant même d'être entré, on sent que ces centaines de vies ne sont qu'*une* vie — les vibrations d'une seule force et d'une seule volonté... Je suis resté à Meudon jusqu'à trois heures. Rodin me rejoignait de temps en temps, me posait une question, disait quelques mots, rien d'important. La barrière de la langue est *trop* haute. Je lui ai apporté des poèmes : s'il pouvait les lire ** ...

L'obstacle de la langue est étonnamment vite surmonté par Rilke, qui avant de quitter l'Allemagne a rafraîchi son français à l'école Berlitz de Brême. Mais une autre hypothèque, durable et douloureuse, pèse sur leur amitié et la limite : Rilke peut voir, certes, les œuvres du sculpteur Rodin, mais celui-ci ne peut pas lire les œuvres du poète Rilke, et ne le fera que plus tard, dans des traductions insuffisantes.

Bien que l'accueil de Meudon ait été plus cordial que celui d'autrefois à Iasnaïa Poliana, on voit pourtant se répéter l'épisode (cette fois à un niveau petit bourgeois) du jeune visiteur plein d'humilité et de désir de savoir, qui s'approche d'un vieillard stylisé en figure du père, et devient sans le vouloir le témoin d'une scène de famille. Avec une ironie légère dont il ne s'exclut pas lui-même,

---

* Seuil, t. 3, p. 23.
** Seuil, t. 3, p. 25.

Rilke nous dépeint cette scène dans la maison de Rodin. Il a à présent assez vécu pour n'être ni choqué ni déçu par ce qui se joue sous ses yeux entre le maître et la compagne de sa vie (l'artiste n'épousera son ancien modèle Rose Beuret qu'en 1917, l'année où ils mourront tous les deux) :

> Peu après midi, Rodin m'a invité pour le déjeuner, que l'on a pris dehors ; ce fut très étrange. Mme Rodin (je l'avais déjà vue — il ne me présenta pas) semblait fatiguée, agacée, nerveuse, négligée d'allure. En face de moi était assis un Français à nez rouge à qui je ne fus pas présenté non plus. — A côté de moi, une charmante fillette d'environ dix ans (dont je ne sus pas davantage qui elle était...). A peine s'était-on mis à table que Rodin se plaignit du retard du repas ; il était déjà habillé pour se rendre en ville. Ce qui eut le don d'énerver Mme Rodin. *Comment,* dit-elle, *puis-je être partout ? Disez-le à Madeleine* (la cuisinière probablement), sur quoi sa bouche déversa un flot de paroles pressées, véhémentes, dont l'accent n'était pas vraiment fâché ou déplaisant, mais d'un être profondément meurtri, dont les nerfs sont près de craquer. L'agitation gagna son corps entier — elle se mit à déplacer légèrement tout ce qui se trouvait sur la table, on se serait cru déjà à la fin du repas. Tout ce qui avait été disposé avec soin se trouvait maintenant épars, comme au sortir de table *.

Rose Beuret est-elle ici une première esquisse de l'homme atteint de la danse de saint Guy, que nous retrouverons dans *Malte Laurids Brigge,* conçu à cette époque ? Ou bien cette description est-elle ainsi limitée parce que la destinataire, Clara Rilke, connaît Rodin et « Madame » assez bien pour que toute autre précision soit superflue ? Quoi qu'il en soit, Rilke poursuit :

> Cette scène fut non pas pénible, mais *simplement triste.* Rodin ne se départit pas de son calme, continuant d'expliquer très calmement *de quoi* il se plaignait, motivant très précisément son reproche, sur un ton doux et inflexible à la fois. Enfin, une créature plutôt sale apporta quelques plats (bien préparés), fit le tour de la table et me força, de façon très bienveillante, à me servir quand je ne le voulais pas ; me jugeant, manifestement, fort timide. Je crois n'avoir jamais fait si étrange déjeuner. Rodin était assez loquace — il parlait quelquefois trop vite pour que je comprenne, mais le plus souvent distinctement... La conversation était indéfinissable, sans aucun caractère, conventionnel ou autre. Parfois, Mme Rodin y prenait part aussi, toujours avec beaucoup de nervosité et de passion. Elle a des cheveux gris, bouclés, des yeux sombres, enfoncés, elle paraît maigre, négligée, lasse et vieille, tourmentée on ne sait par quoi. Au sortir de table — maîtresse de maison pour la première fois —, elle m'a parlé très aimablement, m'invitant à partager leur déjeuner chaque fois que je

---

* Seuil, t. 3, p. 27.

serais à Meudon, etc. Demain matin à la même heure j'y retournerai, et quelques jours encore peut-être : c'est immense. Mais c'est aussi terriblement astreignant : d'abord à cause de la quantité, ensuite parce que tout est blanc ; on erre parmi tous ces plâtres éblouissants, au cœur du pavillon lumineux, comme dans de la neige. Mes yeux me font mal, mes mains aussi *...

En un autre endroit, Rilke fait le bilan des misères familiales d'hommes comme Tolstoï ou Rodin, en constatant que les grands esprits, quand ils ont une fois pour toutes opté pour l'art, laissent leur vie s'atrophier « comme un organe dont ils n'ont plus besoin ». Ainsi, Rodin a depuis longtemps placé son travail au-dessus de tout et a pris une devise qu'il recommande à Rilke : « *Il faut travailler, rien que travailler, et il faut avoir patience.* » Une existence entièrement vouée à un travail continu et patient est plus facile à réaliser pour le sculpteur que pour le poète, même si l'on fait abstraction de leur différence d'âge. Rodin est accueilli tous les matins par ses blocs de marbre, alors que Rilke se plaint de n'être attendu que par du papier et un crayon. Le matériau de son travail ne lui insuffle aucune force, il reste totalement dépendant de son imagination et doit d'abord trouver patience et concentration. Rodin a une manière de voir, Rilke une façon de travailler, qui ne se ressemblent pas. Rodin reçoit d'innombrables perceptions précises, qui aboutissent en des formes intemporelles et typiques. Rilke se fonde sur une première, une seconde ou une dixième impression — au moins en ce temps-là, où il en était encore réduit à évoquer des ambiances, selon le style impressionniste. Finalement, le monde de l'un juxtapose des choses visibles, tandis que celui de l'autre aligne, l'une après l'autre, des choses dites.

Il est étonnant que Rilke, à cet important tournant de sa vie, prenne pour mentor un sculpteur français et non un poète allemand. Mais son éducation a de telles lacunes qu'il découvrira seulement dans son âge mûr la plupart des auteurs allemands importants, contemporains ou classiques (en outre, il ne fait que de brefs séjours en Allemagne après 1902). Et d'autre part, Venise, Florence, le livre sur Worpswede et sa relation avec Clara l'ont ouvert aux arts plastiques, sinon spécialement à celui de Rodin.

Ainsi, les visites presque quotidiennes que Rilke rend à Rodin en automne et au début de l'hiver 1902, ressemblent à un voyage de découverte. En explorant la mentalité de Rodin, Rilke espère se guérir de sa propre distraction et de l'attente stérile de l'inspiration. Car Rodin ignore cette attente de l'*heure créatrice,* travaille d'un trait et tire force et inspiration de ses travaux. Gerhart Hauptmann ne

---

* *Ibid.*

l'avait-il pas déjà fait dire au vieux Kramer : « Je ne suis qu'un pauvre type, sans travail. Dans le travail seulement, je deviens quelque chose ? » Ces mots semblent venir du cœur de Rilke, car « être bien au travail » sera désormais pour lui synonyme de paix intérieure — le travail étant souvent pour lui un retour en soi-même, ou une plongée dans sa vie intérieure. Ces formules sont caractéristiques : « Je suis descendu dans mon travail plus loin que jamais » ou « Je suis dans le travail comme le noyau dans le fruit[81]. »

Ces pensées, et d'autres semblables, pèsent sur Rilke tandis qu'il compare son propre travail à celui de Rodin et sent mûrir sa relation avec le sculpteur. Simple objet d'une monographie, au début, — travail alimentaire comme le livre consacré à Worpswede — Rodin devient à présent un sage, à qui l'on peut carrément demander comment il faut vivre quand on est un artiste. Il faudra du temps à Rilke pour qu'il fasse sienne, fût-ce passagèrement, la réponse de Rodin : *En travaillant !* Le conseil et l'exemple du maître ne produisent d'effet immédiat que sur un seul point : dans le soin avec lequel Rilke, à partir de maintenant, utilisera *son* matériau, la langue. A Paris, précisément, il se procure le dictionnaire de Grimm et l'étudie systématiquement, afin de rassembler autour du mot la plus vaste gamme de significations en même temps que le maximum d'exactitude sémantique. Contrairement à Stefan George, il lui importe peu de remplacer l'expression courante par une autre plus rare ou plus choisie ; il veut plutôt mettre à sa disposition la langue comme véhicule servant à désigner ses propres concepts, réfugiés à la frontière de l'indicible. Des ouvrages de références linguistiques feront désormais partie de ses accessoires, comme un pupitre pour écrire debout — s'il n'en trouve pas, il s'en fait fabriquer un, avec un plateau incliné ; il a les mesures en tête comme d'autres la pointure de leurs chaussures ou de leur col — ou encore, du papier à lettres bleu de grand format.

Rilke souffrira encore d'innombrables heures de désespoir et de pétrification maléfique devant sa propre insuffisance, car on ne vainc pas tout cela par un simple effort de volonté, comme il l'avait cru dans les premiers temps de son enthousiasme pour Rodin : « Le principal, écrivait-il alors, c'est de ne pas en rester aux rêves, au projet, à l'état d'âme, mais de tout convertir en choses par la force. » Comme Rodin l'a fait. Au printemps de 1903, déjà, il est au bout de son élan et avoue misérablement qu'il n'a pas l'énergie de se mettre au travail, parce que « la seule conscience qu'entre mon travail et la nourriture et les nécessités du jour, une relation existe, suffit à me rendre le travail impossible ». Pourtant, sa lutte pour se conformer à la devise de Rodin — travail et patience — prend parfois des aspects concrets qui rappellent les exorcismes du Moyen Age. Il songe, par exemple, après les premières semaines passées à Paris rue Toullier, à emménager dans un petit hôtel du boulevard Saint-Michel, qu'il a découvert par hasard. C'est une maison propre, « tout éclairée à l'électricité », où deux chambres avec une jolie vue sont encore libres, l'une pour lui et l'autre pour Clara dont l'arrivée est imminente. Sur un banc, au jardin du Luxembourg, il compare ces chambres avec son logement actuel, qui a un plafond bas et « une pauvre lampe à pétrole, vacillante et malodorante ». Finalement, il se ressaisit, constate que « c'est de nouveau la vieille méthode, celle dont je veux me libérer, la méthode " richesse " », et « humble et timide », il fuit la tentation et rentre dans son ancienne chambre.

Quand Clara arrive — elle s'est entre-temps débarrassée de son installation à Westerwede et a laissé la petite Ruth chez ses parents à Oberneuland, près de Brême —, Rilke va loger avec elle dans un appartement plus confortable, rue de l'Abbé-de-l'Epée. Là, ils passent Noël et reçoivent la visite de Paula Modersohn-Becker, qui se trouve à Paris pour un second séjour d'étude. Rilke, qui vient de prendre froid, ne peut pas l'accompagner personnellement chez Rodin, mais lui donne une lettre de recommandation, où il la présente comme « *Madame Modersohn, femme d'un peintre alle-mand très distingué* ». Il ne parvient toujours pas à lui reconnaître une individualité artistique, et il sait aussi que Rodin, malgré ses sentiments amicaux pour Clara, fait peu de cas des femmes aux activités créatrices. (On sait que l'on situait les femmes à l'époque, presque exclusivement d'après la situation de leur mari, et l'on interdisait aux voyageuses, par exemple, de passer des cigarettes à la frontière française — ce qui naturellement était permis à leurs époux[82].)

Outre la Villa des Brillants et l'atelier en ville, Rilke se trouve, dans ces mois fiévreux, deux autres foyers spirituels à Paris : le Louvre et la Bibliothèque nationale. Au Louvre, il s'intéresse à Botticelli et Léonard, et avant tout aux œuvres antiques. La Vénus de Milo est « trop moderne » selon son goût. La Victoire de Samothrace, au contraire, « la déesse de la victoire sur la proue du navire, avec son merveilleux mouvement et le large vent de la mer dans son vêtement », lui paraît l'image même d'une antiquité libérée de toute poussière scolaire ; c'est seulement à Anacapri, plus tard, qu'il s'enthousiasmera de nouveau à ce point pour le monde antique méditerranéen. A la Bibliothèque, il lit des Français modernes, comme Baudelaire, Flaubert et les frères Goncourt, et se plonge dans les reproductions de cathédrales médiévales et dans des chroniques, grâce auxquelles il espère parvenir à une meilleure compréhension de quelques statues de Rodin. Au milieu de ces études, il doit lutter contre de sérieuses difficultés.

En parcourant les chroniques conservées au château de Haseldorf, Rilke s'est déjà rendu compte qu'il lui est extrêmement difficile
de trier vite et en toute sûreté, les éléments importants enclos dans
ces documents. Lors de ses travaux préparatoires au livre sur Rodin,
plus tard aussi pour *Malte Laurids Brigge* et quelques-uns des
Nouveaux Poèmes, le manque de formation et d'expérience d'archiviste le gênera au point de le paralyser. Au lieu de dépouiller un texte
avec concentration et dans l'intérêt de son sujet, il est toujours tenté
de recopier tout le livre ; aujourd'hui, il aurait eu recours à des
photocopies. En un réflexe devenu automatique, il cherche les causes
de cette difficulté dans son enfance, et en fin de compte chez sa mère,
qui l'a laissé grandir sans aucun véritable programme d'études :

> Mes lectures étaient des lectures de hasard, parce que, faute de
> préparation, elles ne pouvaient pas devenir des travaux. Avec mon
> éducation, qu'aucun plan ne régissait, avec l'intimidation où je
> grandissais..., il s'est produit que l'on ne m'a jamais enseigné bien des
> éléments préparatoires et la plupart des choses techniques de la vie [83].

Il ne se rend pas compte que la plupart des hommes réussissent
sans difficulté à acquérir des connaissances techniques, qu'il ne veut
pas devenir historien et que même ce métier ne s'apprend qu'en
partie à l'école. Acquérir des capacités d'archiviste figure tout en
haut d'une liste de « projets d'études » qu'il rédige à Rome dans un
accès de pédanterie. On y voit en première urgence, fait sans doute
unique chez un poète de vingt-neuf ans, proche du milieu de la vie,
des « livres et cours de sciences naturelles et biologie », suivis aussitôt
par l'étude des méthodes employées par les archivistes-historio-
graphes. Ensuite seulement viennent l'étude des langues russe et
danoise, le dictionnaire de Grimm, des traductions et autres projets.
Au demeurant, la moisson immédiate du séjour à Paris, le livre sur
Rodin, montre que Rilke savait compenser d'une manière éclatante
ces lacunes, si même elles méritaient ce nom.

II.

Clara, la première, éveilla l'intérêt de Rilke pour l'art de Rodin
et l'engagea à prendre des notes sur ce sujet. Ils firent même un
moment le projet d'écrire ensemble un ouvrage consacré au sculpteur. La partie la plus importante du travail demandé par la
monographie fut exécutée en novembre et décembre 1902, aussitôt
après l'arrivée du poète à Paris, et grâce à des rencontres presque
quotidiennes avec Rodin. Le livre, illustré et pourvu d'un catalogue

des œuvres de Rodin, paraît à la fin de mars 1903 à Berlin, dans la collection *Die Kunst* (« L'art »), dirigée par Muther, et avec une dédicace adressée à Clara : « A une jeune sculptrice ». A partir de la troisième édition (1907), l'ouvrage est augmenté d'une conférence tenue par Rilke à Dresde et à Prague en 1905. Quelques passages du livre, qui même avec le texte de la conférence en supplément compte moins de cent pages, étaient déjà parus en « bonnes feuilles ». Le texte intitulé *Auguste Rodin dessinateur* avait été publié dans l'une des revues les plus célèbres de l'époque, l'hebdomadaire *Morgen*, dirigé par l'économiste Werner Sombart. Richard Strauss y écrivait sur la musique, Georg Brandes sur la littérature, Richard Muther sur l'art, Hugo von Hofmannsthal sur la poésie.

Le *Rodin* de Rilke n'est pas un traité d'histoire de l'art cherchant à ranger son sujet dans un courant ou un mouvement, où à décrypter une œuvre du passé. Les activités des débuts de Rodin à la manufacture de porcelaine de Sèvres, ou ses premiers voyages en Italie, ne sont aucunement mentionnés. La monographie de Rodin est plutôt la confession personnelle d'un auteur qui certes n'est pas un artiste plasticien, mais qui est aussi un créateur ; elle est l'œuvre d'un homme qui regarde et décrit un homme qui façonne. Et comme Rilke veut voir en Rodin le successeur de Tolstoï dans sa propre image du monde, il le représente plus homogène, plus proche de la nature, bref plus élémentaire, que Rodin ne l'était en fait.

La monographie évoque tout d'abord le sculpteur enfant, grandissant à Paris, éduquant son regard aux chefs-d'œuvre du Louvre, mais aussi à des objets moindres comme les « gargouilles » de la cathédrale. (Dans l'esprit de Rilke comme dans celui de Rodin, la cathédrale symbolise une unité dans l'art, perdue depuis le Moyen Age ; elle est pour ainsi dire le toit sous l'abri duquel peuvent se loger, outre l'architecture, la peinture et la sculpture. Depuis lors, cette dernière est réduite à elle-même et sans abri.) Mais dès le début, Rodin s'intéresse surtout au corps humain qui, pendant tant de siècles de christianisme, a été recouvert par le vêtement :

> La peinture rêvait de ce corps, elle l'ornait de lumière, le pénétrait de crépuscule, elle l'entourait de toute sa tendresse et de tout son ravissement, elle le palpait comme un pétale et se laissait porter par lui comme sur une vague — mais la plastique, à qui il appartenait, ne le connaissait pas encore.
> Ici était une tâche, grande comme le monde. Et celui qui était debout devant elle était un inconnu dont les mains travaillaient pour du pain, dans l'obscurité *.

---

* Seuil, t. 1, p. 395 (« la peinture rêvait... dans l'obscurité »). Toutes les citations du *Rodin* sont empruntées à la trad. du Seuil.

Contrairement à nombre d'autres artistes plasticiens, Rodin s'occupe moins de la pose ou de la composition que de la surface du corps. Dans sa manière de traiter cette surface animée et mouvante, dans ce *modelé* qui devient parole (« Chaque place devient une bouche »), repose l'un des mystères de son art. Comme Rilke veut élucider Rodin et non lui assigner une place dans l'histoire de l'art, il mentionne à peine d'autres sculpteurs, mais se réfère à des poètes auprès desquels Rodin a cherché savoir et confortation, par exemple Dante et Baudelaire. Le sculpteur de la *Porte de l'Enfer* a aussi illustré *Les Fleurs du Mal*.

Quand Rodin est refusé au Salon de 1864 avec sa première œuvre, *L'Homme au nez cassé,* il travaille de nouveau des années pour lui seul, tandis que la sculpture officielle continue à s'épuiser dans un art exsangue et académique. C'est alors qu'il mûrit et devient le maître qui expose en 1877, première pièce d'une longue série d'œuvres grandioses, *L'Age d'airain*. Dans ces œuvres, il n'y a pas de places mortes ou « belles », il n'y a que des traits gravés par le destin ; ainsi, le bon travail, le travail bien fait, est plus important chez Rodin que la beauté. En énumérant quelques chefs-d'œuvre comme *Saint Jean, Les Bourgeois de Calais, Eve, Balzac* et d'autres, Rilke nous aide à saisir d'autres aspects caractéristiques, comme par exemple l'absence des extrémités (les bras dans *Voix intérieure*) et la signification de la main dans le contact de deux corps, qui — voyez *Le baiser* — peut produire un effet tellement dynamique et sensuel. Parmi les portraits, Rilke ne peut nous décrire l'un d'eux, qui sera exécuté seulement en 1907, d'après quelqu'un qui bientôt le touchera de près : Helene von Nostitz, fille d'un ancien ambassadeur à Paris et, d'après Hofmannsthal, « la jeune femme la plus gracieuse et la plus belle que je connaisse en Allemagne[84] ».

En analysant le *Balzac,* le langage de Rilke, que le sujet de son étude avait rendu allègre, tombe dans une métaphore pâteuse. Lamartine avait écrit que Balzac « possédait tant d'âme, qu'elle portait son corps lourd comme rien ». Rodin, en conséquence, avait modelé Balzac la tête rejetée en arrière. Rilke nous décrit cette tête « qui était rejetée en arrière », et « vivait au sommet de cette figure comme ces boules qui dansent sur les rayons des fontaines. Toute lourdeur était devenue légère, montait et retombait ».

Dans la seconde partie, la conférence, Rilke s'efforce d'éclairer aussi la personne de Rodin. Il s'appuie pour cela sur d'anciennes photographies, puis nous fait accomplir une courte visite dans l'atelier où le maître se tient parmi ses œuvres inachevées et demande au visiteur : « *Avez-vous bien travaillé ?* » Car il n'a de confiance que dans le travail et a peu d'estime pour l'inspiration, dont « il repousse avec une indulgence et un sourire ironiques l'hypothèse, en répondant qu'il n'y en a point, mais point du tout... » Pour saisir l'effet produit par la personnalité de Rodin, Rilke se met à la place d'un contemporain qui visite, peu avant sa mort, les parties alors achevées de la *Porte de l'enfer*. Fait caractéristique, il choisit une figure littéraire — et étrangère à l'histoire de l'art : Oscar Wilde, représenté ici sous son pseudonyme parisien, Sebastian Melmoth. Rilke l'engage dans une conversation imaginaire avec Rodin, après quoi l'homme « à demi détruit » aurait eu encore une fois « l'espoir de recommencer ». — La monographie s'achève sur quelques détails de la vie quotidienne à la villa des Brillants. Il fait enfin allusion au fait que l'art d'aujourd'hui, sécularisé, ne sait plus où aller (faute d'une cathédrale), et ajoute que Rodin a tenté de pallier ce manque en se tournant vers le paysage et la nature.

Rodin mourut en 1917. La littérature qui le concerne a atteint les dimensions d'une petite bibliothèque, où la monographie de Rilke a gardé une place modeste, mais sûre. Il faut lui reconnaître une certaine sensibilité dans l'interprétation de quelques statues, et la division de l'œuvre de Rodin en différentes phases. On peut lui faire confiance sur le premier point, car Rilke avait presque tous les jours sous les yeux le sculpteur et ses œuvres. L'autre point, du fait que l'auteur, dans sa tentative de dresser une chronologie et une typologie, n'était pas lui-même sculpteur et ne connaissait que les œuvres de la première et de la seconde période créatrice de Rodin, contenait une espèce de pari. Le succès de Rodin a donné raison à Rilke, de même qu'il ne se trompera pas en célébrant Cézanne, dont il analyse les œuvres en octobre 1907, dans une série de lettres à Clara, au moment où le peintre vient de mourir et où aucun canon critique ne permet encore de le juger.

III.

Epuisé par la concentration que lui a demandée le livre sur Rodin et par la vie dans une ville qu'il juge « étrangère et hostile », Rilke part seul pour l'Italie le 19 mars 1903. Ce n'est pas le résultat d'une décision soudaine, mais le besoin de se reposer et de se retrouver. D'autre part, avec l'achèvement de la monographie, il perd toute raison immédiate de demeurer à Paris. Il souffre depuis des semaines d'une grippe dont il ne peut pas se débarrasser et s'occupe à des tâches accessoires, comme l'examen d'un manuscrit envoyé par les éditions Juncker et, des correspondances avec Gerhart Hauptmann, Ellen Key, Arthur Holitscher et d'autres, qui sont parfois des familiers, parfois de simples relations épistolaires.

Parmi ceux-ci, se trouve un élève de l'académie militaire de Wiener-Neustadt, Franz Xaver Kappus, qui lui a envoyé au début de 1903 quelques poèmes, en lui demandant de les lire et de lui donner son avis. Malgré toute la sympathie existentielle que Rilke ressent pour son cadet (à la place duquel il peut facilement se mettre — un aspirant officier, qui écrit des poèmes et se demande quelle est sa vocation), il lui conseille de se poser plutôt lui-même la question : « Suis-je vraiment contraint d'écrire * ? » Si la réponse est un oui sans équivoque, alors Rilke pourra l'encourager : « Alors prenez ce destin, portez-le, avec son poids et sa grandeur, sans jamais exiger une récompense qui pourrait venir du dehors *. »

A partir de cette première réponse, se développe bientôt une correspondance qui, sera livrée au public plusieurs années plus tard, (sans les lettres de Kappus), sous le titre *Lettres à un jeune poète,* et qui compte parmi les plus populaires des œuvres de Rilke. Et ce, à juste titre, car ces lettres couvrent une durée de cinq années, pendant lesquelles Kappus pose à Rilke les problèmes les plus divers, ceux qui préoccupent le jeune homme qu'il est. A travers les réponses de Rilke, on peut faire l'inventaire de ses idées d'alors sur Dieu et le monde en général, mais aussi sur ses lectures favorites (la Bible et Jacobsen), sur Rome et d'autres villes, sur Rodin et Dehmel et bien d'autres sujets. Ce qui donne à ces lettres leur unité, c'est, d'une part, la forte sympathie de Rilke pour leur destinataire, d'autre part, l'espoir maintes fois exprimé en une humanité future qui, entre autres, aura surmonté tous les conflits qu'elle engendre, et parmi ceux-ci l'antinomie de l'homme et de la femme. Ainsi, lui qui tente de s'orienter sur l'exemple de Rodin, est-il devenu lui-même conseiller et modèle d'un jeune homme. (Si Rilke a suivi le développement de celui-ci après l'arrêt de leur relation épistolaire, il aura été déçu : Kappus deviendra correspondant de guerre et écrira plus tard des romans de divertissement).

Le découragement et l'épuisement qui ont submergé Rilke en ce printemps 1903 se laissent déceler dans l'une de ces petites défaites que chacun de nous subit un jour ou l'autre, sans pouvoir les raconter avec le charme désarmant que Rilke sait donner à de tels épisodes :

La nuit ne fut pas très bonne (raconte-t-il au sujet de son voyage à Modane, lors du passage de la frontière franco-italienne), je n'avais pas dormi et j'avais froid, terriblement froid, malgré la couverture en poils de chameau dont j'avais ressenti avec gratitude la présence. Par ruse, j'avais réussi à garder toute la nuit une fente de vitre ouverte derrière le rideau, jusqu'à ce qu'au matin un Italien (que le froid avait

---

* Seuil, t. 1, p. 315 *sqq*.

étonné sans doute) la découvre et ferme la fenêtre. Mais ainsi, l'air dans le compartiment bondé devint en tout cas supportable[85].

L'idée d'insister et d'obtenir que l'on garde au moins un interstice ouvert ne lui vient pas à l'esprit, bien qu'il ait dormi toute sa vie avec les fenêtres ouvertes. A peine arrivé à Gênes, il remarque que l'hôtel est plein d'Allemands : « J'ai alors deviné, dit-il en un soupir véritablement prophétique, que c'était cela, ce que l'on nomme la Riviera italienne. » Ces Allemands, qui lui rappellent sa cousine Paula et d'autres chers parents, parlent en effet « non comme lorsqu'on est à l'étranger, mais sans aucune retenue, comme à la maison ». Ils parlent de plages voisines, qui sont toutes pleines de monde. Seule, Santa Margherita n'est mentionnée par personne. Rilke s'y rend donc, dans l'espoir de rencontrer moins de touristes sur cette côte située loin dans le Sud. Mais ses calculs étaient faux. Santa Margherita aussi est pleine d'Allemands, « en voyage de commerce ou de noces, vieux messieurs qui ont tous fait de la politique, employés de bureau et retraités, vieilles filles aux sacs pleins de cartes postales, femmes peintres à lorgnons... » La répulsion ultérieure et sans équivoque de Rilke pour tout ce qui est désigné globalement comme « allemand », malgré toute son affection pour ses amis, garde encore, avant 1914, de la bonne humeur et de l'impartialité.

Rapidement, il se décide à continuer son voyage jusqu'à Viareggio. Comme lors de son premier séjour, six ans auparavant, il loue une chambre avec balcon et vue sur la mer, cette fois à l'hôtel Florence, aujourd'hui hôtel Plaza et de Russie, au bord de la mer. Là aussi, il doit partager la salle à manger avec un groupe de voyageurs, mais ce sont des Anglais, envers lesquels il a moins de griefs qu'envers les Allemands. Comme Aschenbach dans *Mort à Venise* (car le héros de Thomas Mann aussi roule épuisé dans un train de nuit vers le Sud, intercale dans son voyage un séjour dans une station balnéaire bondée d'étrangers et repart vers un but depuis longtemps programmé à l'avance dans son subconscient), Rilke réserve sur la plage une cabine avec table et chaise et une petite véranda. Le premier matin, il va se baigner, et rapporte qu'il a « senti les vagues jusqu'au creux des genoux ». Il n'a jamais été un athlète, mais hormis la voile, les sports nautiques étaient pratiquement inconnus en Europe avant la Première Guerre mondiale. Le costume de bain qu'il s'est fait donner par la loueuse de cabines n'aurait à l'époque étonné personne : « C'est du tricot à rayures noires et blanches ; mais je ne m'en sers que comme pantalon et je ne mets la partie supérieure, qui couvre la poitrine et le dos et a des petites manches, qu'en cas de nécessité. » En d'autres termes, il se baigne torse nu, ce qui à l'époque gênait la plupart des hommes. Pis encore : le matin très tôt, quand les gens dorment encore, il se baigne nu. Il le fait pour des raisons esthétiques, mais aussi parce qu'il considère que c'est sain, comme de marcher pieds nus et de manger une nourriture végétarienne. En outre, il passe des heures au soleil, assis sur la véranda ou en promenades le long de la plage, où les pêcheurs trient leur capture. Il porte alors des pantalons courts ou va « jambes nues », comme il le dit ; dans les lettres où il fait part de ces détails à Clara, on voit s'ouvrir un gouffre entre cet homme qui, dans le sentiment qu'il a de son corps, est très à l'avance sur son temps, et un langage qui semble avoir à peine franchi l'étape qui va des chausses au pantalon et ne peut pas encore exprimer ce sentiment de manière adéquate.

Il n'a personne autour de lui et ne le regrette pas. Il évite les autres clients de l'hôtel en se faisant servir le dîner — des fruits ou un verre de lait — dans sa chambre. Il tient à distance même sa mère, qui veut venir d'Arco pour lui rendre visite. Rilke tisse son cocon dans une solitude dont il pressent qu'elle « ne lui refusera rien, quand il l'écoutera avec des forces nouvelles ». Les fruits de ce retour en soi ne se font pas attendre. La sève monte si vite qu'après quelques jours de repos et de solitude, il compose en quelques semaines la troisième partie du *Livre d'Heures,* le *Livre de la pauvreté et de la mort.* Tout lui « vient » si vite qu'il écrit quelques-uns des poèmes les plus importants non pas dans sa chambre d'hôtel sur du papier, mais dans ses promenades sur la plage et dans la *pineta,* dans la brochure des nouvelles de Jacobsen qu'il emporte partout avec lui. Et il ne les note pas rapidement comme au brouillon, ce à quoi l'on pourrait s'attendre, étant donné les circonstances, mais il écrit d'emblée une version pratiquement achevée, qui ne demandera plus de corrections. Dans la forme parfaitement élaborée sous laquelle ses poèmes coulent de sa plume, il voit une preuve de plus qu'ils lui sont vraiment « dictés ».

Quand Rilke, dans l'une de ses premières lettres de Paris, se plaint : « Cette ville est très grande et pleine jusqu'au bord de tristesse », il exprime ainsi le motif central du *Livre de la pauvreté et de la mort.* Cette phrase souligne aussi la différence qui sépare le monde représenté et expérimenté par Rilke, de celui que peut connaître le lecteur d'aujourd'hui. Car en comparaison avec Tokyo et Mexico, le Paris de la Belle Epoque ne peut pas nous paraître tellement grand, et en comparaison avec Francfort déshonorée et Berlin divisée, Paris ne peut paraître tellement triste. En contraste avec l'étroitesse et la pauvreté des villes, Rilke évoque une plénitude de l'existence grâce à des images — « chefs de tes tribus de pâtres »,

« cheiks des tribus du désert » ou « consuls des ports hanséati-
ques * »,

> ... riches qui forçaient la vie
> à être infinie, lourde et chaude **.

Ceux-là ne représentent pas un monde socialisé, automatisé, ou
un avenir quelconque, mais ils nous ramènent à des temps quasi
bibliques. Nous ne sommes pas non plus habitués à saisir des pensées
politico-sociales (qui ne constituent pas l'ensemble de ce *Livre*, mais
en occupent au moins une bonne part) sous une forme lyrique, et en
une langue qui ne sait pas encore dire « agglomération » pour
« ville » et « économiquement faible » pour « pauvre ».

Ce qui force notre attention, ici, c'est plutôt la manière dont le
thème est réduit à l'essentiel, et le langage qui l'exprime. On pouvait
encore lire dans la première partie du *Livre d'Heures* : « Je vis, alors
que part le siècle », et dans la deuxième : « Et tu hérites de Kazan,
de Rome et de Venise. » Ici, l'on ne mentionne plus ni date, ni lieu :
on ne rencontre pas même le mot « Paris ». Manquent aussi, par la
force des choses, bien des notions qui depuis lors nous ont presque
dissimulé le phénomène de la ville en soi : civilisation de consommation, cités-dortoirs, marché de la drogue, etc. Ces mots désignent des
problèmes qui existent partout, mais qui sont moins évidents ailleurs
que dans la grande ville de type américain ou européen de l'Ouest.
Rilke dépeint le faux éclat de ces villes de telle manière, qu'il a
pressenti ces problèmes quelque quatre-vingts ans à l'avance, même
si, naturellement, il les voit avec ses yeux de poète et non avec ceux
d'un réformateur de la société :

> Mais les villes sont égoïstes
> et arrachent tout dans leur course,
> comme bois mort elles brisent les bêtes
> et consument de nombreux peuples.
>
> Et leurs hommes, esclaves des sciences,
> perdent équilibre et mesure,
> nommant progrès leur traînée de limace ;
> la lenteur cède à la vitesse ;
> ils ont des sentiments et des fards de catins,
> s'enivrent du fracas du métal et du verre.
>
> Comme éblouis chaque jour par un leurre,
> ils ne peuvent plus être eux-mêmes ;
> la force de l'argent s'accroît et les possède,

* Seuil, t. 2, p. 120-121.
** Seuil, t. 2, p. 92 et 105.

forte comme un vent d'est, — et eux, petits,
dépassés, attendent de l'alcool
et du poison du sang des hommes et des bêtes
l'élan pour leur agitation vaine *.

L'antidote salvateur aux villes contre nature, où tout manque même aux riches, ce qui rend heureux, c'est la vie, ou tout au moins l'état d'esprit, des pauvres. Ce n'est point, chez Rilke, une fiction poétique, mais un article de foi que vingt ans plus tard, après la guerre et la révolution, il défendra contre des interprétations erronées qui voudront chercher dans sa poésie des références à des injustices sociales concrètes :

Ma nature doit bien comporter notamment un certain sens de la solidarité humaine, écrit-il à Hermann Pongs, quelque chose de fraternel, sinon je n'aurais pu être aussi intimement, profondément sensible à l'épanouissement de cette qualité sous l'influence de l'exemple russe. Mais ce qui interdit de confondre ce mouvement joyeux et naturel avec le sens social tel que nous l'entendons aujourd'hui, c'est mon peu de goût, même ma répugnance à l'idée de changer ou, comme on dit, d'améliorer la situation de qui que ce soit. La situation de personne dans le monde n'est telle qu'elle ne puisse tourner au profit particulier de son âme... [...] Vouloir améliorer la situation de quelqu'un suppose une connaissance de sa condition que l'écrivain lui-même ne possède pas pour un personnage de son invention. (...) Vouloir changer, améliorer la situation de quelqu'un, c'est lui offrir, en place de difficultés dont il a l'usage et l'expérience, d'autres difficultés qui le trouveront peut-être encore plus désarmé **.

Dans le *Livre d'Heures* précisément, les pauvres sont le plus proches possible de Dieu. Leur louange est chantée en plusieurs vers, parmi lesquels ce poème qui célèbre saint François (sans le nommer) :

Oh ! où est-il celui qui, dépouillé
de tout bien et de tout temps,
crut si fort en sa pauvreté
qu'il se dévêtit sur la place
et passa nu, narguant la robe de l'évêque ?...
(...)
frère brun de tes rossignols,
qui puisait de la terre un émerveillement,
une joie et une allégresse ***.

A la fin des livres *De la vie monastique* et *Du pèlerinage*, Rilke annonce le panthéisme dont il se réclame à la fin du *Livre de la vie*

_____

* Seuil, t. 2, p. 127.
** Seuil, t. 3, p. 581.
*** Seuil, t. 2, p. 127.

monastique, à travers le personnage du saint d'Assise, grand ami de la nature et des oiseaux.

> Et lorsqu'il mourut, léger : comme anonyme,
> il fut dispersé : sa semence coula
> en ruisseaux, sa semence chanta dans les arbres
> et, dans les fleurs, silencieuse le contempla *.

Il relie ainsi ces « prières » très différentes. Le philosophe Georg Simmel, dont Rilke avait entendu les conférences à Berlin, considérait le *Livre d'Heures* comme l'une des très rares poésies où le panthéisme soit exprimé de manière convaincante. Il est vrai qu'un autre lecteur qui s'intéressait davantage aux problèmes du monde réel et trouvait que celui-ci était enseveli dans ce poème sous une cascade d'images, parodia l'œuvre sous le titre *Soixante images en soixante secondes ou le livre des minutes*.

> Tu es la bouche, nous ne sommes que le nez,
> nous ne sommes que les pouces, tu es main.
> Nous sommes les fleurs dans un vase,
> qui offertes par sa cousine
> étaient au chevet de Marie.
>
> Ton père est le lis lilas
> et ta mère est la lune.
> Mais nous ne sommes que la famille,
> qui, comme du persil desséché
> habite dans les villes de pierre [86] **.

Dans les grandes villes, la vie n'est pas seule à être falsifiée : la mort ne l'est pas moins. La mort devrait être l'accomplissement logique de la vie, et non quelque chose hostilement introduit en elle. La mort « à soi » que postule Rilke — tout d'abord, certes, en référence au *Zarathoustra* de Nietzsche et à la nouvelle de Jacobsen *Mme Fönss* — dans le *Livre d'Heures* et reprend dans des œuvres ultérieures, n'est que le dernier anneau de la chaîne de la vie qui a progressé en avant. La mort n'est pas étrangère, mais elle est déjà placée en nous lors de notre naissance et elle y mûrit comme un organe :

> Car nous ne sommes que l'écorce et que la feuille.
> La grande mort que tout homme en soi porte,
> tel est le fruit autour duquel gravite tout ***.

---

* Seuil, t. 2, p. 129.
** Sans nom d'auteur. Paru dans la revue *Die Schaubühne*. *Base*, cousine, rime avec *vase*, et il y a bien un « lila Lilie ». (N.d.T.).
*** Seuil, t. 2, p. 115.

Bien que l'idée d'une mort propre à chacun compte parmi les thèmes rilkéens les plus connus, Rilke en a fait un usage prudent et s'est gardé, par exemple, de l'appliquer à des personnalités historiques. On ne sait pas très bien non plus à quel point le caractère particulier de cette mort doit être déterminé par le métier ou la vocation, comme la mort du soldat sur le champ de bataille ou le martyre du saint, ou s'il vient d'un mélange de destin et de caractère. En tout cas, Rilke a attribué une mort « à soi » à son cousin en homonymie le Cornette, et au Chambellan Christoph Detlev Brigge, le grand-père de Malte. Il est même mort lui aussi d'une telle mort, à Muzot, les yeux grands ouverts, si l'on peut dire, et « debout », sans remèdes calmants et à la manière de Nils Lyhne. Le refus de suivre les prescriptions des médecins, ou plus exactement cette indifférence du mourant à leurs ordonnances, n'est qu'*une* particularité de cette mort. Plus important est le renoncement à tout ce qui est de ce monde, seule manière, pour la dignité humaine, de compenser la mort et de s'opposer à elle. Elle, qui sous l'étiquette d'une maladie quelconque, est attribuée à l'homme dans l'anonymat des grands hôpitaux. Cette mort « de confection » n'a aucun rapport avec la vie qu'elle conclut :

> Car voilà qui nous rend étrangère et ardue cette mort :
> qu'elle ne soit pas *nôtre ;* mort qui nous prend enfin
> parce que nulle en nous ne mûrit *.

Il est caractéristique de la manière concentrée et hermétique dont Rilke travaille, que ne se trouve dans *le Livre de la pauvreté et de la mort,* aucune allusion aux circonstances qui ont présidé à sa création. La critique de la culture citadine, le concept de la mort « à soi » et la conception de la pauvreté comme approche de Dieu n'ont aucune espèce de relation avec la plage de Viareggio. Au contraire, les expériences d'où sont nés ces vers remontent loin en arrière dans le temps et ont eu besoin d'une longue élaboration avant d'émerger à la surface et de devenir poésie. On peut quand même penser que la sensation de pesanteur désagréable que lui donnaient les nombreux tunnels traversés lors de son voyage en Italie apparaît dans quelques vers où Dieu surgit sous la forme d'une montagne :

> Vais-je en toi maintenant ? Suis-je dans le basalte
> comme un métal encore jamais trouvé ?
> Je comble de respect le repli de tes rocs
> et sens partout ta dureté **.

---

* Seuil, t. 2, p. 116.
** Seuil, t. 2, p. 112.

Quoi qu'il en soit, le *Livre d'Heures,* si riche en symboles panthéistes ne connaissait pas cette image auparavant. Et nous savons que Rilke souffrait, dans les tunnels des Alpes, de l' « air rare et noir » et des « grondements caverneux », et qu'il s'était réjoui de pouvoir revenir à Paris par Vintimille et Avignon et non par Modane.

IV.

A peine est-il revenu d'Italie qu'il contracte de nouveau l'influenza et avec elle, plus menaçant que jamais, le désespoir que Paris soulève en lui et qui diffère tellement de l'euphorie avec laquelle il était entré dans Moscou et Pétersbourg. Il ressentit ce désespoir en ce jour d'août, où, transféré de l'idyllique Worpswede dans la bruyante métropole, il descendit à la gare du Nord sous une pluie torrentielle et emménagea dans la chambre défraîchie de la rue Toullier. Pendant les premiers mois, les visites à Meudon, l'intérêt qu'il portait au monde de Rodin, fait de travail et d'affirmation de soi-même, lui servirent de digue derrière laquelle il pouvait s'abriter contre la vie quotidienne à Paris. Ce rempart a disparu à présent. Rilke est submergé par des impressions auxquelles il ne peut plus échapper en se réfugiant chez Rodin ou chez Clara, elle-même plongée dans son propre travail. A chaque pas, devant sa porte, dans chaque couloir de musée ou de bibliothèque, il voit des hommes et des bêtes, des choses et des incidents qui ne lui laissent aucun répit et qui sont tous d'abord trop forts pour qu'il puisse les écrire sur le vif. Mais d'autre part, il ne peut pas abandonner Paris ; la ville le tient depuis le début sous son charme, même si, par moments, il l'abhorre. Il n'a pas d'autre gîte et sait très bien qu'il doit à cette richesse et à cette plénitude de vie des stimulations dont il a besoin et qu'il ne peut trouver nulle part ailleurs. Quand il est dans cette disposition d'esprit, il sent que « Paris devrait bien lui offrir aussi du travail [87] » et il songe à faire suivre ses livres sur Worpswede et Rodin de deux autres ouvrages sur l'art : sur le dessinateur Eugène Carrière et le peintre Ignacio Zuloaga, qui lui a fait comprendre les tableaux du Greco.

En été 1903, plusieurs échappatoires s'offrent à lui. Un séjour à Rome, dont Clara profiterait elle aussi, est depuis longtemps projeté. Zuloaga recommande un voyage dans son pays basque natal. De Prague, son père, inquiet pour l'avenir bourgeois de son fils, lui écrit qu'il pourrait le recommander pour un emploi dans les postes ; solution qui le fait aussitôt penser au cachot, comme il l'écrit à Ellen

Key. Quand finalement Heinrich Vogeler l'invite, ainsi que Clara, à passer quelques semaines au Barkenhoff, il accepte avec enthousiasme. Une visite au cher Worpswede serait ainsi moins dispendieuse et il pourrait aller voir Ruth à Oberneuland.

Avant de quitter Paris le 1ᵉʳ juillet 1903, Rilke ouvre son cœur en une lettre dont la destinataire indique bien quel est alors son état d'âme. Pour la première fois depuis le « dernier appel », ultérieur déjà de deux ans, il se tourne vers Lou Andreas-Salomé. Il l'a si bien perdue de vue que la lettre doit lui être envoyée aux bons soins d'une amie commune de Danzig. En quelques lignes, il lui demande la permission de « pouvoir une seule fois, pour un seul jour, chercher refuge chez (elle) » pendant le séjour qu'il va faire en Allemagne. Si cela ne lui convenait pas, qu'elle veuille bien, ajoute-t-il — et cela en dit long —, lui communiquer l'adresse de son ami le neurologue Pineles. Lou répond par retour, de Berlin, qu'il sera toujours le bienvenu, mais qu'il vaudrait mieux fêter tout d'abord leur revoir par lettre : « Pour deux vieux écrivailleurs comme nous (sic), cela n'a rien d'artificiel. »

Dans une série de lettres envoyées de Worpswede à intervalles rapprochés, Rilke couche sur le papier ses impressions parisiennes avec une intensité qui fait paraître pâles et presque indifférentes toutes les expressions antérieures, que ce soit dans le *Livre de la pauvreté et de la mort* ou dans le *Livre d'images,* ou dans des lettres à Clara, Ellen Key, Arthur Holitscher et d'autres. Il avait par exemple exhorté ainsi Otto Modersohn, solidement enraciné à Worpswede : « Restez attaché à votre pays ! » et pathétiquement comparé Paris à Sodome et Gomorrhe (« dont la Bible raconte que la colère de Dieu se souleva derrière elles »). A présent, il renonce à toute pose. Une fois encore, c'est l'élève Rilke qui apparaît, vulnérable comme un oiseau tombé du nid, mais comme lui, gardant grands ouverts des yeux qui enregistrent tout :

> Je voudrais te dire, ma chère Lou, que Paris a été pour moi une expérience semblable à celle de l'école militaire ; de même que là-bas, un grand étonnement angoissé s'était emparé de moi, de même l'épouvante a maintenant saisi en moi avant tout ce qui, comme un indicible désarroi, s'appelle la vie. Autrefois, quand j'étais un enfant parmi des enfants, j'étais seul parmi eux ; et combien j'étais seul à présent parmi ces hommes, comme j'étais continuellement nié par tout ce que je rencontrais ; les voitures roulaient à travers moi, et celles qui se hâtaient ne faisaient aucun détour pour m'éviter, elles fonçaient sur moi, pleines de mépris, comme sur un mauvais endroit de la route où s'est formée une flaque de vieille eau...
> Oh, des milliers de mains ont édifié ma peur (continue-t-il sans reprendre haleine ni se soucier de syntaxe ou de ponctuation) et de

village écarté elle est devenue une ville, une grande ville, où il arrive
de l'indicible. Elle a grandi tout le temps et a ôté le vert paisible de
mes sentiments, qui ne portent plus rien. A Westerwede déjà elle
grandissait. Et quand vint Paris, elle est vite devenue très grande. Je
suis arrivé ici en août de l'année dernière... Alors j'ai marché devant
les longs hôpitaux, dont les portails sont grands ouverts en une
attitude de miséricorde impatiente et avide. Quand je suis passé pour
la première fois devant l'Hôtel-Dieu (hôpital qui joue un rôle
important dans *Malte*), il y entrait justement un de ces fiacres
découverts, et un homme y pendait de travers, comme une marion-
nette cassée, vacillant à chaque mouvement et avec un énorme abcès à
son cou long, gris et ballant. Et quels êtres n'ai-je pas rencontrés
depuis lors... On les prendrait tout au plus pour des impressions et on
les regarderait avec une calme et objective curiosité, comme une
nouvelle espèce d'animaux qui auraient par misère développé des
organes spéciaux, les organes de la faim et de la mort. Et ils étaient
marqués par le mimétisme sans espoir et sans couleur des trop grandes
villes, et survivaient sous le pied de chaque jour, qui marchait sur eux
comme sur des scarabées coriaces, il duraient comme s'ils devaient
encore attendre quelque chose, tressaillaient comme les morceaux
d'un gros poisson débité au hachoir, qui pourrit déjà et pourtant vit
encore. Ils vivaient, vivaient de rien, de poussière, de suie, et de la
saleté de leur surface, de ce qui tombe des dents des chiens, de ces
objets quelconques absurdes et brisés que quelqu'un peut toujours acheter pour un usage inexplicable. O qu'est-ce que c'est que ce monde...
Il y avait de vieilles femmes qui déposaient un lourd panier sur le
rebord d'un mur (de toutes petites femmes, dont les yeux se sont
desséchés comme des flaques), et quand elles voulaient le reprendre,
on voyait sortir de leur manche, lentement et malaisément, un long
crochet rouillé au lieu d'une main, et il se dirigeait tout droit et avec
sûreté vers l'anse du panier. Et il y avait d'autres vieilles femmes qui
allaient çà et là, tenant à la main le tiroir d'une vieille table de nuit, et
montraient à chacun que là-dedans roulaient vingt aiguilles rouillées
qu'il s'agissait de vendre...
O Lou, je me suis tellement torturé, jour après jour. Car je
comprenais tous ces êtres et bien que j'aie décrit un grand arc autour
d'eux, ils n'avaient pas de mystère pour moi. J'étais arraché hors de
moi et transporté dans leur vie, à travers toutes leurs vies, toutes leurs
vies accablées. J'étais obligé de me dire souvent que je ne suis pas l'un
d'eux, que je m'en irais de nouveau hors de cette ville terrible où ils
mourront ; je me le disais et je sentais que ce n'était pas un mensonge.
Et pourtant, quand je remarquais que mes vêtements devenaient de
semaine en semaine plus délabrés et plus lourds, et que je voyais
comme ils étaient élimés en beaucoup d'endroits, je m'épouvantais et
je sentais que j'appartiendrais sans salut possible à ces êtres perdus
pour peu qu'un passant quelconque me regardât et me comptât
inconsciemment parmi eux...

Des textes de ce genre en disent long sur les premières
expériences parisiennes de Rilke. Mais ils laissent une question

pendante : pourquoi Paris fut-il précisément le lieu d'un tel ébranle-
ment, voire d'une telle atomisation de sa personnalité ? Des quartiers
misérables, avec leur population de pauvres et de malades, il y en
avait aussi à Munich et à Berlin, à Moscou et à Pétersbourg et même
à Prague, sans que Rilke, qui ne vivait certainement pas continuellement dans de grands hôtels ou chez de riches amis, s'en soit le moins
du monde soucié. Quand il avait décrit la misère sociale, jusqu'à
présent, dans quelques nouvelles de jeunesse ou dans les pièces de
théâtre de sa période naturaliste, c'était pour dresser l'arrière-plan
devant lequel agissaient ses personnages. Ici, au contraire, on sent à
chaque phrase à quel point il est bouleversé. Quand Lou, dans sa
réponse, le nomme le poète « des laborieux et des accablés », elle
emploie une terminologie erronée, dans la mesure où Rilke ne voit
pas Paris avec les yeux d'un chrétien pratiquant ou d'un réformateur
social, contrairement à d'autres Parisiens d'élection comme plus tard
Henry Miller ou George Orwell, et où il ne s'identifie pas non plus
avec les pauvres. Au contraire, il a peur qu'un étranger quelconque
et sans importance ne le range parmi les clochards.

   On peut penser que la sensibilité de Rilke à la douleur ressentie
par les autres, sa capacité de prendre en pitié tout ce qui se déroule
devant lui, atteint à présent un point culminant et va bientôt céder le
pas à une nécessité plus forte encore, purement et simplement
indispensable à sa survie : l'obligation d'extraire la douleur hors de
lui-même et de la transposer en poésie. Dans une lettre écrite peu
après et consacrée principalement à Rodin, il dit tout crûment : « O
Lou, dans un poème que je réussis, il y a plus de réalité que dans
n'importe quelle relation ou affection que je ressens. » Mais ceci
n'est qu'un sauvetage provisoire, et le conflit entre la sensibilité et
l'affirmation de soi n'est pas près d'être résolu (sa solution aurait de
toute façon signifié la fin du poète Rilke). On le voit dans une lettre
riche en enseignements, que Rilke écrit de Rome à la fin de 1903. Il
se réjouit de ne pas ressentir ici « l'infinie torture » que Paris
représente pour lui, et de parvenir plus aisément à tenir à distance les
visions pénibles, « même quand c'est terrible comme de voir
maltraiter un petit cheval de trait à coups de poing et de pied par une
vingtaine d'hommes (ses propriétaires et des passants de hasard),
comme — et vient à présent un emploi inattendu du pronom
personnel, contraire à la logique et fortement expressif — je l'ai
souffert récemment sur la Piazza d'Aracoeli [88]. »

   L'immense capacité de souffrance de Rilke n'explique pas plus
sa réaction quasi mortelle à Paris, que la lecture de Baudelaire ou le
modèle de Rodin n'expliquent sa confrontation avec la réalité.
L'élément important fut sans doute le fait d'être passé sans transition
de la chaleur d'un jeune foyer, renforcé par la naissance d'un enfant,

à l'anonymat de la vie dans une grande ville, et d'une ferme couverte de lierre, garnie de livres, tableaux et meubles bien à soi, à un misérable pied-à-terre dans le V^c arrondissement (encore que la physionomie de l'endroit soit moins caractérisée par les hôpitaux, si dominants dans l'esprit de Rilke, que par des écoles, car la Sorbonne, l'Ecole de Droit, les Lycées Louis-le-Grand et Henri-IV et l'Institut Océanographique sont situés dans les environs immédiats). Au début, il ne connaît personne à qui il puisse confier son angoisse, et ses difficultés de langage, bien qu'elles ne soient pas graves, suffisent tout d'abord pour le désigner comme un étranger au lieu et au pays. Sa santé, qui ne fut jamais robuste, le préoccupe, le manque d'argent l'oppresse comme son incapacité chronique à résoudre les problèmes de la vie quotidienne : pour des raisons inconnues, même l'autobus lui paraît redoutable (« Les omnibus ne sont pas adaptés à ma maladresse »). Tout cela imprime en lui un sentiment de marginalité et le rapproche de ceux qui passent toute leur vie à l'écart et finalement « mourront... dans cette terrible ville ».

Le retour à Worpswede n'apaise ces douleurs que passagèrement. Il se sent depuis longtemps un étranger devant les peintres, et surtout devant Vogeler qui se dissout dans sa vie domestique — sa femme attend son second enfant et quand celui-ci arrive, Rilke et Clara doivent déménager à Oberneuland — et dont la création artistique se répète et s'épuise. Les relations de Rilke avec son beau-père sont également tendues ; le vieux monsieur souffre de sclérose et est sujet à des accès de colère. C'est précisément sous le toit des Westhoff que Rilke prend de plus en plus conscience, « même si ses proches, que cela concerne, ne le lui font jamais remarquer : qu'il ne peut toujours pas nourrir sa petite famille. On devine, à le lire, que quelques membres de la famille le lui ont fait sentir. Les jours qu'il passe avec Ruth, qui fait seulement alors la connaissance de ses vrais parents, sont la seule clarté dans cet été improductif même littérairement :

> D'abord, quand nous sommes arrivés (raconte-t-il à Lou qui, femme de quarante-deux ans sans enfants, a dû sentir, à cette lecture, bien des idées lui passer par la tête), nous avons essayé d'être très silencieux, comme des choses, et Ruth était assise et nous regardait longuement. Ses yeux graves, bleu foncé, ne se détournaient pas de nous, et nous avons attendu presque une heure sans bouger, comme on attend que s'approche un petit oiseau que tout mouvement peut effaroucher. Et à la fin elle s'est rapprochée toute seule et nous a adressé quelques mots, pour voir si nous comprendrions ; plus tard, elle a aperçu de tout près dans nos yeux sa petite image étincelante. Et elle s'est exclamée et a souri ; ce fut sa première familiarité.

Quelques semaines plus tard, elle doit de nouveau revenir sous la garde de sa grand-mère : Rilke et Clara partent pour Rome, où ils passeront l'hiver avec l'aide d'une bourse et où, comme d'habitude, chacun travaillera pour soi. On prévoit en cours de route une brève entrevue avec le père de Rilke, à Marienbad. Comme en témoigne l'une des rares cartes postales de sa main qui nous soit parvenue, Josef Rilke, toujours soucieux des bienséances extérieures, a exigé de son fils et de sa bru qu'ils paraissent devant lui et devant les autres curistes « bien habillés ». Il ordonne même à son fils de se faire faire un costume chez son propre tailleur pragois. Se rappelle-t-il une promenade, il y a bien longtemps, sur le Graben, en compagnie de René adolescent dont les vêtements laissaient à désirer ? Rilke de son côté pense-t-il, en écoutant les conseils bien intentionnés de son père à Marienbad, qui lui fait valoir les avantages d'une tranquille existence de fonctionnaire, à ce poème du *Livre d'Heures* où il demande :

Le père n'est-il pas pour nous ce qui *était :*
les années passées, devenues étrangères,
gestes vieillis, costume mort,
mains fanées et cheveux pâlis ?

Josef Rilke regagne bientôt son logis de célibataire de la Pflastergasse à Prague, tandis que les jeunes gens continuent leur voyage vers Rome via Munich et Venise, d'où ils envoient à « leur cher bon Papa », pour Noël, une carte avec leur photo. Ils habitent d'abord près du Capitole, jusqu'à ce que Rilke s'installe dans le Studio al Ponte, un petit atelier situé sur un pont dans le jardin de la villa que le peintre alsacien et mécène Alfred Strohl-Fern possède près de la Piazza del Popolo. Clara habite son propre atelier dans les environs.

Bien que Rome ne lui coupe pas le souffle comme Paris, Rilke est bientôt de nouveau déçu. Comme nombre de visiteurs avant lui, il recherche l'antiquité à Rome et y trouve le baroque. Il semble même estimer moins Michel-Ange, que Rodin et Clara lui ont si bien révélé, que des artistes comme Guido Reni ou Guercino. Seuls les aqueducs et les fontaines trouvent aussitôt son approbation, il leur dédiera plus tard un poème célèbre, les *Fontaines de Rome*. Mais il se plaint bientôt de la pluie, de la place prédominante des musées dans l'impression que produit la ville — en opposition à Paris, si vital — sur le voyageur. Il se plaint enfin de sa mauvaise santé :

Ces étranges irrégularités dans la circulation de mon sang (lisons-nous dans une lettre à Lou), dont je t'ai déjà parlé il y a des années, sont revenues et m'ont donné des jours et des nuits passés dans les plus violents maux de tête et de dents, avec une torturante lenteur et sans profit...

A peine s'est-il installé que ses pensées rôdent déjà au loin : en Russie, pour laquelle il s'inquiète à cause de la guerre russo-japonaise, en Allemagne, où il traite avec Juncker et l'Insel-Verlag pour une nouvelle édition des *Histoires du Bon Dieu ;* et avant tout en Scandinavie.

Le désir de connaître le Danemark n'a jamais quitté son esprit depuis ses premières lectures de Jacobsen. Depuis lors, la connaissance qu'il a prise de la littérature scandinave contemporaine (parmi les auteurs sur lesquels il a écrit des articles on trouve Karin Michaelis, Herman Bang et Ellen Key) a encore approfondi sa sympathie. A Rome, il s'achète une grammaire danoise, lit le *Journal d'un séducteur* de Kierkegaard et fait le projet d'un livre sur Jacobsen. Sa correspondance avec Ellen Key devient de plus en plus animée ; elle lui procure une invitation au domaine de Borgeby-gård dans le sud de la Suède, il lui fait envoyer ses livres, sur lesquels elle donne une conférence à Göteborg et Copenhague.

Mais le travail pour lequel il s'est installé à Rome s'arrête et tarit bientôt complètement. Hormis quelques poèmes datant de janvier 1904, comme *Orphée, Eurydice, Hermès* et *La naissance de Vénus*, inspirés par des tableaux romains, il n'écrit que le début de *Malte Laurids Brigge* (qui s'appelait encore à ce moment-là *M. L. Larsen*). Ces quelques pages représentent, certes, comme il en juge lui-même, « une prose presque sans faille » et un « progrès », mais ce ne sont que quelques pages. La visite de sa mère, que l'on ne peut plus différer, et d'autres petites contrariétés lui gâchent bientôt son séjour à Rome. Il reviendra encore souvent en Italie, mais il en prend intérieurement congé, et dit adieu à cette nature trop évidente, qui ne tolère aucun mystère (« Ici, le rossignol n'est vraiment qu'un petit oiseau impétueux, au chant sans profondeur et à la nostalgie facilement apaisée »), à son grand passé qui flotte sur les épaules fragiles des descendants comme un manteau trop large (« ... la vie illusoire de ce peuple passé, l'art verbeux de ses descendants, les vers de D'Annunzio, beaux comme des jardins fleuris »). Cette réaction est commune chez bien des Nordiques visitant l'Italie, de Goethe à Thomas Mann et autres, qui ont franchi les Alpes avec enthousiasme et au bout d'un moment, déçus, ont tourné le dos au pays. Jens Peter Jacobsen était même parvenu à trouver Florence ennuyeuse et Naples « hideuse [89] ».

Ainsi, l'aiguillage est braqué vers la Scandinavie. En juin 1904, Rilke part pour le Nord et, second Tonio Kröger et presque au même moment que ce parent en esprit, arrive au Danemark après une traversée tempêtueuse.

La Scandinavie et l'objectivité

I.

Après un court séjour à Copenhague, « la ville de Jacobsen », où il peut admirer devant la glyptothèque les « Bourgeois de Calais », de Rodin, en bronze, Rilke traverse l'Oresund et poursuit son voyage jusqu'à Malmö, en Suède. Là, il est reçu par Ernst Norlind, l'ami et le futur mari de Hanna Larsson, propriétaire de Borgeby-gård et hôtesse de Rilke. C'est « une petite personne solide, aux cheveux bruns... simple comme une contrôleuse d'omnibus ou une aubergiste, plus être humain que femme », et qui descend d'une famille de paysans en les mains desquels le domaine est récemment tombé. Comme elle ne sait pas l'allemand et que Rilke ne sait guère le danois, ils se comprennent en français ; Norlind, peintre et poète, a rapporté un peu d'allemand d'un séjour à Munich.

Borgeby-gård, entre Malmö et Lund dans la province de Skane, au sud de la Suède, est composé d'un château (une vieille tour flanquée d'une maison de maître) avec les dépendances habituelles, un parc avec une vaste étendue boisée, des champs et des landes. Un chien, bien entendu, figure dans le paysage, et souhaite la bienvenue à sa manière à l'invité : « Il flaira tout ce que j'apportais de nouveau, avec attention, pressa sa tête contre moi, fit encore quelques va-et-vient scrutateurs et dit ensuite quelque chose de profond, d'approbateur. » Rilke se fait accompagner par lui dans les promenades pieds nus à travers les prés, et quand il visite les étables — le domaine possède deux cents vaches —, où il boit une écuelle de lait chaud : « On voyait toujours de bas en haut des dos, des dos chauds et des souffles... Et un doux ruminement, et de la vie et du bien-être. »

Comme il n'a rien d'urgent à écrire et guère d'obligations sociales, il peut goûter à longs traits la vie campagnarde. Après le pluvieux hiver romain et le printemps hâtif et criard du Sud, il ressent comme un pur bienfait le temps frais, le vent, le parfum des giroflées, des phlox et des mauves, les tempêtes qui déferlent de la mer et effarouchent les corneilles à la cime des arbres. Bien qu'il soit souvent et volontiers seul, les visiteurs occasionnels de Borgeby-gård lui sont sympathiques, surtout l'étudiant en zoologie Torsten Holmström, venu de l'université de Lund pour tirer des canards. Dans une lettre à Clara, il décrit ce jeune homme qui « avec cette attention du chasseur, braquée vers le lointain, que Tourgueniev aimait », court les champs et emporte... *Nils Lyhne* dans sa poche.

Malgré des semaines de repos et de contemplation, l'inspiration ne veut toujours pas venir. Rilke se console en se disant que ce séjour à la campagne lui donne des forces et que de toute façon il ne travaille jamais bien en été ; sa saison, c'est l'automne. En outre, il remarque que même sa conversation s'épuise. Malgré les égards que ses hôtes lui prodiguent — c'est-à-dire pour l'essentiel qu'ils le laissent seul avec lui-même —, et bien que leur amie commune Ellen Key leur ait recommandé de ménager Rilke, celui-ci se croit tenu de paraître au dîner et de participer à la conversation. Même s'il constate ensuite la présence en lui d'un goût amer, une « sensation de dépense », « un état d'âme d'après-boire ». Ces mots dramatiques, pour désigner un entretien avec Ernst Norlind et Hanna Larsson ? Il faut admettre que ces gens, même s'ils font « du bien » à Rilke à leur manière bienveillante sans discrimination, lui demeurent finalement étrangers, même si plus tard Norlind appartiendra au très petit nombre d'hommes qui pourront tutoyer Rilke.

Au demeurant, celui-ci s'abandonne à présent, comme toujours dans les périodes improductives de sa vie, à cet état d'âme mi-larmoyant, mi-grincheux, où il déchire tout le monde à pleines dents. Quand par exemple Holitscher, qui projette un voyage en Angleterre, interroge Rilke, dans une lettre, sur ce pays, Rilke s'abrite derrière son ignorance : « Tout ce qui est anglais est pour moi étranger et lointain ; je ne connais pas la langue de ce pays, je ne connais presque rien de son art, aucun de ses poètes ; et le mot de " Londres " représente pour moi quelque chose de torturant[90]. » L'Angleterre ne lui sera jamais très familière, et il ne s'y rendra jamais. Il n'est pas, cependant, et de loin, aussi borné qu'il veut bien le prétendre au sujet de la littérature anglaise. Rilke, à cette époque, procède de même avec la musique, dont il ne trouvera le chemin (et sans s'y engager bien loin) que plus tard. C'est de ce même été (où il a dû subir un concert familial, sans doute), que date une remarque hargneuse sur cet art avec ses « faciles effusions » auxquelles les musiciens ne peuvent résister que rarement : « C'est seulement quand, comme Beethoven le vivant ou Bach le priant, ils méprisent et repoussent effusion après effusion, qu'ils grandissent. Sinon, ils prennent seulement du tour de taille. » (Cette étrange liaison entre la musique et l'embonpoint est la réminiscence d'une expérience de jeunesse : Rilke, enfant, lors d'une promenade à Aussee, avait une fois en courant donné de la tête dans un gros monsieur, qui, connaissance faite, se révéla être Johannes Brahms.) Si la finalité du mot est de prendre forme, explique-t-il dans une lettre écrite de Suède, ce mot ne doit pas être gaspillé en conversation ou en musique, et le soir, fruit et couronnement du jour, ne doit pas être dispersé en conversations futiles. Et de fait, comme à Viareggio, il se fait à présent dispenser du dîner en commun à Borgeby-gård. A Jonsered, où il logera plus tard chez d'autres amis, il n'ose pas en faire autant, mais il se plaint de nouveau de se voir ôter ses soirées par les habitudes de la maison. « On déjeune à sept heures, constate-t-il avec résignation, et on reste ensemble. »

À la fin du mois d'août, Rilke fait la connaissance de sa correspondante Ellen Key ; elle vient en visite à Borgeby-gård et l'emmène aussitôt à Göteborg. Ellen Key est une femme de cinquante-cinq ans, d'esprit et de maintien résolus, mais prête à aider tous ceux qui s'adressent à elle. Dans son œuvre principale, *Le siècle des enfants* (1900), elle avait déjà souligné combien il est important, pour un être très jeune, de pouvoir se réaliser, et repoussé toute pratique tendant à une éducation orientée vers la performance. En faisant sans aucun doute allusion à ses propres expériences, Rilke, dans le compte rendu qu'il fait du livre, évoque l'école du temps de sa jeunesse exactement comme le champ « d'un combat systématique contre la personnalité », et ajoute que « faire des enfants libres... doit être la tâche la plus noble de ce siècle, car leur esclavage est dur et terrible ; il commence avant même qu'ils ne soient nés et s'achève quand ils sont eux-mêmes devenus adultes et parents, c'est-à-dire à leur tour oppresseurs de nouveaux enfants ». Devinant entre elle et lui ces points communs, il avait écrit à Ellen Key une première lettre de Paris et lui avait fait envoyer ses livres, parmi lesquels les *Histoires du Bon Dieu* qui lui plurent tellement que, en un geste élégant, il lui dédia la seconde édition. Ainsi se développe entre eux une relation animée, d'autant plus que la Suédoise, féministe convaincue, est liée avec nombre de ses contemporaines importantes et est l'amie de Lou Andreas-Salomé.

Voyant que Rilke, qu'elle ne connaissait jusqu'alors que par ses œuvres et ses lettres, n'est pas très versé dans les choses pratiques, Ellen Key essaie divers moyens de lui venir en aide ; elle veut lui épargner le destin du néo-romantique norvégien Sigbjörn Obstfelder, mort jeune et dans une grande pauvreté. Elle pense tout d'abord à trouver une *baby-sitter* pour le cas où Rilke et Clara voudraient emmener leur petite fille à Paris : idée qui enthousiasme moins les parents que la bienfaitrice sans enfants. Elle déploie aussi une grande activité — un travail de *public relations,* dirait-on aujourd'hui — pour faire connaître Rilke hors de la Scandinavie. Son essai le plus important sur Rilke paraît en 1904 et sera réimprimé plus tard dans le cadre d'une publication plus importante. Pendant des années, elle mentionnera Rilke dans ses conférences pédagogiques (au cours de l'une d'elles, le major-général en retraite von Sedlakowitz apprend la gloire poétique de son ancien élève et décide de renouer relation avec lui). Ainsi, la rencontre personnelle de Rilke et d'Ellen Key renforce-t-elle une amitié qui inclut bientôt Clara, venue en Suède pour une visite de quelques semaines. Pour le soixantième anniversaire d'Ellen Key, en 1909, Rilke écrira un hommage à l'œuvre de celle-ci ; hommage qui paraîtra dans un journal suédois, avec des vœux adressés par des esprits aussi différents que Maurice Maeterlinck et Maxime Gorki. A ce moment-là, peut-être déjà lors d'une rencontre en 1906 à Paris, leur relation n'en est déjà plus à son point culminant. Ellen Key est choquée par l'irréligiosité de *Malte Laurids Brigge,* livre qu'elle considère comme morbide. Rilke à son tour se heurte à l'activité incoercible, maternelle et socio-pédagogique, de celle qu'il traite à la fin de « tante de tout le monde », « les poches pleines pour ceux qui se délectent de morceaux de sucre et de bonbons à bas prix, mais qui n'a jamais pu apaiser la faim d'un seul homme [91] ».

Mais, en automne 1904, tout cela se trouve encore dans un lointain avenir. Lors d'une visite éclair à Copenhague, Rilke fait la connaissance de l'écrivain suédoise Karin Michaelis, dont il a déjà lu et critiqué le *Destin d'Ulla Fangel.* Il a aussi l'occasion de parler avec le critique influent et savant lettré Georg Brandes, qui, selon lui, est certes « aimable et bon », « mais vieux et plus semblable à un lieu de divertissement... qu'à un être humain » (jugement inspiré peut-être par le fait que la junonienne Clara avait enthousiasmé le petit vieux monsieur). L'amitié de Rilke pour la femme peintre Tora Holmström, avec laquelle il s'entretient de Goethe qui, à cette époque, était encore bien loin de lui, date aussi de ces jours-là. L'ingénieur en textiles Jimmy Gibson et sa femme Lizzie, il les a déjà rencontrés, à Göteborg, grâce à Ellen Key. Au lieu de revenir à Borgeby-gård, il accepte l'invitation des Gibson et va avec Clara habiter la maison Furuborg, dans le faubourg industriel de Jonsered, aux environs de Göteborg.

L'amitié d'Ellen Key et de la famille Gibson n'a pas pour seul motif leur commune origine écossaise. Ce qui les relie, c'est en premier lieu leur intérêt, bientôt partagé par Rilke, pour la réussite d'une nouvelle école, la « Göteborgs Högre Samskola » fondée en 1901. Cette école doit servir à l'éducation commune des enfants, des professeurs et des parents, les premiers demeurant quand même l'objectif principal, car le but de l'entreprise n'est rien moins que l'obtention d'un être humain nouveau et libre, harmonieusement développé. La Samskola s'inscrit ainsi dans un mouvement de réforme pédagogique qui se manifeste également ailleurs : *Ecole et société* de John Dewey paraît en 1900 à New York, Maria Montessori ouvre en 1907 la première « Casa dei Bambini » à Rome. A la Samskola, l'aménagement intérieur est déjà inhabituel, par rapport aux coutumes de l'époque : le professeur n'est pas assis sur une chaire élevée, on peut disposer à son gré les tables et les chaises, le bâtiment ne sent pas « la poussière, l'encre et la peur..., mais le soleil, le bois blond et l'enfance ». Ainsi s'exprime Rilke dans un essai qu'il lit aux amis de Gibson à Jonsered et qu'il publiera plus tard dans la *Zukunft,* pour faire connaître la Samskola au public allemand. Dans les ateliers, les enfants apprennent un métier manuel, et des spécialistes leur enseignent à manier tel ou tel matériau. Mais les parents aussi vont et viennent dans cette école, ou bien arrive un visiteur qui a vu d'autres pays et en parle. La plus grande perméabilité, l'ouverture à la société, font partie des caractéristiques de ce genre d'établissement qui ne connaît ni la volonté de performance ni les examens, et dont les professeurs enseignent moins qu'ils ne s'efforcent de ne « rien déranger ».

Il peut paraître surprenant de voir Rilke, qui s'occupe fort peu de politique sociale et n'entend rien à l'administration, se passionner à tel point pour un modèle pédagogique qu'il envisagera même d'ouvrir avec Clara une Samskola quelque part dans le Nord. Et pourtant, le phénomène a sa logique. Tout d'abord, parce que Rilke fait partie de ces nombreux poètes allemands pour lesquels l'entrée à l'école est demeurée un trauma dont les conséquences les font souffrir toute leur vie. Il n'est pas nécessaire de rappeler Schiller ou Keller*. Précisément dans les années qui nous intéressent, on avait vu paraître plusieurs livres où était exposée en toute acuité la misère scolaire allemande — allemande, car aucune autre littérature ne peut proposer une intensité de sentiment comparable à ces œuvres et aux expériences qui les ont motivées : *L'éveil du printemps* de Wedekind, *Les Buddenbrook* de Thomas Mann, *La leçon de gymnastique* de Rilke et *Professeur Unrat* (au cinéma *L'Ange bleu*) de Heinrich Mann, *Sous la roue,* de Hesse et *Les désarrois de l'élève Törless,* de Musil. Qu'y avait-il de plus naturel pour un poète, non seulement de dénoncer ces abus, mais de songer à des remèdes pratiques ? On est plutôt étonné de voir que tous ne l'ont pas fait. La Samskola lui

---

* Gottfried Keller (1819-1890) poète, conteur et romancier suisse. Son chef-d'œuvre est *Henri le vert.*

donnait une possibilité de concrétiser ses élans éducateurs, en
mettant à leur disposition un établissement tout entier et la doctrine
qui animait celui-ci. Autant qu'on le sache, il n'y a dans sa vaste
correspondance pas une seule lettre où il jouerait le maître d'école,
comme Goethe l'avait fait avec sa sœur Cornelia ou Kleist avec sa
fiancée Wilhelmine von Zenge. L'index levé ne figure pas dans les
accessoires de Rilke. Même lorsqu'il donne des conseils à d'autres,
comme dans ses lettres à son beau-frère Helmuth Westhoff ou à
Kappus, il ne se montre jamais tatillon envers son correspondant
que, fait caractéristique, il ne connaît pas, souvent, lui-même. Ce
qu'il peut posséder d'esprit pédagogique se voue plutôt aux institutions qu'aux individus.

Il va donc de soi que la salle de gymnastique de la Samskola, et
non n'importe quel local de location, accueille le 17 novembre 1904
la lecture poétique faite par Rilke devant deux cents personnes. Le
programme comprend entre autres l'épisode sur Michel-Ange *Celui
qui écoutait les pierres,* tiré des *Histoires du Bon Dieu,* et les poèmes
La panthère, et *Orphée. Eurydice. Hermès.*

Parmi toute l'idéologie de la Samskola, la suppression de
l'enseignement religieux formel recueille tout particulièrement l'approbation de Rilke : « On s'est décidé, écrit-il dans l'article destiné à
la *Zukunft,* à exposer les sujets bibliques d'après leurs sources les
plus pures et les plus dénuées d'intention, et l'on veut peu à peu en
venir à enseigner la religion non pas une ou deux fois par semaine,
mais toujours, chaque jour, dans chaque objet et à toute heure. »
Quand, peu après, on lui envoie un questionnaire destiné à des
hommes de différents milieux et métiers, composé par l'« Union
pour la réforme scolaire », de Brême, il se place entièrement, en se
référant au précédent de la Samskola, du côté de ceux qui veulent
supprimer de l'emploi du temps l'enseignement religieux.

Il n'a pas la même réaction sans équivoque en répondant à une
autre enquête organisée par le Dr Julius Moser et concernant la
« Solution de la question juive », comme on pouvait encore le dire en
1907 en toute naïveté et même en toute innocence. Rilke répond en
faisant allusion à l'« autofondation » du peuple juif, telle qu'elle
apparaît dans l'histoire de la religion. En s'expliquant ultérieurement
sur ce problème, il revient sur ses expériences scandinaves et
explique à un ami que, là-bas, on venait souvent le chercher
« comme on appelle un médecin » pour qu'il lise dans les maisons
d'amis suédois la *Berceuse pour Miriam* de Richard Beer-Hoffmann.
De ce souvenir, Rilke en vient à parler du destin des Juifs, qui
peuvent supporter plus facilement leur absence de racines, car ils
« semblent favorisés par l'union innée en eux de la nationalité et de
la religion. Les Juifs, poursuivit-il, ont à la fois un pouvoir dissolvant

et un pouvoir constructeur et selon que l'on souligne l'un ou l'autre aspect de cette démarche juive, on devra la redouter ou la célébrer. » En une formule qui manque de transparence, il semble incliné vers une solution sioniste, sans entrer dans des détails spécifiques ni considérer la question comme pressante : « Ce ferment, écrit-il en conclusion à une amie juive, lorsqu'il aura suffisamment agi, doit être retiré et placé dans le vase qui lui convient le mieux. Le mouvement sioniste, issu d'une impulsion purement juive, serait le commencement de cette séparation probablement obligatoire [92]. » (Quand celle-ci fut finalement réalisée, Rilke n'était plus en vie. Il ne pouvait pas soupçonner que la « séparation » prendrait la forme de l'extermination de tout un peuple ; les Juifs non plus, alors, ne le soupçonnaient pas. Rilke, admirateur de Beer-Hoffmann et de Kafka, promoteur de Else Lasker-Schüler et de Franz Werfel, ami de Samuel Fischer et de Kurt Wolff, familier aussi bien de Walther Rathenau que de Ernst Toller, et homme lié avec de nombreuses femmes juives, n'était pas un antisémite — même s'il a accepté en silence l'antisémitisme de sa mère ou de quelques amis comme Marie de Tour et Taxis, et s'il eut bien des griefs envers certains Juifs, comme envers des Allemands et des Autrichiens.)

En automne 1904, Rilke traduit les lettres de Sören Kierkegaard à sa fiancée, qui le fascinent par leur intensité poétique et certains échos de sa biographie personnelle (par exemple la difficulté de concilier l'amour envers un être humain et le travail considéré comme le but de la vie). Il remanie d'autres œuvres, comme *La Princesse blanche* et le *Cornette,* dont seront réalisées en Suède la version définitive de la première, et la seconde version de l'autre. Le roman ne fait pas de progrès notables, mais il est évident que Malte n'est pas danois par hasard et que sans cet arrière-plan personnellement vécu, plus suédois que danois dans son contexte social, son créateur n'aurait pu le rendre plausible. Car Rilke ne serait pas Rilke si, même dans le Nord, il ne s'était pas identifié à une vie étrangère, passée, souvent féminine, et ne lui avait pas donné un accomplissement poétique : « Des souvenirs, qui ne sont pas tous à moi, vont réprimés et clairs à travers ma chambre [93] », écrit-il plus tard de Paris, décrivant ainsi la matière dont il tisse quelques-uns de ses plus précieux tapis. Ainsi, le poème *Dans un parc étranger,* inclus dans les *Nouveaux Poèmes* avec le sous-titre « Borgeby-gård » est le monologue d'un poète qui devant la pierre tombale d'une femme, évoque celle-ci, maîtresse de Borgeby-gård il y a bien des années. Rilke savait par de vieilles chroniques que le château avait été pendant des siècles un comté, hérité du côté maternel, de filles en filles : deux caractéristiques qui devaient le lui rendre particulièrement cher.

Au début de décembre, alors que Clara est de nouveau en

Allemagne et qu'il est lui-même sur le point de partir, il lui arrive une aventure qui illustre cette métamorphose du visible en monde intérieur, si particulière aux œuvres de sa maturité. Lors d'une visite chez le frère d'Ellen Key, on voyage pendant des heures, par le train et en traîneau — et quand on se trouve enfin devant le château, il apparaît que... il n'y a plus de château, il est « métamorphosé » :

> Mais là où quatre marches montaient avec peine et pesanteur, de la place vers la terrasse, et où cette terrasse... croyait préparer au château, là, il n'y avait rien, rien que quelques buissons écroulés sous la neige, et du ciel, du ciel gris et tremblant, et des flocons qui tombaient, se détachant de son crépuscule. On devait bien se dire que non, il n'y a pas de château ici, on se rappelait avoir entendu dire qu'il avait été incendié il y avait des années, mais on sentait pourtant que quelque chose était là, on ressentait d'une certaine manière que l'air derrière cette terrasse n'était pas encore confondu avec le reste de l'air, qu'il était encore divisé en couloirs, en chambres, et formait encore, au milieu, une salle...
> Mais voilà qu'apparut à l'aile latérale du domaine, le maître de maison, grand, large, avec une moustache blonde, arrêtant l'aboiement des quatre longs lévriers ; — le traîneau passa devant lui en décrivant un arc le long de la toute petite aile droite, et de sa petite porte sortit la bonne Ellen Key, noire et invisible, mais toute joie sous ses cheveux blancs.

Dans le souvenir du jeune Malte Laurids Brigge, c'est le château de la comtesse Schulin qui, incendié depuis longtemps, est senti et même vu derrière le grand perron, même si les prosaïques Schulin prétendent ne pas le percevoir. « Si maman et moi habitions ici, affirme Malte, il serait toujours là. » Dans la *Septième Elégie,* cette image est approfondie et généralisée :

> Nulle part, bien-aimée, le monde ne sera, si ce n'est intérieur. Notre vie
> se passe entière à la métamorphose. Toujours s'amenuisant,
> s'évanouit le monde du dehors. Où se voyait naguère une maison durable,
> c'est une image qui surgit, et qui l'éclipse, et qui convient si pleinement
> à la pensée, qu'on la dirait toute dressée encore dans le cerveau [*].

II.

Peu avant Noël 1904, Rilke revient de Suède et passe les jours de fête avec sa femme et sa fille. Il a besoin de repos. Il s'est fait

---

[*] Seuil, t. 2, p. 333.

examiner en automne dans une clinique danoise, on lui a trouvé de l'anémie, des troubles de la circulation et un épuisement général. Le hasard veut qu'il reçoive, par l'intermédiaire d'Ellen Key qui vient de faire une conférence à Vienne, une bourse offerte par des amateurs de littérature.

Rilke n'a jamais eu de rapport bourgeois à l'argent : sans être vraiment malade, il utilise aussitôt cette somme inattendue pour faire une cure. Et il ne va pas passer quelques jours dans une station balnéaire pour tout le monde, mais, bien que le soutien financier de sa famille lui soit à présent retiré et que ses œuvres ne lui rapportent pas encore de revenus notables, il se rend avec Clara, pour six semaines, dans l'un des sanatoriums les plus chers d'Europe, au « Weisser Hirsch » du Dr Heinrich Lahmann, où ils avaient déjà vécu tous les deux leur lune de miel. (Lahmann est originaire de Brême, où son frère possède une collection d'art ; on peut imaginer que Rilke et Clara espèrent un prix de faveur.) A cette époque, il ne connaît encore ni les gens riches qui plus tard, dans certains cas, lui viendront en aide, ni son futur éditeur, ami et conseiller financier Anton Kippenberg. Sa femme, qui d'abord reçoit peu de commandes, peut de son côté à peine subvenir à ses propres besoins et doit toujours demander le secours de sa propre famille. Comment Rilke, mis à part cet unique cadeau et quelques minces privilèges, peut-il s'offrir la vie qu'il mène ?

Le mystère s'éclaircit un peu si l'on considère quelques particularités de son caractère et la manière dont il vivait alors. Malgré une certaine désinvolture, il ne compte pas, financièrement parlant, au nombre des hommes qui vivent au jour le jour avec insouciance. Il se fait de réels soucis pour sa situation et demande même une fois à son ami Gibson s'il connaîtrait quelqu'un qui lui achèterait le manuscrit de *La Princesse blanche*. D'autre part, il n'a pas besoin de grand-chose pour vivre, non tant par esprit d'économie que par manque d'intérêt pour les occasions de dépenses qui s'offrent à tout le monde. Il mange, par exemple, très simplement, et si des restaurants végétariens comme l'Ethos à Munich, Natura Vigor et Jouven à Paris, ne sont nullement bon marché, il se contente réellement de lait, de légumes et d'un peu de fruits ; il est du nombre de ceux qui préfèrent manger du pain et du fromage sur une table bien mise, qu'une oie rôtie dans une auberge peu soignée. Bien qu'il aime voyager, il monte en troisième ou en deuxième classe et préfère plutôt des hôtels insignifiants mais confortables, à d'autres plus modernes et plus chers ; à Munich, il loge au Marienbad, dans la Barerstrasse, à Paris à l'Hôtel du quai Voltaire et à l'hôtel Foyot, démoli depuis lors. Il aime être bien vêtu, et même parfois avec élégance, mais son mode de vie ne comportant ni activité corporelle ni obligation vestimentaire professionnelle, il s'en tire avec quelques vêtements de bonne qualité. Si un ami le voit, en 1908 à Munich, vêtu « de la manière la plus élégante, avec une longue redingote coupée à la mode viennoise, larges revers de soie et cravate coûteuse », d'autres le décrivent comme bien habillé, mais sans rien de frappant (tandis qu'un psychanalyste a voulu voir dans le soin consacré par Rilke à ses vêtements un « refoulement de l'analérotique[94] »). Personne n'attend de Rilke qui ne peut dire sien aucun logis, aucune maison, qu'il rende l'hospitalité qu'on lui offre. Il le fait cependant : par des dédicaces ou des poèmes, ou à la manière des célibataires, avec des fleurs, ou en apportant une bouteille de vin. Ce que signifie l'économie, il le découvre toutefois lorsque Ellen Key, aisée mais avare, lui rend visite à Paris : « Depuis qu'elle est ici, je vis dans une pauvreté encore inconnue de moi, tant que je suis avec elle. Nous attendons aux coins les plus divers les omnibus les plus variés, nous mangeons dans un Duval (dans les " bouillons Duval " on mangeait alors pour 2,50 à 3 francs) presque furtivement, et je pressens qu'elle se nourrit surtout de ce qu'on lui sert quand elle rend une visite. »

Même si Rilke n'a pas besoin de grand-chose pour vivre et avoue ne rien comprendre aux origines et à la fonction de l'argent, il n'est pas totalement ingénu dans ce domaine. Il n'emprunte jamais à ses amis, c'est vrai, et refuse, par exemple, de recevoir un honoraire pour sa lecture de Göteborg ; mais ce n'est que l'expression de sa bonne éducation. Malgré toutes les louanges qu'il adresse à la pauvreté, « lumière de l'intérieur », il a une idée extrêmement réaliste des joies de la richesse, ne serait-ce que la possibilité de tirer ses amis d'embarras, comme Gibson le fait pour lui. A Lou, il décrit sans se gêner, dans une lettre, les avantages financiers de loger chez les autres : il peut renouveler sa garde-robe à Jonsered au lieu d'employer son argent à se nourrir.

Au demeurant, dépenser, qui doit s'apprendre aussi bien que gagner ou épargner, est au nombre des arts que Rilke maîtrise de bonne heure. Un exemple de cette maîtrise est sa décision de faire cette cure au « Weisser Hirsch ». Son véritable motif devait être profondément ancré dans son subconscient, car il allait cette fois au-devant d'un destin qui sera souvent le sien désormais : quand il se trouve sans ressource et a besoin d'aide, cette aide lui est accordée sans qu'il ait à bouger un doigt (il est vrai que s'il l'aperçoit à l'horizon il fait tout pour que l'eau arrive à son moulin). Car il devra à ce séjour la connaissance de la comtesse Schwerin et, grâce à elle, de tout un cercle de mécènes influents ; la belle-mère de la comtesse, la baronne Julie de Nordeck zur Rabenau, dite « Frau Nonna » ; sa sœur, Alice Faehndrich, mariée à un bourgeois, employé de justice ; sa fille, Gudrun von Uexküll ; ses amis Karl et Elisabeth von der

Heydt. Rilke passe deux hivers chez les Uexküll à Capri, il est reçu assez souvent à Bad Godesberg et à Berlin chez les Heydt. Plus tard, il nouera relation avec les amis des précédents, et leurs parents, le baron August von der Heydt et sa femme Selma, la comtesse Mary Gneisenau, écrivain, et sa sœur, Edith von Bonin, peintre, la comtesse Lily Kanitz, connue sous son pseudonyme de chanteuse, « Menar » ; et de nombreux messieurs et dames de la noblesse, si bien qu'en fin de compte en lisant un *Almanach de Gotha* qu'il trouve sur sa table à Duino, il rencontrera autant de noms amis que l'on en trouve en feuilletant un carnet d'adresses.

Au bonheur qui surgit dans les perspectives sociales de Rilke s'ajoute sa capacité personnelle à saisir la chance aux cheveux. Car Louise von Schwerin, qu'il n'aurait *pas* rencontrée dans la station thermale de tout le monde, s'arrête pour quelques jours à peine au « Weissen Hirsch », où il y a certainement d'autres curistes qu'elle-même et le couple Rilke. Le poète, d'habitude si timide, s'est probablement fait connaître à la comtesse, il doit même lui avoir produit une impression inoubliable car cette première entrevue aboutit bientôt à des relations avec toute la famille et à des invitations dans leurs propriétés. Quelques-unes de ces femmes ont essayé de décrire le fluide qui émanait de Rilke, d'autres se sont bornées à s'y soumettre. Mais en quoi consistait-il ? Bien que les circonstances aient varié selon les cas, cette première rencontre permet d'avoir une idée des relations de Rilke avec ses nobles mécènes féminins.

Quand Rilke écrit de Dresde à Ellen Key que Clara et lui ne fréquentent personne, « si ce n'est, depuis trois jours, une aimable femme qui a entendu parler de nous et nous entoure de sa bonté, une comtesse Schwerin », on distingue quelques constantes de ses relations avec ses protectrices (ses amantes sont un autre problème). Il y a d'abord la gloire poétique qui le précède, ce degré de célébrité qui grandit à chaque publication, et aussi à chaque nouvelle entrée dans le monde : sans cela, Rilke, qui n'est ni jeune, ni beau, ni riche, ni de haute naissance, aurait eu du mal à attirer l'intérêt de ces dames. Il y a ensuite sa femme, qu'il traite avec une politesse choisie et qui bénéficie également des « bontés » comtales ; homme ostensiblement marié (quoi qu'il pense lui-même de ce mariage), il est « sûr », on peut le choyer sans éveiller les racontars. Et cela d'autant plus que Rilke, même quand il voyage seul, ne se donne pas les airs d'un homme célibataire ou mal marié (le noble poète « incompris » par sa femme au cœur dur). Sans compter le fait que Louise von Schwerin a cinquante-six ans et est mère d'une fille adulte. A cela s'ajoute sa maladresse (feinte, ou coquettement exagérée ?) dans la vie pratique, son tact allié à des manières exquises et son incapacité (où bien des femmes virent du défi) à l'abandon, même devant ceux qui lui sont le plus proches :

> Cet homme mal fait, si j'ose dire, était trouvé attirant non seulement par des tendrons aveuglés et enflammés par l'amour (ainsi l'effet produit par Rilke sur son entourage est-il décrit par un témoin), mais par des femmes naturellement sensuelles... Cet homme entièrement tourné vers le beau, et, au sens grossier du terme, sans virilité, était un représentant de son sexe comme les femmes n'en avaient jamais connu. Il était à la fois découvert et mystérieux comme personne. Cela attisait leur curiosité et leur désir. Mais comme il restait toujours également réservé et fermé... il exerçait sur elles une emprise persistante, qu'elles ne s'expliquaient pas et à laquelle elles succombaient tout simplement... C'était comme si ces femmes s'anéantissaient elles-mêmes, comme si elles n'étaient que le medium sans volonté de celui qui ne faisait pourtant rien pour cela[95].

La force d'attraction de Rilke sur des dames mûres de la noblesse, à l'humeur maternelle, est plus facile à comprendre que les avantages qu'il voyait, *lui,* en *elles.* (En ce qui concerne les hommes, son intérêt est plus compréhensible, Karl von der Heydt par exemple est un banquier qui écrit, et Jakob von Uexküll l'un des principaux biologistes de son temps.) Au nom de quoi, par exemple, la comtesse est-elle devenue cette « âme noble » (*einer Erhabenen*) qui survit dans la dédicace du *Cornette?* Certes, Rilke l'aimait bien et l'estimait beaucoup, et il avait de bonnes raisons à cela. Et nous devons tout aussi certainement voir en elle une femme du monde au cœur chaleureux, qui a des clartés sur l'art et écrit elle-même des poèmes. Elle était morte entre-temps, et Rilke est plus enclin que personne à célébrer les morts dans ses pensées et ses conversations. Et enfin, il veut se montrer reconnaissant envers les survivants. Mais « erhaben » — noble, sublime — sous la plume d'un artisan du langage aussi précis que Rilke, qui sait, par le dictionnaire de Grimm, que ce mot a le même sens que le latin *sublimis, altus, excelsus,* et a une signification quasi religieuse aussi bien dans la langue noble, dans le *Faust* de Goethe et chez Kant, que dans l'allemand de tous les jours ? Louise von Schwerin possède-t-elle des vertus qui restent inconnues de l'opinion publique, mais qui font d'elle, aux yeux de ses amis, un être tout à fait unique ? Rilke, comme Goethe, a-t-il des faiblesses pour la médiocrité bien pensante et bien née ? Ou s'efforce-t-il, à la manière du Jugendstil, de composer seulement une dédicace originale — comme le « placé dans les mains de Lou » du *Livre d'Heures ?* Questions qui se posent dès que l'on aborde Rilke, mais qui sont toujours demeurées sans réponse. Elles ne concernent d'ailleurs pas la seule Louise von Schwerin. Deux ans plus tard, Rilke fait la connaissance de la baronne Sidonie Nádherný von Borutin, avec laquelle il restera en relation jusqu'à sa mort. On a récemment publié l'apport de Rilke à leur correspondance ; de celle-ci, son éditeur pensait que « ni les lettres conservées ni son journal, ne reflètent entièrement son être », mais que pour avoir attiré l'amitié de deux hommes aussi importants que Rilke et Karl Kraus, « elle ne devait pas avoir été une femme ordinaire [96] » ? Peut-être n'était-elle en fait rien de plus qu'une jolie jeune baronne, maîtresse d'un château en Bohême, où Kraus, qui l'aimait, et Rilke, séjournaient volontiers...

De nouveau, la première idée qui nous viendrait à l'esprit n'est pas la bonne : Rilke, qui admire Sophie Liebknecht et Rosa Luxemburg, n'est pas un simple snob, ni un chevalier d'industrie qui par toutes sortes de tours cherche à se valoir les faveurs des cercles aristocratiques. Il refuse plus d'invitations qu'il n'en accepte. Quand von der Heydt l'invite, en été 1907, à Bad Godesberg, il refuse en remerciant et passe les mois chauds dans sa chambre d'hôtel à Paris, pour avancer *Malte Laurids Brigge.* Il adopte la même conduite avec une amie parisienne, la princesse Madeleine de Broglie (« Madonna » dans ses lettres), qu'il prie de ne pas l'inviter pour le moment, et avec Marie de Tour et Taxis, qui veut continuellement l'avoir à Duino et Lautschin et souhaiterait l'emmener en Egypte en 1913.

Peu après son séjour au « Weisser Hirsch », Rilke se rend à Göttingen, pour retrouver Lou comme ils se l'étaient promis depuis longtemps. Il ne l'a pas vue depuis quatre ans et demi, depuis le « dernier appel » de février 1901. Depuis, il s'est marié et est devenu père de famille, et s'est de nouveau considérablement séparé de sa famille. Grâce à l'imminente publication du *Livre d'Heures,* à l'édition du *Cornette* et du *Livre d'images* áugmenté, il va tenir la promesse contenue dans ses vers de jeunesse : Rilke est en voie d'être reconnu comme un poète important. Il a vécu en France, en Italie et en Suède, et rencontré en Rodin, pour la seconde et dernière fois après Lou, un être qui par la seule présence le force à reconsidérer bien des prémisses de sa propre existence. Dans ses monographies sur les peintres de Worpswede et sur Rodin, il s'est en outre révélé un expert en quelques domaines de l'art contemporain.

La vie de Lou est engagée à présent sur des voies plus calmes. Elle a peu publié pendant ces années, à l'exception de *Im Zwischen-land* (*L'escale*). Sa dernière grande aventure, son amitié avec Sigmund Freud et sa plongée dans la psychanalyse sont encore à venir. Avec son difficile mari, qui après des années d'allées et venues a obtenu une nomination à l'Université, elle s'est installée entre-temps dans la maison nommée « Loufried », sur le Hainberg près de

Göttingen. C'est là qu'ont lieu ses retrouvailles avec Rilke, qui se passent assez harmonieusement pour que celui-ci puisse écrire à sa femme :

> Nous souhaitons souvent que tu sois ici avec nous, quand nous sommes assis dans le jardin et que nous lisons, ou que nous parlons de toutes ces choses avec lesquelles je t'ai souvent tourmentée et qui deviennent à présent tellement plus légères ou du moins supportables dans leur pesanteur... Et si tout ici me réjouit et m'aide, il y a parmi les plus réelles des joies une certitude à peine réprimable : qu'à toi aussi cet être cher et grand ici te sera cher un jour... cet être de tant d'influence sur mon histoire intérieure.

Comment Clara a-t-elle pu recevoir cette lettre à la fois désarmante et monstrueuse, qui la rejette définitivement à la périphérie d'une vie au milieu de laquelle, avant comme après, trône Lou ?

En été 1905, Rilke fait encore un effort peu enthousiaste pour se fixer en Allemagne, tout d'abord comme auditeur chez Georg Simmel à Berlin. Après un séjour de trois semaines rempli de visites aux musées, il juge la ville insupportable et s'en va, avant le commencement du prochain semestre, à la campagne, au mauvais endroit, il est vrai, à Treseburg dans le Harz :

> Villégiature allemande, une petite vallée aussi large que le ruisseau murmurant l'a faite, et une route tout à côté pour que beaucoup de gens puissent passer. Et tout est plein d'inscriptions, d'index pointés en haut, en bas ou vers les coins, souvenirs, cartes postales, musique et distributeurs de chocolat, et une auberge bondée : je ne peux pas m'imaginer tenir ici jusqu'en août.

Il n'y tient pas, effectivement, mais va à Kassel et Marbourg ; il ne trouve de repos que chez Louise von Schwerin, au château de Friedelhausen, au bord de la Lahn, où Clara passe aussi quelques semaines. Lors de ce séjour, il se lie d'amitié avec Karl von der Heydt, qui, animateur du « Deutscher Kunst-Verein » et du Musée Kaiser-Friedrich, participe à la vie culturelle de Berlin et écrit des drames qu'il envoie à Rilke, que celui-ci lui retourne avec des remarques indulgentes mais passablement critiques. Même dans leur vénération pour Rodin, à qui von der Heydt achète une statue par l'intermédiaire de Rilke, ils sont d'accord. Rilke est donc tout à fait préparé à recevoir la lettre qui lui vient de Paris à la fin de l'été : une invitation de Rodin à loger chez lui lors de son prochain séjour à Paris, et à l'aider dans sa correspondance. Rilke accepte et, passant par Godesberg, où il fait une halte dans la villa wilhelminienne et somptueuse des von der Heydt, il arrive au début de septembre à Meudon.

« Comme un grand chien, écrit Rilke à propos de ses retrouvailles avec Rodin, c'est ainsi qu'il m'a reçu, me reconnaissant en tâtonnant des yeux. » (Plus tard, il prétendra que Van Gogh, sur un autoportrait, a l'air « comme quand un chien se sent mal », et il cite en l'approuvant la remarque de Mathilde Vollmoeller, peintre qu'il a connue dans le salon Lepsius à Berlin, au sujet d'un tableau de Cézanne : « Il (Cézanne) a dû s'asseoir là devant comme un chien, regardant avec simplicité, sans aucune nervosité ni la moindre arrière-pensée *. » Le chien demeure pour Rilke le symbole de la chaleur des créatures et de l'état naturel.) Rodin lui indique une petite maison particulière, avec salle de travail, chambre à coucher et garde-robe, et une vaste vue sur la vallée de Sèvres. On convient que pour un salaire mensuel de 200 francs (la moitié de ce qui est nécessaire pour mener à Paris une existence modeste), Rilke s'occupera de la correspondance, et qu'il éloignera du maître les lettres de solliciteurs, enquêtes et visiteurs importuns. Le « job » occupera Rilke deux heures tous les matins, pour qu'il puisse travailler l'après-midi et le soir. Il est traité comme un membre de la famille, accompagne Rodin en visite et est souvent présent quand des hôtes ou des commanditaires se rendent à Meudon au « jour » de Rodin, le samedi. Parmi ces visiteurs figure le comte Harry Kessler, diplomate et amateur d'art, Sir William Rothenstein, peintre, Sidonie Nádherný von Borutin et sa mère, et le poète belge, très estimé par Rodin, Emile Verhaeren ; Eleonora Duse vient aussi à Meudon, mais pas au même moment que Rilke. Quand George Bernard Shaw pose pour Rodin, Rilke a l'occasion de voir deux grands artistes au travail, car le dramaturge, qui n'a en fait qu'à rester assis en silence, se concentre aussi intensément que le sculpteur sur le maniement du mètre pliant et de la glaise humide.

Un jour, Rodin l'emmène en promenade à Chartres, et explique, comme Rilke avoue redouter l'ascension des tours, que les cathédrales, à cause de leur hauteur, sont toujours entourées d'un vent descendant. Comme pour se protéger de la froideur de ce vent, Rilke fixe son attention sur une statue figurant un ange, qui, au côté sud de la cathédrale, le visage heureux, tient devant lui un cadran solaire. C'est l'*ange du méridien* des *Nouveaux Poèmes,* qui préfigure un symbole de l'œuvre tardive de Rilke, l'ange déjà dérobé à l'humain :

> Dans la tempête qui assaille la puissante cathédrale
> ainsi qu'un négateur qui tourne et retourne sa pensée,

---

* Seuil, t. 3, p. 105.

on se sent soudain, par ton sourire
plus tendrement conduit vers toi :

Ange souriant, sensible figure,
bouche faite de cent autres bouches :
ne remarques-tu pas comment nos heures
glissent et tombent du plein cadran solaire

où le nombre entier du jour se tient en profond équilibre
parfaitement réel
comme si toutes les heures étaient pleines et mûres ?

Que sais-tu, pierre, de notre être ?
Et ton visage est-il encore plus ravi
lorsque tu présentes ton cadran à la nuit * ?

(C'était peut-être le jour où Rodin et Rilke quittèrent la maison
le matin de bonne heure, excités et sans dire où ils allaient. *Madame*,
prise de soupçons, les suivit jusqu'à la gare et dans le train sans se
faire remarquer. Les messieurs descendirent à la troisième station et
coururent joyeusement à leur rendez-vous. Madame se lança à leurs
trousses et découvrit celle qui les attendait : la cathédrale de
Chartres [97].)

Dans quelques instantanés réalisés à cette époque de fréquentation quotidienne, Rilke décrit cette capacité de travailler toujours et
partout qu'il admire tellement chez Rodin, et dont il essaie de
s'inspirer à la mesure de ses forces. Un jour où le vieillard avait
rendez-vous avec Carrière et où celui-ci n'était pas à l'heure, « Rodin
consulta plusieurs fois sa montre tout en expédiant son courrier, mais
quand je le regardai de nouveau (Rodin a dû lui dicter quelque
chose), je le trouvai absorbé dans son travail ». La vénération de
Rilke dépasse de loin ces détails de vie quotidienne pratique. La
figure de l'autre prend plutôt des traits archétypiques, voire métaphysiques :

Le cher Maître vient de m'appeler (raconte-t-il, en plein ravissement,
à Clara), *pour me montrer le paysage...* Et Il (*sic,* avec une majuscule,
comme dans la Bible) était de nouveau joyeux... et jeune, dans la joie
de faire tout cela et cela encore. Quel exemple pour nous !

Cela ne pouvait durer longtemps ainsi et cela ne dura pas.
Toutefois, l'image du poète déjà conscient de son importance, qui
réprime son propre travail et sert de secrétaire et de factotum à un
sculpteur, mérite d'être fixée avant qu'elle ne pâlisse. Rilke lui-
même n'en voudra plus et écrira que l'histoire de ses activités de
secrétaire « n'est rien de plus qu'une légende opiniâtre » ; au

_____
* Seuil, t. 2, p. 178.

moment dont nous parlons, il est plus honnête, plus reconnaissant et moins préoccupé de se styliser lui-même : « Sa grande et chère amitié me soutient intérieurement, et extérieurement l'emploi qu'il m'a donné pour me venir en aide [98]. » Leur relation est en tout cas sans pareille et se rapproche plutôt de la mentalité des « classiques », que de contemporains comme Thomas Mann et Gottfried Benn. « Devant la grande supériorité d'un autre, il n'y a d'autre salut que l'amour », disait Goethe.

Rilke découvre bientôt qu'il n'en sera pas quitte avec deux heures par jour et qu'il est en danger d'immoler toute sa liberté et son dernier grain d'énergie au service de Rodin, sans que l'autre ait la moindre conscience de ce sacrifice. Plus âgé et beaucoup plus robuste que Rilke, il voit la situation avec d'autres yeux : « *Mais oui*, répond-il à un visiteur allemand qui l'interroge, c'est un ami. Je le vois beaucoup et il m'aide quelquefois. *C'est un honneur pour moi* [99]. » Ce qui complique la vie de Rilke, malgré cet honneur et malgré toutes les stimulations artistiques et sociales qu'il reçoit dans la maison de Rodin, c'est sa propre manière de travailler, si minutieuse qu'il se plaint de passer dix fois plus de temps qu'un Français pour composer une lettre. Et Rodin, qui, amoureux de la marquise de Chantilly, traverse toutes les détresses de l'homme vieillissant, est souvent d'humeur irritable. Par malheur, leurs points de vue divergent alors totalement : tandis que Rodin considère la femme comme stimulante et inspiratrice, qui n'a point de part au travail de l'homme, elle demeure pour Rilke une partenaire différemment constituée, mais d'égale valeur.

Les tensions seraient apparues beaucoup plus tôt si Rilke n'était pas parti deux fois en tournées de conférences. En octobre 1905, il se rend à Dresde, où il donne sa conférence sur Rodin devant 650 personnes, et de là à Prague, où il trouve un public sensiblement plus réduit. Hormis une invitation à prendre le thé chez August et Hedda Sauer, il passe la majeure partie de son temps à Prague, avec son père, qui se remet lentement d'une pneumonie. En février et mars 1906, Rilke est de nouveau par les chemins. Il fait des conférences sur Rodin à Elberfeld et Hambourg et lit ses propres œuvres — on ne sait plus, bizarrement, quels textes il avait choisis — dans le salon de Cassirer à Berlin. Clara Rilke et Lou Andreas-Salomé, qui se sont rencontrées quelques jours auparavant et se sont trouvé réciproquement de l'intérêt, sont dans le public.

A Worpswede, où il fait une courte halte, il apprend que la mort de son père est imminente. Lou se rappela plus tard que Rilke négligea alors de partir assez tôt pour revoir le mourant encore en vie. Quoi qu'il en soit, il part pour Prague et s'occupe des démarches nécessaires, assisté par Clara ; comme le défunt (par peur d'être enterré vivant) avait souhaité qu'on lui perçât le cœur, pratique alors en usage à l'occasion, Rilke fait exécuter cette dernière volonté. Avant de revenir à Paris, il envoie à Phia, qui n'avait pu se décider à se rendre aux obsèques, des précisions sur le lieu où reposait Josef Rilke, « qui a été, pour toi aussi, il y a bien des années, un ami, un âpre ami, qui plus tard, sous la pression des circonstances, s'est éloigné de toi ».

Bien que la mort de cet homme depuis longtemps souffrant ne soit pas une surprise, Rilke en est d'autant plus bouleversé que sa brouille avec Rodin suit presque aussitôt. A peine Rilke est-il rentré à Meudon que ses conditions de travail deviennent insupportables. La fin, c'est vrai, a une brutalité inutile : Rodin lui donne son congé à l'improviste, à cause de deux lettres — l'une de Sir William Rothenstein et l'autre du baron Heinrich von Thyssen-Bornemisza, le collectionneur, toutes les deux adressées au secrétaire de Rodin — auxquelles Rilke avait tout naturellement répondu, geste que Rodin avait trouvé arbitraire et abusif. L'accusation est un pur prétexte, et Rilke la prend, lui aussi, comme telle. La rupture est totale, même si Rodin, l'année suivante, renouera leur relation. Rilke fait ses bagages et prend une chambre dans un rez-de-chaussée au 29 de la rue Cassette, où Paula Becker avait déjà logé. C'est l'actuel hôtel Paris-Dinard, où plus tard Romain Rolland, Ernest Hemingway et Albert Schweitzer descendirent. De là, il envoie à Rodin une lettre d'adieu, le 12 mai 1906, où il explique leur différend comme un malentendu provoqué par la dissemblance de leurs tempéraments. La lettre, en comparaison avec le traitement que Rilke vient de subir, est un document de grandeur humaine, et ne contient pas de reproches, mais conclut en faisant allusion à une justice immanente qui tôt ou tard « *corrigera le tort que vous avez voulu imposer à celui qui n'a plus de moyen ni de droit de vous montrer son cœur** ».

III.

Peu après avoir fait sa connaissance, Rodin donna au jeune Rilke le conseil d'aller visiter le Zoo, pour apprendre vraiment à voir. Le poète, qui aimait de toute façon les bêtes, ne se le fit pas dire deux fois et, les années suivantes, passa de nombreuses heures au Jardin des Plantes. Muni d'une *autorisation d'artiste,* il avait le droit de s'y rendre de 8 h à 11 h, avant l'entrée du public. L'un des

---

* Nous rétablissons ici le texte français de Rilke (Seuil, t. 3, p. 66), dont W. Leppmann avait donné une traduction. (N.d.T.)

premiers résultats de cet apprentissage du regard est un poème
imprimé en septembre 1903 dans la revue culturelle pragoise
Deutsche Arbeit : La panthère. Il est caractéristique — car il ne s'agit
pas ici d'une projection de l'imagination poétique, mais d'un
inventaire à la portée de tout le monde — que le poème porte
l'indication du lieu où il fut conçu : « Au Jardin des Plantes, Paris ».

> Son regard, à force d'user les barreaux
> s'est tant épuisé qu'il ne retient plus rien.
> Il lui semble que le monde est fait
> de milliers de barreaux et au-delà rien.
>
> La démarche feutrée aux pas souples et forts,
> elle tourne en rond dans un cercle étroit,
> c'est comme une danse de forces autour d'un centre
> où se tient engourdie une volonté puissante.
>
> Parfois se lève le rideau des pupilles
> sans bruit. Une image y pénètre,
> parcourt le silence tendu des membres
> et arrivant au cœur, s'évanouit *.

C'est peut-être le plus beau poème animalier de langue allemande, au moins pour le lecteur aux yeux duquel l'animal est plus
qu'un teddy-bear ou un toutou, et un poème plus qu'un tintement de
rimes. C'est un poème riche en finesses : l'encadrement par le mot
sein, chaque fois avec une acception différente, la perspective
inattendue (ce n'est pas le regard de la bête qui passe devant les
barreaux, mais l'inverse **), la rafale des mots en ä ou e : *Stäbe-hält-
Stäbe-gäbe-Stäben-Welt* (qui évoque le tap-tap-tap d'un bâton frotté
sur une grille par un enfant), et le dernier vers, expressivement
écourté d'un temps fort ***. *La Panthère* a été très souvent interprétée,

---

* Seuil, t. 2, p. 184.
** Cette nuance n'est pas rendue dans la traduction ici donnée. Il faudrait comprendre,
mot à mot : « Son regard si fatigué par le passage des barreaux... » (N.d.T.)
*** Pour ne pas priver le lecteur de l'analyse faite par W. Leppmann, il nous a paru
nécessaire de donner ici le texte original :

> *Sein Blick ist vom Vorübergehn der Stäbe*
> *so müd geworden, dass er nichts mehr hält.*
> *Ihm ist, als ob es tausend Stäbe gäbe*
> *und hinter tausend Stäben keine Welt.*
>
> *Der weiche Gang geschmeidig starker Schritte,*
> *der sich im allerkleinsten Kreise dreht,*
> *ist wie ein Tanz von Kraft um eine Mitte,*
> *in der betäubt ein grosser Wille steht.*
>
> *Nur manchmal schiebt der Vorhang der Pupille*
> *sich lautlos auf —. Dann geht ein Bild hinein,*
> *geht durch der Glieder angespannte Stille —*
> *und hört im Herzen auf zu sein.*

de préférence comme représentation symbolique de toutes les créatures prisonnières, l'homme inclus, qui dépérit en prenant conscience des limites imposées — dans son travail, dans sa famille, sans sa personne physique, dans sa vie civique etc. —, et que cette connaissance fait mourir. Un interprète moins métaphorique, mais d'autant plus appliqué, en est même venu à la conclusion prosaïque (après avoir étudié la *Vie des bêtes* de Brehm), que cette panthère était visiblement un spécimen « à un stade très avancé de captivité ».

C'est possible. Nous ne ferons pas référence aux livres, mais à la réalité, précisément parce que l'expérience d'où est issu le poème peut être réalisée facilement par tout le monde : il n'y a qu'à se promener dans un zoo. On découvre aussitôt que la panthère (ce n'est naturellement plus celle que Rilke a décrite) est aujourd'hui encore au Jardin des Plantes condamnée à s'abrutir dans une petite cage — torture qui se prolonge encore à Paris (comme d'ailleurs à Francfort). Ailleurs, ce sont d'autres bêtes, par exemple dans le « Wilhelma » de Stuttgart les ours, qui sont ainsi enfermés comme si le monde était fait « de milliers de barreaux et rien au-delà ». A Berlin au contraire, où la panthère vit dans des parois de verre et à Munich-Hellabrunn, où ses parents les tigres de Sibérie ont une installation à ciel ouvert, on sent beaucoup moins cette « danse de force autour d'un centre où se tient engourdie une volonté puissante ».

Ainsi, Rilke ne représente pas seulement une panthère, mais la bête menacée et prisonnière, et une certaine phase dans l'histoire du jardin zoologique, c'est-à-dire des relations de l'homme et de la bête. Il est vrai que le poème est si parfait, et « la démarche feutrée aux pas souples et forts » si exactement rendue, que l'on peut le ranger au nombre des œuvres dont la perfection limite la portée. Sous cet angle, *La panthère* n'appartient pas seulement aux « poèmes de choses » comme *La fontaine romaine* de Conrad Ferdinand Meyer et autres, mais fait aussi partie du même genre d'œuvres que le poème de Paul Celan *Todesfuge (Fugue de mort)*. La forme accomplie nous voile le thème : ici la torture d'une bête prisonnière représente le destin de nombreux prisonniers, là, l'assassinat d'innombrables êtres humains.

La panthère n'est pas seulement la pièce la plus lue et la plus ancienne des *Nouveaux Poèmes*, mais aussi l'une des plus caractéristiques. Ce n'est pas par hasard si la seconde partie des *Nouveaux Poèmes,* publiée à la fin de 1908 (la première était parue un an auparavant), est dédiée à Rodin. Ce qui est nouveau dans ces poèmes, c'est leur côté artisanal et objectif, y compris chez le poète lui-même qui, à la différence du *Livre d'Heures* ou du *Livre d'images,* reste à l'écart de toute action ou description et ne fait que

« voir » comme Rodin le lui a enseigné. Et il s'efforce de saisir
l'objet, ici la panthère, par l'observation la plus exacte, dans son être
particulier, et de la représenter en et par elle-même, sans intervention d'un « je » poétique. Sa propre réaction, qui peut aller de
l'enthousiasme à l'écœurement (*La charogne* de Baudelaire, à cause
de sa forme sans compromission — Rilke la nomme « impitoyable »
— appartient à ses poèmes préférés), est sciemment laissée de côté,
et ce poème entre autres possède une objectivité quasiment clinique.
En un autre contexte, Rilke décrit comme suit ce tournant qui le
mène à voir avec exactitude et à s'exprimer objectivement, et qu'il
accomplit sous l'influence de Rodin :

> O antique
> malédiction des poètes qui se plaignent là où ils devraient parler,
> qui jugent sans cesse leurs sentiments au lieu de les modeler ;
> qui pensent toujours savoir ce qui en eux
> fut triste ou heureux, pouvant ainsi
> en faire la louange ou s'en plaindre dans leur poème.
> Comme les malades ils emploient un langage plein de douleur
> pour décrire ce qui leur fait mal au lieu de se muer avec force en mots,
> comme le tailleur de pierres d'une cathédrale transplante son acharne-
> ment
> dans l'impassibilité de la pierre [100].

Le poème du *Livre d'Heures* * est encore au centre de son
univers :

> Je reviens de cette envolée
> par laquelle je me suis perdu.
> J'étais le chant, et Dieu, la rime,
> bruit encore dans mon oreille.

Dans les *Nouveaux Poèmes,* qui ignorent presque totalement les
mots « je » et « mien », la fonction du poète se borne à celle d'un
instrument enregistreur. Alors qu'auparavant il se laissait emporter,
en plein narcissisme, par ses états d'âme, et qu'il insérait dans le
Livre d'images des poèmes comme *Appréhension, Klage (Plainte)* et
Solitude **, il représente maintenant ce qui est typique et générique,
sous des titres comme *L'aveugle, L'adulte, La vieille Femme* ***. Au
lieu d'une image ou d'une suite d'images, il utilise volontiers un
symbole. Au lieu d'un sentiment, ce qui fut souvent le motif et l'objet
de sa poésie, on voit naître de l'observation exacte un condensé de la

---

* Seuil, t. 2, p. 311.
** Ces poèmes, à l'exception de *Klage,* se trouvent *in* Seuil, t. 2, p. 140.
*** Seuil, t. 2, p. 255, 191, 284.

connaissance d'un thème, d'un objet ou d'une « chose ». Dans les *Nouveaux Poèmes*, ce peut être une fleur *(Hortensia bleu)*, ou un animal *(La panthère)*, une œuvre d'art *(Torse archaïque d'Apollon)*, une figure architectonique *(La Fontaine romaine)*, un paysage *(In einem fremden Park, Dans un parc étranger)* ou un modèle humain *(Le prisonnier)*, un épisode biblique *(Consolation pour Elie)* ou mythologique *(Naissance de Vénus*)*, et d'autres encore. Les 73 poèmes de la première partie et les 99 de la seconde ou « de l'autre » ont ceci en commun que chacun d'eux vaut pour lui-même, est fermé sur son contenu et dans sa forme, qui est souvent celle du sonnet. Rien n'est emprunté à la vie quotidienne et presque rien au monde du travail. Là où le monde réel apparaît, par exemple dans *Le groupe* ou *Le bateau d'émigrants***, il est paré d'une telle étrangeté qu'il en devient méconnaissable. Ce n'est pas la hideur qui est omise, mais son rapport avec l'environnement social. Des titres comme *Corrida, La chasse au faucon, Héliotrope de Perse****, révèlent un certain ésotérisme, un renoncement volontaire au présent et à la réalité.

D'autres poèmes, eux, traitent des motifs traditionnels, comme la femme du roi Tyndare de Sparte, si souvent représentée en art, avec laquelle Jupiter engendra la belle Hélène. Est-il possible, se demande-t-on, non sans impatience, en lisant un titre comme celui de *Léda*, d'ajouter quelque chose de nouveau à ce thème rabattu ? C'*est* possible :

> Lorsque le dieu dans sa détresse pénétra
> le cygne, il s'effraya de le trouver si beau ;
> dans son désarroi il fondit en lui.
> Mais sa ruse déjà le poussait à l'action.
>
> avant d'avoir tenté les sentiments d'une existence
> non encore mise à l'épreuve. La femme, ouverte,
> reconnaissait déjà qui venait dans le cygne,
> savait déjà : il voulait une chose
>
> que dans le désarroi de son refus
> elle ne pouvait plus celer. Il descendit
> et, son col ondulant dans la main faiblissante,
>
> le dieu s'épandit dans l'amante.
> Ce n'est qu'alors qu'il jouit de son plumage,
> ce n'est que dans son sein qu'il devint vraiment cygne****.

---

* Tous ces poèmes, à l'exception de (sauf erreur de notre part), *In einem fremden Park (Dans un parc étranger)*, se trouvent dans Seuil, t. 2, p. 165 et suiv.
** *Seuil, t. 2, p. 257 et 261.*
*** *Id.*, p. 276, 275, 288.
**** Seuil, *id.*, p. 228.

Le poète n'est plus le témoin, le voyeur d'une scène lascive, mais il se transpose dans le rôle du dieu géniteur et vit comme tel l'acte sexuel : l'approche tout d'abord (« dans sa détresse... il voulait une chose »), puis le sommet (« son col ondulant... l'amante »), et enfin le retour à la perception du monde environnant (« Ce n'est qu'alors... »). Tout cela est rendu avec une grande exactitude psychologique et physiologique, et avec une incomparable subtilité de langage. Dans combien de gloses, du sublime à l'obscène, en langage biblique ou bordélique, n'a-t-on pas déjà vu scintiller le seul vers « La femme ouverte reconnaissait déjà qui venait » ? Quelle vérité dans le mot quasi kleistien « désarroi » (en fait : dans l'adjectif quasi kleistien *verwirrt*), dont la répétition aurait effrayé un poète de moindre stature ! Dans combien de pages faut-il étudier l'emploi du verbe « pénétrer » (« betreten »), pour trouver l'acception de « prendre passagèrement la forme d'un animal » ? Et pourtant : quelle autre formule serait plus brève et plus précise, qu'est-ce qui pourrait être plus poétique ?

Une telle sûreté de main ne se développe pas dans le vide et ne se manifeste pas seulement dans les heures poétiques. Dans ses expressions spontanées et dans ses lettres, Rilke rencontre à présent de plus en plus souvent le mot juste, et non seulement le mot juste, mais le plus exact et le plus propre à marquer la mémoire : la seule image, l'unique symbole adéquats ; car un poète ne voit pas forcément le monde d'une manière plus claire ou plus profonde que nous, il le voit simplement avec d'autres yeux. Ainsi, celui qui, dans *Fin d'automne à Venise,* écrit :

> ... Et des jardins, l'été
> pend comme un amas de marionnettes,
> la tête en bas, lasses, assassinées *,

dépeint dans une lettre une carte géographique en relief, qui montre les « grands pays occupés par des chaînes de montagnes comme par des cerneaux de noix », et évoque dans une autre lettre une messe de l'Avent, à laquelle il a assisté avec Rodin à Notre-Dame :

> ... cela chantait au-dessus de nous et pour nous et pour le Bon Dieu, chantait et bruissait dans les sombres cimes des orgues, du haut desquelles, de temps en temps, effrayé par des voix, le soprano s'envolait comme un oiseau blanc et montait, montait [101].

---

* Seuil, *id.*, p. 271.

Dans les *Nouveaux Poèmes,* on trouve enfin ce *Selbstbildnis aus dem Jahre 1906* (« *Autoportrait de l'année 1906* »), où Rilke cherche à projeter l'image — « seule adéquate » ? — de lui-même :

> D'une longue et noble lignée
> un vestige dans l'arcade sourcilière.
> Dans le regard encore la peur de l'enfant et le bleu
> et l'humilité çà et là, non d'un valet,
> mais d'un servant et d'une femme.
> La bouche faite pour être bouche, grande et précise,
> non persuasive, mais diseuse
> de choses justes. Le front sans rien de mauvais
> volontiers dans l'ombre, penché, en silencieuse contemplation.
>
> Cela, deviné seulement, en liaison :
> jamais encore, dans la défaite ou le succès,
> ne s'est concentré pour une victoire durable,
> mais comme si, de ces objets dispersés
> s'élaborait de loin un plan sérieux, réel.

Un poème remarquable, qui montre la souveraineté acquise par Rilke, avec suffisamment de peine, après son voyage en Scandinavie et son expérience avec Rodin. Qui peut s'exprimer ainsi sur soi-même, qui peut s'évaluer soi-même de cette manière, est parvenu à sa maturité. Ici, le physique (les yeux bleus, la grande bouche) s'unit au psychique (la peur de l'enfance, l'humilité, mais non celle d'un valet) et à l'artistique (la bouche... précise... diseuse de choses justes), pour former un homme qui donne les plus grands espoirs, mais dont l'œuvre de sa vie, le « plan sérieux, réel », est encore devant lui. Rilke ne dépeint pas seulement ainsi son apparence extérieure, mais sa situation après deux événements presque simultanés, la perte de son père et la brouille avec Rodin. Quelques années auparavant, ce double choc l'aurait précipité dans une crise dont il ne se serait peut-être jamais remis. Que rien de tel ne se produit, qu'il accomplit précisément à ce moment-là des progrès décisifs dans son travail, on le voit au *Malte Laurids Brigge,* qui va vers son accomplissement.

« Surmonter c'est tout »

I.

Parmi les invités qui se retrouvent devant le Panthéon, le 21 avril 1906, pour voir dévoiler « Le Penseur » de Rodin, figure Paula Modersohn-Becker. Affranchie depuis longtemps de la technique et de la thématique de Worpswede, elle est venue seule à Paris en février et doit à présent prendre de graves décisions. Paula n'est pas sûre d'aimer encore Otto Modersohn, demeuré en Allemagne. Elle sait seulement qu'en art, il ne dépassera jamais la moyenne, tandis qu'elle conquiert de plus en plus son propre style. Elle a repris provisoirement son nom de jeune fille, Paula Becker, songe à divorcer et refuse de revenir avec lui à Worpswede, lorsque, de passage à Paris, il tente de la persuader. D'autre part, elle lui est reconnaissante d'avoir permis cette séparation momentanée malgré les dépenses qu'elle provoque. De ce printemps et cet été riches en crises, mais d'autant plus productifs, datent quelques-unes de ses meilleures toiles. Parmi celles-ci, un célèbre portrait de Rilke le montre avec la barbe au menton (il la fera couper définitivement quelques semaines plus tard, mais gardera une moustache pendante sur les coins de la bouche) et la bouche ouverte comme un chanteur ou un prophète.

Le tableau resta inachevé, Rilke ayant manqué, faute de temps, les dernières séances de pose : « aveu d'infidélité », reconnaît-il. Ils se rencontrent pourtant à l'occasion dans un restaurant et font aussi des promenades avec Ellen Key ; mais quand elle l'invite à une soirée théâtrale à Champigny-la-Bataille, il refuse : « Je suis tellement amoureux de la régularité de mes jours, qu'aller à Champigny-la-Bataille m'apparaît comme un voyage dans l'au-delà : beau, mais impossible à entreprendre à partir de notre condition mortelle... Merci d'avoir pensé à moi [102]. » Est-ce seulement le travail qui le

rend si prude devant cette femme peintre qui cherche le contact ?
Souffre-t-il encore de la blessure que Rodin vient de lui infliger ?
Craint-il de se laisser engager, avec la meilleure amie de sa femme
(Clara passe, comme Modersohn, l'été à Worpswede), dans une
relation qui, étant donné les circonstances, pourrait devenir intime ? Ou bien est-ce un respect démesuré envers sa propre sphère
privée qui l'incite à se dérober devant la seule femme de sa vie qui
l'égalera en puissance artistique ? Quelle qu'en soit la raison, il
abandonne Clara à elle-même. Quand Modersohn revient à Paris
pour l'emmener, Rilke se garde bien de prendre parti dans le conflit
familial. Il fait aussi le sourd quand elle lui demande où elle pourrait
passer ses vacances et lui laisse entendre qu'elle serait bien allée avec
Clara et lui au bord de la mer. Rilke, qui était parti pour la Belgique
avec sa famille venue d'Allemagne, et, par hasard ou à cause du joli
nom, était descendu à l'hôtel de la Noble Rose, écrit de Furnes à
Paula : « Ce n'est pas ce que vous cherchez... Nous nous sommes
décidés... pour une petite plage. » *Quelle* plage, il ne le dit pas, mais
répète pour plus de sûreté : « Donc — non : je ne peux pas vous
conseiller de venir ici », et il prend congé d'elle comme d'une
connaissance de hasard : « Nous vous saluons tous et nous vous
souhaitons une bonne décision et un bon voyage ; envoyez-nous un
mot quand vous serez décidée. »

Il ne sait pas qu'il a vu Paula pour la dernière fois. En mars de
l'année suivante, une mauvaise conscience le pousse à lui envoyer
une lettre d'explication :

> Je peux à présent vous dire que j'ai ressenti tout ce temps comme une
> faute de ne pas vous avoir écrit alors... quand vous vouliez venir.
> J'étais ces jours-là absorbé par mes retrouvailles avec Clara et Ruth,
> et Oostduinkerke ne me faisait pas une impression convaincante. Mais
> plus tard j'ai cru sentir que j'avais eu tort de vous répondre ainsi et
> que j'avais été inattentif en un moment de notre amitié où cela
> n'aurait pas dû être.

Quand Paula reçoit cette lettre, elle a répondu à l'attente de sa
famille et peut-être aussi à sa profonde vocation de femme : elle est
revenue à Modersohn, de qui elle attend un enfant. Peu après la
naissance de celui-ci, elle meurt, en novembre 1907, d'une embolie, à
l'âge de trente et un ans.

Après de brefs séjours à Ostende, Ypres, Bruges et Gand
(Verhaeren et Rodin lui avaient recommandé les villes flamandes,
auxquelles tout un cyle des *Nouveaux poèmes* est consacré), Rilke se
rend avec sa femme et sa fille au château de Friedelhausen, où ils
passent le mois de septembre. Il ne peut pas penser pour le moment
revenir à Paris, car ces vacances en pleine saison et dans des hôtels

ont dévoré le peu d'argent qu'il possédait, si bien qu'il est réduit jusqu'à nouvel ordre à l'hospitalité de ses amis. C'est cette fois Alice Faehndrich, la sœur de Louise von Schwerin, qui l'invite à passer l'hiver chez elle à Capri, « en toute liberté de travail ». Il accompagne d'abord Clara à Berlin, où elle s'installe un atelier. Il doit aussi, pour la première fois de sa vie, se soumettre à des soins dentaires longs et douloureux. Comme pour se dédommager, il va beaucoup au théâtre. Moissi et la Sorma jouent justement *Les revenants,* d'Ibsen, et la Duse est Rebekka West dans *Romersholm;* par l'intermédiaire de Karl von der Heydt, Rilke s'efforce en vain de lui être présenté. Il entretient aussi ses relations avec l'éditeur Samuel Fischer, chez qui Lou l'avait introduit autrefois. Mais Kippenberg, qui a des gens à lui partout et flaire une trahison, se manifeste à son tour : « Je suis... sûr, le tranquillise Rilke avec diplomatie, qu'il sera d'une grande importance pour mon travail de laisser se développer et durer cette relation, si sympathiquement commencée, avec votre maison [103]. » A la fin de novembre, il peut quitter ce Berlin qu'il n'aime toujours pas et se rend à Capri, où il arrive le 4 décembre 1906, jour de son trente et unième anniversaire.

Dans le Cimitero Acattolico, le cimetière « non catholique » ou non confessionnel de Capri, une pierre tombale porte aujourd'hui gravés quelques vers de Rilke, sans nom d'auteur :

> Nous ne savons rien de ce départ, qui
> ne partage rien avec nous. Nous n'avons pas de raison
> de vouer admiration, amour ou haine
> à la mort, qu'une bouche de masque
>
> à la plainte tragique défigure étrangement.
> Le monde est encore plein des rôles que nous avons joués...

Ces vers étaient extraits du poème *Todes-Erfahrung (Expérience de la mort),* qu'il écrit à Capri pour le premier anniversaire de la mort de Louise von Schwerin, et sont à présent inscrits sur la tombe de la fille de celle-ci, morte en 1969, la baronne Gudrun Uexküll. Elle repose auprès de son mari à l'un des endroits les plus pittoresques de ce pittoresque cimetière. Si l'on regarde par-dessus le mur bas qui l'entoure, on a devant soi tout le golfe de Naples et à l'horizon la silhouette bleuâtre du Vésuve. C'est ce panorama de carte postale qui, dans les premières semaines de son séjour à Capri, portera tellement sur les nerfs de Rilke.

Alice Faehndrich, sachant bien à quel point Rilke tient à être seul, met à sa disposition le « Rosenhäusl », la « petite maison des roses », qui lui rappelle le Studio al Ponte de son hiver romain ; il est de nouveau logé dans un petit bâtiment calme et à l'écart dans le jardin d'une villa. Tout le long du jour, il peut comme il lui plaît travailler et se promener, sans déranger ni être dérangé. Pour le dîner, il se trouve la plupart du temps dans la maison des maîtres, la Villa Discopoli, où s'enlacent les clématites et les roses, située près de la via Tragara et qui a une large vue sur la Certosa et la mer. Là, Rilke tient sa cour, là, il converse pendant les longues soirées d'hiver avec ses dames, Alice Faehndrich, quarante-neuf ans, née baronne von Nordek zur Rabenau, sa belle-mère, soixante-quatre ans, « Frau Nonna », alias baronne Julie von Nordeck zur Rabenau, née comtesse Wallenberg, et la comtesse Manon zu Solms-Laubach, vingt-quatre ans, dont il connaît la famille depuis une visite à Darmstadt. Il leur fait la lecture, ses propres poèmes et d'autres de Verhaeren, ou le *Peter Camenzind* de Hesse, et se laisse choyer par elles. Des années plus tard, de nouveau invité dans un domaine de nobles, il songe avec mélancolie à cette atmosphère si étrange, faite de tendresse maternelle, de littérature et d'érotisme :

> Ah, chère Frau Nonna, aussi enviable que cela soit (écrit-il du château de Duino où à part un vieux serviteur et une gouvernante, il n'a personne autour de lui), ce n'est pas Capri, ni la Discopoli, que ne donnerais-je pas pour voir, le soir, parfois, deux mains de femme bouger, quasi fantomatiques, sur une broderie —, sans compter que personne n'est là pour me peler une pomme. De ce spectacle, de ce service d'amour, j'ai alors puisé des forces pour des années, mais à présent elles sont usées depuis longtemps...

Nous voilà forcés de sourire une fois encore de la préciosité de cet homme, qui en 1906, sur une île enchantée, joue le Tasse devant trois dames de l'aristocratie, voire Adam devant une jeune Eve qui lui tend une pomme — tandis qu'au-dehors dans le monde on ouvre la voie ferrée du Simplon, on signe l'interdiction internationale du travail de nuit pour les femmes et on invente la télégraphie sans fil. Mais ce tableau sybaritique, sur lequel il revient encore après la guerre dans une lettre à Nanny Wunderly-Volkart, ne doit pas dissimuler la tragédie qu'il cherche à nous cacher. Car Rilke appartient à ces hommes que le bonheur appelle sans cesse à l'endroit où ils ne sont pas. Ainsi, les mains de femme pelant une pomme dans la villa Discopoli deviendront bientôt le symbole du caractère insaisissable d'un bonheur qui fleurit assez souvent dans le passé, parfois dans l'avenir, mais presque jamais dans le présent. Goûter, essayer un bonheur passé : c'est ainsi, à propos d'une rose offerte par Mary Gneisenau lors de leurs adieux à Berlin, qu'il écrivit la phrase la plus longue et la plus affectée qu'il ait jamais couchée sur le papier :

Mais ce qu'il y a en lui de lourd, de fatal, ciel et terre tout ensemble, de nuits constellées, de silence, de solitude (que de fois en effet a-t-elle été solitaire et a-t-elle donné — beauté de son éveil, bouche de sa fraîcheur, de sa rosée, et ce regard perdu qui lui venait le soir, et la pâleur dissoute, impossible à retenir, de ses nuits, que de fois a-t-elle donné, rendu cela, à personne, nulle part —), mais ce qu'il y avait en elle de pareillement indicible, tout ce que nous n'y avons jamais pris et néanmoins jamais perdu, tout cela est resté en elle, hors de danger cette fois, abrité, rapatrié comme les forces le sont à l'intérieur d'un talisman, rassemblé comme nous le sommes dans notre cœur, nullement enclin à s'écouler encore que rien ne le retienne, comme abîmé dans la jouissance de son propre équilibre [104]*.

Il faut ajouter que de cet humus terriblement compact est née quand même une jolie fleur : le poème *La coupe de roses***.

Dans la journée, Rilke court les chemins, surtout après avoir découvert Anacapri au printemps 1907 et écrit des poèmes sur la Migliera et l'église abandonnée Santa Maria a Cetrella. Lors de ces promenades, où Manon zu Solms-Laubach l'accompagne souvent, il trouve sur le paysage méditerranéen « une prise », cette prise typiquement rilkéenne, étreinte d'une patte de velours, où le langage lyrique et enregistreur sert à la fois d'instrument de musique et d'appareil de précision. Le 1er janvier 1907, par exemple, il décrit une nuit « blanche », une nuit de pleine lune :

L'arête éclairée des murs éblouissait, le feuillage des oliviers n'était plus que nuit, comme taillé dans de vieux ciels nocturnes hors d'usage. Les versants de la montagne semblaient des ruines lunaires, et surplombaient les maisons comme une chose immaîtrisée. Les maisons étaient sombres, et là où les persiennes de bois n'avaient pas été fermées, les fenêtres avaient cette lumière cendreuse qui transparaît dans les yeux aveugles***.

On retrouve la même précision lyrique dans la description d'un jour inondé de soleil sur le point le plus élevé de l'île, d'où, quand le temps est clair, le regard va du Cap Circeo au Nord jusqu'à l'extrémité de la plage d'Amalfi :

Nous étions sur le Monte Solaro et nous voyions les îles comme des oiseaux, avec le sentiment que nous pourrions à tout instant être haut au-dessus de la mer... ce bleu profondément flamboyant qui, pour ainsi dire sur sa face antérieure, était chaud et plein et doux et semblait doublé par le vent de la mer comme par de la soie, quand parfois il tournait et, en soufflant, vous touchait de son revers.

---

* Seuil, t. 3, p. 73, 74.
** Seuil, t. 2, p. 220.
*** Seuil, t. 3, p. 83.

Dans le *Chant de la mer,* dont il fait la lecture le soir du 26 juin 1907 et qu'il inscrira plus tard dans le livre d'or de la « chère Villa Insel », il saisit la quintessence du lieu en quelques vers où un accord élégiaque fondamental est soutenu par les motifs spécifiques à Capri de la roche primitive (le calcaire nommé *rocca viva*) et du figuier qui pousse (*fichidindia*) :

> Antique souffle de la mer,
> vent qui vient de la mer dans la nuit :
> > tu ne viens à personne ;
> si quelqu'un veille
> il faut qu'il veille
> à te dompter :
> > antique souffle de la mer
> qui ne sembles souffler
> que pour la roche originelle,
> pur espace
> s'engouffrant de très loin par rafales...
> > Oh, comme il te sent
> le figuier vivant
> là-haut dans la lune *.

En même temps que ces poèmes, et d'autres également composés à Capri, parmi lesquels *Alceste* et *La courtisane,* Rilke écrit une adaptation des *Sonnets from the Portuguese* de la poétesse anglaise Elizabeth Barrett Browning. Alice Faehndrich, qui a appris l'anglais auprès de sa mère, née Philipps, lui lit chacun des 44 sonnets et les lui traduit mot à mot, après que Rilke transpose le texte en un langage poétique et selon un système de rimes fort simplifié comparé à l'original. La version qu'il donne de ces poèmes, parus en 1908 sous le titre *Elizabeth Barrett Brownings Sonnette aus dem Portugiesischen (Sonnets portugais d'Elizabeth Browning),* « traduction de Rainer Maria Rilke »), ne fait qu'approcher le modèle. Rilke le sait fort bien : « J'ai seulement marché derrière les vers anglais, comme parfois, dans les nuits mouvementées par le vent, on suit la pâle lune ; sans espoir de l'atteindre. »

Il traite un thème du même genre dans un autre travail, ce printemps-là, un essai sur les *Cinq lettres de Sœur Marianna Alcoforado,* religieuse portugaise qui avait vécu dans la seconde moitié du xviie siècle. Elle comptait parmi les figures favorites de Rilke, parce que, abandonnée par son amant, et son sentiment ne dépendant plus d'une réponse, elle s'était projetée hors d'elle-même et dépassée. Ses lettres renforcent le poète dans sa conviction que « l'essence de l'amour n'est pas dans l'élément commun, mais dans le

---

* Seuil, t. 2, p. 264.

fait que l'un force l'autre à devenir quelque chose, à devenir beaucoup, infiniment, à devenir le point extrême que ses forces peuvent atteindre ». (En 1913, Rilke publia sa propre traduction de ses lettres ; entre-temps, on a découvert que le texte original, datant de 1669, n'a jamais été traduit du portugais en français et n'a jamais été écrit par une religieuse portugaise, mais par le Français Guille-ragues).

Ainsi, les jours passent, à travailler et deviser en compagnie. Axel Munthe, le médecin suédois à la mode, qui écrira plus tard le *Livre de San Michele,* fait visiter à Rilke sa collection d'art. Une autre fois, Rilke se décide à rendre visite à Maxime Gorki, émigré de Russie après les troubles de 1905 et qui s'est fixé provisoirement à Capri. Rilke l'estime peu, car il croit toujours que l'homme russe, dont la particularité marquante est ou devrait être la patience, n'est pas plus fait pour la révolution « qu'un mouchoir de batiste pour essuyer l'encre. » Le contraste entre le coûteux style de vie de Gorki et ses discours radicaux ne le rend pas plus sympathique à Rilke.

Ellen Key, qui propage infatigablement ses idées réformatrices sur tout et n'importe quoi, vient du continent, balaie comme une tempête la calme villa et laisse ses habitants stupéfaits, « étonnés », comme l'explique Rilke à sa femme, « de voir que les temps nouveaux, ah, nouveaux à un point inouï, font irruption chez eux portés par une si vieille demoiselle ». En janvier 1907, Clara, dont il a pris congé quelques semaines auparavant à Berlin, surgit également à Naples. Elle est en route vers l'Egypte, où la baronne May Knoop l'a invitée dans un sanatorium qui lui appartient, à Helouan près du Caire. Rilke va chercher Clara et, après quelques jours qu'elle passe à Capri, la ramène au bateau en la priant de lui écrire longuement ses impressions sur l'Egypte, car il a envie d'y aller lui-même. Malgré l'habituelle longanimité de Clara, le dialogue entre les époux semble cette fois ne pas s'être déroulé sans tensions. Lou, qui s'était entre-temps liée d'amitié avec Clara, avait fait comprendre à celle-ci que Rilke, à son avis, devait choisir entre des devoirs différents, et repousser loin de lui le devoir le plus immédiat, le soin de sa femme et de son enfant. Rilke tente de désamorcer le reproche en présentant comme toute naturelle leur séparation qui pour la première fois va durer jusqu'après Noël (il a passé les fêtes à Capri, sa famille comme d'habitude à Oberneuland) :

Si, habitant ainsi à des journées de voyage les uns des autres, nous tentons de réaliser ce que notre cœur exige de nous jour et nuit (ne nous détournons-nous pas du difficile par amour du difficile ? N'ai-je pas cette conscience du moins pour moi, en essayant comme je le fais de vivre cette vie solitaire ?), dis-moi : n'y a-t-il pas quand même une maison autour de nous, une maison réelle dont ne manque que le signe visible, de sorte que les autres ne la voient pas ? Mais nous-mêmes, ne la voyons-nous pas d'autant mieux, cette maison de cœur, où nous sommes ensemble depuis le début, et dont nous ne sortirons un jour que pour entrer dans le jardin * ?

Le poème *Es winkt zu Fühlung fast aus allen Dingen* (*De toutes les choses vient l'invitation au contact*), où Rilke, en automne 1914, outre le mot plus tard si célèbre *Weltinnenraum* (« espace intérieur du monde »), trouvera aussi la formulation « Je suis soucieux, et la maison se dresse en moi », ne peut pas encore consoler Clara ; nous ne savons pas non plus comment elle réagit à cette tentative d'explication justificatrice. Quand, à la fin d'avril 1907, elle revient d'Egypte et passe de nouveau quelques jours à Capri dans la villa Discopoli, Rilke prépare déjà son retour à Paris.

Bien que Rilke travaille assidûment à Capri et y séjourne encore une fois au printemps 1908, il n'a laissé aucune trace dans la vie littéraire de l'île. Aucun chemin ne mène de Rilke vers Ferdinand Gregorovius et Paul Heyse, Ada Negri et Edwin Cerio, Compton Mackenzie et Norman Douglas, Roger Peyrefitte et Graham Greene, et d'autres auteurs dans la vie et l'œuvre desquels l'île a joué un rôle. Certes, Rilke a traduit en 1897 à Munich quelques poèmes d'Ada Negri et fait à présent la connaissance de Gorki et Munthe ; le seul écrivain avec lequel il entretienne une relation à Capri est le traducteur de Maeterlinck, Léopold von Schlözer, pour qui il commentera les *Sonnets à Orphée,* en un texte complémentaire écrit à la main, en 1923. Quant à l'histoire sociale de Capri, chronique, en ce temps-là, scandaleuse, Rilke, qui toute sa vie s'est plongé si volontiers dans les histoires de famille, semble ne pas même les avoir soupçonnées. Savait-il qu'Oscar Wilde, libéré de prison (il l'avait pourtant fait apparaître dans la monographie de Rodin), était allé dîner, peu d'années auparavant, à l'hôtel Quisisana avec Lord Douglas, sur quoi les clients, en majorité des cléricaux anglo-saxons, s'étaient levés de table comme un seul homme et avaient quitté en silence la salle à manger ? Il n'était plus resté au maître d'hôtel qu'à mettre à la porte le poète et son protégé, ce qu'Oscar Wilde résuma par la phrase amère : « *Ils m'ont refusé du pain.* » Le Quisisana est situé à quelques minutes du Rosenhäusl, presque aussi près que le jardin d'Auguste, d'où la via Krupp serpente jusqu'à la Piccola Marina. Elle fut fondée par Friedrich Alfred Krupp, que les jeunes pêcheurs de Capri intéressaient plus que les forges à canons paternelles, et qui était mort depuis peu, après qu'un journaliste de

---

* Seuil, t. 3, p. 77.

la presse à sensation lui eut attribué les plus sauvages orgies et fait de sa vie à Capri (et grâce au *Vorwärts,* qui imprima les insinuations, bientôt aussi en Allemagne) un enfer. Rilke, qui nourrissait des opinions si décidées sur l'homosexualité et la presse à sensation, ne mentionne nulle part l'histoire et ne l'a peut-être même pas connue. A-t-il jamais parlé avec Jacques d'Adelsward-Fersen, l' « Exilé de Capri », de Peyrefitte, qui se faisait justement bâtir la villa Lysis au pied du Monte Tiberio et mit fin à sa vie, plus tard, par une overdose de cocaïne ? Le jeune baron, descendant du favori de la reine Marie-Antoinette, était poète et éditeur d'une revue.

Au moment du séjour de Rilke, Capri héberge donc toute une série de gens exceptionnels, même si ce sont pour la plupart des hommes et des femmes qui ont tourné le dos aux bienséances bourgeoises et qui n'ont pas d'autre vœu que de mener précisément sur cette île une vie sans soucis. Il est regrettable que Rilke, qui fait montre dans *Malte Laurids Brigge* d'un regard si apte à saisir les caractères originaux, et qui déploie dans les salons parisiens, les palazzi vénitiens et les châteaux bohémiens, un sens profond de la vie mondaine, n'ait quasiment rien su, ou peut-être rien voulu savoir, de l'activité cosmopolite et littéraire de Capri, telle qu'elle se déroulait sous son nez. Sa vie retirée auprès de trois dames en est peut-être la cause, et peut-être aussi la réputation douteuse de l'île, à laquelle Rilke, après sa visite à la Villa Jovis, le palais de Tibère, paye aussi son tribut quand il songe à la cour de cet empereur :

> Tout étincelait et scintillait au soleil et tout était marbre et or et pierres rares. Sur des tapis précieux, s'étiraient des esclaves parés de roses, qui tendaient la main avec des rires effrontés vers la coupe dorée... Mais à l'ombre des colonnes, dans l'allée, Caligula épiait le cri de douleur du vieux titan [105].

Cela sonne un peu comme ces lectures de jeunesse, que l'on dévore les yeux brûlants, comme *Un combat pour Rome* ou *Les derniers jours de Pompéi.* Cela sonne aussi — avouons-le en même temps un peu petit-bourgeois. C'est ainsi que l'homme de la rue, que Rilke n'était nullement, se représente le summum du vice.

II.

Après son retour d'Italie, Rilke habite quelque temps dans son hôtel favori quai Voltaire, en face du Louvre, et s'installe ensuite de nouveau au 29 de la rue Cassette, où, après d'âpres tractations, il paye 80 francs par mois, petit déjeuner compris. Sa chambre, au

second étage, est située juste au-dessus de celle habitée autrefois par
Paula Becker ; il a vue sur le jardin du cloître et sur l'église en face,
cachée, en été, derrière de gros marronniers. Il fait venir son pupitre
et quelques autres meubles, qu'il avait entreposés chez des amis, et
passe tout l'été de 1907, du début de juin à son départ pour une
tournée de conférences, fin octobre, concentré sur *Malte Laurids
Brigge* et les *Nouveaux Poèmes*. Après la proximité de la nature qu'il
avait goûtée à Capri, il lui paraît dur de s'habituer à nouveau à
l'hostilité des chambres d'hôtel parisiennes et à l'anonymat de la salle
de lecture de la Bibliothèque nationale. Il a parfois l'impression de
s'être dispersé dans son environnement de Capri, et de devoir
péniblement, à présent, se rassembler. En outre, il manque de
nouveau d'argent et se plaint d'être obligé de se priver de thé,
d'acheter des livres et de rouler en voiture, c'est-à-dire d'être
contraint de prendre l'omnibus. Mais il réussit cependant à s'enfer-
mer dans une solitude créatrice, « dense », comme « une chambre
noire à développer les photos ». Parmi les rares interruptions qu'il se
permet au cours de cet été passé devant son pupitre, figure une
promenade en auto, avec Karl von der Heydt, jusqu'aux tombeaux
des rois dans la basilique Saint-Denis. Au retour, ils ont une panne
— la voiture « se défait d'un pneumatique », et les messieurs sont
forcés de revenir en tramway. Ses relations avec Madeleine de
Broglie sont surtout épistolaires, et il s'éloigne de Mathilde Vollmoeller. Il met aussi en veilleuse ses contacts avec d'autres amis, par
exemple l'historien d'art Erich Klossowski, dont il a fait la connaissance par l'intermédiaire d'Ellen Key et qui vit à Paris avec sa
femme, peintre, Baladine Klossowska.

Rilke ne sort de nouveau qu'à l'automne, et rencontre ses amis
surtout au Salon d'Automne, où a lieu une exposition en souvenir de
Cézanne, mort l'année précédente. Il décrit cette exposition à Clara
dans une série de lettres qui analysent moins les tableaux séparément
que ce tournant vers la « réalisation en chose » qui caractérise les
dernières œuvres de Cézanne et correspond au propre développement de Rilke. La suprématie de la couleur dans les derniers
tableaux de Cézanne lui sert à démontrer qu'un artiste ne doit pas
travailler à l'aide de réflexion, ni même « prendre conscience de ses
découvertes » ; il faut au contraire que ses progrès « énigmatiques à
lui-même, passent, sans le détour de la réflexion, si rapidement dans
son travail qu'il soit incapable de les reconnaître au passage * ».
Ailleurs, il mentionne, en approuvant le fait, que le peintre ne s'était
pas rendu aux obsèques de sa mère parce qu'il était plongé dans son
travail, *sur le motif*. Au milieu du public qui s'amasse devant les

---

* Seuil, t. 3, p. 117.

Cézanne, Rilke aperçoit le comte Harry Kessler et l'historien d'art Julius Meier-Graefe.

L' « hygiène de travail » de Rilke, comme il le dit, lui permet bientôt de mener à bien une œuvre assez importante. Depuis la fin de juillet déjà, il peut soumettre à l'examen de Clara la première partie des *Nouveaux Poèmes*, dédiée à Karl et Elisabeth von der Heydt. Le manuscrit s'en va ensuite chez Kippenberg, qui envisage une première édition avec des honoraires de 15 pour cent sur le prix en librairie. Outre cette prochaine publication, d'autres indices révèlent que le nom de Rilke est connu dans des cercles de plus en plus larges. A Bonn, le traducteur Friedrich von Oppeln-Bronikowski donne devant la Société d'Histoire littéraire une conférence où il classe Rilke parmi les néo-romantiques. A Leipzig, les *Beiträge zur Literaturgeschichte* publient un essai sur ses poèmes. Les deux textes sont envoyés à Rilke. Par deux fois, il refuse de les lire : « J'ai peut-être tort, explique-t-il à l'auteur d'une critique, mais je ne lis rien de ce qui traite de mon travail... Il faut que je sois seul avec mon travail et j'ai aussi peu besoin d'entendre parler de lui par d'autres qu'un homme pourrait souhaiter de voir imprimés et rassemblés les jugements des autres sur la femme qu'il aime. » La critique littéraire, qu'il a déjà abandonnée dès 1905, en ce qui concerne les compte-rendus de livres, lui semble à présent une lettre adressée au public, et que l'auteur, qui n'est pas le destinataire, « n'a pas à ouvrir et à lire ». De même qu'il postulait l'exclusion de la conscience dans le processus créateur de Cézanne, lequel ne se souciait pas non plus de la critique, Rilke voit dans la critique littéraire un dérangement potentiel des relations précaires entre un écrivain et son œuvre. Il reviendra sur cet enchaînement d'idées pour fonder son attitude négative devant la psychanalyse.

A la fin d'octobre, il boucle de nouveau ses valises : occupation qui précipite chaque fois ce grand voyageur dans le désespoir. « Il y a ces choses qui se font une joie de revenir dans vos mains à certains intervalles — et un jour, à l'instant décisif, elles se cachent, et d'un endroit quelconque regardent comme on les cherche et comme on en a besoin, alors que l'on souhaitait s'en débarrasser. » La première étape de son voyage est Prague, où Phia Rilke apparaît à une lecture de son fils, avec toutes sortes « d'épouvantables vieilles dames qui m'étonnaient quand j'étais enfant ». Qui sait ce que lui aurait coûté cette plongée dans une telle atmosphère, s'il n'avait pas rencontré en chemin deux augures favorables. L'un est une visite au château de Janowitz, propriété de la baronne Sidonie Nádherný von Borutin, où il se trouve dans un entourage qui réveille en lui « des souvenirs » « dont beaucoup ne sont pas les miens » :

Et ce fut la Bohême que je connaissais, vallonnée comme de la musique légère et soudain plane de nouveau derrière ses pommiers, plate et sans beaucoup d'horizon et découpée par les champs et les rangées d'arbres comme une chanson populaire de refrain en refrain... Et soudain l'on glissa hors de tout cela... dans le portail d'un parc, et ce fut un parc, un vieux parc, qui s'avançait tout près de vous avec son automne humide. Jusqu'à ce qu'après bien des tournants, ponts, aperçus, isolé par de vieilles douves, le château se dressât, vieux, rejeté en arrière, en haut, comme par orgueil, irrégulièrement garni de fenêtres et d'écussons, avec des balcons, des encorbellements, et disposé autour de ses cours comme si personne ne devait jamais les voir. La baronne douairière, veuve, [...] demeura à l'écart ; la jolie baronne (qui ressemble à une miniature faite un an avant la grande révolution, au dernier moment), vint à ma rencontre sur le pont du château, avec ses deux sympathiques jeunes frères ; nous traversâmes le parc et, comme la nuit tombait déjà, le château étrange, (avec une inoubliable salle à manger), tandis que deux serviteurs éclairaient l'intérieur des chambres profondes comme des cours, avec des flambeaux d'argent. Nous restâmes ainsi, entre nous, et... nous bûmes du thé (avec des tranches d'ananas), heureux d'être ensemble, chacun joyeux de l'autre.

A Prague, il retrouve l'amitié de Sidie et se réconcilie avec Rodin. Quand il se rend à sa conférence, on lui remet une lettre de Paris où le maître lui demande un renseignement sur une librairie de Vienne qui veut se faire envoyer quelques dessins pour une exposition (la librairie de Hugo Heller, où Rilke va faire sa lecture ; par son intermédiaire, soixante dessins de Rodin y seront exposés plus tard). Ainsi, la rupture est-elle au moins superficiellement effacée. Rilke répond par retour, Rodin le remercie pour ses informations rassurantes et lui demande de se manifester quand il sera à Paris. Que Rilke puisse répondre aussi objectivement à ce geste de réparation prouve à nouveau sa maturité, et son contrôle récemment acquis sur une tendance qu'il qualifia un jour, devant Lou, de morbide : le besoin impératif de « s'ouvrir démesurément large devant les autres, et d'étaler devant eux tous ses soucis ». Il a appris à présent à « être celui qui attend, celui qui réplique, si possible, et non celui qui commence [106] ». Il réussit ce bond au-dessus de ses propres ombres malgré les retrouvailles avec Prague, avec Phia et avec la tombe de son père, qu'il va voir en secret (« sinon ma mère serait venue avec moi »).

Après les conférences à Prague et à Breslau, où il partage le podium avec le descendant de Schiller, le baron Alexandre von Gleichen-Russwurm, vient, le 8 novembre 1907, une triomphale soirée de lecture dans la librairie de Heller à Vienne, au Bauern-markt dans le premier arrondissement. Sa maîtrise de soi est de nouveau mise à l'épreuve lorsqu'un soudain saignement de nez l'oblige à interrompre sa lecture. Il prie les assistants de prendre patience, va dans une pièce adjacente pour se remettre, à l'aide d'une cuvette pleine d'eau et de serviettes, et il revient dans la salle au bout de quelques minutes. Entre-temps, Hofmannsthal est entré dans la pièce et s'est offert pour lire à la place de Rilke en cas de besoin. L'impression que Rilke a produite alors est décrite par Rudolf Kassner :

> Il est venu à Vienne en automne 1907 et il a lu ses poèmes pour la première et unique fois. Malgré un saignement de nez qui a interrompu la lecture pendant un moment, ce fut un très grand succès, le plus grand, certainement, qu'ait jamais eu à Vienne un poète lisant ses œuvres. Sa chambre à l'hôtel Matschakerhof a dû ressembler le lendemain à celle d'une diva. La maladie m'avait empêché d'assister à la lecture. Mais Hofmannsthal était là et m'en a parlé...
> Quelques jours après la lecture, Rilke est venu chez moi à Hietzing, où j'habitais alors. Ce que l'on peut nommer notre amitié date de cette visite, dans le temps et autrement. Un homme frêle entra chez moi, avec de minces épaules d'adolescent, un peu penchées en avant, d'un pas avenant, rapide, léger. Le pur et tranquille regard de ses yeux du bleu le plus bleu me captiva et me retint, avant même que j'aperçoive la grande bouche informe, fanée, comme usée, avec les deux longues pointes de la moustache qui descendent jusqu'aux coins de la bouche. Un médecin pourvu du regard du physionomiste aurait pu déchiffrer, me semble-t-il, sur ces lèvres, sur leur teinte, sur cette peau, sur quelque chose d'indescriptible dans sa couleur, la maladie dont il allait mourir. Mais de cette bouche, de ces lèvres, venait une voix riche, pleine, sonore, qui n'avait rien d'enfantin ni d'immature. Tout son être respirait le naturel, sans la moindre trace ou reste de vanité ou d'embarras.

Après avoir rendu visite à Hofmannsthal à Rodaun et à d'autres amis viennois, Rilke donne, le 13 novembre, dans la salle de la Société d'agriculture, Schaufflergasse, sa conférence, déjà éprouvée, sur Rodin ; et là, de nouveau, un incident se produit :

> Quand il eut terminé et que l'impression solennelle donnée par sa personne eut tout d'abord retardé les applaudissements, il commit — il était encore jeune — une faute. Il demanda au public s'il avait à présent une idée de ce qu'était l'art de Rodin. Cette question nuisit à l'effet produit par son talent. Le silence, causé tout d'abord par le saisissement, devint de l'embarras. Personne n'osait répondre — et qu'aurait-on répondu ? En souriant, il répéta sa question, et comme le silence demeurait toujours infructueux, on vit planer sur lui le danger d'une troisième interrogation.
> L'écrivain et avocat Robert Scheu mit fin à cette situation pénible. « Oui, cria-t-il à haute voix, nous savons à présent qui est Rodin, et nous vous remercions, M. Rilke, pour vos éclaircissements. » Alors

les applaudissements déjà périmés éclatèrent avec une cordialité qui fit oublier ce malheureux interlude [107].

Dans la lettre où Rilke fait part à Rodin du succès de cette soirée, on trouve naturellement une autre version de l'affaire. Il y écrit que le public avait été à la fin *trop pris et trop convaincu* pour poser des questions, jusqu'à ce qu'un jeune homme le remercie au nom de tous, sur quoi les auditeurs l'avaient félicité, à l'exception de journalistes « endurcis par leur cruel métier ».

Malgré cette petite faute, Rilke était un excellent lecteur et conférencier, qui savait transporter ses auditeurs dans un autre monde : bien des témoins l'attestent. Lors de la lecture viennoise, il obtint cet effet en lisant, outre la mort du chambellan Brigge, extraite de son roman, quelques poèmes, et parmi eux *Le Carrousel,* qui semble fait exprès pour être lu à haute voix. Il le lut de telle manière que le jeune Herbert Steiner, l'éditeur de la revue *Corona,* commenta avec enthousiasme : « Nous écoutions, nous voyions le Carrousel tourner de plus en plus vite, presque vertigineusement, ralentir, osciller, s'arrêter. » :

Munis d'un toit et de son ombre
la troupe de chevaux bariolés
se met à tourner pour un moment ;
tous sont de ce pays
qui longtemps hésite avant de sombrer.
Si certains d'entre eux trottent en attelage
tous ont pourtant le même air décidé ;
un lion court près d'eux rouge et méchant
et de temps en temps un éléphant blanc.

Il y a même un cerf comme dans les bois,
sauf qu'il a une selle et sur cette selle
une petite fille bleue tenue par des courroies.

Un garçon tout blanc chevauche le lion
et s'y tient ferme d'une blanche main chaude
tandis que le fauve montre sa langue et ses crocs.

Et de temps en temps un éléphant blanc.

Et sur les chevaux passent,
des petites filles claires aussi
déjà trop âgées pour ces cabrioles
et en plein vol elles lèvent leur regard
pour le poser ailleurs, quelque part.

Et de temps en temps un éléphant blanc.

Et tout continue, se hâte vers la fin
et tourne et vire sans cesse et sans but.

Un rouge, un vert, un gris qui passent en hâte
un petit profil à peine ébauché.
Parfois un sourire aux anges
se tourne, éblouit et disparaît
dans ce jeu aveugle et hors d'haleine *...

III.

Après ses succès de Vienne, Rilke se permet un crochet par la
ville qu'il connaît le mieux après Paris : Venise. C'est sa troisième
visite, après les voyages de 1897 et de 1903. Cette fois, il habite dans
la famille du marchand de tableaux Piero Romanelli, avec lequel il
avait noué amitié au Salon d'Automne à Paris. Bien qu'il ne reste
cette fois que dix jours dans la ville lacustre, les adieux lui semblent
difficiles, car il est tombé amoureux de la plus jeune sœur de Piero,
Adelmina (Mimi), avec laquelle il échangera pendant des années des
lettres en français. Le chemin de la gare, au retour, lui laisse un
souvenir particulièrement marquant, par une aube d'hiver, sur l'eau,
quand le cri du gondolier annonçant qu'il va tourner dans un canal,
« résonne sans réponse comme en face de la mort ».

Le retour dans l'étroitesse familiale d'Oberneuland, où il passe
Noël et demeure jusqu'en février, lui semble lourd à supporter, plus
lourd que les pensées qui vont vers Venise : « *Et tout en étant dans
ma tristesse, je suis heureux de sentir que vous êtes, Belle; je suis
heureux de m'être donné sans peur à votre beauté comme un oiseau se
donne à l'espace.* » (Mimi était réellement une beauté, ses portraits le
prouvent, et le fait que D'Annunzio, si gâté par les femmes, lui faisait
également la cour.) En même temps, Rilke lui explique qu'il a
beaucoup parlé d'elle à sa femme, de même qu'il a beaucoup parlé de
Clara à Mimi : « J'ai toujours trouvé étrange, raconte la Vénitienne,
qu'il prétendît m'aimer follement — *diceva d'amarmi ciecamente* —
et qu'il me parlât en même temps de son affection pour sa femme et
sa fille [108]. » Malgré toutes les paroles poétiques, il ne peut donc être
question d'un véritable don de soi. Dans son langage même, qui est
d'une telle importance chez cet amoureux, il ne peut parvenir à
employer le *tu* familier et préfère au prénom habituel des apostrophes comme *Belle* et *Chère*, ou plus tard des prénoms de son
invention comme Benvenuta, Merline, Nike et d'autres encore.
Même avec ses amies allemandes, il utilise leurs prénoms avec
beaucoup de prudence, comme s'il craignait que prononcer ce mot
n'entraîne l'immédiate possession. Mimi semble pourtant avoir

---

* Seuil, t. 2, p. 203.

attendu ou projeté cette possession, car aucune des liaisons amoureuses de Rilke parvenues à notre connaissance ne s'est aussi vite
changée en fuite :

> Je prie tous ceux qui m'aiment, lance-t-il bientôt à son amie en guise
> d'avertissement, d'aimer aussi ma solitude, sinon je devrai me
> dissimuler devant leurs yeux et leurs mains, comme une bête sauvage
> se cache devant les ennemis qui la traquent.

Il poursuit avec la même obstination l'illusion que sa bien-aimée
possède elle-même une personnalité créatrice. Quand, en travaillant
à *Malte Laurids Brigge,* il se plonge de nouveau dans l'amour
intransitif — dépassant son propre objet — de femmes comme la
poétesse de la Renaissance italienne Gaspara Stampa, la religieuse
Marianna Alcoforado ou même Eleonora Duse, il demande à Mimi
si elle a envie de lire avec lui les *Rime* de la Stampa. Il sait pourtant bien que Mimi s'intéresse avant tout à la musique (comme
plus tard Benvenuta). Toutes les deux, elles sont des pianistes
accomplies.

Le rythme de vie de Rilke, qui atteint habituellement un
sommet en automne, est cruellement affaibli cet hiver-là. Il se sent
triste et déprimé comme en 1903 avant sa cure au « Weisser Hirsch ».
Ses esprits vitaux reprennent leurs forces quand il arrive à Capri pour
un nouveau séjour. Il profite de l'élan pour écrire à Kippenberg une
lettre où il dépeint sa détresse financière, qui devrait être soulagée
d'une manière quelconque avant qu'il puisse seulement penser à
l'achèvement, de plus en plus pressant, de son roman, et à d'autres
travaux, parmi lesquels les essais sur Hofmannsthal et Cézanne.
Après quelque hésitation, l'éditeur se déclare prêt à lui verser une
somme trimestrielle qui serait comptée, selon une formule compliquée, sur les tantièmes passés et à venir. L'aide véritable lui vient
cependant de Karl von der Heydt, qui de 1906 à 1909 mettra à sa
disposition 5 000 marks environ, et de Samuel Fischer [109]. Celui-ci lui
offre 3 000 marks, sans obligation de contrepartie, et s'y tient même
quand Rilke lui fait savoir son accord avec l'Insel-Verlag. Ce don,
auquel Rilke répondra au fil du temps par des contributions à la *Neue
Rundschau* éditée par Fischer, de même que quelques autres
allocations, lui permettent de travailler pendant les dix-huit mois
suivants, sans soucis d'argent trop graves, à l'achèvement de *Malte
Laurids Brigge.*

Après une absence de sept mois qu'il a passés en Allemagne, en
Autriche et en Italie, Rilke revient le 1er mai 1908 à Paris, et
emménage dans un atelier, rue Campagne-Première, prêté par

Mathilde Vollmoeller. En même temps arrive Clara, qui veut de nouveau travailler avec Rodin. Elle vient d'Oberneuland et loue un appartement qui ne lui plaît pas particulièrement. Quand une amie lui parle d'un atelier inoccupé, elle saisit l'occasion et va s'installer dans l'ancien cloître désaffecté du Sacré-Cœur, au coin de la rue de Varennes et du Boulevard des Invalides. Le cloître se trouve dans l'hôtel Biron, construit en 1728/31, et où logèrent autrefois la duchesse du Maine et l'ambassadeur de Russie à la cour de Napoléon Ier. Les Dames du Sacré-Cœur l'avaient reçu en héritage, et il était devenu en 1905 propriété de la République française. Quand Clara revient en Allemagne en août 1908, Rilke reprend cet atelier et le décrit à Rodin avec de si lumineuses couleurs — « Vous devriez voir ce beau bâtiment, et la salle, *cher grand ami,* que j'habite depuis ce matin, avec trois fenêtres à niches qui donnent de la manière la plus grandiose sur un jardin abandonné » — que celui-ci vient à son tour s'y installer et peuple bientôt tout le rez-de-chaussée de ses œuvres. Le maître vit toujours à Meudon, certes, où ses mouleurs, ses fondeurs et ses autres aides sont logés, mais dès lors il travaille et reçoit ses hôtes à l'hôtel Biron, l'actuel Musée Rodin. Une plaque commémorative sur un mur du jardin rappelle que c'est Rilke qui a attiré l'attention du sculpteur sur le bâtiment, et y a lui-même vécu un moment.

Sous-locataire de Rodin, il habite la rotonde du coin gauche, avec deux pièces très hautes et accès direct à la terrasse. S'il a besoin de quelque chose, une table ou une lampe, Rodin les lui procure ; si celui-ci veut faire une promenade, il demande à Rilke s'il a le temps et l'envie de l'accompagner. Rilke saisit ainsi bien des expressions spontanées qui viennent à Rodin en chemin, et pour qu'elles ne soient pas perdues, il les écrit sur ses manchettes (arrivé à la maison, il en change et cache les manchettes manuscrites pour qu'elles ne tombent pas dans les mains de la blanchisseuse). De ces harmonieux jours d'automne date la dédicace de la seconde partie des *Nouveaux Poèmes*, « A mon grand Ami Auguste Rodin », que Rilke impose à Kippenberg malgré la prochaine publication de la version française. Parmi les autres artistes qui viennent s'installer dans l'hôtel Biron — à peu de frais, car le bâtiment doit être rasé et ne sera transformé en musée qu'en 1911 —, il y a Jean Cocteau, Henri Matisse, Romain Rolland, la danseuse américaine Isadora Duncan et la femme peintre Erika Schell, qui épousera plus tard le fils de Gerhart Hauptmann, Ivo.

Le premier travail important de Rilke dans sa nouvelle demeure est le *Requiem für eine Freundin,* (traduit en français sous le titre *Pour une amie*), écrit au début de novembre 1908, un an après la

mort de Paula Modersohn-Becker à Worpswede. C'est une lamentation sur l'amie que l'amour, le mariage et la maternité, en un mot :
son destin de femme comme on l'entendait alors, ont arrachée à son
art, et qui est morte de ce conflit :

> Car il existe quelque part une
> vieille inimitié entre la vie et l'œuvre *.

Ce n'est pas seulement cette mort prématurée qui est tragique
dans son destin, mais aussi le fait que cette mort intervient juste au
moment où elle a appris à voir et à peindre « sans curiosité », c'est-à-
dire objectivement. La faute n'en incombe pas à Otto Modersohn en
tant qu'individu, mais à « l'homme ». Car la femme, l'artiste qui
vient d'entrer dans son propre chemin,

> qui ne nous voit plus
> et qui le long d'une bande
> mince de son être-là, comme
> par miracle continue sans accident son chemin,

l'homme la tire en arrière, car il la considère comme sa propriété et
l'utilise comme telle :

> Car si quelque chose est mal, *ceci* l'est :
> ne pas multiplier la liberté d'un amour
> par toutes les libertés qu'on ouvre en soi.

Immédiatement après, Rilke écrit le *Requiem pour le comte
Wolf von Kalckreuth,* poète et traducteur de Baudelaire, qui, engagé
volontaire pour un an, s'était donné la mort. Rilke, qui ne le
connaissait pas personnellement, apprit la nouvelle par Kippenberg
qui publiait ses poèmes. Dans le *Requiem,* il blâme l'impatience du
jeune homme qui s'ôte la vie au moment où la pesanteur de
l'existence se serait peut-être changée pour lui en positif, en poésie :

> Là était le salut. Aurais-tu vu seulement une fois comment
> le destin pénètre dans un vers et n'en ressort plus,
> comment en lui il devient image, et rien qu'image,
> tout comme un ancêtre dans son cadre parfois
> lorsque tu lèves le regard paraît te ressembler puis ne te ressemble
> plus,
> tu aurais persévéré **.

---

* Seuil, t. 2, p. 301.
** Seuil, t. 2, p. 311.

Rilke reprend dans les considérations de la fin le reproche exprimé dans ces vers, car nous vivons dans des temps où l'expérience existentielle de l'individu se joue dans un espace invisible, un « faire sans image », comme le dit la *Neuvième Elégie*. Aussi, le poète qui déplore cette mort prématurée n'a pas à faire de grandes phrases : « Qui parle de vaincre ? Surmonter c'est tout. »

Les *Requiem* paraissent l'année suivante en un volume. A partir de ce moment, Rilke ne publie presque plus de poèmes séparés, mais se concentre sur des cycles fermés. Le public croit alors à un tarissement de sa production lyrique, jusqu'à ce qu'éclatent en 1922, soudain, les *Elégies de Duino* et les *Sonnets à Orphée*.

Le prochain travail consistera à terminer *Les cahiers de Malte Laurids Brigge*. Rilke s'acharne sur eux avec une obstination qui le mène au bord de la dépression nerveuse. Une fois la crise surmontée, il parlera d'un « feu nu » au-dessus duquel il « bout » de travail. (Pour se faire une idée de la vie spartiate que mène Rilke pendant ces mois, il faut comparer la photographie célèbre qui le montre dans sa chambre de l'hôtel Biron, travaillant à *Malte Laurids Brigge,* avec pour tout mobilier une table, une chaise et un mur nu, avec une photographie à peu près contemporaine d'Hofmannsthal dans la salle des fresques de sa maison, à Rodaun, avec ses meubles rares et un superbe flambeau, des fleurs sur la table de travail et *last but not least,* discrètement à l'arrière-plan Mme Gerty Hofmannsthal, veillant au bien-être de son mari. Les progrès de son roman, les visites de Mimi, qui passe l'hiver à Paris auprès de son frère, celles de Lou, Ellen Key et Karl von der Heydt, ne peuvent pas ôter à Rilke les soucis que lui cause sa santé. C'est cette fois plus et autre chose que « l'influenza annuelle » dont il se plaint à Samuel Fischer. Il se sent parfois si faible qu'au printemps il doit s'arrêter de travailler pendant des semaines entières. Ni un voyage en Provence au mois de mai ni une cure à Bad Rippoldsau dans la Forêt Noire ne lui procurent d'amélioration. Il souffre jusqu'à l'automne de maux peut-être psychosomatiques, mais qui n'en sont pas moins douloureux, comme une « tension... qui s'empare des muscles ici où là, gagne, au moindre excès de lecture, le front, les joues, la racine de la langue, le cou », et une sensation dans le dos et l'œsophage, « comme si une solution d'alun avait envahi les ligaments musculaires [110] ».

A la fin du mois de septembre, il va pour la seconde fois dans le Midi, à Avignon, où le Palais des Papes lui fait une impression inoubliable, et dans le pittoresque nid rocheux des Baux, d'où, pendant les guerres de religion au début du xviie siècle, avait dû émigrer une famille du nom de Salomé, dans laquelle Lou avait cru découvrir ses ancêtres. Malgré ces voyages, l'arc créateur est si durement tendu, qu'un petit détail comme l'achat d'un certain livre d'images pour Ruth plonge Rilke dans une joie vive, le faisant échapper ainsi pour quelques heures à la pression du travail. Les vers naïfs lui trottent dans la tête jusqu'à ce qu'il raconte à son tour dans une lettre l'histoire du petit Jochen, qui s'est sali en jouant et rencontre sur le chemin du retour différents animaux. Ravi, comme bien des hommes compliqués, de ces puérilités, le poète de *Malte Laurids Brigge* et des *Elégies de Duino* cite ces vers :

> Et même le cochon en reste stupéfait
> s'ébroue et dit :
> Pouah, Jochen, tu es sale,
> encore plus sale que moi !

Malgré sa fatigue et ses dépressions, Rilke peut terminer son roman à la fin de 1909. Quand il part, en janvier 1910, pour une tournée de conférences en Allemagne, le manuscrit destiné à Kippenberg se trouve dans ses bagages.

IV.

Malte Laurids Brigge est un jeune Danois, dernier rejeton d'une vieille lignée aristocratique, qui, dans les premières années de notre siècle, vit seul et dans une grande pauvreté à Paris et écrit ses « Cahiers » sous la forme parfois d'un journal, parfois d'un fichier. Outre un premier niveau du récit, fortement autobiographique, le livre se déroule sur d'autres plans qui servent d'explication ou de contrepoids aux expériences parisiennes : souvenirs de sa jeunesse passée au Danemark, diversions au sujet de personnages importants comme Beethoven, Ibsen et la Duse, citations de Baudelaire et de la Bible, retour sur des événements historiques d'un passé lointain. Bien que Rilke soit sans aucun doute possible le modèle de Malte (une traduction anglaise a intitulé le livre *The Journal of my Other Self*), il n'en est pas le modèle unique. Derrière lui, on entrevoit (dans une relation compliquée, comparable à celle de Goethe avec son Werther et Karl Wilhelm Jerusalem), la figure de Sigbjörn Obstfelder, qui avait vécu à Paris et dont Rilke avait critiqué les *Pèlerinages*.

Si *Malte Laurids Brigge*, malgré sa longueur, modeste pour un roman allemand, d'à peine 250 pages (la moitié environ de *Berlin Alexanderplatz*, un tiers de *La Montagne magique* ou du *Tambour*, un quart de la première partie de *L'homme sans qualités*), est un livre plutôt difficile, cela est dû à l'absence d'une action romanesque continue se déroulant sur un même niveau de temps. Certes, le texte est divisé en 71 chapitres ou paragraphes de longueurs très différentes, mais il y manque souvent des transitions d'un passage à l'autre, si bien que les épisodes et les époques tourbillonnent comme un carrousel, ou une suite de tableaux du Greco ou de Goya, sur lesquels des motifs isolés et lumineux se détachent de l'obscurité.

Il ne faut certes pas attribuer ce refus, si moderne, d'une forme accomplie et d'une suite logique de l'action, à une impuissance artistique de l'auteur, mais à sa volonté de prendre des personnages historiques comme symboles du destin de Malte, ou de les évoquer comme des « vocables de sa détresse ». Car les *Cahiers de Malte Laurids Brigge*, publiés en 1910 après six années de travail, devancent de loin leur temps pour la technique et les thèmes, cela ne fait aucun doute. Que l'on ne puisse réellement plus raconter, comme le prétend Malte, — « Que l'on racontât, que l'on racontât vraiment, cela n'a dû arriver que bien avant mon temps * » —, c'est une autre question.

Le lieu du roman est pour l'essentiel Paris, les environs du Jardin du Luxembourg dans le 6e arrondissement et les quartiers immédiatement adjacents, que Rilke connaissait bien. Quelques chapitres se déroulent aussi à Copenhague (qui n'est pas nommé, mais que l'on peut identifier au nom des rues), ou à Saint-Pétersbourg ou Venise. Outre ces villes, les châteaux où Malte a grandi jouent aussi un rôle : Ulsgaard, fief de la famille Brigge déjà vendu au moment où Rilke écrivait le livre, et Urnekloster, appartenant aux comtes Brahe, ancêtres de Malte.

Malte Laurids Brigge commence comme un journal, avec la note « 11 septembre, rue Toullier », et nous montre Paris non du seul point de vue du héros, mais aussi de celui de l'auteur, qui vécut à la fin de 1902 précisément dans cette rue. Quand Malte écrit : « J'apprends à voir », il apprend avant tout à voir la misère de la grande ville, par exemple l'Hôtel-Dieu, hôpital pour les pauvres de Paris :

> Cet excellent hôtel est très ancien. Déjà à l'époque du roi Clovis on y mourait dans quelques lits. A présent on y meurt dans cinq cent cinquante-neuf lits. En série, bien entendu. Il est évident qu'en raison d'une production aussi intense, chaque mort individuelle n'est pas aussi bien exécutée, mais d'ailleurs cela importe peu. C'est le nombre qui compte. Qui attache encore du prix à une mort bien exécutée ? Personne. Même les riches, qui pourraient cependant s'offrir ce luxe, ont cessé de s'en soucier ; le désir d'avoir sa mort à soi devient de plus en plus rare **.

---

* Cette citation et toutes celles tirées de *Malte* sont prises *in* Seuil, t. 1, p. 549 *sqq.*
** Seuil, t. 2, p. 552.

Un homme eut ce désir et le réalisa : le grand-père de Malte, le chambellan Christoph Detlev Brigge, mort dans sa maison de maître en son domaine, si lentement, si exhaustivement, qu'à Ulsgaard toute vie, famille, domestiques et bêtes, avait commencé à plier sous le poids de cette mort :

> La mort de Christoph Detlev vivait à présent à Ulsgaard, depuis déjà de longs, de très longs jours, et parlait à tous, et demandait. Demandait à être portée, demandait la chambre bleue, demandait le petit salon, demandait la grande salle. Demandait les chiens, demandait qu'on rît, qu'on parlât, qu'on jouât, qu'on se tût, et tout à la fois. Demandait à voir des amis, des femmes et des morts, et demandait à mourir elle-même : demandait. Demandait et criait.
>
> Car, lorsque la nuit était venue et que, fatigués, ceux des domestiques qui ne devaient pas veiller essayaient de s'endormir, alors s'élevait le cri de la mort de Christoph Detlev ; il criait et gémissait, il hurlait si longtemps et si continûment que les chiens, qui d'abord avaient hurlé avec lui, finissaient par se taire et n'osaient plus se coucher.[...] Et, lorsque au village ils entendaient, par cette nuit d'été danoise, par cette pure et immense nuit d'argent, que cette mort hurlait, ils se levaient comme par un orage, s'habillaient et, sans mot dire, restaient assis autour de la lampe, jusqu'au bout. Et l'on reléguait dans les chambres les plus reculées, et dans les alcôves les plus profondes, les femmes qui étaient près d'accoucher ; mais elles l'entendaient, elles l'entendaient quand même, comme si elle eût crié dans leur propre corps, et elles suppliaient qu'on les laissât aussi se lever, et elles arrivaient, volumineuses et blanches, et s'asseyaient parmi les autres, avec leurs visages aux traits effacés. Et les vaches qui vêlaient en ce temps étaient impuissantes et misérables, et l'on dut arracher à l'une le fruit mort avec toutes les entrailles, lorsqu'il ne voulut pas venir. [...] Ce n'était pas la mort du premier hydropique venu, c'était une mort terrible et impériale, que le chambellan avait portée en lui, et nourrie de lui, toute sa vie durant. Tout l'excès de superbe, de volonté et d'autorité que, même pendant ses jours les plus calmes, il n'avait pas pu user, était passé dans sa mort, dans cette mort qui à présent s'était logée à Ulsgaard et galvaudait.
>
> Comment le chambellan Brigge eût-il regardé quiconque lui eût demandé de mourir d'une mort autre que celle-là ? Il mourut de sa dure mort*.

De tels souvenirs, et sa solitude dans la grande ville incitent Malte à faire le bilan de sa vie et de ses actes. Il a vingt-huit ans et a écrit quelques pages qui sont bonnes ; mais il y avait aussi des vers parmi elles, et il ne faut pas écrire trop tôt de poèmes. On devrait plutôt retarder ce moment,

---

* Seuil, t. 1, p. 555.

Attendre et butiner toute une vie durant, si possible une longue vie durant ; et puis enfin, très tard, peut-être saurait-on écrire les dix lignes qui seraient bonnes. Car les vers ne sont pas, comme certains croient, des sentiments (on les a toujours assez tôt), ce sont des expériences. Pour écrire un seul vers, il faut avoir vu beaucoup de villes, d'hommes et de choses, il faut connaître les animaux, il faut sentir comment volent les oiseaux et savoir quel mouvement font les petites fleurs en s'ouvrant le matin. Il faut pouvoir repenser à des chemins dans des régions inconnues,
[...] à des matins au bord de la mer, à la mer elle-même, à des mers, à des nuits de voyage qui frémissaient très haut et volaient avec toutes les étoiles — et il ne suffit même pas de savoir penser à tout cela. Il faut avoir des souvenirs de beaucoup de nuits d'amour, dont aucune ne ressemblait à l'autre, de cris de femmes hurlant en mal d'enfant, et de légères, de blanches, de dormantes accouchées qui se refermaient. Il faut encore avoir été auprès de mourants, être resté assis auprès de morts, dans la chambre, avec la fenêtre ouverte et les bruits qui venaient par à-coups. Et il ne suffit même pas d'avoir des souvenirs. Il faut savoir les oublier quand ils sont nombreux, et il faut avoir la grande patience d'attendre qu'ils reviennent. Car les souvenirs eux-mêmes ne sont pas encore cela. Ce n'est que lorsqu'ils deviennent en nous sang, regard, geste, lorsqu'ils n'ont plus de nom et ne se distinguent plus de nous, ce n'est qu'alors qu'il peut arriver qu'en une heure très rare, du milieu d'eux, se lève le premier mot d'un vers*.

Lors de la première plongée, qui va suivre, dans son propre passé, Malte est âgé de douze ou treize ans, en visite chez son grand-père maternel à Urnekloster. Parmi les figures baroques de ses autres parents, il rencontre là-bas un camarade de jeu du même âge que lui, Erik Brahe, qui, sous la figure du « petit garçon louchant de son œil brun », apparaît de nouveau dans la *Quatrième Elégie,* et le fantôme de Christine Brahe, morte toute enfant plusieurs années auparavant, dont les apparitions sont acceptées sans problème par le grand-père, pour qui « la succession du temps ne joue aucun rôle ». (Parmi les raisons qui poussèrent Rilke à situer son roman en partie au Danemark, figurait, au dire même de l'auteur, la familiarité des Scandinaves avec les fantômes.)
La page de « journal » portant la note « Bibliothèque Nationale » nous ramène à Paris et suscite en Malte une série de croquis instantanés de la ville, tout imprégnés de peur. Leur point culminant est la célèbre description d'une maison à demi démolie, dont les murs portent des empreintes indélébiles :

On voyait sa face interne. On voyait, aux différents étages, des murs de chambres où les tentures collaient encore ; çà et là, l'attache du

* Seuil, T. 1, p. 559-60.

plancher ou du plafond. Auprès des murs des chambres, tout au long
de la paroi, subsistait encore un espace gris-blanc par où s'insinuait, en
des spirales vermiculaires et qui semblaient servir à quelque répu-
gnante digestion, le conduit découvert et rouillé de la descente des
cabinets. [...] Mais le plus inoubliable, c'était encore les murs eux-
mêmes.

[...] Et, de ces murs, jadis bleus, verts ou jaunes, qu'encadraient les
reliefs des cloisons transversales abattues, émanait l'haleine de cette
vie, une haleine opiniâtre, paresseuse et épaisse, qu'aucun vent
n'avait encore dissipée. Là s'attardaient les soleils de midi, les
exhalaisons, les maladies, d'anciennes fumées, la sueur qui filtre sous
les épaules et alourdit les vêtements. Elles étaient là, l'haleine fade
des bouches, l'odeur huileuse des pieds, l'aigreur des urines, la suie
qui brûle, les grises buées de pommes de terre et l'infection des
graisses rancies. Elle était là, la doucereuse et longue odeur des
nourrissons négligés, l'angoisse des écoliers et la moiteur des lits de
jeunes garçons pubères. Et tout ce qui montait en buée du gouffre de
la rue, tout ce qui s'infiltrait du toit avec la pluie, qui ne tombe jamais
pure sur les villes *.

C'est un tableau extraordinaire, surtout pour l'année 1910 où
l'on ne connaissait ni bombardement ni assainissement et où il n'était
nullement parvenu à la conscience générale que par exemple la pluie
au-dessus des villes n'est *pas* propre. Cette description choquait
d'autant plus sous la plume d'un poète qui, peu auparavant, n'avait
chanté que des boutons de rose, des jeunes filles et un jeune et
héroïque ancêtre.

Il n'est pas étonnant que Malte, que rien n'a préparé à de telles
expériences, tombe malade. Il va chez un médecin, dont la salle
d'attente pourrait être née sous la plume de Kafka, et se met au lit,
grelottant de fièvre, dans sa misérable chambre, tandis que les
cauchemars de l'enfance surgissent comme les Furies de l'Hadès :

La peur que ce petit bouton de ma chemise de nuit ne soit plus gros
que ma tête, plus gros et plus lourd... ; la peur qu'un chiffre
quelconque ne puisse commencer à croître dans mon cerveau jusqu'à
ce qu'il n'y ait plus de place pour lui, en moi... ; la peur de me trahir et
de dire tout ce dont j'ai peur, et la peur de ne pouvoir rien dire, parce
que tout est indicible **.

A peine Malte est-il à peu près guéri qu'il remarque, en se
rendant à la Bibliothèque Nationale, un garçon de café qui balaie le
trottoir devant son établissement, et fait signe à quelques collègues
pareillement occupés. Voilà qu'ils regardent tous en riant vers le

---

* Seuil, t. 1, p. 577.
** Seuil, t. 1, p. 589.

boulevard Saint-Michel, dans la direction où va Malte. Même les passants qui remontent la rue matinale se retournent. Quand il peut voir à distance suffisante, Malte distingue devant lui un homme habillé de façon discrète, qui semble soudain trébucher, pour la première fois. Malte décide de prendre garde à son tour ; mais quand il arrive sur les lieux, il ne trouve rien qui puisse faire trébucher. Après quelques minutes, l'homme sautille sans raison décelable. Puis il s'affaire sur le col de son pardessus : il cherche à le refermer, l'ouvre à nouveau d'un mouvement furtif, comme si l'une de ses mains ignorait ce que fait l'autre. Malte s'aperçoit alors que le sautillement erre dans tout le corps de l'homme, qu'il essaye d'éclater ici ou là. Il s'efforce de cacher à la vue des passants les mouvements soudains et non motivés de l'homme, en trébuchant lui-même et en sautillant, de manière à faire croire qu'il y a réellement quelque chose sur le trottoir. L'homme fait à présent un effort désespéré pour retrouver le contrôle de ses mouvements, et appuie fermement sa canne contre son dos ; mais Malte sait que « cela » va bientôt éclater hors du malheureux, et que sa propre volonté, qu'il a pour ainsi dire mise à la disposition de l'autre, ne suffira pas à éviter le pire. Les deux hommes atteignent la place Saint-Michel sans trop avoir attiré l'attention. Mais à peine l'homme s'est-il engagé sur le pont que la danse de Saint-Guy se déchaîne en lui et hors de lui :

> Il tourna un peu la tête et son regard s'égara par-dessus le ciel, les maisons et l'eau, sans rien saisir — et puis il céda. La canne avait disparu, il étendit les bras comme s'il avait voulu s'envoler, et cela éclata hors de lui, comme une force naturelle, et le plia en avant, et le tira violemment en arrière, et le fit se balancer et s'incliner, et, comme une fronde, jeta sa danse forcenée parmi la foule. Car déjà beaucoup de gens étaient autour de lui et je ne le voyais plus [*].

Malte, anéanti par cette vue et son incapacité à aider le malade, traîne « comme un papier vide » en remontant le boulevard et revient dans sa chambre.

Il cherche de nouveau refuge dans ses souvenirs d'enfance. Il s'agit cette fois de « *maman* », sa mère élégante et un peu distraite, incapable de distinguer entre les choses principales et les secondaires et qui, malgré ses relations chaleureuses avec son fils, a bien des traits de Phia Rilke. Elle fait la lecture à Malte et aime bien qu'il entre dans le rôle de sa petite sœur morte. Mais ce qu'il préfère, c'est revenir à cet enfant qu'il était, fiévreux et pleurant dans son lit, jusqu'à ce que les serviteurs alarmés envoient chercher les parents

---

[*] Seuil, t. 1, p. 593.

qui sont précisément à un bal chez le prince héritier, et que sa mère
s'interpose entre le mal et lui :

> et maman entra dans sa grande robe d'atour [...] et elle courait
> presque et laissa tomber derrière elle sa fourrure blanche et me prit
> dans ses bras nus [...] Et nous restâmes ainsi et pleurâmes tendrement
> et nous embrassâmes, jusqu'à ce que nous sentîmes que mon père
> était là et qu'il fallait nous séparer. « Il a beaucoup de fièvre », dit
> maman timidement, et mon père me prit la main et compta les
> battements du pouls. Il était en uniforme de capitaine des chasses avec
> le large et beau ruban bleu ondé de l'ordre de l'Éléphant. « Quelle
> stupidité de nous avoir fait appeler », dit-il tourné vers la chambre
> sans me regarder *.

Peu après, « maman » meurt, et il ne reste plus qu'un seul être à
qui Malte puisse ouvrir son cœur : la jeune sœur de sa mère, sa tante
Abelone. C'est à elle que, dans une lettre envoyée de Paris, il décrit
les six tapisseries de « La Dame à la Licorne » du musée de Cluny
(l'une des œuvres favorites de Rilke, à laquelle il rendra hommage
dans les *Nouveaux Poèmes* et dans les *Sonnets à Orphée*). Comme s'il
pressentait la grande braderie de notre époque. Rilke déplore que
ces tapisseries ne soient plus dans leur lieu d'origine, le vieux château
de Boussac, dont le seigneur les avait autrefois fait tisser pour lui.
Mais le temps est venu où « tout s'en va des maisons » et — paradoxe
qui s'est vérifié dans les guerres et les révolutions — « le danger est
devenu plus sûr que la sécurité même ».

La mort du père tire un trait final sous la dissolution de la famille
Brigge. Il meurt dans une maison en ville, car Ulsgaard est déjà en
d'autres mains. Malte, qui vit déjà à l'étranger, arrive trop tard pour
trouver le mourant encore conscient, mais demeure dans la chambre
quand deux médecins, l'un âgé et l'autre plus jeune, percent le cœur
du mort déjà en bière !

> A peine la large et haute poitrine fut-elle dénudée que le petit homme
> pressé eut déjà trouvé l'endroit dont il s'agissait. Mais l'instrument,
> lorsqu'il l'eut appliqué, ne pénétra pas. J'eus le sentiment que le
> temps, subitement, était hors de la chambre. Nous étions comme dans
> une image. Mais, ensuite, le temps nous regagna avec une vitesse
> croissante et un léger glissement : il y en eut tout à coup plus qu'il n'en
> pouvait être employé.
> [...] Je regardai l'individu que je connaissais à présent depuis
> longtemps. Non, il se dominait tout à fait : c'était un monsieur qui
> travaillait vite et bien, qui allait repartir tout à l'heure. Il n'y avait pas
> dans son attitude la moindre trace de jouissance ou de satisfaction. Sur
> sa tempe gauche seulement, je ne sais quel ancien instinct avait dressé

---

* Seuil, t. 1, p. 610.

quelques cheveux. Il retira l'instrument avec précaution et il y eut quelque chose qui ressemblait à une bouche d'où, deux fois de suite, s'échappa du sang, comme si cette bouche avait prononcé un mot de deux syllabes. Le jeune médecin blond, avec un geste élégant, le recueillit aussitôt dans un peu de coton. Et puis la blessure se tint tranquille, comme un œil fermé *.

La mort de son père entraîne des réflexions sur la mort en général, jusqu'à cette anecdote connue où Arvers, sur son lit d'hôpital, repousse l'instant de mourir quand il entend une nonne prononcer « collidor ». C'est seulement après lui avoir expliqué qu'il faut dire « corridor » qu'il peut mourir en paix, car « c'était un poète, et il haïssait l'à peu près ».

De la mort, dont il est depuis longtemps le savant élève, les pensées de Malte se dirigent vers quelques voisins qu'il a rencontrés dans les pensions de famille et tavernes d'étudiants, et parmi ceux-ci, deux originaux du temps de Saint-Pétersbourg : un étudiant en médecine, qu'une paupière tombante gêne dans son travail, et Nikolaï Kousmitch. Ce petit fonctionnaire fut un jour frappé par l'idée qu'il pouvait encore compter sur une espérance de vie d'environ cinquante ans. Le calcul lui donne un montant astronomique, mais qui ne cesse pourtant de s'amoindrir, d'heures, de minutes et de secondes, dont il cherche à maîtriser le cours en se mettant au lit et en récitant des poèmes.

D'autres souvenirs issus des lectures de l'enfance, et comme revécus à présent par Malte, viennent d'autres profondeurs que ces inventions en forme de *gags*. Outre quelques figures de la « petite » histoire de la noblesse campagnarde danoise, comme la comtesse Reventlow (sur laquelle Rilke avait lu des récits dans les chroniques familiales au château de Haseldorf), il y a quatre hommes venus de la « grande » histoire mondiale, dont le destin obsède l'esprit de Malte. Prototype de l'homme qui usurpe, à la manière d'un comédien, l'identité d'un autre, voici Gricha Otrepjov, assassiné en 1606, le « faux Demetrius », à qui s'intéressèrent aussi Schiller et Hebbel. Selon le principe des structures complémentaires qui règne dans le *Malte Laurids Brigge,* il a pour pendant Charles le Téméraire, mort en 1477, « qui toute sa vie durant fut un, dur et inchangeable comme un granit ». Viennent ensuite Charles VI, le fou, roi de France de 1380 à 1422, et le pape Jean-XXII (1316-1334), exilé en Avignon, dont Malte revit l'époque « lourde, massive, désespérée », avec angoisse.

Parmi les livres dont la jeune tante de Malte, Abelone, (qui est aussi l'amour de sa jeunesse), lit parfois des passages à l'enfant, il y a les lettres de Bettina von Arnim à Goethe, qui ne voulut pas

_____
* Seuil, t. 1, p. 651.

comprendre cet amour. Pour Malte/Rilke, Bettina fait partie, avec Gaspara Stampa, Marianna Alcoforado et toute une longue série d'autres femmes, de Sapho à Eleonora Duse, de celles qui ont survécu parce qu'elles aimèrent au-dessus de leurs besoins, et même au-dessus de la réalité de l'homme, pour ainsi dire dans l' « ouvert », car être aimé, c'est passer, aimer, c'est durer. Là, l'homme est presque superflu, ou au moins indifférent : il n'est que prétexte, catalyseur pour ainsi dire, l'amour l'a usé comme un gant trop longtemps porté. Il est donc logique que Rilke rejette la conclusion originelle de son roman, qui tournait autour de Tolstoï, et termine par une variante de la parabole biblique de l'Enfant prodigue. Celui-ci apparaît avant tout comme un homme qui peut démesurément aimer, mais qui ne veut pas être aimé. En fait, la peur d'être aimé est la dernière, mais pas la moindre de toutes celles qui se sont déployées devant nous dans *Malte Laurids Brigge.*

Rilke a motivé son refus de se soumettre à une psychanalyse, alléguant qu'il n'espérait rien de bon d'une opération où il tirerait de lui-même de gros morceaux d'enfance brute et non travaillée. C'est pourtant cela qu'il vient de faire dans son roman, après l'achèvement duquel il peut écrire à un ami psychiatre, le baron Viktor von Gebsattel, que ses livres n'étaient en fait rien d'autre « qu'un auto-traitement de ce genre [111] ». Il aurait pu aussi mentionner sa correspondance, dont des pages entières ont été reprises dans le roman sans presque aucun changement. Ceci ne facilite pas la lecture de l'œuvre, car Rilke suppose connus non seulement les figures et événements historiques qu'il évoque, mais aussi la vie de Malte, et, sans la moindre préparation, nous introduit moins dans son univers privé que (pour employer l'un de ses verbes favoris) il ne nous y « entraîne ». Ainsi, *Malte Laurids Brigge,* contrairement aux *Buddenbrook* — les deux livres pourraient porter le sous-titre « déclin d'une famille » — et à bien d'autres romans de cette époque, n'est pas un « roman de formation » (Bildungsroman) ou d'éducation. Il nous manque pour cela trop d'éléments : la description du temps d'école de Malte, son apparence extérieure, y compris les circonstances de sa mort, que nous devons tenir pour certaine sans qu'elle nous ait été annoncée.

Rilke exige de nous une autre prescience encore : une familiarité avec des personnages et des événements historiques, certes, mais si lointains que, sans commentaires, le livre demeurerait incompréhensible pendant de longs passages, comme dans ce début de chapitre :

Je sais que si j'étais destiné au pire, il ne me servirait à rien de me travestir sous mes meilleurs vêtements. Ne glissa-t-il pas du milieu de sa royauté parmi les derniers ? Lui, qui au lieu de s'élever, tomba jusqu'à ce qu'il touchât le fond *...

Six pages plus loin seulement, on apprend que ce « il » est le roi de France Charles VI (tout lecteur qui ne serait pas féru d'histoire n'en est pas plus avancé). Au traducteur polonais de *Malte,* Rilke expliqua, c'est vrai, qu' « il n'était pas nécessaire d'en savoir plus sur le personnage évoqué, que le projecteur de son cœur (de Malte) n'en laisse voir [112] ». Mais que faire, si à cette lumière on ne distingue pas les contours et moins encore les traits de la figure en question ? Car il n'est pas rare de voir le nombrilisme de Malte dégénérer en préciosité, comme dans ce portrait d'Abelone lors de la dernière rencontre de celle-ci avec Malte dans un salon vénitien :

> Elle rappelait, si l'on veut, un certain portrait de jeunesse de la belle Bénédicte de Qualen qui joue un rôle dans la vie de Baggesen **.

Impossible pour un écrivain de s'isoler plus hermétiquement de ses lecteurs. Même si l'on a entendu parler du poète danois Jens Baggesen, on ne sait pas forcément pour autant à quoi ressemble la jeune fille du portrait. Mais l'on est largement dédommagé de ces petites frustrations par, entre autres, la force de la représentation rilkéenne du monde, où des êtres de plus en plus nombreux se retrouvent aujourd'hui : un univers si vidé de sens que l'on ne peut « véritablement » réagir devant lui que par le désespoir « Le lecteur ouvre le livre, disait déjà Arthur Holitscher en 1910, « lit une page, rougit, pâlit : *mea res !* » Et de nos jours, soixante-dix ans plus tard et au-delà du fossé de deux guerres mondiales, on pense en lisant ces pages : cela me concerne moi aussi, c'est mon cas qui est ici traité. Si d'autres contemporains de Rilke crurent, avec Alexander Schröder, que les régions de l'âme abordées dans *Malte Laurids Brigge* sont situées hors des domaines accessibles à l'art poétique, ils voulaient dire que le genre du roman avait atteint ici une frontière qu'il n'a jamais franchie, et qu'il ne pourra jamais franchir [113].

Le livre doit sa portée à une cause première : son langage, extrêmement précis, pénétrant et poétique à la fois, est d'autant plus surprenant que *Malte* a été écrit dans un pays de langue étrangère. Rilke s'est exprimé sur les problèmes de l'écrivain expatrié : en soulignant la différence qui sépare le langage courant et le langage poétique, et il a ajouté que son allemand avait pu acquérir « sa concision et sa clarté » précisément parce qu'il n'était pas émoussé et

---

* Seuil, t. 1, p. 687.
** Seuil, t. 1, p. 707.

usé par un emploi quotidien[114]. Quoi qu'il en soit, *Les cahiers de Malte Laurids Brigge* ont innové une certaine forme au sein de la littérature narrative de notre siècle : ils furent le premier de toute une série de grands romans allemands nés hors d'Allemagne.

Duino et le « grand monde »

En ce même vendredi, le 10 décembre 1909, où Rilke met à la poste, à Paris, le livre d'images destiné à sa fille, il reçoit, adressée à « M. Rielke », une lettre de la princesse de Tour et Taxis-Hohenlohe. Elle est, à cette étape de son voyage, descendue à l'hôtel Liverpool et l'invite à prendre le thé le lundi suivant, en se recommandant de leur amitié commune pour Kassner. Malgré toute sa spontanéité, Marie Taxis aurait eu quelque peine à inviter pour le thé un poète qu'elle ne connaissait pas personnellement, si son amie, Anna de Noailles, ne l'y avait pas encouragée. Mme de Noailles, dont les *Eblouissements* venaient de paraître et lui avaient valu un grand succès et l'hommage de Marcel Proust, voulait savoir qui était ce Rainer Maria Rilke, qui lui avait adressé lui aussi quelques lignes d'approbation. Aussi la princesse décida-t-elle de les inviter tous les deux ensemble. Elle a plus tard décrit l'entrée de la poétesse dans le salon de thé de l'hôtel :

« C'était le temps des chapeaux gigantesques et des robes longues, très étroites. Le grand chapeau sombre, chargé de plumes, pouvait à peine passer la porte. Lacée de haut en bas, la comtesse ressemblait presque à une statuette égyptienne. Mais je crois que notre poète ne vit que les grands yeux, noirs et impérieux. Elle avança d'un pas, s'arrêta de nouveau et lança : " M. Rilke, qu'est-ce que l'amour pour vous, que pensez-vous de la mort ? " »

La réponse de Rilke ne nous a pas été transmise ; nous savons seulement qu'à l'avenir il évita Anna de Noailles. Car elle était plus qu'une femme poète. Fille d'un prince roumain et d'une Grecque, née à Paris et mariée au comte Mathieu de Noailles, elle passait pour une beauté exotique et possédait un rayonnement personnel considérable. C'est précisément cela que Rilke, entièrement voué à l'achèvement de *Malte Laurids Brigge,* ressentit comme un danger. Il savait qu'il résistait mal à ses sentiments et il redouta un peu de mieux connaître non seulement la poétesse couverte de louanges, à qui il avait déjà rendu hommage en 1907 dans le petit essai *Die Bücher einer Liebenden (Les livres d'une amante)*, mais aussi la femme fascinante, à peu près du même âge que lui. En outre, à cause des poèmes qu'elle a écrits, il l'a déjà rangée parmi les grandes amantes et il a peur de voir s'évanouir l'enchantement dans un banal cadre mondain. Il tire donc le rideau sur cette rencontre intempestive et tient désormais à distance, par quelques lignes inflexibles, la comtesse qui aurait bien voulu le voir dans son salon. Rilke n'est jamais aussi fin diplomate que pour préserver sa solitude, et sait merveilleusement tenir les gens loin de lui sans les blesser. Il réagit tout autrement avec Marie de Tour et Taxis, qui l'a invité en son château au bord de l'Adriatique. Il la remercie pour cette entrevue, joint à sa lettre une copie de l'essai sur Anna de Noailles et promet de se rendre bientôt à Duino.

Dans les années qui vont du début de 1910 jusqu'à la déclaration de la guerre à la fin de l'automne 1914, Rilke traverse une crise profonde. Il est épuisé par la tension de son travail sur *Malte Laurids Brigge* et a la douloureuse impression qu'il s'est entièrement dépensé, littérairement, dans ce livre, et que rien ne « viendra » jamais plus. Il songe à de vieux projets, l'étude de la médecine ou d'autre chose, de préférence dans une petite université allemande. En outre, il veut apprendre à monter à cheval et échafaude toutes sortes de plans de voyages, qui seront exécutés pour la plupart pendant ces années sans trêve ni repos. *Malte* avait représenté un trop pénible effort pour trouver le salut en arrachant de lui-même une partie de son être, lequel avait à présent si bien conquis son indépendance qu'à partir de maintenant, Rilke parlera souvent du Danois comme de son double. Quand, par exemple, la Joconde est volée au Louvre, en 1911, il parle du personnage qu'il a créé comme d'un ami proche :

Mais *ne plus voir jamais* Mona Lisa : Malte Laurids, pour qui, si mes souvenirs sont justes, elle était d'une réalité indescriptible, en aurait vraisemblablement déduit, s'il avait appris, qu'il était mort : tellement, dans son mystère visible, elle était sûre, comparée à sa propre existence. Il est vrai qu'il exagérait toujours [115].

Tout d'abord, Rilke rattrape en contacts spirituels et sociaux tout ce qu'il a manqué pendant ces longs mois de travail et de solitude. Il faudra attendre sa dernière visite à Paris en 1925 pour le voir rencontrer autant de gens, ou plus exactement autant de gens intéressants pour lui, qu'en ce début de 1910. Après une conférence à Eberfeld, il passe deux semaines chez les Kippenberg à Leipzig, où, fait étonnamment « moderne » si l'on considère son effroi devant la technique, il dicte son roman à une secrétaire munie d'une machine à écrire. Il habite dans la maison de l'éditeur, Richterstrasse, invité plein de tact qui n'a jamais d'exigences particulières, fait envoyer des fleurs, après son départ, à la maîtresse de maison, et éveille chez celle-ci non seulement des sentiments d'admiration, mais un soupçon de snobisme. Si Katharina Kippenberg, née von Düring, s'était promenée dans une roseraie voisine avec quelqu'un d'autre que son hôte, elle n'aurait guère pensé à railler « toute cette classe moyenne qui vient prendre l'air ici », et n'aurait pas souhaité que « chaque état porte son costume propre, comme autrefois », — sentiments et formules rilkéens qui n'auraient jamais, sinon, franchi les lèvres de la brave épouse de l'éditeur[116]. Du reste, la conscience d'appartenir à une élite renforce passablement une amitié qui, de toute façon, s'étaie déjà sur des bases plus solides.

Entre-temps, Rilke fait un détour par Iéna, où il lit des passages de ses œuvres le 21 janvier (entre autres, la fin encore « toute chaude » de *Malte Laurids Brigge*). Selon un témoin, il produit de nouveau un effet considérable :

> Nous pouvions vivre, voir, un monde où nous étions transportés et qui sinon nous reste fermé. Ce n'était pas une récitation, ni un « travail » aux effets dynamiques : pas de mise en valeur de détails, pas de pose artistiquement cultivée, pas d'intonations, mais c'était, presque involontaire, l'ouverture d'une âme d'artiste[117].

Aux yeux d'une dame de la société, tout cela prend un aspect moins exaltant : « Rilke retira lentement ses gants gris foncé et leva vers ses auditeurs ses yeux doux, bleu sombre... » Helene von Nostitz est venue de Weimar pour assister à la lecture, avec son mari, juriste dans l'administration saxonne. Quand Rilke les accompagne tous les deux à la gare, il s'avère qu'il a bien des points communs avec le jeune couple. Helene aussi est allée en Russie et a vécu en Italie et à Paris, où Rodin a fait son portrait ; elle a même habité avec son mari dans la petite maison, à Meudon, où Rilke fut logé quand il était le secrétaire de Rodin. Ils ont encore un ami commun, le comte Harry Kessler. Rilke a rencontré à Paris ce collectionneur d'art, mécène d'Aristide Maillol ; pour Helene et Alfred von Nostitz, le directeur du musée de Weimar est un bon ami. La maison de Kessler, Cranachstrasse, a été conçue par l'architecte belge Henry Van de Velde, dont Rilke a fait la connaissance à Munich. Il vit, lui aussi, à Weimar. Quand Rilke, sur l'invitation des Nostitz, va faire un bref séjour à Weimar, il trouve donc tout un cercle d'anciens et nouveaux amis. Le soir du 2 mars, on se réunit chez Kessler, où Hofmannsthal lit des passages du *Chevalier à la Rose*, qu'il vient de terminer. C'est, pour Rilke, la seconde soirée Hofmannsthal en quelques semaines : quand il avait rejoint Clara en février à Berlin, la première du *Retour de Christine* avait justement lieu au Deutsches Theater. Puis, on s'était réuni quelques heures, comme à présent chez Kessler, à l'hôtel de Rome — Rilke et Kippenberg, Hofmannsthal et Van de Velde, Rudolf Alexander Schröder, Emil Orlik et d'autres amis.

A Rome, où il séjourne un mois pour corriger des épreuves, Rilke mène une vie mondaine. Sidonie Nádherný est là-bas, Jakob Wassermann est de passage, Samuel Fischer habite même, avec sa famille, dans l'hôtel où Rilke est descendu, Piazza del Popolo. Si l'éditeur s'est étonné de voir le poète qu'il soutient généreusement, voisiner avec lui dans un hôtel féodal, il a gardé ses pensées pour lui. Rilke passe de nombreuses soirées dans le salon des Fischer « s'annonçant toujours par une carte interrogatrice », comme nous l'apprend Brigitte (« Tutti ») Fischer, « et naturellement toujours le bienvenu [118] ». Entre-temps, il revoit les épreuves de *Malte Laurids Brigge*, qui paraît à la fin de juillet à l'Insel-Verlag.

II.

De Rome, Rilke se rend, pour une première visite, à Duino, le « château au bord de la mer » de Marie Taxis, perché sur un haut rocher qui domine l'Adriatique. Selon la tradition, le château aurait hébergé Dante, exilé de Florence et hôte du patriarche d'Aquileja, comme en témoigne le « sasso di Dante », la pierre de Dante au pied du château. Puis il fut, pendant des siècles, la propriété de la famille maternelle de Marie Taxis, jusqu'à ce que la mère de celle-ci, une beauté vénitienne, née comtesse Thérèse Thurn-Hofer et Valsassina, l'apporte en dot par son mariage avec le prince Egon Hohenlohe-Waldenburg-Schillingsfürst. Quand Marie eut onze ans, Venise fut, à la suite de la guerre de 1866, rattachée au royaume d'Italie (tandis que Duino resta autrichien jusqu'en 1918). Le changement ne l'aura guère troublée. Son père avait, certes, servi l'empereur d'Autriche ; mais il était mort peu avant la déclaration de la guerre, et elle appartenait elle-même à une génération pour laquelle les liens du rang, de l'éducation et des intérêts pesaient plus lourd que la nationalité portée sur un passeport.

L'année où naquit Rilke, en 1875, la jeune femme blonde, de taille moyenne, épousa le prince Alexandre de Tour et Taxis, élevé au château de Lautschin en Bohême, gentleman de vieille souche, bon violoniste et brillant escrimeur, compagnon de l'archiduc héritier François-Ferdinand à la chasse au gros gibier. A la maison, il soutient les goûts et les activités artistiques de sa femme. Celle-ci était avant tout musicienne : bonne pianiste, elle invitait à Lautschin en automne le Quatuor à cordes de Bohême, et au début de l'été, à Duino, le Quartetto de Trieste. Par beau temps, les concerts avaient lieu en plein air, sur la grande terrasse envahie de rosiers grimpants, que l'on avait aménagée en haut d'une des tours des fortifications ; de là, on pouvait voir à gauche Trieste et la presqu'île d'Istria, et à main droite, plus plate, la côte en direction de Montefalcone (où le train s'arrêtait), et Venise. Dans le domaine de la littérature, la participation de Marie Taxis dépassait le simple mécénat. Elle avait reçu une bonne éducation à Florence, elle pouvait, jusqu'à un âge avancé, réciter par cœur des pages de Dante et de Pétrarque, et était si douée pour les langues qu'elle traduisit en français deux livres difficiles de Kassner, et plusieurs poèmes de Rilke, parmi lesquels les deux premières *Elégies,* en italien. Membre de la Society for Psychical Research de Londres, elle s'intéressait aux recherches télépathiques et aux phénomènes spirites.

Outre Rilke et Kassner, bien d'autres artistes et poètes qui séjournaient à Venise furent invités à Duino, car Marie Taxis menait grand train au spirituel comme au social : D'Annunzio, la Duse. Malgré l'absence d'électricité, on se sentait bien là-bas, car les habitudes de la maison étaient assez souples pour permettre à chacun de se consacrer à ses propres intérêts. Le petit déjeuner était servi dans la chambre, le matin on était laissé à soi-même, il y avait à une heure un lunch pour la famille et ses invités. Après la sieste, on allait, par beau temps, se promener en auto le long de la côte, le soir on faisait de la musique. Qui sait quel aurait été le développement de la littérature anglaise, si l'intelligente, la chaleureuse Marie Taxis, douée du sens de l'humour, avait pu convier, auprès de son hôte préféré Rilke, l'épineux James Joyce ! A cette époque, il végétait en donnant des leçons de langues, à Trieste, et était encore trop peu connu pour que les Tour et Taxis, qui avaient beaucoup d'amis dans la colonie anglo-américaine de Venise et Trieste, aient jamais entendu parler de lui.

Au temps de Rilke, Duino était, comme son emblème, une vieille tour carrée, ceinte de fortifications datant de la fin du Moyen Age. Marie Taxis recevait ses hôtes de préférence dans la salle rouge, ou salle de l'empereur, nommée ainsi d'après les fresques représentant l'apothéose de l'empereur Léopold Ier, auquel le comte Thurn-Valsassina avait autrefois acheté le château. Cette pièce contenait des armoires garnies de livres et de porcelaines, et était tapissée de velours rouge foncé, en contraste avec la salle blanche, garnie de meubles clairs, et dont les trois grandes fenêtres ouvraient sur une large vue du golfe de Trieste. Là, il y avait aussi un piano, sur lequel avait joué Franz Liszt. Dans ce « château immensément dressé près de la mer », Rilke habitait une chambre qui « regarde tout l'espace de la mer, on voudrait dire immédiatement le Tout [119] ». Au pied du bâtiment, s'étendaient un parc avec des animaux, et des sentiers sous les chênes rouvres, les lauriers et les pins. Plus bas encore, au bord de la mer, était la plage de Sistiana, appartenant au château.

La plus grande partie du château fut détruite dans les batailles de l'Isonzo pendant la Première Guerre mondiale. Il a été en partie reconstruit dans les années vingt, quand le second fils de la princesse, Alexandre (surnommé « Pascha ») de Tour et Taxis, tenant compte des suites de la guerre, se fit naturaliser italien sous le nom de « Principe Della Torre e Tasso, Duca di Castel Duino ».

Lors de son premier *séjour*, comme on aimait bien dire alors, à Duino, Rilke apprend à mieux connaître Kassner, également présent, qui avait parlé de lui à Marie Taxis et était le véritable instigateur de l'amitié de la princesse et du poète. Car c'est dès le début une amitié. « Comme il est étrange que nous deux des êtres si différents nous ayons si souvent les mêmes sentiments », écrit-elle avec son habituelle indifférence aux règles de la ponctuation et souvent aussi de l'orthographe, « vous, un jeune homme et un poète — et moi une vieille femme, qui a quand même beaucoup vécu ». En fait, ils se complètent de la plus heureuse façon. Rilke offre un centre de gravité intellectuel à cette femme qui est capable de s'enthousiasmer et en a besoin, alliée à la moitié de la noblesse européenne et qui a tellement de petits-enfants qu'elle les comparera un jour à des insectes. Ces relations, comme toutes celles que Rilke entretiendra avec des amis influents, a pour base la réciprocité, sans que l'on vienne jamais à en parler. Bientôt, la princesse initie cet homme qui a vingt ans de moins qu'elle et vient d'un tout autre milieu, à des affaires de famille qui demeurent ordinairement cachées aux étrangers. Le tact de Rilke, là encore, fait merveille. Il écoute avec attention, donne quelques conseils sincères et aide la princesse à porter ses soucis, qu'il s'agisse de l'éducation interrompue et du mariage détruit de Pascha, ou d'une pénible affaire que doit supporter à l'âge de soixante ans, son beau-frère, Fritz von Hohenlohe-Waldenburg-Schllingsfürst. Dans son désir d'être utile à sa maternelle amie, le poète, si dépourvu de sens pratique, parvient même à régler pour elle des problèmes financiers. Comme elle veut acheter quelques tableaux pour le château de Lautschin, il lui sert d'intermédiaire auprès de Pietro Romanelli à Paris. Une autre fois, il vit tout seul à Duino, assisté de la gouvernante Miss Greenham et du vieux serviteur Carlo, et dans sa correspondance il tient la maîtresse des lieux au courant des problèmes domestiques quotidiens, comme les travaux des menuisiers et des peintres. Elle lui fait totalement confiance, même dans ce genre d'affaires, sachant bien que la bonne volonté de Rilke palliera l'inexpérience et l'étourderie éventuelle.

De son côté, Rilke lui aussi peut faire part à la princesse de tout ce qui l'oppresse ou seulement l'occupe. Il s'agit parfois de questions privées comme l'achat d'une petite chaîne d'argent avec médaillon, cadeau d'anniversaire pour Marthe Hennebert, une ouvrière de Paris, âgée de dix-sept ans, qu'il a rencontrée en été 1911 — et selon une amie de Rilke, « arrachée à une maison réprouvée [120] » — dont à présent il prend soin, un peu comme une amante, un peu comme une protégée. Marthe vit à Paris, il est à Duino, Marie Taxis se trouve à Vienne et se charge pourtant de la commission, sans poser de questions. Ils parlent aussi d'œuvres d'art et de livres, par exemple du *Jean Christophe* de Romain Rolland ; Rilke estime l'homme en l'auteur, mais il ne parvient pas à aimer son roman (« Inexprimablement mince et situé avec raison en Allemagne, pour la longueur et le sentiment »), tandis que Marie Taxis l'apprécie. Leurs réactions divergent également au sujet du roman de Gerhart Hauptmann *Der Narr in Christo Emanuel Quint (Le fou du Christ Emanuel Quint*)* ; à propos d'une autre nouvelle publication, au contraire, *Du côté de chez Swann,* ils sont tous les deux également enthousiastes.

Tout en respectant tacitement les formes prescrites par les circonstances et la situation sociale de l'un et l'autre, Marie Taxis et Rilke donnent à leurs relations une cordialité empreinte de naturel. En le connaissant mieux, elle juge impossible de le nommer « M. Rilke ». « Rainer Maria » lui paraît trop familier, elle lui confère donc le titre de « Dottor Serafico », à cause de la nature de Rilke, démunie de tout élément grossier, et à cause aussi de l'ange qui surgit de plus en plus au premier plan, à cette époque, dans l'œuvre du poète. On peut sans doute aussi y voir une allusion au Pater Seraphicus, qui, au dernier acte de Faust, plane entre ciel et terre. Kassner est en même temps, également en référence à son œuvre, nommé « Dottor Mistico ». Cette dénomination pleine d'humour et aussi de respect définit le caractère de sa sollicitude, car la princesse connaît son Rilke comme seule Lou le connaît. Mais au lieu, comme Lou, de l'accompagner dans ses dépressions et de les analyser, Marie Taxis tente de l'arracher à son envahissante pitié de soi-même, avec *common sense* et bonne humeur.

O Dottor Serafico, je vous envie ! Je pense que vous êtes le plus heureux des hommes sur la terre du Bon Dieu (voilà que vous vous

---

* Paru en 1900, ce roman raconte l'histoire d'un menuisier silésien qui veut vivre selon l'Imitation de Jésus-Christ.

irritez comme une punaise — *con rispetto parlando* — mais c'est pourtant vrai, — si ces étranges yeux qui sont les vôtres... s'ouvraient un peu sur vous-même). Donc, je vais tout vous énumérer :

Vous êtes un grand poète et vous le savez très bien. Vous êtes amoureux (ne raisonnez pas, vous *êtes* amoureux et toujours amoureux, de qui, de quoi et comment, peu importe).

Vous avez un petit atelier à Paris — et c'est mars — tout le merveilleux printemps frappe à votre porte — Entrez ! On demande le Dottor Serafico !

Regardez — je suis une femme — et une femme de mon âge devrait quand elle se voit dans un miroir, s'arracher tous les cheveux un par un et se pendre aussitôt à la corde la plus proche — j'ai eu tant de chagrin et tant de souci dans ma vie... Et pourtant un arbre fruitier en fleur, un rayon doré de soleil *make me wild with delight !*

Mais d'autre part, si vous n'étiez pas si désespéré, vous n'écririez pas si merveilleusement. Alors soyez désespéré ! Soyez désespéré soyez encore plus désespéré [121] !

Rilke est bientôt inclus dans tout le cercle de membres de la famille et d'invités que Marie Taxis rassemble autour d'elle à Duino et Lautschin, à Vienne et à Venise et pendant ses voyages. Ce cercle est composé d'antiquaires anonymes et de bibliothécaires, de dames célèbres et de haut rang comme (apparentées à Marie Taxis) Pauline Metternich ou la princese Marthe Bibesco, de nobles et de bourgeois des quatre coins du monde. Et précisément parce que, comme Kassner le remarque, « ce n'était ni dans les manières de Rilke ni dans ses désirs » d'être le centre d'un cercle, il était apprécié par cette société bariolée. « Quand la porte du salon rouge s'ouvrait et que l'homme à l'allure d'adolescent y apparaissait, chacun voulait l'avoir à soi et près de soi [122]. »

Mais *elle* aussi s'intéressait à sa famille *à lui* et à ses amis. Elle correspond avec Clara, envoie à Ruth une babiole pour Noël, adresse ses salutations au « Dr Kiltenberg » (Kippenberg) qu'elle ne connaît pas personnellement, et acquiesce aussitôt, au printemps 1914, quand Rilke souhaite amener à Duino son amie Benvenuta. Après coup, il est vrai, elle le chapitre : non parce que, outre Clara et à côté de Marthe Hennebert, il a encore d'autres amies, mais parce que Benvenuta, pense-t-elle, n'est pas la femme qu'il lui faut. Mais avant tout, Marie Taxis est, plus encore que Clara ou Lou, la confidente de ses joies ou douleurs *littéraires*. De même que Alice Faehndrich avait autrefois traduit avec lui les sonnets d'Elizabeth Barrett Browning, Marie Taxis l'aide à présent à traduire la *Vita Nuova* de Dante (le manuscrit fut perdu quand les biens de Rilke à Paris furent saisis pendant la guerre). C'est une femme hautement cultivée et au goût sûr, et quand ce goût ne trouve pas son plaisir à une nouveauté, elle se laisse patiemment enseigner par Rilke. Il arrive qu'elle lui pose des questions comme : « Il n'est tout de même pas possible que vous admiriez ce livre ? » (*Bella*, de Giraudoux). Et ainsi elle le force, lui aussi, à justifier ses propres opinions.

III.

Ces nouvelles rencontres s'effectuent parallèlement avec le renoncement à bien des liens et des habitudes. Rilke fait peau neuve, comme il l'avait déjà fait en 1896 en partant s'installer à Munich ou en 1902 en quittant Westerwede. Il ne reviendra ni à Rome ni à Oberneuland, où il habite encore en été 1910 avec femme et enfant ; il voit pour la dernière fois Prague, sa ville natale, en 1911. La même année, sa relation avec Clara se dégrade au point que celle-ci songe à divorcer :

> C'est ma femme qui a émis ce souhait (écrit-il à son avocat pragois), et nous sommes tombés d'accord non seulement pour tout régler de la façon la plus amicale possible, mais précisément avec le sentiment que cette démarche même nous mettra en état de préserver, et de nous prouver, cette amitié que nous avons eue depuis le début l'un pour l'autre. Nous vivons effectivement séparés depuis tant d'années que le divorce judiciaire aurait seulement à confirmer ultérieurement un état de fait qui en vérité dure depuis longtemps...

Pour des raisons purement bureaucratiques, ils renoncent finalement à divorcer : la différence des confessions, des nationalités et des domiciles provoquait tant de difficultés que toute l'affaire aurait pris trop de temps et d'argent.

Son amitié avec Heinrich Vogeler se brise à propos d'un projet qu'ils avaient fait en 1900 à Worpswede et que le peintre voudrait bien reprendre à présent. Il s'agit de l'édition d'une *Vie de Marie* avec des textes de Rilke et des dessins de Vogeler, qui représenteraient quelques épisodes de la vie de la Vierge (entre autres l'Annonciation, la naissance du Christ, la Pietà et finalement la mort de Marie). Rilke avait à l'époque écrit trois courts poèmes, auxquels douze nouveaux s'ajoutent à présent. Comme, entre-temps, il s'est habitué à l'esthétique de Rodin et de Cézanne, et qu'il ne voit plus en Vogeler qu'un illustrateur de livres arrêté dans le cours de son développement, et un épigone de lui-même, Rilke redoute de publier la *Vie de Marie* en collaboration avec son vieil ami. Il se tire d'affaire en faisant imprimer le texte en 1913 sans illustrations, mais avec une dédicace : « A Heinrich Vogeler, avec ma reconnaissance pour avoir, autrefois et à présent, suscité ces vers. » Malgré cette solution diplomatique, Vogeler se sent blessé, sinon il aurait décrit autrement sa dernière rencontre avec Rilke. Car, à la déclaration de la guerre, mobilisé et en permission à Partenkirchen, l'artiste raconte qu'il a vu, devant un hôtel, un traîneau

> ... dans lequel était assise une femme aux cheveux rouges enveloppée dans sa fourrure. Près du traîneau se tenait Rainer Maria Rilke. Je me dirigeai avec joie vers lui et je voulus lui tendre la main. Mais il se détourna froidement et monta. Le traîneau s'éloigna en bruissant. J'avais visiblement, avec mon « feldgrau », fait sur lui l'effet d'un fantôme, même s'il avait contribué à maintenir ma vie et mon travail dans d'étroites barrières... Il avait peut-être eu le sentiment que je venais de faire sauter ces barrières. Amère déception pour lui. Il est aussi possible qu'il ait vu en moi un patriote fanatique [123].

Il est vraisemblable que Rilke n'a pas reconnu l'autre, sans doute à cause du vêtement *feldgrau*. Il a peut-être aussi hésité à rencontrer, alors qu'il était en compagnie de son amie Lulu Albert-Lasard, l'homme précisément qui l'avait présenté autrefois à Clara Westhoff.

A la place de ces anciennes relations, d'autres apparaissent à présent, parmi lesquelles Rilke ne joue plus le rôle du nécessiteux qui cherche de l'aide, mais donne, lui aussi, et s'entremet pour les autres. Ainsi, il loge Marthe Hennebert chez un ami parisien, en la présentant comme une sorte de fille adoptive; il faut qu'elle apprenne à faire la cuisine, et, comme Rilke croit lui avoir découvert des capacités artistiques, à dessiner et à peindre. Il écrit des vers au sujet de cette jeune femme qu'il veut aider à conquérir une existence à elle, et dans ses lettres intéresse à son destin Kassner, Verhaeren, Sidie Nádherný et Marie Taxis. Même quand Marthe plonge dans la bohème avec un sculpteur russe, Rilke ne lui retire pas sa protection. Il la revoit en Suisse après la guerre et fait aussi la connaissance de son futur mari, le peintre Jean Lurçat.

Il intervient de cette secourable manière dans une autre existence, celle, bien différente, de la poétesse Regina Ullmann, de Saint-Gall, qui vit depuis 1901 à Munich où elle subsiste péniblement avec deux filles illégitimes. Rilke est enthousiasmé par sa nouvelle dialoguée *Die Feldpredigt* (*Le sermon au champ*) et écrit une introduction à son recueil de nouvelles *Von der Erde des Lebens* (1910) (*La terre de la vie*). Plus tard, il rendra à Regina un hommage qu'il réserve aux poètes dont il estime particulièrement l'œuvre : pour les utiliser chez lui et pour les envoyer à des amis, il fait des copies manuscrites des poèmes de la jeune femme, car la copie est une manière plus intime de pénétrer un texte que la lecture sur une page imprimée. Il mobilise aussi des amies mieux pourvues, comme

Magda von Hattinberg et Lulu Albert-Lasard, pour apporter une aide financière à cette poétesse avec qui il se sent plus d'un lien : l'expérience de l'inspiration comme dictée de l'extérieur, et une manière de s'exprimer dans laquelle pensées et images apparaissent condensées de telle sorte que les chiffres détaillés, pour ainsi dire, et les bilans intermédiaires, manquent, et qu'il ne reste que les « sommes lyriques ».

Franz Werfel est aussi du nombre des poètes pour qui Rilke, en ces dernières années avant la guerre, s'entremet ; c'est lui qu'il préfère parmi tous les jeunes, plus encore que Georg Trakl ou Alexander Lernet-Helenia. Lors d'une visite à l'Insel-Verlag, il voit le volume de poèmes de Werfel *Wir sind* (*Nous sommes*) sur une table, et il en lit des passages. Plein d'enthousiasme, il écrit à l'auteur, âgé de vingt-trois ans, une lettre, et le recommande à ses amis. A l'essai qu'il est justement en train d'écrire *Sur le jeune poète*, où Rilke cherche à déterminer le point où un poète en devenir commence à se distinguer du commun des mortels, il a ajouté une remarque : « La confrontation bénéfique à plus d'un titre, de l'auteur avec les poèmes de Franz Werfel, a été dans une certaine mesure le point de départ de cet essai. » La rencontre a eu lieu en octobre 1913, lors de la première allemande de *L'Annonce faite à Marie* de Claudel, où Rilke se retrouve avec Lou, Sidie, les Kippenberg, Helene von Nostitz et d'autres amis dans la ville-jardin d'Hellerau* : près de Dresde, où les « ateliers allemands » d'artisanat et l'établissement de danse rythmique de Jacques Dalcroze constituaient un but de promenade en vogue. Werfel passe rapidement sur l'apparition de Rilke, un peu déconcertante au premier regard (« ses beaux mouvements étaient désorientés, comme s'ils devaient d'abord surmonter une paralysie »), et sur la nourriture végétarienne (« j'avalai de la verdure et songeai à la fuite ») ; après quelques heures passées à la terrasse de Bruhl, il prend congé avec un respect nullement amoindri, même s'il considère le poète plus âgé comme l'un de ces « pères » qu'il s'agit de surpasser.

Il n'en va pas de même pour Rilke. Dans un récit qu'il adresse à Hofmannsthal, il cherche à justifier sa déception et en vient à la conclusion que celle-ci doit avoir quelque chose à voir avec l'élément juif dans l'âme de Werfel. Il conclut ainsi : « Tout était là, un don hors du commun, une forte volonté de réalisation parfaite, une détresse naturelle non feinte, et pourtant, en fin de compte, il restait

---

* En 1909, l'architecte Richard Riemerschmidt avait édifié dans ce faubourg de Dresde une sorte de « ville-jardin ». Les « ateliers allemands » d'artisanat furent fondés en 1910. Jacques Dalcroze y créa un établissement de danse rythmique et d'expression corporelle. L'art, le travail s'unissaient en un mode de vie plein de liberté, qui rassembla toute une population, la « colonie d'Hellerau ».

comme une subtile étrangeté [124]... » Le dernier mot appartient à
Lou, qui avait reçu quelques poèmes de Werfel copiés par Rilke et
avait été témoin des premiers enthousiasmes de celui-ci (« C'était
beau et émouvant de le voir vivre cela : nostalgique, ravi et sans
jalousie, — comme on l'est envers un " fils ", un héritier. ») et aussi
de la désillusion de Dresde : « Finalement, ils se regardaient avec
étonnement, et malgré l'honnête fraîcheur et la grande intelligence
de ce jeune homme précocement mûr, ce ne fut pas la reconnaissance
paternelle attendue. " Je ne peux pas l'embrasser ! " dit Rilke
tristement. » Bien que Rilke n'ait guère estimé les romans de Werfel,
il ne s'en est pas gaussé comme Alfred Kerr, et n'est pas parti en
guerre contre lui comme le fit Karl Kraus.

Mais il y a avant tout *un* être dont le destin tient au cœur de
Rilke et à qui il voudrait donner un champ d'action à sa mesure :
l'actrice Eleonora Duse. Il ressent une sorte de parenté d'âme avec
cette femme, qui a donné une forme, en scène, à des destinées
étrangères, tandis que la sienne semble toujours menacer de glisser
hors de ses mains ; quand il fait sa connaissance en été 1912 à Venise,
la marche à vide où est engagée la vie de l'actrice correspond
exactement à l'absence de but dont souffre Rilke. Leurs chemins se
sont maintes fois croisés au cours des années passées, sans qu'ils en
soient venus à se rencontrer personnellement. Rilke, en écrivant *La
Princesse Blanche,* avait déjà pensé à la Duse ; à Berlin, il l'avait
admirée dans *Romersholm ;* à Paris, en tant que secrétaire de Rodin,
il lui avait écrit plus d'une lettre ; dans les *Nouveaux poèmes* le
Portrait lui est dédié, et dans *Malte Laurids Brigge,* tout un
paragraphe. Quand il lui est enfin présenté par un ami commun, elle
a cinquante-trois ans et ne joue plus depuis trois ans. Les jours où
elle était l'interprète d'Ibsen et la compagne de D'Annunzio sont
passés ; elle espère à présent qu'une Italienne de ses amies, écrivain,
composera pour elle une *Ariane.* Tandis qu'elle attend une pièce qui
lui convienne, sa force d'expression encore si puissante, admirée
autrefois par Shaw et d'autres connaisseurs de théâtre, menace de
s'user dans les frustrations de la vie quotidienne. Rilke est témoin
d'une scène pénible, quand la Diva, plus très jeune et un peu replète,
visite en sa compagnie un appartement qu'un ami a mis à sa
disposition au troisième étage du Palazzo Pisani : la Duse, actrice pur
sang ici encore, monte « le premier étage comme une princesse, le
second avec hésitation, un peu asthmatique, le troisième comme une
mendiante [125] ».

Rilke, qui lui rend souvent visite, songe une fois encore à une
représentation de *La Princesse Blanche.* Le projet fait long feu, de
même que son idée, en 1914, d'une récitation de la *Vie de Marie* en
italien par la Duse en costume de nonne. Il s'efforce de lui assurer,

avec l'aide de Max Reinhardt, un rôle convenable et si possible son
propre théâtre. Ce qui le captive en cette femme, c'est aussi ces
combats de retraite devant la marche des années, particulièrement
tragiques chez une actrice. Poussé par le même genre de sentiment, il
songe à présent à écrire la biographie d'un vieil homme qui jetterait
un regard sur sa vie passée. Il pense d'abord au Titien, il fait mettre
aussi à sa disposition, au Museo Correr, des documents sur le mécène
et amiral Carlo Zeno, qui mourut en 1418 à l'âge de quatre-vingt-
quatre ans. Le projet échoue, en partie parce que toute méthode
demeure obstinément étrangère à Rilke, en partie aussi à cause de
son manque de capacité de concentration :

> Je voudrais tout lire d'un seul coup et en même temps je ne retiens que
> le minimum, c'est terrible, les souris du chagrin d'un côté, les rapaces
> du sentiment de l'autre, ont dévoré ma mémoire, je me sens comme
> s'il l'on ne pouvait même plus établir où elle siégeait.

Malgré ces airs d'ironiser sur soi-même, il traverse une crise de
santé qui dépasse de loin les défaillances de mémoire et autres
désagréments qui le tourmentent depuis assez longtemps et desquels
il a fini par s'accommoder, comme ses fréquents maux de dents (qu'il
avait pourtant d'une blancheur éblouissante), ses migraines et des
hémorroïdes. Bien qu'il n'en laisse rien paraître — « Je l'ai pris pour
un adolescent, écrit en 1913 la jeune actrice Hedwig Bernhard dans
son journal, et voyez, il m'a dit hier qu'il a 38 ans, une femme et une
fille de douze ans » —, il subit entre autres calamités réservées à lui
seul, comme ces incapacités de travail qui durent des mois, ce que
l'on appelle à présent la crise de l'âge mûr. Il présente des
symptômes d'épuisement et une sensibilité extraordinaire, qui relève
de la neurasthénie, aux conditions atmosphériques. A Duino, il se
plaint du sirocco et de la bora, à Munich et plus tard à Muzot, il
souffre du föhn. Son besoin de sommeil, déjà supérieur à la normale,
prend à présent des proportions inquiétantes. Bref, il est durant ces
mois un faisceau de misères, même si on ne peut pas toujours les
définir cliniquement :

> L'extrême sensibilité par exemple des muscles est si grande (avoue-t-il
> à Lou, confidente aussi de ses détresses physiques, en janvier 1913),
> qu'un peu de gymnastique ou n'importe quel mouvement exagéré (en
> me rasant) entraîne aussitôt des gonflements, des malaises etc.,
> phénomènes auxquels succèdent aussitôt, comme s'ils n'attendaient
> que cela, des angoisses, des obsessions, des tourments de toutes
> sortes.

Même chose, à la fin de l'année, dans une lettre à Marie Taxis :

> Le monde se précipite à chaque instant tout entier dans mon sang... Je
> pense, princesse, que je dois suivre ce *Malaise* à la piste, découvrir la
> source d'où le mal renaît sans cesse, à peine ai-je quelque part une
> petite plate-bande que ce trouble monte et la submerge et la laisse
> désolée. Et je sais que seul un médecin y pourrait quelque chose, et
> pas moi, si seulement c'était le bon...

Mais quel est le bon médecin pour cette maladie qui semble
avant tout être de nature psychique, même si les symptômes
(« gonflements », « dans le sang ») font prévoir de loin les signes
avant-coureurs de la leucémie ? Rilke a vraisemblablement déjà
entendu parler de la psychanalyse en 1907, quand il fit chez Hugo
Heller, l'éditeur des premiers écrits de Freud, cette conférence
interrompue par un saignement de nez. Depuis, il a pris contact à
Munich et à Paris avec un psychanalyste, le baron Viktor Emil von
Gebsattel, auprès duquel Clara se trouve en traitement (est-ce
seulement un hasard si le médecin habituel de Rilke est aussi un
baron, Wilhelm Schenk von Stauffenberg, bien que l'aristocratie soit
une très petite minorité dans le corps médical ?). A la fin de 1911, il
se demande s'il ne doit pas aussi se faire traiter par Gebsattel, qui,
après avoir hésité, se déclare prêt. Clara l'y engage et tient ses
appréhensions pour de la peur pure et simple. Lou au contraire, qui
vient justement de prendre part au premier congrès de psychanalyse
à Weimar et suit bientôt une formation de pratiquante, le lui
déconseille avec insistance et télégraphie même à Duino parce
qu'elle craint qu'il soit déjà parti pour Munich pour se faire analyser.
On ne sait si c'est le médecin, ou le moment de l'analyse, ou une
autre circonstance, qu'elle juge inopportuns. Il est peu probable
qu'elle ait nourri des doutes envers la valeur de principe de la
psychanalyse, car elle écrit dans son *Lebensrückblick (Mémoires)*
que, outre quelques expériences d'enfance, c'était « l'expérience du
caractère extraordinaire et de la rareté du destin psychique d'un seul
homme — Rilke — » qui lui avait ouvert la voie de la psychologie de
Freud. Ou était-ce l'exacte connaissance qu'elle avait de l'âme
rilkéenne qui la poussa à le détourner de cette thérapie ? Entre-
temps, il avait lui-même repris ses distances, en partie, nous l'avons
vu, parce qu'il considérait que sa poésie représentait déjà une sorte
d' « autotraitement », en partie par peur réelle devant ce « grand
rangement de soi-même », mais surtout parce que, à son avis,
l'analyse n'avait de sens que

> si l'étrange arrière-pensée *de ne plus écrire,* que je balançais devant
> mon nez comme une sorte de soulagement en terminant le *Malte,* avait

une apparence de sérieux. Alors on pourrait faire extirper les diables hors de soi, ils ne font que gêner et déranger dans la vie quotidienne, et si les anges s'en vont du même coup, il faudrait prendre cela aussi pour une simplification et se dire que l'on n'en aurait pas eu l'usage dans un autre métier (lequel [126] ?).

Il n'y a pour lui, bien sûr, pas « d'autre métier » ; Rilke reste poète, et se légitime en tant que tel, à l'époque de ces considérations, en janvier 1912, par la *Première Elégie,* où l'Ange, projection du surmoi, si l'on veut, joue un rôle central.

A l'automne de l'année suivante, Rilke rencontre, au congrès de psychanalyse de Munich auquel il assiste avec Lou, Sigmund Freud, et passe toute une soirée avec lui, ainsi qu'avec Lou, Viktor von Gebsattel et Sandor Ferenczi. Puis les messieurs s'envoient des salutations amicales par l'intermédiaire de Lou, que Freud charge du message suivant en avril 1915 : « Voulez-vous dire à M. R.M. Rilke que j'ai aussi une fille de 19 ans qui connaît ses poèmes, en partie par cœur, et qui envie le salut qu'a reçu son frère à Klagenfurt [127]. » Rilke avait fait envoyer son bon souvenir au fils de Freud, Ernst, alors soldat, mais il avait oublié Anna, la fille. Il a peut-être rattrapé cet oubli en décembre 1915 à Vienne, quand, peu avant d'être incorporé, il rendit visite à Freud en sa demeure de la Berggasse. Ils ne se revirent jamais plus.

IV.

On dirait qu'après l'achèvement de *Malte Laurids Brigge,* le métabolisme de Rilke s'est accéléré : il se met à voyager sans relâche. A son séjour à Paris, souvent interrompu mais qui dura quand même de 1902 jusqu'au début de 1910, succèdent des années d'errance sans repos, qui prennent fin seulement dans l'été 1921, quand le poète se fixe à Muzot. La fréquence des changements de lieux croît de telle manière que Rilke, qui avait passé l'année 1909 à Paris, en Provence et en Forêt Noire, se trouve en 1914 coup sur coup à Paris, Berlin, Munich, Zurich, Paris, Duino, Venise, Assise, Milan, Paris, Leipzig, Munich, Irschenhausen, Munich, Francfort, Würzburg et Berlin. En même temps que leur nombre, le confort de ses voyages s'accroît aussi. S'il avait vécu à Paris dans des logements modestes, voire comme sous-locataire de Rodin, il descend à présent dans de meilleurs hôtels, et même, à l'occasion, dans des établissements de première classe, et vit beaucoup dans des châteaux. Pour la seule année 1910, il est l'hôte de Sidie Nádherný à Janowitz et de Marie Taxis à Duino, ce qui représente par moments les antipodes de

Paris : ici, le château médiéval et féodal, dans un paysage héroïque de roc, de vent et de mer, là-bas la métropole moderne, bourgeoise et éloignée de toute nature. Quand Rilke, à présent, séjourne pour quelque temps dans une ville, c'est de préférence à Venise, où il ne loge plus chez les Romanelli, mais à l'hôtel ou dans la mezzanine du Palazzo Valmarana, loué par Marie Taxis, et où il reçoit la Duse. Avec la fille de la maison, la Contessina Pia (Agapia) di Valmarana, il noue bientôt une cordiale amitié ; après la guerre, Pia est parmi les premiers correspondants avec qui il reprend contact. Rilke connaît bien Venise et est reçu chez de vieilles familles comme les Morosini et le baron Franchetti (à qui appartient la Cà d'Oro), tout aussi bien que chez les Vénitiens d'élection, nobles ou grands bourgeois de différentes nationalités.

Rilke ne se borne pas à être sans cesse en chemin, si bien qu'il passera Noël 1910 à Tunis, 1911 à Duino, 1912 à Ronda et 1913 à Paris, il aime à présent voyager en auto, qu'il utilisait tout juste autrefois pour aller d'une ville à une autre. En août 1911, les Tour et Taxis l'emmènent de Lautschin à Leipzig. En octobre, il se fait conduire, seul avec le chauffeur, dans leur voiture, de Paris à Duino par Avignon, Juan-les-Pins, Gênes et Venise. Mais quand Marie Taxis, peu après, met à sa disposition voiture et chauffeur pour un voyage en Sicile, il refuse en la remerciant, parce qu'il craint de perdre trop de temps en un tel voyage, et ce temps devrait être consacré à la reprise, espérée de jour en jour, des *Elégies de Duino*. Il estime l'indépendance et le confort d'un tel voyage en auto, qui correspondrait aujourd'hui à un vol en Jet privé, mais le luxe, ou même l'étalage de ce luxe avec la grosse voiture munie des armes des Tour et Taxis et le chauffeur en livrée, le laisse froid. Il en va de même pour ses vêtements, au sujet desquels son goût est fixé depuis longtemps. Quand, en se rendant pour sa première visite à Lautschin, il découvre qu'il a laissé à Paris son habit, il ne s'en achète pas un autre ni ne repousse son voyage, mais il écrit à son hôtesse, avec un clin d'œil : « Vous devrez me cacher le soir venu, ou peut-être de toute façon. » Un snob ne s'exprime pas ainsi, un parvenu moins encore ; c'est là le propos d'un homme qui respecte les convenances, sans perdre de vue le plus important.

Le plus important, c'est cet accord entre lui et Marie Taxis dans tous les domaines essentiels de la vie, tel qu'il s'exprime dans ce *Entre nous soit dit* qui traverse toute leur correspondance comme un refrain, comme le symbole de la confiance qui lie ces deux êtres au-dessus de toutes les différences d'âge et de rang. Il faut dire que Marie Taxis n'est pas une *bohémienne* noble comme Franziska von Reventlow, mais une *grande dame*. Quand, lors de la générale d'*Ariane à Naxos,* à Vienne, elle trouve installé à sa place un importun qui, en sus, fait des remarques insolentes, elle n'hésite pas un instant à faire appeler l'intendant devant le public assemblé, et à le prier de « faire ouvrir une loge pour la princesse de Tour et Taxis », ce que l'on fait sur-le-champ. Elle n'aurait jamais eu l'idée, comme la princesse Mechtilde Lichnowsky, de répondre à l'appellation *Durchlaucht* (Altesse), selon son humeur, par un *Durchschnittlaucht* (*Durchschnitt* = moyenne). Il va de soi qu'elle tient aux égards qui lui sont dus, et qu'elle accorde tout autant aux autres le respect qui leur revient. Comme elle veut publier un conte que ses petits-enfants aiment lui entendre dire, l'éditeur espère une meilleure vente si elle parvenait à obtenir une préface de Rilke. Elle en fait, de bien mauvais gré, la demande à son Serafico. Rilke écrit quelques lignes, si peu aimables que Kassner proteste contre le peu de cordialité de cette aide ; mais Rilke refuse de dispenser un éloge littéraire là où cela ne lui semble pas de mise. Sans être le moins du monde contrariée, Marie Taxis retire elle-même sa demande, car elle sait bien, au fond, qu'elle n'est nullement un écrivain refoulé. Hofmannsthal remplace Rilke pour la préface désirée, et écrit quelques lignes sans se compromettre.

Voyager et séjourner dans des châteaux et des hôtels coûte cher, même quand on est invité. Si Rilke manque parfois d'argent, cela vient moins d'une insuffisance de ses revenus que de leur irrégularité. En 1910 par exemple, il reçoit en mai 600 couronnes (environ 550 marks) sous forme d'un « prix honorifique » attribué par le ministère impérial et royal de la Culture et de l'Enseignement, sur la demande de son vieux mentor August Sauer. Peu après, Kippenberg lui compte 2 700 marks d'honoraires pour la première édition de *Malte Laurids Brigge* et 900 marks pour deux autres éditions du *Livre d'Heures*. Comme subventions régulières, il peut compter sur 80 couronnes par mois, venues de Phia, et 500 marks par trimestre, payés par l'Insel-Verlag. Ce ne sont pas de gros revenus pour un homme muni de femme et d'enfant, mais si l'on ajoute à cela les versements effectués par Samuel Fischer et Karl von der Heydt, ce n'est plus, et de loin, la pauvreté. Il y a aussi parfois des rentrées inattendues, comme un legs de 10 000 couronnes de sa cousine Irene von Kutschera-Woborsky, morte en été 1911. Rilke en destine la moitié à l'éducation de Ruth, à présent âgée de dix ans (Clara loue avec cet argent une demeure à Munich, afin de garder Ruth auprès d'elle et que celle-ci puisse aller à l'école), et prélève des sommes, à intervalles rapprochés, pour elle-même. A peine cette réserve est-elle épuisée que la pédagogue Eva Cassirer, amie d'Ellen Key, met à sa disposition, au printemps 1912, 12 000 marks pour rendre possible l'entrée de Ruth à l'école d'Odenwald. Clara ne donne pas son accord, mais l'argent reste disponible et est remis à Rilke en versements successifs, jusqu'à ce que la somme soit épuisée en 1914.

Au même moment, ses amis déploient toutes sortes d'initiatives pour délivrer Rilke, autant que possible, de ses soucis d'argent, tout en ménageant ses sentiments. (De tels projets, avant la Première Guerre mondiale, alors que les poètes étaient particulièrement considérés, avaient un caractère moins délicat qu'aujourd'hui, dans notre société de masse où même le créateur spirituel, tant qu'il n'est pas hippy ou anarchiste, se croit tenu d'exhiber un minimum de revenus imposables. Quand par exemple Peter Altenberg, qui venait pourtant d'une famille aisée, fut remis d'une coûteuse maladie des nerfs, Dehmel, Hofmannsthal, Hesse et d'autres amis adressèrent un appel au public pour demander une aide financière. Les dons pouvaient être envoyés au Fischer-Verlag ou à Altenberg personnellement. Aujourd'hui, cela ne pourrait plus se concevoir que pour venir en aide à des écrivains politiquement persécutés.)

Lorsque l'entreprenant Hofmannsthal apprend que Rilke, au début de l'année 1911, revient d'Egypte dénué de tous moyens, il écrit, entre autres, à Helene von Nostitz et au comte Harry Kessler, pour que le poète ait aussitôt à sa disposition quelques milliers de couronnes. Entre-temps, Kippenberg réunit auprès de Karl von der Heydt, Rudolf Kassner et d'autres, une somme assez importante, si bien qu'il peut garantir à Rilke pour les trois années à venir une subvention de 4 000 marks par an. Dans une lettre de juillet 1913, où le poète exprime à ses amis ses soucis à ce sujet et avoue qu'il disperse son argent « de tous côtés comme un perroquet avec son bec », Rilke parle des « cinq cents marks par mois » qu'il reçoit de son éditeur.

En été 1914, on entreprend deux actions destinées à lui assurer la sécurité financière. De Londres, la princesse Mechtilde Lichnowski, écrivain, épouse du dernier ambassadeur de l'empire allemand à la cour de St. James, envoie une circulaire à environ quarante de ses amis, qui doivent s'engager à verser tous les ans une contribution d'au moins 100 marks. Au cas où Rilke ne demanderait pas l'identité des donateurs, ceux-ci demeureraient anonymes. Parmi les signataires, figurent Werfel et l'éditeur Kurt Wolff, qui rapporte à la princesse un propos de son concurrent Kippenberg : le maître de l'Insel, veillant jalousement sur ses auteurs, avait dit que Rilke « travaillerait encore moins si sa situation financière s'améliorait », et qu'il « utilisait à présent pour voyager des wagons de première classe ».

Le 26 juillet 1914, enfin, le dernier dimanche avant la guerre, le futur mathématicien et philosophe du langage Ludwig Wittgenstein fait à Rilke un don de 20 000 couronnes. Il vient de faire un héritage et a demandé à l'éditeur de la revue *Der Brenner,* Ludwig von

Ficker, quel poète autrichien serait le plus digne d'être financièrement soutenu. Von Ficker mentionne Trakl et Rilke, Wittgenstein
est aussitôt d'accord pour tous les deux. Rilke est averti de ce don en
septembre seulement, sans savoir, au début, d'où il vient; pour
témoigner sa reconnaissance, il fait parvenir à son bienfaiteur
inconnu, par l'intermédiaire de von Ficker, des copies manuscrites de
quelques poèmes. L'argent est en partie dépensé par Rilke pendant
la première année de la guerre et après quelques tiraillements entre
le poète et son éditeur, en partie aussi placé par le prévoyant
Kippenberg.

Après la guerre, Wittgenstein, qui cherche un éditeur pour son
Tractatus logico-philosophicus, demande conseil à von Ficker. Celui-
ci écrit à Rilke qui s'offre à parler du livre à l'Insel-Verlag. Entre-
temps, Bertrand Russell a déjà lancé l'édition anglo-allemande, et
c'est ainsi que l'œuvre principale de Wittgenstein paraît à Londres en
1922.

V.

Parmi les nombreux voyages de Rilke pendant ces années, il en
est deux qui l'emmènent hors d'Europe Centrale : la première fois
vers l'Afrique du Nord et l'Egypte, la seconde fois dans le sud de
l'Espagne. Le premier voyage a lieu sur une décision soudaine, le
second a été intérieurement préparé depuis longtemps.

A la fin d'octobre 1910, il se fait avancer à l'improviste un peu
d'argent par Kippenberg, pour accompagner quelqu'un — il ne
donne pas d'autre précision — pendant un assez long voyage. Il a
l'intention de se renseigner sur l'Algérie et la Tunisie auprès d'André
Gide, spécialiste de l'Afrique du Nord, dont il a fait peu auparavant
la connaissance. Il demande à Rodin s'il peut lui présenter, avant
leur départ commun en novembre, Madame Jenny Oltersdorf,
« mon amie, avec qui je vais voyager ». (La relation avec Rodin
s'épuise de plus en plus en demandes de faveurs, qu'il s'agisse comme
ici d'introductions pour des amis de passage, ou d'un portrait que
veut réaliser Clara von Meister, sans que Rodin ait le temps ni l'envie
de poser pour elle.) Ailleurs, Rilke parle de « plusieurs » compagnons de voyage. Qui sont-ils, quelles sont leurs relations avec
Rilke ? Tout cela est demeuré aussi confus que ses relations avec
Jenny Oltersdorf, la femme d'un riche marchand de fourrures.

Le voyage l'emmène à Alger, puis, par El Kantara, à Tunis,
avec un bref détour par le lieu de pèlerinage islamique de Kairouan.
Tandis que les impressions de Rilke se résument à l'habituel et

pittoresque folklore des « mille et une nuits », et se confondent avec
celles de bien d'autres touristes, la religion musulmane lui agrée
immédiatement et sans réserve :

> La ville blanche et plate s'étend comme une vision dans ses remparts
> crénelés, avec rien autour d'elle que la plaine et des tombes, comme
> assiégée par ses morts, couchés partout devant les murs, immobiles et
> toujours plus nombreux. On ressent merveilleusement ici la simplicité
> et le caractère vivant de cette religion, le prophète semble dater d'hier
> et la ville est sienne comme un royaume [128].

Pour des raisons mystérieuses, le groupe de voyageurs revient à
Naples dans les derniers jours de décembre, par Tunis et la Sicile ;
c'est seulement après le Nouvel An que le voyage se poursuit vers
Alexandrie et Le Caire. De là, on remonte le Nil en bateau jusqu'à
Assouan, par Louxor et les temples de Karnak. Au retour, Rilke
tombe malade au Caire. Il se sépare des autres et passe un mois à
Helouan, chez des amis de Clara John et May Knoop, pour se
remettre des fatigues du voyage. A la fin mars il est de nouveau à
Venise, au début d'avril à Paris. A l'exception de la remontée du Nil,
il a jugé que son voyage était « une échappatoire », et donc
« manqué et presque désastreux ». Ce voyage, comme bien d'autres,
était certes aussi un moyen de s'étourdir soi-même. Ce qui demeure
pourtant et se révèle finalement fécond dans les *Elégies,* c'est une
certaine sympathie pour les idées fondamentales de l'islam et le culte
égyptien des morts, qui offre plus d'un rapport avec la conception
rilkéenne de la mort ; Rilke pense même avoir mieux compris que les
égyptologues le très vieux texte *Conversation d'un homme fatigué de
la vie avec son âme,* l'une des plus anciennes discussions sur le
suicide. Il s'intéresse de si près à la sculpture égyptienne qu'il songe à
lui consacrer un livre. Il a envie de participer à des fouilles, lit le livre
de Mechtilde Lichnowsky *Dieux, rois et bêtes en Egypte,* et admire,
lors de ses visites à Berlin, le buste d'Aménophis IV (Akhenaton),
récemment trouvé dans la ville royale d'Amarna.

Le désir de Rilke de connaître l'Espagne a de plus profondes
racines et date des années parisiennes, de l'amitié du poète avec le
peintre Ignacio Zuloaga qui lui a révélé la peinture du Greco. Depuis
lors, il est resté sous l'influence de ces tableaux dont la « spiritualité
sensuelle » l'obsède. Le « Tolède » du Greco produit en lui une telle
impression, en 1908 à Paris, qu'il en rédige une description pour
Rodin et ajoute une note demandant l'opinion du sculpteur : « J'ai
peut-être eu tort de ressentir une telle attirance pour ce tableau ;
mais vous me le direz bien quand vous l'aurez vu. » En 1910, il voit
quelques Greco à Rome, et en 1911, à Munich, le « Laocoon », qui
se réfère également à Tolède. Il conduit Sidie devant le tableau et le

décrit à Marie Taxis en une lettre dont le point culminant est ce cri :
« Savez-vous que je n'ai plus qu'une idée : aller à Tolède ! » Son
désir est encore fortifié par le portraitiste Leo von König, avec lequel
il a à Munich des relations amicales. Avec Julius Meier-Graefe,
König est de ceux qui ouvriront la voie au Greco, à peine connu hors
de l'Espagne au début de ce siècle.

La connaissance que prend Rilke, dès lors, de l'Espagne, est
aussi électrique que les processus normaux de sa vie spirituelle. Il
n'est pas question ici d'affinité élective avec un pays et un peuple —
Rilke ne parle pas l'espagnol, n'a lu que le *Don Quichotte,* ne
s'intéresse ni à l'histoire ni à la musique de l'Espagne —, tout repose
presque exclusivement sur son enthousiasme pour un peintre originaire de Crète, qui n'a dans la peinture espagnole ni précurseurs ni
successeurs ! Si on le considère avec précision, son intérêt pour
l'Espagne est né d'un malentendu semblable (et pareillement fructueux) à celui qui lui a donné de la Russie cette image idiosyncrasique.

Sa curiosité envers l'Espagne est encore stimulée par les séances
de spiritisme qui ont lieu à Duino pendant l'automne 1912 et qui
semblent faire allusion à Tolède et Ronda. Rilke participe à ces
séances organisées par Marie Taxis, Pascha et quelques autres, en
auditeur intéressé, et en rédige les protocoles, d'après les notes de la
planchette (une planche posée sur deux rouleaux mobiles ou patins et
munie d'un crayon, sur laquelle les doigts des participants reposent
légèrement tandis que « quelque chose » écrit). Rilke ne croit pas
forcément à de telles révélations et se dénie à lui-même tout don
médiumnique ; mais il est persuadé que les forces libérées ainsi
l'influencent d'une manière quelconque. Il lui semble donc que la
voix de « l'Inconnue », lors d'une séance, lui intime de se rendre à
Tolède, et spécialement sur un pont à la corniche duquel sont
accrochées les chaînes sanglantes des chrétiens libérés de la captivité
maure. A peine Rilke est-il arrivé à Tolède qu'il se dirige, sans savoir
pourquoi, vers l'église San Juan de los Reyes, où de telles chaînes
sont effectivement accrochées en ex-voto.

Rilke demeure pendant tout le mois de novembre 1912 dans
cette ville, où il trouve tout ce qu'il attendait : un paysage « non
amoindri, non soumis », de fortes couleurs, où que l'on regarde, et
au-dessus de tout cela un vaste ciel avec de dramatiques et
changeantes formations nuageuses. Là, il se concentre sur un motif
de l'œuvre du Greco, qui, « poussé par la situation de Tolède...
commença pour ainsi dire à découvrir en haut des reflets célestes de
ce monde ». Ce motif, c'est l'ange, qui, chez le Greco, « n'est plus
anthropomorphe comme l'animal dans la fable, et n'est pas non plus
le mystérieux signe ornemental de l'Etat divin de Byzance. Son

essence est plus fluide, il est le fleuve qui coule entre les deux royaumes, oui, ce qu'est l'eau sur terre et dans l'atmosphère, c'est l'ange dans le cercle plus vaste de l'esprit... défaite et ascension [129] ».

En lisant ces lignes, on croit déjà avoir devant soi l' « ange » rilkéen, tellement celui-ci est proche de ces anges représentés sur quelques tableaux du Greco exposés à Tolède, comme « L'Ascension du Christ » ou « L'enterrement du comte d'Orgaz ». L'ange qui mène l'âme du comte vers le trône du Sauveur qui va le juger plane au milieu du tableau, à mi-chemin entre la vie et la mort, entre un ciel en raccourci à la Greco et le réalisme de la mise au tombeau ; un frère de l'ange des *Elégies,* qui en effet « traverse deux royaumes ».

L'impression d'énergie contenue que Rilke ressent à Tolède est si forte, qu'une seule étincelle suffit pour mettre en mouvement tout le tableau. Il écrit à Helene von Nostitz :

> Imaginez-vous qu'entre les choses de cette ville indescriptible, demeure comme cette tension qui règne entre une apparition et celui à qui elle apparaît, une incapacité réciproque de croire, un face à face de chose à chose, souffle coupé ; une épouvante dresse les tours vers les hauteurs, — un cri fait des portes ce qu'elles sont —, en cédant, les ponts se sont voûtés, et tout cela n'a pas la possibilité de trouver le repos, car une montagne terrifiée le prolonge, autour de laquelle, profondément, en bas, le fleuve étire ses anneaux comme pour étrangler ; et les ponts qui, comme les yeux fermés, arrivent au-delà et regardent en haut, se trouvent devant la nature la plus féroce, le chemin qu'ils ont docilement amené jusque-là se ferme en broussaille épaisse devant eux et se retourne contre eux en grinçant des dents.

Est-ce là le Tolède de Rilke ou celui du Greco ? Les deux et, de même que la douleur ou la mort peuvent servir de preuves pour ou contre l'existence de Dieu, l'esprit antireligieux du poète utilise ici le langage et les symboles dont le peintre avait revêtu sa ferveur religieuse. Car c'est précisemment à Tolède, et juste au moment où il s'occupe de l'œuvre extatico-mystique du Greco, que se déchaîne en Rilke un « antichristianisme enragé ». Cette rage vise surtout, comme au temps des *Visions du Christ,* le Fils, le médiateur, dont le poète pense qu'il ne fait que troubler le dialogue entre Dieu et l'homme. Rilke défendra encore cette conviction dans sa dernière œuvre en prose, la *Lettre du jeune ouvrier,* de 1922. En lieu et place du christianisme, il célèbre à présent cette religion qui incarne l'antichristianisme sur le sol espagnol :

> Je lis le Coran et en maints passages, je l'entends parler d'une voix dans laquelle j'entre moi-même de toutes mes forces comme le vent dans les orgues *.

---

* Seuil. t. 3, p. 235.

L'élan donné, il se lance dans une tirade qui, à l'exception de la dernière métaphore, jugée par Kassner « d'un mauvais goût démesuré », pourrait tout aussi bien venir de Nietzsche :

> Depuis lors, il y règne une indifférence sans limite, rien que des églises vides, des églises oubliées, des chapelles affamées — vraiment, il n'y a pas de quoi s'attarder plus longtemps à cette table desservie : plus rien à attendre, on en est aux rince-doigts. Sucé le jus du fruit, il n'y a, pour parler grossièrement, qu'à cracher l'écorce. Et voici que les protestants et les chrétiens américains s'avisent de verser une fois de plus de l'eau chaude sur cette essence de thé qui a infusé depuis deux mille ans ! Mohammed était en tout cas l'élément le plus proche et, tel un fleuve au travers d'une montagne des origines, il se fraye une voie jusqu'à l'unique Dieu avec lequel il est loisible de s'entretenir de façon si grandiose chaque matin sans recourir au téléphone « Christ » dans lequel on crie sans cesse : Allô ! Qui est-ce qui parle ? tandis que nul ne répond *.

Quand le froid le chasse enfin de Tolède, Rilke se dirige vers le sud, dans la ville montagnarde de Ronda, où il reste jusqu'à la mi-février 1913. Il se loge de nouveau, comme à Tolède, dans la meilleure maison de l'endroit, l'Hôtel Victoria, confortable, bâti par des Anglais pour les Anglais de Gibraltar. Et il s'avère de nouveau que Rilke, si sensible au goût faisandé des royaumes depuis longtemps disparus, au destin des Papes avignonnais ou à celui de Charles XII de Suède, ne s'intéresse pas le moins du monde aux rapports de forces de son propre temps. Sinon, il aurait peut-être remarqué que le hasard l'avait fait loger, deux ans exactement plus tôt, dans une autre place forte de la vie coloniale, l'Hôtel Shepheard au Caire, à l'autre extrémité de la Méditerranée, solidement en la possession de l'Empire britannique, alors au zénith de sa puissance.

Plus immédiatement que dans les *Elégies de Duino*, l'expérience du Greco et du paysage espagnol s'est concrétisée dans quelques poèmes écrits sur les lieux mêmes, *La descente du Christ aux Enfers, Saint Christophe, La Trilogie espagnole*, dont la dernière partie représente clairement les environs de Ronda :

> Que toutefois, quand j'aurai de nouveau
> la cohue des cités, l'écheveau embrouillé du bruit,
> le désordre des véhicules autour de moi, très seul,
> qu'il me souvienne toutefois, par-delà l'épaisse machine,
> de ce ciel, et de ce rebord terreux de la montagne
> que le troupeau franchissait au retour.
> Que j'aie pierreux le cœur
> et que je croie l'ouvrage du berger possible :

---

* Seuil, t. 3, p. 235.

rentrer, brunir, et par le jet de pierre qui mesure,
ourler, où il s'effrange, le troupeau...
Tour à tour il s'attarde et passe, tel le jour,
et les ombres des nuages
le traversent, comme des pensées que l'espace
penserait pour lui, lentement.

Qu'il soit qui vous voudrez. Comme la veilleuse vacillante
dans le manteau de la lampe, je me tiens en lui.
Une lueur se calme. Que la mort
se retrouve, plus pure *.

Rilke a plus tard expliqué le contraste entre son voyage en
Afrique du Nord, achevé sous une mauvaise étoile, et l'heureux
voyage espagnol, en évoquant deux rencontres avec des chiens, car le
chien est toujours pour lui un être dont le comportement nous
indique, comme l'aiguille de la boussole, si nous sommes dans le
droit chemin :

Quand, à Kairouan, au sud de Tunis, un chien kabyle, jaune, bondit
sur moi et me mordit (pour la première fois de ma vie, où le
comportement des chiens n'a jamais été dépourvu de sens), je lui
donnai raison, il ne faisait qu'exprimer à sa manière que j'avais
entièrement tort, sur tout.

En Espagne, au contraire, il sait qu'il est en accord avec soi-
même et donc avec la créature :

Puisque c'est mon lot de parvenir, pour ainsi dire en marge de
l'humain, à l'extrême limite, aux confins de la terre, comme récemment à Cordoue où une vilaine petite chienne sur le point de mettre
bas, s'approcha de moi ; ce n'était vraiment pas un animal glorieux, et
sans doute était-elle pleine de rejetons fortuits dont aucun ne valait la
peine d'être conservé, mais alors que nous étions seuls et quelque mal
qu'elle eût à se déplacer, elle vint de mon côté et elle leva ses yeux
agrandis par le souci et l'intériorité, convoitant mon regard, et dans le
sien il y avait vraiment tout ce qui est susceptible d'aller au-delà de
l'individu, je ne sais vers où, vers l'avenir ou dans l'incompréhensible ;
la situation se trouva résolue en ce sens qu'elle reçut un morceau de
sucre de mon café, mais ce n'était là qu'un détail — ô, tout à fait
accessoire, nous lisions pour ainsi dire la messe ensemble, l'action en
elle-même consistait en rien autre que dans le geste de donner et de
recevoir, mais sa signification, mais sa gravité, mais toute notre
entente enfin étaient incommensurables [130] **.

Toutes les expériences culturelles du Rilke de l'âge mûr ne se
déroulent pas, et de loin, dans des régions exotiques. Il redécouvre

---

* Seuil, t. 2, p. 416 (III).
** Seuil, t. 3, p. 237.

en lui bien des connaissances qu'il n'avait pas acquises à l'école, ou qu'il avait impatiemment mises à l'écart, comme la littérature allemande : Kleist et Stifter parmi les narrateurs, Klopstock et Hölderlin chez les poètes, et avant tout, naturellement, Goethe. Après l'avoir évité pendant des décennies, et lui avoir décerné un blâme, dans *Malte Laurids Brigge,* pour son aulique courtoisie envers la passion de Bettina — « Cette amante lui était imposée, et il ne l'a pas supportée » —, il lit à présent, encouragé par Kippenberg, les œuvres autobiographiques. Les *Cahiers du jour et de l'année* lui arrachent bientôt une remarque pleine de surprise : « A partir de là... je suis extrêmement proche de lui, et il me tolère alors, comme s'il devait en être ainsi. » Etrange constatation, très rilkéenne, qui signifie bien que derrière la façade de l'olympien, Rilke a découvert l'homme vivant. Car là aussi, Rilke se situe hors de la tradition littéraire et refuse l'image du « noble prince des poètes », récemment canonisé par son biographe Albert Bielschowsky. Il s'est orienté d'après les Russes et les Scandinaves, d'après les peintres de Worpswede, d'après Rodin et Cézanne, et revient tout juste, après ces détours, à la littérature allemande. (Ajoutons en passant que les inflexibles efforts de Rilke pour dépasser les limites fixées par le langage — et l'affirmation de soi-même comme artiste dans un monde totalement étranger à l'artistique — sont, au fond, plus « faustiens » que la digne retraite de Goethe dans la résignation.)

Son intérêt pour Goethe, il est vrai, stagne à nouveau plus tard. L'adolescent de dix-sept ans, admirateur de Vally David-Rhonfeld, avait passé une soirée ruisselante de larmes sur les *Affinités électives,* tandis que le Rilke de l'âge mûr apprécie le fragment *La Nature* (encore attribué à Goethe à cette époque). *Faust* et *Iphigénie* sont en revanche à peine mentionnés dans ses écrits, *Le Tasse* est selon lui « un livre maussade, de mauvaise humeur ». (Il trouve peut-être le héros principal trop proche de lui-même.) Parmi les poèmes, seuls le *Voyage dans le Harz en hiver,* l'élégie *Euphrosyne,* semblent l'avoir retenu, de même que le *Journal,* longtemps gardé secret.

Ce même Rilke qui se laisse introduire par Anton et Katharina Kippenberg dans le monde de la culture bourgeoise allemande, s'enthousiasme pour les représentations des Ballets russes, avant-gardistes et mondains, que Serge de Diaghilev amène régulièrement à Paris depuis 1909. En juin 1911, il voit pour la première fois, au Théâtre du Châtelet, Anna Pavlova, Tamara Karsavina et Vaslav Nijinsky, qui dansent *Le Spectre de la Rose.* Rilke veut écrire quelque chose qui exprimerait l'envol sans pesanteur de ce danseur béni, « un poème que l'on pourrait avaler et ensuite danser », et projette quelques figures de ballet. S'il avait achevé ce travail, il aurait été le seul Allemand à occuper une place dans la remarquable série d'artistes que Diaghilev sut mettre à contribution pour les Ballets russes : des peintres comme Matisse, Picasso et Chirico, les chorégraphes Massine et Balanchine, des compositeurs du calibre d'un Stravinski, d'un Ravel ou d'un Prokofiev. Il est vrai que Rilke, en revanche, a ses propres danseurs favoris, le Russe, célèbre alors, Alexandre Sacharoff et son élève, partenaire et future femme, Clotilde Derp, fille d'un officier prussien : Rilke noue avec eux à Munich et Paris une amitié cordiale, renouvelée en Suisse.

Il n'est pas étonnant que Rilke, dans ces années d'errance, effectue quelques traductions du français, des textes courts qui ne demandent ni solitude créatrice ni beaucoup de concentration. Au printemps 1911, il traduit un sermon attribué à Bossuet, *L'amour de Madeleine,* et *Le Centaure,* de Maurice de Guérin, paru à titre posthume en 1840, poème en prose sur les réflexions d'un centaure des montagnes, mourant dans un monde grec archaïque à peine habité par l'homme (Rilke dédie cette traduction à l'hospitalière baronne May Knoop). En 1913, il donne sa propre traduction des *Lettres de la Religieuse Portugaise* Marianna Alcoforado, dont il avait déjà commenté à Capri la transposition allemande due à un autre traducteur. Peu avant la déclaration de la guerre, paraît sa traduction du *Retour de l'enfant prodigue* d'André Gide, où la parabole biblique est interprétée de la même façon que dans la conclusion de *Malte Laurids Brigge.*

Parmi les travaux occasionnels de ces années, parmi lesquels on trouve de nombreux poèmes qui n'appartiennent pas à un cycle précis, il faut mentionner le petit essai *Poupées.* Inspiré par les figures de cire modelées par une créatrice de poupées — ce sont pour la plupart des poupées féminines, adultes, que l'on peut difficilement imaginer comme des jeux d'enfants —, Rilke évoque des souvenirs de ses « années de fille », et décrit l'évolution de l'affection enfantine pour les poupées, en déception et finalement en haine. Comme bien des pages écrites à ce moment-là, ce bref essai représente une sorte d'exercice de virtuosité préparatoire aux *Elégies,* où (dans la quatrième) la poupée se verra attribuer une fonction importante. (La publication de cet essai en 1914 lui attire des difficultés avec Kippenberg, car il ne paraît pas dans l'Insel-Verlag mais dans la revue *Die Weissen Blätter* fondée par Kurt Wolff, ouverte à la nouvelle littérature et surtout à l'expressionnisme : parmi les auteurs qu'elle imprime on trouve aussi Kafka, dont *La métamorphose* impressionne profondément Rilke.)

Parmi les expériences qui s'ouvrent à présent à lui, figure enfin la musique. Il ne s'y est jamais aussi intensément intéressé, et de loin, qu'à la peinture ou la sculpture, mais elle lui fut révélée, dans la mesure de ses facultés réceptives limitées, par trois femmes pianistes,

Mimi Romanelli, Marie Taxis et Magda von Hattinberg, qui entre au début de 1914 dans sa vie sous les surnoms de « Benvenuta » ou « la Bienvenue ». Après avoir lu les *Histoires du Bon Dieu,* elle lui envoie une lettre d'admiration, et se développe alors une correspondance qui mène bientôt à une aventure amoureuse, d'abord à Berlin, puis, après un voyage en commun, à Paris, où elle vit à l'hôtel du Quai Voltaire et lui dans l'atelier qu'il loue déjà depuis février 1913. Benvenuta, dans l'exégèse rilkéenne, ne jouit pas d'une bonne renommée, parce que son livre de souvenirs contient de nombreuses inexactitudes et quelques phrases niaises comme : « Ce n'est pas un homme, c'est une apparition venue comme par miracle sur notre pauvre terre et vers moi [131]. » A la différence des exégètes rilkéens, toutefois, elle a rendu visite au poète dans sa dernière demeure parisienne — et laissé une description de cette visite :

> Avec un bout de chandelle que nous donna la vieille (ce n'était pas une entremetteuse, mais la plus ou moins honorable concierge du 17, rue Campagne-Première), nous nous sommes éclairés pour monter l'escalier, le long de nombreuses portes peintes en vert clair, presque jusque sous le toit. Puis Rainer ouvrit, alluma la lumière, une très grande pièce se déploya autour de nous, avec une gigantesque fenêtre qui occupait tout un mur. Je saisis d'un regard... le bureau de Rodin (Rilke le lui avait demandé en déménageant de l'hôtel Biron), le pupitre, des livres sur les murs, les armes de Rilke encadrées accrochées au mur, la lampe voilée de vert, le rideau devant la grande étagère à livres. Rilke avait posé le bras sur mes épaules et me conduisit à la fenêtre. En contours incertains, s'élevait dans l'obscurité du soir le dôme des Invalides au-dessus de jardins silencieux et sombres, çà et là on voyait entre les troncs d'arbres de la lumière dans les maisons lointaines. C'était très silencieux, le grondement des voitures et des avertisseurs ne résonnait que de temps en temps, venant du grand et bruyant boulevard Raspail... Je ne pouvais que toucher les objets de la pièce comme avec des mains bénisseuses : l'encrier, la serviette, le pupitre, le fauteuil, la petite image russe du Christ en argent sombre [132]...

Ils se voient chaque jour, visitent les musées, vont au concert, ou se promènent dans la campagne. Benvenuta loue un piano à queue et joue pour lui, la plupart du temps des classiques, surtout Haendel et Beethoven, qu'il ne commence à comprendre, comme Shakespeare et Goethe, qu'à l'âge mûr. Lors d'un concert, son professeur Ferruccio Busoni lui présente Gabriele D'Annunzio, qui en la présence de Rilke fait aussitôt un peu la cour à Magda. Il est étrange que nous ne sachions pratiquement rien des sentiments de Rilke sur ce poète et dramaturge italien, le plus influent de sa génération. Leurs chemins se sont souvent croisés, à Paris et à Venise ;

D'Annunzio avait aimé la Duse et fréquentait le cercle des Ballets russes, il était allé à Duino et connaissait Rodin. On ne peut rêver plus grand contraste qu'entre le paisible et introverti Serafico, et le viveur emphatique, pilote de chasse, qui fut, certes, également un poète d'importance. A cette époque, il avait fort mauvaise presse en Allemagne et en Autriche-Hongrie, parce qu'on accusait ce petit et laid *décadent,* pendant le conflit turco-italien, de chantage à la guerre :

> Un esthète, sinon, qui la bouche pleine de miel
> et ruminant lançait des flots redondants de paroles...
> A-t-on mis du poivre dans le derrière de ton cheval,
> pour qu'il se rue ainsi en hennissant dans la mêlée ?
> (...)
> Oh, objet quotidien de la manucure,
> rat musqué parfumé et pommadé,
> Chante-nous à nouveau la chanson de la putain au bain,
> La chanson de la jolie garniture de dentelle à la chemise [133] !

La réserve de Rilke peut aussi s'expliquer par le désir de prendre ses distances envers ce genre de journalisme.

Plus tard, Rilke et Benvenuta se rendent à Duino, où elle joue avec le Quartetto di Trieste et passe encore quelques jours avec Marie Taxis, à Venise, avant de s'en aller seule. Elle a compris entre-temps que leur liaison ne peut durer ; moins à cause du mariage de Rilke, qui ne représente plus qu'un lien formel, que parce qu'elle redoute de le gêner dans son travail, et parce que hors de ce travail, dans la vie quotidienne, il est d'une extrême sensibilité, et a besoin de soins infinis, ce qu'elle ressent comme un fardeau. Ils se séparent en toute amitié, mais Rilke sait que Benvenuta non plus, malgré son surnom, n'est pas « l'amante future » dont la venue est souhaitée dans quelques poèmes datant des années 1911/14. Cela aussi appartient au dilemme de son existence d'alors : d'une part, comme le dit Marie Taxis, il ne peut pas vivre « sans sentir autour de lui l'atmosphère d'une femme », et d'autre part il ne peut exiger de personne que « l'on disparaisse au moment où la voix l'appelle ». Rilke, par moments, n'était pas éloigné de l'érotomanie qui forçait le vieux Rodin à se laisser mener par le bout du nez (selon Rilke) par la marquise de Choiseul.

Sans le savoir, il séjourne pour la dernière fois à Duino en cet été 1914. Ce fut, d'ailleurs, écrit Kassner,

> un magnifique *Séjour,* alors, à Duino. Je ne me souviens pas d'en avoir connu un plus magnifique lors des années précédentes. On venait de partout, de Venise, Vienne, Berlin, d'Angleterre. Tout a

commencé par une courte visite de Lord Kitchener, qui, revenant d'Egypte, avait accosté à Trieste. Je crois que le second fils de la princesse, surnommé Pascha, avait fait de son côté la connaissance du célèbre Marshall au Caire. Ce séjour eut dans une certaine mesure comme conclusion une visite de l'archiduc François-Ferdinand, peu avant son voyage à Sarajevo. En son honneur, me dit-on plus tard, on organisa un tir aux pigeons sur le rocher de Dante. C'étaient deux hommes de pouvoir et qui eurent une fin violente, non sans ressemblance dans les traits du visage et dans l'expression (Kassner est l'auteur des *Fondements de la physionomique*). Les yeux de Kitchener avaient l'air de blessures dans la chair, le regard de l'archiduc semblait comme lancé par le canon d'un fusil. C'était un grand tueur de bêtes. On racontait qu'il voulait que le nombre des bêtes par lui abattues dépasse le million... Ils se seront tous les deux tenus sur la terrasse et auront regardé avec des sentiments différents, voire opposés, la frontière italienne.

En juin de la même année, François-Ferdinand est abattu à Sarajevo. En mai 1915, l'Italie déclare la guerre à l'Autriche-Hongrie. En juin 1916, tandis que Marie Taxis, du balcon de son hôtel à Trieste, suit à la longue-vue la destruction de Duino par les grenades italiennes, Lord Kitchener sombre dans la mer du Nord avec le croiseur *H.M.S. Hampshire,* devant les îles Orkney.

VI.

Rilke a considéré les *Elégies de Duino* comme son œuvre principale, et ses lecteurs et interprètes l'ont suivi sur ce point. Les dix poèmes, de longueur à peu près semblable, sont désignés par le terme « élégie » moins à cause de leur forme (bien qu'ils contiennent de nombreux distiques, lesquels, dans l'Antiquité, passaient pour la marque distinctive du genre), que pour leur ton plaintif et leur message en grande partie subjectif. Pour témoigner sa reconnaissance à son hôtesse de Duino, Rilke a plus tard donné à tout le cycle le nom du château où naquirent les deux premières *Elégies,* au début de 1912, de même que quelques fragments et premiers vers des autres. La *Troisième Elégie* fut écrite à la fin de l'automne 1913 à Paris, la quatrième à la fin de 1915 à Munich, les six autres en février 1922 à Muzot. Ce sont des poèmes difficiles, mais non incompréhensibles, qui deviennent plus accessibles si l'on songe aux quelques considérations qui vont suivre.

Les *Elégies,* qui ressemblent plus à un monologue intérieur dramatisé qu'à un poème proprement dit, doivent si on le peut être

lues ou récitées ; la page imprimée n'est qu'un mode de remplacement insuffisant pour le mot parlé, véritable véhicule de ces poèmes
comme de tous ceux que Rilke a composés. Rilke ne se considérait
pas comme leur créateur, mais comme leur récepteur : comme le
vaisseau où ils étaient versés ou le prisme où les rayons de
l'inspiration étaient brisés et éparpillés. Comme ces poèmes lui
étaient dictés à la manière d'une révélation, ils possèdent la
multiplicité de sens propre aux prophéties ou aux révélations. Cela
signifie d'abord que l'auteur ne peut guère contribuer à l'élucidation
de ces poèmes, ensuite que le lecteur ne doit pas espérer non plus les
rendre intelligibles jusqu'à la dernière syllabe. Il demeure toujours
un reste insoluble, dont on ne vient à bout que par un acte de
confiance. Rilke s'est exprimé sur le premier point en posant une
question de rhétorique (« Et est-ce *moi* qui puis donner la bonne
explication des *Elégies ?* Elles vont beaucoup plus loin que moi »), et
sur le second, à propos des *Sonnets à Orphée,* sur un mode plus
comminatoire : « Si de l'obscurité demeure, elle est d'une sorte qui
ne demande pas d'éclaircissement, mais de la soumission [134]. » Chez
Dante, Milton, Klopstock, jusques et y compris les œuvres du
romantisme, la soumission des lecteurs d'un texte poétique traitant
des « choses suprêmes » est supposée comme allant de soi. Mais
peut-il encore exiger cette soumission, le poète dont toute la
mythologie (pour désigner d'un seul mot l'ensemble de son univers
métaphysique de représentation) n'est plus celle, universelle, de la
culture antique et chrétienne, mais est devenue si personnelle que le
seul mot « Ange » dans les premiers vers de la *Première Elégie,*
(comme dans la seconde) a déjà une signification très particulière ?
Pour exiger cette soumission, pour se situer si radicalement au-delà
de l'attente du lecteur, il faut pouvoir beaucoup donner.

Si Rilke, finalement, célèbre sa solitude avant la rédaction des
premières *Elégies* comme « un véritable élixir », car « il faut d'abord
que tout aille mal, encore plus mal, aussi mal que possible, aucun
langage ne peut aller plus loin... Je rampe toute la journée dans les
fourrés de ma vie et je crie comme un sauvage et je frappe dans mes
mains — : vous n'imaginez pas quelles bêtes à faire dresser les
cheveux s'envolent alors », il anticipe sur deux autres particularités
des *Elégies* [135]. D'abord, le langage y est tendu et étiré jusqu'à ses
plus extrêmes possibilités ; d'autre part, à côté de la destinée
humaine en général, c'est le sort particulier du poète Rainer Maria
Rilke qui s'exprime. Ainsi, le symbolisme et la mythologie particu-
liers d'un être ne remplacent pas seulement les thèmes de l'Antiquité
et du christianisme, mais se substituent aussi à la psychanalyse. Marie
Taxis a décrit les circonstances qui virent naître la première *Elégie* ·

Il ne soupçonnait rien de ce qui se préparait en lui... Une grande tristesse le submergeait, il commençait à croire que cet hiver aussi (celui de 1911, qu'il passe seul à Duino) demeurerait sans résultat. Il reçut alors un jour, de bonne heure, une ennuyeuse lettre d'affaires. Il voulut l'expédier rapidement et dut se plonger dans des chiffres et autres choses abstraites. Dehors, la *bora* soufflait avec violence, mais le soleil brillait, la mer était d'un bleu lumineux comme couvert de fils d'argent. Rilke descendit vers les bastions qui, placés de manière à faire face à l'est et à l'ouest, sont reliés au pied du château par un étroit sentier. Les rochers tombent ici à pic, sur 200 pieds de profondeur, jusqu'à la mer. Rilke montait et descendait, plongé dans ses pensées, car la réponse à cette lettre le préoccupait. Tout à coup, au milieu de ses songeries, il s'arrêta..., car il avait l'impression que dans le grondement de la tempête, une voix lui criait : « Qui donc dans les ordres des anges m'entendrait si je criais?... » L'oreille tendue, il s'arrêta. « Qu'est-ce que c'est ? » chuchota-t-il à mi-voix... « Qu'est-ce qui vient ? » Il prit son carnet, qu'il avait toujours sur lui, et nota rapidement ces mots et aussitôt après quelques autres qui se formaient sans qu'il y participât.
Qui venait ?... Il le savait à présent : le Dieu...
Très calmement, il monta de nouveau dans sa chambre, mit de côté son carnet et expédia sa lettre d'affaires.
Le soir, toute l'élégie était écrite.

Il n'y a aucune raison de mettre en doute cette description certes un peu dramatisée, mais qui coïncide avec le propre récit de Rilke.
L'*Elégie* commence donc par l'invocation à l'ange :

> Qui donc dans les ordres des anges
> m'entendrait si je criais?
> Et même si l'un d'eux soudain
> me prenait sur son cœur :
> de son existence plus forte je périrais.
> Car le beau n'est que le commencement du terrible,
> ce que tout juste nous pouvons supporter
> et nous l'admirons tant parce qu'il dédaigne
> de nous détruire.
> Tout ange est terrible *.

L'ange n'est pas un gracieux « putto » comme sur nombre de tableaux de la Renaissance ou de l'époque Rococo, mais une créature de l'Ancien Testament, qui brandit une épée en flammes, ou encore celui qui, lors de l'Annonciation, se présente à Marie en lui disant : « N'aie pas peur ! » C'est à cette sorte d'ange que se réfèrent les « ordres » (les séraphins et les chérubins, par exemple). Ces ordres supposés contrastent avec l'abandon où se trouve l'homme, tel qu'il s'exprime dans la syntaxe de la première phrase.

---

* Seuil, t. 2, p. 347.

« Qui donc dans les ordres des anges m'entendrait si je criais », ce n'est pas seulement un cri existentiel originel et une invocation à l'inspiration incarnée par l'ange, c'est aussi l'expression linguistique de deux actions hypothétiques et simultanées, qui, comme dans la peinture cubiste, sont représentées de manière synchrone et non en perspective.

Que le beau soit voisin du terrible et à peine supportable à l'homme, c'est, au plus tard depuis Goethe (« Un reflet coloré, c'est la vie que nous avons ») et Platen (« Qui regarde de ses yeux la beauté / est déjà livré à la mort »), un des lieux communs de la littérature. Médiateur entre Dieu et l'homme, créature également chez soi dans la vie et dans la mort, l'ange est pour nous « terrible ». Ce même adjectif sert à Faust pour désigner l'esprit de la terre : un « terrible visage ».

> Mieux vaut que je taise la montée obscure de l'appel.
> Qui oserons-nous donc appeler ?
> Ni les anges, ni les hommes,
> et les malins animaux remarquent déjà
> que nous ne sommes pas à l'aise dans ce monde défini.
> Peut-être nous reste-t-il un arbre
> sur une pente,
> — le revoir chaque jour ; —
> Il nous reste la rue d'hier et la fidélité d'une habitude
> qui s'étant plu chez nous, n'en est plus repartie *.

A nouveau, le texte passe du « je » au « nous », du poète à l'homme en général, dans cette énumération de tout ce à quoi, dans notre détresse, nous ne pouvons *pas* nous accrocher. L'ange est trop loin au-dessus de nous (« Ta joie surplombe notre zone, / à peine en touchons-nous la lie ** », dit le poème *A l'Ange*, composé en Espagne), notre prochain est représenté dans les vers suivants comme aussi abandonné et sans aide que nous le sommes nous-mêmes, et les bêtes, qui ne connaissent pas la même division entre la vie consciente et l'inconscience, sont (comme les chiens à la mort du chambellan Brigge) pourvus d'un instinct trop sûr pour ne pas savoir que notre raison explique le monde, mais ne peut nous donner aucune sécurité en lui. Reste seulement l'apport du hasard : un arbre quelconque, la rue, une habitude. Tout le reste est illusion.

> Et la nuit ! ô, la nuit,
> lorsque le vent chargé d'espaces nous mord le visage —,
> à qui ne serait-elle, la tant désirée,

---

* Seuil, t. 2, p. 347.
** Seuil, t. 2, p. 417.

la doucement décevante,
cette part difficile des cœurs solitaires ?
Est-elle plus légère aux amants ?
Hélas, l'un à l'autre ils se cachent leur destin.
Ne le sais-tu *pas encore* ?
Largue le vide de tes bras aux espaces que nous respirons ;
peut-être les oiseaux
ressentiront-ils le plus grand large des airs
dans leur vol ramassé *.

La nuit aussi est une illusion : au lieu de nous recouvrir et de nous protéger, elle nous amoindrit et dévore notre visage. Même la plus intime rencontre de deux êtres, la cohabitation des amants, ne nous donne que l'illusion d'une protection en dissimulant seulement la solitude. Jusqu'à maintenant, il s'agissait de ce dont *nous avons besoin.* Vient à présent la liste de ce qui *a besoin de nous,* ou plus exactement : ce qui a besoin du poète pour être chanté :

Certes, les printemps t'exigeaient.
Tant d'étoiles voulaient que tu les touches.
Levée au loin, une vague accourait,
ou bien, comme tu passais devant une fenêtre,
le jeu d'un violon.
Tout cela te fut à charge.
Mais as-tu su t'en acquitter ?
N'étais-tu pas encore distrait par l'attente,
comme si tout t'annonçait la bien-aimée ?
(Où voudrais-tu l'abriter puisque de grandes et étranges pensées
circulent librement en toi et s'attardent souvent la nuit.)
Mais si le désir se fait exigeant en toi,
parle-nous des amants ;
ce qu'ils ont avec tant de splendeur ressenti,
n'est pas immortel assez.
Tu envies, presque, les abandonnées,
tellement plus aimantes que celles qui ont été comblées.
Redis inlassable ta louange ! Toujours plus haut.
Songe : le héros tient bon,
sa chute même n'est que prétexte à sa naissance dernière.
Mais les amants,
la nature éreintée les reprend, comme si
elle n'avait pas deux fois la force d'accomplir tel exploit.
As-tu assez songé à Gaspara Stampa
afin que toute jeune fille abandonnée puisse,
exaltée par l'exemple, se dire : que ne suis-je comme elle !
Ces douleurs plus anciennes ne nous deviendront-elles pas
  enfin fructueuses ?
N'est-il pas temps pour nous de quitter l'aimée en aimant ?

---

* Seuil, t. 2, p. 347.

La dépasser, vibrant telle la flèche jaillie de la corde
et qui ramassée dans l'instant du départ se dépasse.
Car il n'est de repos nulle part*.

Printemps, constellations, musique — tout cela était « à
charge », c'était des thèmes que le poète n'a pas su dominer, parce
que, seul dans le monde, il ne cesse pas d'attendre une amante, sans
voir qu'il ne peut abriter aucun être en lui, pas même une pensée.
Car il n'est pas un homme d'action, il n'est qu'un simple vaisseau où
les pensées se rassemblent et qu'ensuite elles abandonnent. Ce ne
sont pas les *amantes*, mais les *aimantes*, qui méritent d'être célébrées,
car la nostalgie d'amour une fois apaisée, les amantes deviennent
« comblées ». Pour elles, c'en est fini de l'amour, si l'on comprend
celui-ci, comme le fait Rilke, comme une « peur de la liberté de
l'autre ». Tandis que le héros, en art et en littérature, ne cesse pas
d'être traité et chanté, et précisément à cause de son déclin — que
l'on songe à Achille ou Siegfried —, il reste encore beaucoup à faire
pour les amants, précisément pour les femmes qui, comme Gaspara
Stampa, poétesse de la Renaissance, ont vu l'amant leur échapper.
Le symbole de cet amour intransitif est la flèche : elle est matière —
bois ou métal — *et* énergie. Ainsi Dante a-t-il chanté sa Béatrice et
les troubadours leur dame (souvent de haute lignée ou mariée) : sans
espoir d'être entendus. Le véritable accomplissement, le « repos »,
n'existe même pas dans le cœur de l'aimé. L'idée de ces douleurs qui
deviennent fructueuses pour les autres nous ramène à la mort du
Christ, offerte en sacrifice.

Des voix, des voix. Mon cœur,
écoute, comme seuls les saints savaient écouter :
au point qu'un prodigieux appel les soulevait du sol ;
eux cependant, improbables, toujours agenouillés,
ne remarquaient rien : tout en eux écoutait.
Non pas que toi tu puisses supporter la Voix,
et de loin.
Mais entends le **souffle, entends**
la nouvelle qui ne cesse de se former du silence.
le bruissement des jeunes morts monte vers toi.
Partout où tu entrais, dans les églises de Naples ou de Rome,
leur destin ne t'avait-il pas tranquillement abordé ?
Ou encore, une inscription attirait ton regard, comme naguère
cette plaque à Santa Maria Formosa.
Ce qu'ils me veulent ? Que doucement je défasse

---

* Seuil. t. 2, p. 348.

l'apparence d'injustice qui gêne parfois,
un peu, le clair mouvement de leurs âmes *.

Aux héros et aux amants se joignent à présent les saints. Eux
aussi, ils sont des êtres « tout entiers », d'une telle densité spécifique
que même les lois de la pesanteur ne les concernent pas ; si Dieu les
écoutait dans leur prière, il pouvait arriver qu'ils planent au-dessus
du sol en état de lévitation, sans le remarquer. Avec la même
intensité, le poète écoute les voix qui l'inspirent (dans le langage
courant on dirait qu'ils sont « tout ouïe » : en ce qui concerne la
psychologie de la perception sensitive, c'est un processus très
vraisemblable dans la solitude de Duino, avec le vent soufflant haut
sur la mer). Les voix sont celles de ces jeunes morts qui chargent le
poète d'une mission, parce que leur vie est demeurée en grande
partie inutilisée et s'est perdue. Le poète peut les dédommager pour
l'injustice que leur a infligée leur mort trop tôt survenue, en les
aidant à retrouver une nouvelle vie dans sa poésie.

Cette idée poétique et plausible est malheureusement troublée
par l'allusion à la plaque de Santa Maria Formosa : tout lecteur se
demandera ce qui peut bien être écrit sur cette table. La réponse est
facile à fournir : dans le transept droit de cette église vénitienne, une
inscription affirme qu'ici repose un certain Wilhelm Hellemans,
d'Anvers, mort, encore jeune, en 1593 à Venise. Il s'ensuit un
dilemme : rechercher de qui il s'agit, ou bien sauter le passage en
espérant que le détail est sans importance. Et voilà déchirée la fine
toile qui a jusqu'à présent entouré le lecteur.

Certes, il est étrange de ne plus habiter la terre,
ne plus avoir à se servir de gestes à peine appris,
aux roses et à tant d'autres choses si pleines de promesses
ne plus accorder le sens d'un avenir humain ;
n'être plus ce qu'on a été entre des mains infiniment fragiles
et abandonner jusqu'à son nom comme un jouet cassé.
Etrange de ne plus désirer ses désirs. Etrange
de voir flotter sans lien dans l'espace
tout ce qui jadis fut lié.
Etre mort est laborieux
et plein de reprises jusqu'à ce que peu à peu on devine
un peu d'éternité. Mais tous
les vivants commettent l'erreur de trop distinguer.
Les anges, (dit-on) souvent, ne savaient
s'ils marchaient parmi des vivants ou des morts.
Le flot immense emporte tous âges
à travers les deux royaumes qu'il couvre
de sa rumeur.

_____

* Seuil, t. 2, p. 348.

Après tout,
ils n'ont plus besoin de nous, ceux qui nous ont quittés trop tôt.
On perd le goût de la douceur terrestre, tout comme
on devient trop grand pour la douceur du sein maternel. Mais nous
qui avons besoin de si grands secrets, nous
pour qui le deuil est souvent le départ d'un essor heureux :
pourrions-nous nous passer d'eux ?
Serait-ce une vaine légende que jadis, dans la complainte pour Linos,
hardie, la première musique a traversé l'aride stupeur ;
et dans l'espace qu'un adolescent presque divin venait de quitter
    brusquement,
effrayé, le vide se mit à bouger de ce balancement
qui maintenant nous ravit, nous console et nous soutient *.

A présent, Rilke se transpose pour ainsi dire dans l'état d'esprit
de « ceux qui nous ont quittés trop tôt ». Pour eux, tous les points de
référence qui nous aident à nous reconnaître dans la vie sont caducs :
les usages, les roses comme symbole du mariage et de l'avenir, la
tendre sollicitude (« entre des mains infiniment craintives ** ») venant
des parents et des amis, le nom, signe extérieur d'individualité, et les
désirs dirigés vers l'avenir. Le renoncement brutal à tout ce qui tient
la vie d'aplomb, comme le fait, en physique, la force de gravité, est
exprimé en une image qui préfigure — et certes sans que Rilke ait pu
le prévoir — l'absence de pesanteur à laquelle les vols spatiaux nous
ont habitués : « Etrange/de voir flotter sans lien dans l'espace/tout
ce qui jadis fut lié. » L'ange, au contraire, de même que, plus tard,
Orphée, passe d'un royaume à l'autre, de celui des vivants à celui des
morts, et parcourt « tous les âges » : passé, présent, avenir. Cette
mise en question (synchrone avec le développement de la physique
moderne) des concepts traditionnels d'espace et de temps s'accompagne d'une méfiance envers la capacité démesurée d'analyse
dévolue à l'être humain (« l'erreur de trop distinguer »), ce qui
ramène le motif d'un « monde expliqué ». Car il ne s'agit pas de
mesurer et dénommer le monde visible, mais de le métamorphoser
en invisible, en « espace intérieur du monde ». C'est la véritable
tâche de l'homme et avant tout du poète ; tâche que l'ange a déjà
accomplie.

A la fin, « ceux qui nous ont quittés trop tôt » ont aussi peu
besoin de nous que les anges. C'est *nous*, au contraire, qui avons
besoin d'*eux*, parce que le deuil de leur destin devrait être pour nous
une source de consolation, comme le fruit qui naît à partir de « la

---

* Seuil, t. 2, p. 349.
** *Unendlich ängstliche Hände* : le traducteur français a transposé *ängstlich* en
« fragile » (des mains infiniment fragiles), ce qui rend cette remarque de W. Leppmann
incompréhensible. (N.d.T.).

plus ancienne douleur ». Ceci nous est expliqué grâce à l'exemple du demi-dieu Linos, déjà mentionné dans l'*Iliade*, et dont la mort beaucoup trop prématurée ébranla tellement l'espace qu'il commença à vibrer et engendra la musique. Cette lamentation sur « ceux qui nous ont quittés trop tôt » prend une vaste place dans la *Première Elégie*. C'est l'un des thèmes favoris de Rilke, depuis la description de Julien de Médicis dans le *Journal florentin*, en passant par le *Cornette* et le *Requiem* pour Paula Modersonn-Becker et le comte Wolf von Kalckreuth, jusqu'à *Malte Laurids Brigge* et les *Sonnets à Orphée*, monument funéraire élevé à la mémoire de la jeune danseuse Vera Ouckama Knoop. Avec l'explosion de la Première Guerre mondiale, le thème perd le caractère ésotérique qu'il avait gardé jusqu'alors. Le chagrin et le deuil d'une vie fauchée dans sa fleur n'est plus une idée de poète, mais un destin vécu à des millions d'exemples.

Rilke envoie l'élégie à Marie Taxis à Vienne, et celle-ci, enthousiasmée, la lit à Kassner et à Hofmannsthal. En un échange de présents comme l'histoire littéraire en rapporte peu, Hofmannsthal à son tour adresse à Rilke un exemplaire de son *Jedermann* qui vient de paraître, avec la dédicace : « A R.M.R. en fidèle souvenir et en remerciement pour l'Elégie de Duino. » Bien que Rilke n'ait pas eu au début l'intention de composer un cycle, à la *Première Élégie* succède peu de jours après une deuxième, de même que quelques vers qui seront repris plus tard dans la sixième et au début de la dixième. Un an et demi plus tard, pendant lequel Rilke écrit une quantité de poèmes séparés mais ne travaille pas aux Elégies naît à Paris la *Troisième Elégie*.

> Une chose est de chanter la bien-aimée,
> une autre, hélas, d'invoquer le dieu secret des fleuves du sang.

Ces premiers vers la relient aux précédents, mais les thèmes y sont approfondis, l'élément sexuel est souligné dans la relation amoureuse comme une puissance chaotique ancrée dans la nature, transmise du père au fils dans l'obscurité du sang, et dont la jeune fille qui aime un homme n'a presque aucun soupçon. Après cette *Élégie*, la source tarit, pour couler à nouveau un an plus tard, dans des circonstances modifiées par la guerre qui avait entre-temps éclaté.

« Joie ! de voir naître ces passions * ! »

I.

Rilke, qui a quitté Paris le 19 juillet 1914 pour faire, croyait-il, un court voyage en Allemagne, est surpris à Munich par la déclaration de guerre. Pendant une phase d'enthousiasme fiévreux, mais qui s'éteint en quelques jours, il participe à la jubilation générale qui salue, en Europe, l'événement. Dans la première semaine de la guerre naissent les *Cinq chants / Août 1914* que, comme il l'avait fait avec les poèmes du *Livre d'Heures* notés dans un volume de nouvelles de Jacobsen, il inscrit dans un livre qu'il a sur lui. Cette fois, c'est le quatrième volume de la nouvelle édition de Hölderlin, que l'éditeur, Norbert von Heilingrath, lui a remis à Leipzig ; ce volume contient les derniers hymnes, auxquels les *Chants* de Rilke, avec leur invocation aux dieux et leur langage rhapsodique, ressemblent d'une manière frappante. Dans le premier chant, cette parenté est particulièrement sensible :

> Pour la première fois je te vois te lever
> dieu de la guerre connu par ouï-dire lointain improbable
> Comme entre les fruits paisibles fut semé
> un acte terrible, adulte en un instant.
> Hier encore petit, il avait besoin de nourriture,
> le voilà déjà à hauteur d'homme : demain
> il dépassera l'homme. Car le dieu ardent
> arrache d'un seul coup sa croissance
> au peuple enraciné, et la moisson commence.
> Le champ s'élève humainement dans l'orage humain.
> L'été demeure loin derrière, parmi les jeux dans la campagne.
> Les enfants restent, jouant, les vieillards, songeant,
> et les femmes confiantes...

---

* « Heil mir, dass ich Ergriffene sehe. »

> Enfin un dieu. Comme nous ne saisissions plus, souvent,
> le paisible, le dieu-bataille nous saisit brusquement,
> propage l'incendie : et au-dessus du cœur plein de pays natal
> crie, habité par son tonnerre, son ciel rouge.

Ainsi Rilke fête-t-il cette guerre qui détruit irrévocablement le monde d'où il vient, le seul monde où il puisse vivre. Mais il la fête d'une autre manière que les autres poètes et écrivains, qui, en ces jours d'août 1914, s'emparent presque sans exception de leur « lyre ».

Malgré toutes les critiques qu'il avait adressées à la vieille Europe avant son déclin, il lui manque, par exemple, l'impatience, la fatigue de cette civilisation, qui déjà en 1911 avait fait souhaiter à Georg Heym :

> Que le cor de la guerre sonne à nouveau dans le pays,
> Que les champs soient jonchés de cadavres,
> Les temps sont désolés, l'année comme un malade,
> Seigneur donne-nous le feu. Et présente-nous des épreuves.

L'ami de Rilke, Heymel, s'était exprimé de façon semblable :

> Il nous manque beaucoup de service et de but et de contrainte
> qui font défaut à tous et que si peu veulent vraiment ;
> ainsi dépérissions-nous dans une liberté sans victoires.
> Dans la richesse de la paix naît une angoisse mortelle.
> Nous ne connaissons plus ni devoir, ni pouvoir ;
> nous désirons, nous crions vers la guerre.

Katharina Kippenberg a parlé elle aussi du « mot terrible », « que l'on pouvait percevoir ici ou là : " Il fallait qu'il y eût enfin une guerre ", et ce n'était pas dit par les pires d'entre nous, ni pour des raisons politiques ou même impérialistes [136] ».

Rilke connaît aussi peu le malaise de la paix que la haine envers l'ennemi ; non seulement parce qu'il a beaucoup vécu à l'étranger, mais tout simplement parce que la haine nationaliste lui demeure incompréhensible. Dans le *Kriegsalmanach auf das Jahr 1915 (Almanach de guerre de l'année 1915)*, de l'Insel-Verlag, on trouve par exemple, comme on pouvait s'y attendre étant donné les circonstances, un recueil de poèmes et de textes courts patriotiques, auxquels l'université apporte aussi son obole sous la forme d'une dissertation d'Oskar Walzel sur *L'ambiance de guerre en Allemagne aujourd'hui et autrefois*. Les *Cinq Chants* de Rilke sont logés entre les poèmes de deux poètes importants, qui le connaissaient bien et avaient écrit des articles sur lui, Rudolf Alexander Schröder et Albrecht Schaeffer. L'un bat la grosse caisse teutonne :

Dieu soit loué, il a retenti,
Le mot que nous attendions dans l'angoisse...

Il n'est pas encore brisé,
Le rameau de chêne de la fidélité allemande ;
Dans tous les battements de notre cœur
Nous le sentons : il verdit de nouveau...

Tandis que l'autre désigne du doigt le méchant ennemi :

Ce ne sont pas les méfaits d'un Serbe
Les ergots du coq français
Ou les griffes de l'ours russe,
les pointes de l'Anglais
Qui firent périr ce rêve, —
Puissance supérieure venue d'ailleurs,
Le destin cria du fond de l'éternité,
Le destin t'appela et te réveilla...

Rilke au contraire parvient à écrire cinq chants dans lesquels l'Allemagne n'est pas glorifiée ni l'étranger démonisé, mais où la guerre est fêtée comme une force élémentaire et mythique qui arrache les hommes à l'indifférente vie quotidienne (*Heil mir, dass ich Ergriffene sehe,* à peu près : « Joie ! De voir naître ces passions ! » — ainsi commence le second de ces poèmes) et — ce qui avait dû être pour lui déterminant — délivre l'individu de son isolement.

La désillusion, déjà perceptible dans le cinquième chant, dans les 29 vers duquel les mots « douleur » et « douloureux » reviennent dix fois, ne se fait pas attendre. En octobre déjà, il parle de la guerre comme d'une « affliction » et fait savoir à Juncker qu'il ne pourrait pas écrire de chants de guerre. Un an plus tard, il se souvient :

« Les trois ou quatre premiers jours d'août 1914 seulement, je crus voir se lever un dieu monstrueux ; aussitôt après je ne voyais plus que le monstre, mais il avait des têtes, il avait des griffes, il avait un corps de serpent qui s'enlaçait à tout —, trois mois plus tard je voyais le spectre — et à présent, depuis combien de temps déjà, ce n'est plus que l'émanation pernicieuse du marais humain. »

Entre-temps, il a vu de tout près la mort si souvent invoquée dans ses poèmes. Le *gentleman-rider* et officier de réserve Alfred Walter Heymel a combattu en France avec les dragons d'Oldenburg, mais, gravement atteint de tuberculose, il doit être rapatrié au bout de quelques semaines et meurt, à peine âgé de trente-six ans, à la fin de novembre 1914, dans un hôpital de Berlin. Au chevet du mourant, « en qui seules des injections de drogues stimulantes entretiennent une petite flamme vacillant quelques heures », Rilke qui s'est précipité à Berlin fait la connaissance du médecin Hans Carossa, dont il a déjà lu des poèmes et le texte en prose *Doktor Bürgers Ende, La fin du Dr Bürger*.

Le choc que la guerre inflige à Rilke est un écho de son expérience à l'école militaire, et se trouve infiniment renforcé par son mode de vie apatride. Il est certes né en Bohême et possède un passeport autrichien, mais il ne s'est jamais senti autrichien. C'est particulièrement sensible pendant la guerre, mais cela n'avait pas échappé à la perspicacité de Rudolf Kassner, dès 1907, lors de leur première rencontre à Hietzing. Au cours de cette rencontre, Rilke,

> ... bien qu'Autrichien à tous points de vue, parlait de Vienne comme d'une ville étrangère, où rien ne le concernait hormis son hôtel et quelques amis, et ne fit pas même mention de Prague ni de la Bohême. Le théâtre, l'Opéra, qui sont pour ainsi dire le centre de Vienne pour tous les gens d'ici, indigènes et étrangers, ne semblaient pas exister pour lui. Il n'en avait que pour Rodin, Paris, la Russie naturellement, quelques endroits dans le Nord de l'Allemagne [137]...

De fait, son foyer émotif dans la mesure où il en possède un, se trouve en Russie, et son foyer spirituel à Paris. Il s'est senti chez lui en Scandinavie, il a souvent vécu en Italie et s'est pris, dernièrement, d'amitié pour l'Espagne. La germanité, surtout dans son « actuelle conscience revendicatrice », comme il décrit avec tact la psychose de guerre, lui est au contraire devenue étrangère, et en premier lieu dans sa version autrichienne. Il avait déjà avant la guerre, curieusement, reproché à la monarchie danubienne ce que nous considérons plutôt comme un titre de gloire, c'est-à-dire d'avoir

> ... dès le début ruiné la nationalité des peuples qui la composaient et la force de cette nationalité, de la leur avoir à moitié ôtée et limitée, sans former de nouvelle unité nationale à partir des éléments que lui avait fourni ce sacrifice. Chacun s'abandonnait mais conservait en même temps son individualité, l'Autriche demeurait toujours en construction, elle est un provisoire devenu chronique [138].

D'autres poètes ont la tâche plus facile. Même s'ils souffrent de la guerre, chacun d'eux représente le point de vue qui est l'aboutissement logique de son développement passé. Thomas Mann se sent enraciné dans la culture bourgeoise allemande, Hesse est un pacifiste convaincu, Hofmannsthal a fait son volontariat d'un an et voue une totale fidélité à l'Autriche. Parmi les plus jeunes, Carossa, Döblin et Benn exercent leur métier et servent comme médecins. Parmi les plus âgés, Dehmel ne renonce pas et finit, à cinquante et un ans, bravant les autorités, par se retrouver soldat dans l'Ouest. Trakl, Musil, Lernet-Holenia et d'innombrables autres sont mobilisés.

Rilke seul, qui verra plus tard dans l'Allemagne un pays avec lequel
« il n'a d'autre rapport que la langue », ne peut s'identifier avec rien
de tout cela [139]. Sans croire vraiment au succès pratique de ce genre
de démarche, il soutient les efforts de la poétesse franco-allemande
Annette Kolb, qui veut fonder au milieu de la guerre une revue
internationale, rencontre Romain Rolland en Suisse et s'engage
activement pour la paix. Il faut donc voir dans le fait que Rilke a
laissé tout ce qu'il possédait à Paris et traverse la guerre avec le
contenu de sa seule valise, moins un hasard que le reflet de sa
situation spirituelle : celle de l'individu qui ne participe pas, exposé
au sein d'une multitude fanatisée. Cette position lui permet de voir
avant tout le monde les pertes subies les années suivantes, et de les
formuler plus clairement que les autres. Quand par exemple
Sigmund Freud — Autrichien, juif, et déjà à l'époque vieil homme
prémuni envers toutes les illusions — se console en se figurant que
c'est « notre peuple allemand », dans cet effondrement général de
l'humanité, qui « s'est encore le mieux comporté », Rilke sait déjà
que tout était affaire non pas de peuple, mais d'individu :

> Il n'est plus possible d'appliquer la mesure du cœur individuel qui était
> jusqu'ici l'unité de la terre et du ciel, de tous les espaces et de tous les
> abîmes. Le cri d'un homme qui se noie était alors quelque chose ;
> était-ce même à l'idiot du village que les eaux arrachaient un cri
> soudain plus clair, tout le monde accourait, prenait son parti contre la
> noyade, et le plus prompt risquait sa vie pour lui. Comme tout est
> devenu immémorial [140] *.

II.

Le 1er août 1914, Rilke, après avoir rendu visite aux Kippenberg
à Leipzig, était allé à Munich pour se faire examiner par un médecin
et remédier dans la mesure du possible à ce malaise énigmatique,
situé à présent dans la région de l'estomac, qui le terrassait de temps
en temps. Stauffenberg veut le conduire chez un psychanalyste, mais
devant le refus de son patient, il se borne à lui conseiller une assez
longue cure à la campagne. Rilke se rend à Irschenhausen, au bord
de l'Isar. Là, à la table d'hôte de la pension Schönblick, il fait la
connaissance d'une jeune femme aux cheveux de cuivre roux et aux
yeux verts, qu'il avait déjà aperçue à Paris. Sur le gazon, devant
l'hôtel, où elle se repose dans une chaise longue, et au cours de
promenades en forêt, il lui raconte l'histoire qui captive toutes ses

---

* Seuil, t. 3, p. 372.

auditrices : son enfance malheureuse et ses premiers essais poétiques, la Russie et la France et même cette « jeune fille du peuple qu'il avait accostée, à Paris, quand il l'avait vue marcher dans la rue, pleine de désespoir, se tordant les mains dans son châle [141] ». Cette nouvelle connaissance est certes tout autre chose qu'une jeune fille du peuple. C'est Lulu (dite Lou, dite Loulou) Albert-Lasard, vingt-trois ans, fille du banquier et conseiller commercial Léopold Lasard, mariée au chimiste munichois Eugen Albert. Elle était parvenue à persuader son mari, qui avait trente ans de plus qu'elle, de la laisser peindre à Paris, tandis qu'il restait chez lui pour s'occuper de la firme Albert et Bruckmann, qu'il avait fondée. Surprise lors d'un voyage en Bretagne par la déclaration de guerre, elle était revenue à la dernière minute à Munich et de là était allée à la campagne, pour se reposer des émotions de ces derniers jours. Loulou a déjà beaucoup pratiqué les œuvres de Rilke et elle sait aussitôt quel est ce monsieur qui lui passe la carafe d'eau à table (« versant l'eau à côté du verre », constate-t-elle avec amusement), et ce faisant, ajoute « Mademoiselle, je crois bien vous avoir vue à Paris ! »

Après avoir tenté, de mauvais cœur, de lui échapper, Rilke revient avec Loulou à Munich, où ils passent pour ainsi dire leur lune de miel dans une pension de la Finkerstrasse. Elle peint et il écrit des poèmes, ils rendent visite à des amis communs comme Regina Ullmann, dont Loulou fait aussitôt le portrait. Parfois, on dîne à trois : Rilke, Loulou et son mari, qui, il est vrai, la menace bientôt du divorce et s'acharne à la faire revenir à lui. Sur le conseil de Loulou, et pour fuir la tempête qui se lève, Rilke part cette fois pour Berlin, où il prend congé de Heymel qui est mourant et où il expédie quelques affaires. Parmi les amis qu'il revoit, se trouvent les von der Heydt et les Hofmannsthal, Magda von Hattinberg et la cantatrice Giulietta Mendelssohn, née en Italie, mariée à un banquier berlinois, et au sujet de laquelle Marie Taxis lui avait écrit après un concert : « Il ne faut pas la *regarder* quand elle chante, mais on devrait avoir une douzaine d'oreilles. » Il fait aussi une nouvelle connaissance en la personne de la belle Marianne Mitford, vingt-deux ans, fille de l'industriel Fritz von Friedländer-Fuld. Elle est en train de divorcer de son premier mari, un lord, et met à la disposition de Rilke, puisqu'elle revient sous le toit de ses parents, son appartement de la Bendlerstrasse.

Il passe donc Noël 1914 dans une maison due à l'architecte Alfred Messel, qui avait déjà construit le grand magasin Wertheim, entouré d'amis de la noblesse rhénane, de la grande bourgeoisie juive et du monde des savants et archéologues berlinois. Il a de si bonnes relations dans ce milieu que le conservateur du musée égyptien retire, à la demande de Rilke, le buste d'Akhenaton de sa vitrine, pour que Loulou puisse le dessiner (Rilke a rappelé sa bien-aimée de Munich, sans doute comme cadeau de Noël, par télégramme). Que son bonheur est précaire et que dehors, la guerre fait rage, les réfugiés de Prusse-Orientale, logés dans la maison, le lui rappellent tous les jours.

A Munich, où il passe la plus grande partie de l'année 1915, Rilke va d'abord s'installer de nouveau Finkerstrasse avec Loulou, qui est entre-temps convenue avec son mari de repousser le divorce jusqu'à la fin de la guerre. En février, il se rend à une lecture de Thomas Mann, au cours de laquelle, selon les souvenirs parfois incertains de Loulou, il est assis à côté de Heinrich Mann. On connaît la querelle qui s'était élevée entre Thomas, à l'âme germaniquement patriotique, et Heinrich Mann, qui préférait l'entente cordiale. Heinrich Mann aurait chuchoté à son voisin pendant la conférence : « Mon frère a des pensées plus imprimables que les miennes ! » Si une rencontre a eu lieu entre Rilke et Thomas Mann, elle a dû avoir lieu dans les années 1914-1919, à l'occasion de manifestations de ce genre. Rilke, nous l'avons vu, avait été l'un des premiers à reconnaître dans un article la valeur des *Buddenbrook,* tandis qu'il avait aimé seulement le début de *Mort à Venise.* Thomas Mann semble n'avoir pas dit grand-chose au sujet de Rilke, bien qu'il ait suffisamment entendu parler de lui par Arthur Holitscher, le couple Fischer, Annette Kolb et d'autres amis communs. Plus tard, il fit comprendre, par quelques remarques notées dans son journal, qu'il ne savait pas trop que faire de Rilke, mais qu'il le préférait à l'abominable Stefan George. (Du reste, les deux poètes, par leur simple existence, réfutaient l'une des thèses favorites de Mann, selon laquelle une vie et une œuvre dirigées d'après des points de vue à dominante esthétique ne pouvaient longtemps se soutenir.) Plus tard, Mann refusa sous un prétexte quelconque de participer au volume d'hommage réalisé du vivant du poète, *Reconnaissance à Rilke,* tandis que son fils Klaus, grand admirateur de Rilke, lui, écrivait à propos des *Elégies de Duino* et des *Sonnets à Orphée :* « C'est une consolation pour nous, qui débutons aujourd'hui, que ces poèmes aient pu naître, en cette époque[142]. »

Pendant d'autres soirées, Rilke et Loulou écoutent leur ami Hellingrath parler de Hölderlin et Alfred Schüler de « l'essence de la Ville Eternelle ». Ce savant proche du cercle de Stefan George propageait un culte particulièrement macabre en plein milieu de la guerre, en affirmant que la vie de l'individu n'était qu'une brève interruption dans la mort ; son idée principale, la vie « ouverte » en face de la mort, se retrouve dans les *Sonnets à Orphée.* C'est dans la maison d'un ami commun, la veuve de l'écrivain Gerhart Ouckama Knoop, que Rilke fit la connaissance personnelle de l'insociable et farouche Schüler.

De même qu'autrefois il avait présenté Mimi Romanelli à sa femme à Paris, et emmené Magda von Hattinberg à Duino, Rilke présente maintenant Loulou à ses amis, qu'ils vivent à Munich ou que Rilke s'arrête chez eux pendant ses voyages. Il la fait rencontrer à Clara et à Lou, à de vieux amis comme Kassner et Hofmannsthal et à de nouveaux comme le peintre Paul Klee, son voisin de chambre, qui joue du violon sur la terrasse, et le jeune historien de l'art Wilhelm Hausenstein, futur premier ambassadeur de la République fédérale d'Allemagne à Paris. Nous lui devons un instantané de Rilke à cette époque :

> Le poète portait un costume bleu marine, et des guêtres gris clair ; sa frêle silhouette était un peu penchée, son pas ni lent ni rapide ; la moustache blonde pendait en forme de demi-cercle, presque comme chez les Chinois ; les yeux étaient saillants et bleus ; les mains se mouvaient avec prudence, sans se mettre en avant, dans leurs gants de daim clair. L'importance de l'homme était dissimulée sous l'attitude conventionnelle du mondain [143].

Avec cela, l'impression qui émane de Rilke, toute de pureté, de délicatesse et certes aussi d'un narcissisme concentré sur soi-même, peut devenir, si la connaissance se fait plus intime, si forte, que Hausenstein est parfois tenté « d'opposer à ces mots pesés aux plus sensibles balances des mots violents, crus, irréfléchis », et remercie le bon Dieu de lui avoir permis de réprimer cette impulsion, vilaine mais compréhensible. Hausenstein n'est pas le premier à ressentir cette impression ; Gustav Pauli, déjà, quand il avait rendu visite au jeune Rilke à Westerwede, avait cru marcher comme un éléphant dans un magasin de porcelaine. Semblable au converti qui se conduit d'une manière plus pontificale que le pape, Rilke, converti aux formes de la vie aristocratique, se comportait avec plus de distinction que bien des nobles.

Au début de sa liaison avec Loulou, déjà, il avait confessé à Marie Taxis qu'il n'avait jamais encore sérieusement envisagé la possibilité de « ne pas demeurer seul ». Mais son isolement, malgré toute sa sociabilité, précisément pendant la guerre, où les hommes se regroupaient partout entre eux, peut lui avoir donné l'idée d'une liaison durable avec Loulou. Mais ce n'était qu'une lubie, et la princesse lui fit un sermon énergique :

> Dottor Serafico !!! A vrai dire je voudrais vous gronder terriblement — je crois que vous auriez besoin absolument d'être réprimandé comme un bébé — car vous en êtes un, bien que vous soyez en même temps un grand poète... *Tout* être humain est solitaire, et *doit* le rester, et *doit* le supporter, et *ne doit pas* céder et *ne doit pas* chercher secours en d'autres êtres...

J'ai l'impression, D. S., que feu Don Juan était un orphelin auprès de vous — et vous allez toujours vous chercher de tels saules pleureurs, qui ne sont pas tellement tristes en réalité, croyez-moi — c'est *vous*, *vous-même*, qui vous reflétez dans tous ces yeux.

Au fond, la première année de la guerre, jusqu'à son incorporation à la fin de 1915, se déroule pour Rilke d'une manière en apparence très agréable. Il profite de l'affection d'une attrayante jeune femme, peintre de surcroît, et si cette liaison ne fait parfois que remplir le vide creusé en lui par la conscience de son caractère apatride, renforcé encore par la guerre, elle confirme aussi sa confiance en son pouvoir poétique. Sous l'influence de Loulou naissent plusieurs poèmes, parmi lesquels le célèbre *Exposé sur les montagnes du cœur* *, qu'il termine le 20 septembre 1914, trois jours après leur première rencontre.

Sa santé s'est raffermie entre-temps — ou bien est-ce la souffrance générale qui domine un moment le souci de son propre bien-être ? Même financièrement, il va exceptionnellement bien, grâce à la donation de Wittgenstein et à la popularité croissante du *Cornette*. Tandis qu'il essaie de payer le loyer de son atelier parisien par un intermédiaire hollandais, des amis allemands mettent plusieurs logis à sa disposition : à Berlin, il peut revenir à tout moment dans l'appartement de Marianne Mitford, à Munich, la pension de Loulou, Finkerstrasse, lui est ouverte. Dans l'espoir de travailler sans être dérangé, il emménage en juin non dans cette pension, mais dans la chambre que lui laisse Hertha Koenig, pour l'été, dans la Widenmayerstrasse, aujourd'hui encore une des meilleures adresses de Munich. Rilke avait fait la connaissance de cette jeune poétesse chez les Fischer, et cherchait entre-temps à l'aider dans sa carrière. Tandis qu'elle s'en va dans son domaine de Westphalie, il s'installe dans la demeure de la jeune femme, où il passe de nombreuses heures devant les « Saltimbanques » de Picasso ; dans la *Cinquième Elégie* (dédiée à Herta Koenig), les acrobates figurés sur le tableau apparaissent, désignés comme des « voyageurs plus fugitifs que nous-mêmes ». Lorsque Hertha revient en octobre à Munich, Rilke prend un appartement Keferstrasse, au bord du Jardin Anglais. Il est situé dans une maison qui paraît certes petite,

mais dedans... (contient) je ne sais combien d'ateliers, de chambres, pièces et antichambres ; de petits escaliers qui connaissent leur chemin et se promènent là-dedans d'un air supérieur, — je ne suis certainement pas encore allé partout, mais seulement, à vrai dire, chez la blonde et très belle maîtresse de maison, qui, en l'absence de son mari

* Seuil, t. 2, p. 432.

(le Dr Herbert Alberti, attaché à une ambassade à La Haye), a loué le premier étage. Cela signifie une grande salle de travail à quatre fenêtres, où l'on peut aller et venir sur des pages entières, une chambre à coucher et une petite salle à manger, tout a l'air si bon et si habitable, comme si l'on n'avait qu'à se laisser exister. Depuis quelques jours seulement, je l'essaie, cela semble utilisable, peut-être beau, la question est de savoir si je réussirai cette année à tenir loin de moi toute importunité, et à rester aussi tranquille et non trouvé que j'en avais jusqu'alors l'habitude [144].

Parmi les « importunités » inévitables, il y a les journaux, que Rilke n'a lus que sporadiquement pendant de nombreuses années, mais qu'il regarde à présent avec plus d'attention. A la fin d'octobre 1915, au moment où il écrit ceci, les journaux sont remplis de reportages sur les durs combats de l'Argonne et de l'Artois, de Courlande et de Volhynie, de Serbie et des rives de l'Isonzo.

Tandis qu'il suit les informations venues du front et, malgré tout le confort dont il jouit chez lui, souffre d'être « contemporain de cette honte universelle », il reçoit, par l'intermédiaire de Romain Rolland et de Stefan Zweig, la nouvelle de la perte de tous ses biens : sa garde-robe, quelques meubles hérités, des livres, des lettres, et, ce qui lui est le plus pénible, ses manusrits, tout ce qu'il possédait a été mis aux enchères à Paris en avril 1915 et dispersé. Le loyer n'avait pas été transmis, ou trop tard, par la Hollande. Rilke a retrouvé quelques objets grâce aux efforts d'André Gide, de Charles Vildrac et d'autres écrivains, mais la plus grande partie, et de loin, a été perdue et n'a jamais été retrouvée. (Du reste, la vente de la bibliothèque et du mobilier n'avait rapporté que 538 francs, on avait plutôt bradé que vendu.) Dans la lettre où il raconte l'affaire à Marie Taxis, il s'efforce, certes, de traiter cette perte comme une bagatelle, mais n'y parvient pas. Il emploie une étrange métaphore qui révèle le caractère somnambulique de toute son existence d'alors :

> depuis cette nouvelle de Paris, je vis avec l'étrange sentiment de quelqu'un qui aurait fait une chute et se serait relevé sans douleur, mais qui n'arrive pas à se débarrasser du soupçon qu'une douleur à retardement pourrait tout à coup éclater dans ses entrailles et l'amener à crier *.

Malgré ce coup pénible, Rilke traverse à l'automne 1915, au moment où le délai accordé par le destin (c'est-à-dire par le ministère impérial et royal de la Guerre) touche à sa fin, une période d'intense activité créatrice, dans laquelle il se plonge soudain à sa manière caractéristique. En novembre, il écrit en deux jours la *Quatrième*

---

* Seuil, t. 3, p. 380.

Elégie, qui traite avant tout du rapport père-enfant et demeure la plus obscure de tout le cycle, avec ses affirmations spécifiques (« L'inimitié /, c'est ce que nous avons de plus proche »), et ses interrogations :

Qui formera la mort de l'enfant de ce pain gris qui durcit, —
qui laissera la mort, dans la bouche ronde, comme le trognon d'une
belle pomme ?
Il est aisé de comprendre les assassins.
Mais ceci : la mort, toute la mort qu'on doit
avec tant de douceur contenir *avant* même d'être en vie
et n'en pas devenir méchant.
C'est ineffable *.

Avant cette élégie, il avait écrit la jolie petite *Ode à Bellman,* poète et compositeur suédois du temps de Mozart, dont la cantatrice et traductrice danoise Inga Junghanns venait de présenter les Lieder à Munich. De ces jours date aussi le *Requiem auf den Tod eines Knaben* (*Requiem pour la mort d'un jeune garçon*), le fils, mort prématurément, de l'économiste Edgar Jaffé, ami de Rilke, qui sera en 1918-1919, lors du gouvernement Eisner, ministre des Finances. Il composera plus tard sept poèmes dits « poèmes phalliques », à la fin de l'automne 1915 — qui aboutirent à ces vers :

Comme je t'ai appelé. Ce sont les cris muets
qui en moi sont devenus doux.
Voilà que je me pousse en toi degré après degré
et sereine ma semence grandit comme un enfant.
O toi, mont primitif du plaisir : d'un seul coup il bondit
hors d'haleine jusqu'à sa crête intérieure.
O abandonne-toi, pour sentir comme il s'est approché ;
car tu te précipiteras, s'il te fait signe d'en haut.

Il composera enfin le grandiose poème *La mort* :

La mort est là, bleuâtre décoction
dans une tasse sans soucoupe **...

qui se termine par l'évocation d'un météore que Rilke avait vu en 1911 à Tolède, du Puente de San Martin :

O pluie d'étoiles
d'un pont naguère pénétrée,
que je ne t'oublie pas ! Tenir ** !

---

* Seuil, t. 2, p. 358.
** Seuil, t. 2, p. 434.

Les poèmes de 1915 sont, comme le veut la situation historique (nous sommes dans la deuxième année de guerre et l'expressionnisme est à son zénith), en partie des avancées dans de nouvelles terres poétiques, avec des thèmes et parfois aussi des formes que Rilke n'a pas encore utilisés. D'autant plus surprenante est la ténacité avec laquelle le passé s'affirme dans son œuvre. Il est possible que le poème suivant ait été en effet, comme le prétend Loulou, écrit pour elle, qui s'était plainte de ses relations tendues avec son père. Quel que soit le motif qui a poussé Rilke à l'écrire, il est étonnant de voir comme il peut, dans cette ambiance de fin du monde, plonger en lui-même à chaque instant et réveiller les vieux sentiments familiers :

Ah malheur : ma mère me démolit.
J'ai posé contre moi pierre sur pierre,
et je me dressais déjà comme une petite maison,
autour de laquelle se meut le grand jour, même seule.
A présent ma mère vient, vient et me démolit.

Elle me démolit rien qu'en venant me regarder.
Elle ne voit pas que l'on bâtit.
Elle passe à travers mon mur de pierre.
Ah malheur, ma mère me démolit.

Les oiseaux volent plus facilement autour de moi.
Les chiens étrangers savent : c'est *lui*.
Seule ma mère ne le connaît pas,
mon visage devenu lentement plus.

D'elle à moi ne passa jamais un vent chaud.
Elle ne vit pas où sont les airs.
Elle gît dans un creux réduit du cœur
et le Christ vient et la lave chaque jour.

Ces vers furent écrits en octobre 1915, quand Phia et son fils de quarante ans se rencontrèrent, sans le savoir, pour la dernière fois. Pour leur franchise émancipatrice et leur vocabulaire simpliste (sauf peut-être dans les deux derniers vers), ils pourraient dater de 1980 et être nés sous la plume d'un garçon de vingt ans. Les relations de Rilke avec sa mère scintillent en trop de couleurs pour qu'on puisse les ramener à un seul dénominateur. Si l'on considère ses relations également difficiles avec son père et avec sa propre fille, on est près de conclure que même l'habituel fossé entre les différentes générations lui causait plus de problèmes qu'à la majorité de ses semblables.

III.

A la fin de l'automne 1915, le sursis civil de Rilke prend fin. En octobre, il apprend qu'il doit passer un nouvel examen médical auprès des autorités autrichiennes sises en Bavière, et il se demande pourquoi la guerre doit continuer :

> Personne ne peut donc l'empêcher et l'arrêter ? Pourquoi n'y a-t-il pas quelques hommes, trois, cinq, dix, pour se rassembler et crier sur les places ! Assez ! et être fusillés, et qui auraient au moins donné leur vie pour que ce soit suffisant, tandis qu'au-dehors il y en a qui meurent seulement pour que l'épouvantable dure et dure [145]...

L'examen a lieu le 24 novembre à Munich, le lendemain de l'achèvement de la *Quatrième Elégie*. Malgré un certificat établi par Srauffenberg (écarté sans être lu par la commission), et qui lui attribuait une lésion aux poumons et d'autres maux, Rilke est estimé bon pour le service armé dans le *Landsturm* (la réserve de l'armée territoriale). Il doit être incorporé le 4 janvier à Turnau, mais remue ciel et terre pour être autorisé à se présenter à Vienne, car il craint avec raison que la protection de ses amis, qu'il a entre-temps ameutés pour se faire exempter du service, ne lui soit de peu d'utilité dans ce coin perdu au nord de la Bohême. Il réussit à faire changer le lieu de son incorporation et entre à Vienne au premier régiment du Landwehr (armée territoriale), comme *Landsturmmann* détaché — ironique enchaînement de circonstances, car ce même 4 janvier devait être effective son exemption du service, obtenue sur l'intervention du prince Ferdinand de Bavière. Les documents nécessaires lui sont envoyés à Munich, mais Rilke, une fois pris dans l'engrenage de l'instruction des recrues, ne sait plus à quel bureau il doit les remettre. Ainsi le quadragénaire est revêtu d'un « vieil uniforme tout troué », « qui avait dû faire plusieurs campagnes [146] », et subit à Hütteldorf, près de Vienne, une instruction de trois semaines avec armes et paquetage (un « dressage », dit-il). Comme il n'a jamais servi, il doit suivre l'instruction des simples soldats. Lors d'un exercice, il perd connaissance, et il est au bout de ses forces quand, le 27 janvier 1916, après une autre visite médicale, il est détaché aux archives impériales et royales dirigées par le général baron Maximilian von Höhn.

Dans l'intervalle, tant d'amis se sont entremis pour lui que la seule coordination de tous ces secours lui cause des difficultés. Karl von der Heydt, de Berlin, et Katharina Kippenberg, de Leipzig, recommandent Rilke au commandement général de Munich. Le baron Philipp von Schey-Rothschild, officier d'ordonnance d'un général autrichien, qui avait fait la connaissance de Rilke par l'intermédiaire de Marianne Mitford, fait jouer ses relations pour lui, et Sidie Nádherný les siennes. Alexandre Tour et Taxis s'en mêle, de même que l'aide de camp du prince Louis-Ferdinand de Bavière, dont les interventions répétées auprès du ministère impérial et royal de la Guerre semblent avoir fait pencher la balance de manière décisive. Bien qu'ils disposent de peu d'influence, les poètes eux aussi s'occupent de lui : Hofmannsthal, Karl Kraus, Stefan Zweig et le dramaturge Franz Theodor Csokor tentent d'assurer au moins à Rilke, s'il doit absolument servir, une place aux archives de guerre.

Parmi les arguments que l'on fait valoir dans toutes ces requêtes et demandes, le renom poétique de Rilke et l'espoir de nouvelles œuvres reviennent sans cesse. « Nous n'avons pas besoin de dire, écrit Katharina Kippenberg au ministère de la Guerre, quelle perte ce serait pour l'humanité, si les malheurs de notre temps venaient à étouffer ces œuvres. » L'âge de Rilke et son mauvais état de santé sont également mis sur le tapis, à côté de motifs commerciaux comme le manque à gagner que devrait supporter l'édition si les ouvrages de Rilke lui faisaient défaut. L'argument décisif (hormis le point de vue humanitaire), personne n'ose le présenter : un Etat qui combat pour sa vie a plus besoin d'un bon poète que d'un mauvais soldat.

Comme premier résultat de toutes ces démarches, Rilke est dispensé du service armé et détaché au département historique des archives impériales et royales de la guerre. Sous les ordres du lieutenant-colonel Alois Veltzé, homme de lettres lui-même, quelques écrivains s'emploient à la présentation publicitaire des événements courants, *ad majorem Austriae gloriam :* des événements insignifiants de la vie quotidienne aux armées sont arrangés de manière à faire croire au lecteur de journaux que la monarchie danubienne est en pleine santé et défend la bonne cause. Hofmannsthal avait pensé l'un des premiers à envoyer Rilke comme « faiseur de héros * » dans les archives militaires, et lui avait écrit que l'on avait « fourré là un certain nombre de littérateurs avec lesquels vous n'avez rien de commun [147] ». La formule se voulait consolante, mais était assez malheureuse, car parmi ces « littérateurs » se trouvaient Stefan Zweig et Alfred Polgar. Ce n'étaient pas de grands poètes, mais des écrivains respectables, et connus en tout cas pour être pacifiques, tandis que Rilke avait gagné, avec son *Cornette*, catastrophique à ce point de vue, la réputation d'un chantre de l'héroïsme.

Heureux d'avoir échappé aux tracasseries de l'état de recrue,

---

* *Heldenfriseur :* « On lui donna ensuite un poste aux Archives de la Presse, où l'on demandait à ces messieurs de fabriquer des articles sur des batailles qu'ils n'avaient pas vues et qu'il fallait accommoder à la sauce héroïque. » Lou Albert-Lasard, *Une image de Rilke*, Mercure de France, 1953, p. 161.

Rilke se voit toutefois incapable de se rendre utile comme « faiseur de héros », si bien qu'un supérieur compréhensif l'emploie à remplir des dossiers et à d'autres travaux de bureau. Il n'est plus contraint de dormir dans des baraquements, il loge dans un hôtel à Hietzing mais doit quand même porter l'uniforme pendant ses heures de service. Il passe la plupart de ses soirées et de ses fins de semaine à l'extérieur. On le voit souvent chez Marie Taxis, Victorgasse, il rend visite à Hofmannsthal à Rodaun et rencontre Karl Kraus au Café Impérial. Il noue amitié aussi avec le gros industriel viennois Richard Weininger, frère de l'auteur de *Sexe et caractère,* et fréquente le salon d'Eugénie Schwarzwald, dans l'institut de laquelle (sur le modèle Montessori), Arnold Schönberg et Oskar Kokoschka travaillent, et d'où sortiront plus tard des femmes comme Hélène Weigel, Alice Herdan-Zuckmayer et Hilde Spiel. Jusqu'à sa libération définitive en juin 1916, Rilke reprend la vie qu'il menait à Berlin et à Munich avant son incorporation : il lutte contre son improductivité (qui est effrayante et l'empêche de publier quoi que ce soit en 1916 hormis quelques broutilles dans l'*Insel-Almanach pour l'année 1917,* et l'*Almanach de guerre* 1914-1916) en se rendant au théâtre et au concert, et en menant une vie mondaine. Quand Lulu Albert-Lasard vient le voir, il se rend avec elle dans un hôtel de Rodaun, dans le voisinage immédiat de Hugo et Gerty von Hofmannsthal, qui l'aident à s'installer. Pendant ces semaines, Loulou exécute son portrait, le seul qui le satisfasse quelque peu, même s'il donne à sa louange une forme prudente et affirme que le tableau a « soulevé l'approbation, et même l'admiration, de Kassner, Hofmannsthal et quelques autres amis compétents ». Selon ses dires, la jeune femme s'était efforcée de rendre le contraste surprenant entre les « yeux insondables » de Rilke et la moitié inférieure de son visage, « qui avec sa bouche généreuse, entourée d'une étrange moustache de Chinois d'un blond verdâtre et pleine de dents éblouissantes, exprimait sa soif de vivre, et une certaine faiblesse dans le menton légèrement fuyant ». L'amie, avec laquelle il n'échange plus que des lettres occasionnelles après l'été 1916, a réalisé là une étude de caractère très objective. A cette exception près, Rilke s'identifiera sa vie durant avec le geste par lequel il vit

un jour à Kairouan (Tunisie) une Arabe croiser les mains devant son visage lorsqu'elle aperçut, avec effroi, un appareil photographique braqué sur elle ; c'est exactement le même effroi qui me saisit, bien involontairement, quand il s'agit d'être « pris » en photo ou en peinture *.

---

* Seuil, t. 3, p. 517.

Comme sa méfiance envers toute dénomination et sa croyance en l'âme des choses, sa peur d'être représenté en image appartient à une composante magique de son être, qui le met parfois en harmonie avec l'imaginaire des peuples primitifs [148].

Ainsi s'ajoute à toutes les raisons de son échec comme soldat — son âme foncièrement cosmopolite, sa fragilité physique et le souvenir à peine cicatrisé de l'école militaire — un désir insolitement fort de préserver son univers privé. Cet échec est d'ailleurs si total, et tellement prévisible si l'on considère les dispositions de Rilke, qu'il ne vient à l'idée de personne de lui reprocher ses efforts pour échapper aussi vite que possible à l'armée. Même Marie Taxis, dont les deux fils sont au front, même le prisonnier de guerre Wittgenstein et Kokoschka, grièvement blessé, jugent qu'il va de soi que Rilke doit être tenu à l'écart de tout cela. Il en va de même pour Trebitsch, qui, avec la compétence d'un officier blanchi sous le harnois et la sympathie de l'écrivain et du vieil ami, a tracé un portrait du poète harcelé par son « juteux » :

« Vot'nom ? » — Pâle et contraint, le poète en treillis répondit : « Rainer Maria Rilke. » — « Quoi ? » hurla l'autre. « A qui vous ferez croire que vous vous appelez Maria ? Depuis quand un type s'appelle Maria ? Ou alors on devrait vous dire Mimi ! D'ailleurs vous en avez la tête. » Rilke balbutia embarrassé : « Oh, je ne suis pas le seul. Pensez à Karl Maria von Weber, le compositeur du *Freischütz* ! » — « J'ai rien à en faire, des francs-tireurs *, ici on tire au commandement. Si j'ai un conseil à vous donner, remballez votre Maria, Rainer Rilke ! » — Et il s'éloigna du poète consterné.
Le lendemain matin — Rilke avait passé la nuit sur un sac de paille, sans dormir — il fut apostrophé par la voix rauque de son supérieur immédiat, celui qui s'était offusqué de son prénom et l'avait arrangé à sa manière : « Descendez donc, Mimi ! Maniement du fusil ! En avant ! » Rilke accablé et sans regard descendit de son châlit et commençait l'exercice sans fusil, quand la porte de la chambrée s'ouvrit et le général von Höhn entra, accompagné par la princesse de Tour et Taxis. Un silence de mort se fit. « Y a-t-il ici un certain Rainer Maria Rilke ? » demanda le général, marchant vers le sergent. Rilke avait entendu son nom et vu la grande dame qui s'occupait de son destin. Nullement gêné par la discipline, il se hâta vers sa protectrice et le général, qui le salua d'un geste de la main et s'écria : « Mais quelle erreur ! Comment êtes-vous arrivé ici ? Nous avons besoin de vous comme de pain aux archives [149] ! »

---

* Même si l'usage français a laissé à l'opéra de Weber son titre allemand, il est peut-être utile de rappeler que *Freischütz* veut dire « franc-tireur ». Dans l'opéra, le *Freischütz* a utilisé des *Freikugeln*, des balles ensorcelées. (N.d.T.)

IV.

Libéré de son service militaire, Rilke revient dans sa demeure de Munich, Keferstrasse, où, à l'exception de quelques semaines, il reste de juillet 1916 à juillet 1917, dans un état de paralysie totale de ses forces créatrices. Cette paralysie s'exprime dans l'arrêt de sa production poétique, dans une sédentarité très inhabituelle chez Rilke et dans une difficulté d'écrire qu'il doit surmonter à chaque page. Il doit de plus en plus souvent s'excuser de n'avoir pas donné de ses nouvelles ou, contre son habitude, de ne pas avoir remercié pour ceci ou cela :

> Votre lettre est arrivée hier, dimanche, j'aurais voulu y répondre le soir même, mais avant que je persuade ma plume... écrire suppose maintenant une telle puissance sur soi : qu'écrire en effet, quand tout ce à quoi l'on touche est indicible, inconnaissable *,

écrivait-il, en 1915 déjà, à Helene von Nostitz. A d'autres correspondants, il explique qu'il « n'a pas encore pris sa plume en main, pour personne... », ou qu'il a longtemps « pris son élan » pour « saisir sa plume et vous écrire » — images très particulières, où l'insignifiant instrument menace, devant l'indicible, de refuser ses services [150].

Il refuse, après une longue réflexion, de préparer une édition des lettres et écrits de Paula Modersohn-Becker, parce qu'il redoute que la réputation de l'amie défunte soit faussée ou amoindrie par une telle publication. Le seul travail auquel il puisse se décider est une adaptation des sonnets de Michel-Ange. Il en publie quelques-uns dans l'*Insel-Almanach de l'année 1917*, et la traduction des *Vingt-quatre sonnets de Louise Labé, Lyonnaise*, lamentations sur un amour inexaucé. Le passage le plus convaincant, ce sont peut-être les quatrains de l'avant-dernier sonnet :

> Las ! que me sert que si parfaitement
> Louas jadis et ma tresse dorée
> Et de mes yeux la beauté comparée
> A deux soleils, dont l'Amour finement
>
> Tira les traits, causes de mon tourment ?
> Où êtes-vous, pleurs de peu de durée ?

---

* Seuil. t. 3, p. 372.

Et mort par qui devait être honorée
Ta ferme amour et itéré serment * ?

Incapable d'écrire un poème, et paralysé jusqu'au plus profond de lui-même par l'impossibilité d'arrêter la roue de la destruction qui tourne de plus en plus vite, Rilke s'occupe à présent, avec plus d'intensité encore que pendant ses premiers mois à Berlin en 1898 et 1899, des toutes nouvelles productions de l'art et de la littérature. Il découvre l'œuvre de Franz Marc (« j'en suis totalement saisi »), et entretient des relations personnelles avec Klee et Kokoschka, non sans quelques réserves de part et d'autre. Il apprécie le dessin de Kokoschka, mais non ses drames, tandis que Klee, pour sa part, en une remarque faite en passant, mais qui touche au cœur des choses, souligne la distance qui sépare Rilke de ses semblables, et non seulement du point de vue vestimentaire : « Sa parfaite élégance est pour moi une énigme », note-t-il après un entretien avec le poète, « Comment fait-il donc [151] ? » En même temps, Rilke lit les dernières œuvres d'Else Lasker-Schüler, Alfred Wolfenstein et Johannes R. Becher. Sa sympathie pour l'attitude pacifiste et réconciliatrice de ce poète expressionniste domine les doutes que lui inspire son langage excessif. Il s'informe dans la librairie de Horst Stobbe, la « Bücher-stube am Siegestore », sur les nouvelles publications, et fréquente les « Soirées de la nouvelle littérature » organisées par la « Bücher-stube » de Hans Goltz. Là, il entend les lectures faites par Lasker-Schüler et Wolfenstein, et il va même jusqu'à lire quelques poèmes de ce dernier en petit comité, chez Hertha Koenig. Lors d'une lecture faite par le rhapsode Theodor Däubler, toutefois, il ressent une impression qui lui rappelle « un éboulement », « comme lors-qu'on range des livres et que les rangées supérieures vous tombent sur la tête et les épaules, avec de gros volumes, des encyclopédies, et encore un autre et un autre [152] ».

Ses contacts avec la nouvelle génération de poètes recoupent parfois les nombreuses relations que Rilke, après la fin de son « affaire » avec Lulu, entretient avec de jeunes femmes. Pour Claire Studer, plus tard Claire Goll, il est un amoureux, pour Vera

---

* Nous donnons ici évidemment le texte français original. Voici pour les germanistes la traduction de R. :

> Was hilft es mir, dass du so meisterhaft
> mein Haar besangst und sein gesträhntes Gold,
> und dass du diese meine Augen hold
> wie Sonnen nanntest, deren reine Kraft
>
> der Gott benutzt, dich innig zu verstören?
> Wo sind die Tränen, die dir schnell vergingen?
> Wo ist der Tod? Ich höre dich noch schwören,
> er einzig könne deine Liebe zwingen...

Ouckama Knoop un ami paternel ; dans bien d'autres cas, la question de l'intimité de ces relations demeure posée (dans la mesure où ceci nous regarde). Quelques-unes de ces femmes sont de futures actrices, comme Anni Mewes, protégée par Csokor, Ellen Delp du Reinhardt-Ensemble et Elya Maria Nevar, qui s'annonce chez lui par une lettre dramatique : « Rainer Maria — j'ai aimé ton âme comme on aime Dieu [153]. » (Si Magda von Hattinberg s'était sentie attirée vers Rilke par les *Histoires du Bon Dieu,* c'était le *Livre d'Heures* qui avait produit sur Elya un effet aphrodisiaque.) D'autres amies dansent, comme Sent M'Ahesa, qui donne en automne 1916 une représentation privée à laquelle assiste Rilke, et le reçoit par la suite les samedis après-midi dans sa demeure de Schwabing, seule, à la demande de Rilke. Elle danse aussi, Vera, fille de Gerhart Ouckama Knoop mort en 1913, issu d'une famille qui avait développé en Russie une grande entreprise de textiles et de tissage, selon la devise : « Dans chaque village un pope, dans chaque village un Knoop. » Après avoir suivi une formation d'ingénieur en textiles, l'écrivain s'était fait remettre sa part et était allé s'installer avec sa famille à Munich, où ses deux filles étaient élevées. La blonde Lilinka épousa plus tard un sculpteur ; sa sœur cadette, Vera, « à la silhouette parfaitement harmonieuse, brune, mince, bien formée [154] », fut soudain atteinte d'une leucémie et mourut, à dix-neuf ans, à la fin de 1919 à Munich. Rilke lui a dédié les *Sonnets à Orphée* et lui a édifié un monument personnel dans le 25e sonnet de la première partie :

> Or je veux à présent, ô toi que j'ai connue
> comme une fleur dont je ne sais le nom, ô disparue,
> de l'invincible cri la belle amie d'enfance,
> t'évoquer *une* fois encore et te montrer à eux.
>
> Danseuse tout d'abord, qui soudain, tout le corps hésitant,
> s'arrêta, comme si la jeunesse en airain lui était coulée ;
> désolée, en attente. — Et là, des bons vouloirs d'en-haut
> dans son cœur transformé lui tomba la musique.
>
> La maladie était tout près. Déjà sous l'emprise des ombres
> battait son sang obscurci ; mais comme trop tôt suspect,
> il refleurissait en son printemps naturel.
>
> Et toujours de nouveau, coupé par l'ombre et par la chute,
> éclatait son brillant terrestre. Jusqu'à cet effroyable coup,
> après lequel il passa par la porte inconsolablement ouverte *.

Parmi les femmes dont Rilke fit alors la connaissance, figurait la *Grande Dame du Dada (sic),* Claire Studer, qui à la mi-novembre

---

* Seuil, t. 2, p. 392-393.

1918 était venue à Munich et à cette occasion « dégusta » Rilke (le mot est choisi à dessein), à qui elle avait déjà envoyé son volume de poèmes *Mitwelt* (*Le monde contemporain*). A peine descendue à l'Hôtel Regina, elle fait transmettre à Rilke les salutations d'amis suisses. Il la remercie avec des roses et un mot aimable — « Je suis, depuis longtemps, un ami de vos poèmes » — et l'invite à lui rendre visite. Elle le fait le lendemain, non sans timidité : « Comme je connaissais la réputation de Rilke comme séducteur de femmes, je tremblais comme une feuille » ; mais elle va bientôt s'installer chez lui et se laisse gâter :

> Quand je dînais chez lui, il préparait toujours, de ses mains, des omelettes, qu'il réussissait merveilleusement. En outre, dresser la table était sa passion. Il passait des heures à choisir une nappe de dentelle qui irait avec la porcelaine raffinée. Je n'ai jamais plus rencontré un goût aussi exquis chez un homme.

Lorsque Claire, qui est partie pour Berlin, prétend attendre un enfant de lui, il ne veut pas en entendre parler, de même que l'écrivain Ivan Goll, l'ami de Claire, demeuré en Suisse, et qui deviendra plus tard son mari :

> Je dus donc me faire avorter. Avant l'opération, il y eut une longue correspondance entre les deux hommes, qui tombèrent finalement d'accord pour effacer toutes les traces et brûler réciproquement leurs lettres [155].

Sur d'autres amies de Rilke, nous en savons un peu plus que leur nom : par exemple Mia Mattauch, avec laquelle il eut une relation passionnée en 1916-1917. Si quelques femmes écrivirent leurs souvenirs de Rilke, on ne peut en conclure absolument qu'elles jouèrent dans la vie de celui-ci un rôle plus important que leurs sœurs demeurées plus ou moins anonymes. Il entrait dans ces relations une certaine stylisation de soi-même, du côté de Rilke et du côté de ses amies, qui se croyaient pour la plupart plus importantes qu'elles ne l'étaient en fait.

Il y a, dans les relations compliquées de Rilke avec l'autre sexe, des étoiles fixes, qui, comme Lou Andreas-Salomé, Katharina Kippenberg et Marie Taxis, demeurent immuables au firmament, et des comètes, comme Magda von Hattinberg, Loulou Albert-Lasard et (pendant les dernières années en Suisse) Baladine Klossowska, qui éclairent sa destinée comme des météores. En outre, il y a des essaims entiers d'étoiles filantes vite éteintes, auxquelles on peut appliquer la remarque de cette jeune Munichoise qui se vit soudain et apparemment sans motif abandonnée par Rilke : « Pour un homme

comme lui, chaque femme n'est qu'une station de passage [156]. » Et
enfin il y a Clara, qui reconstruit sa vie, à présent, à Fischerhude. Ils
ont l'un pour l'autre les attentions de très vieux amis. Quand leur fille
Ruth passe par Munich au printemps 1917, pour rendre visite à des
amis à Dachau, sa mère lui donne du miel et trois œufs pour Rilke. Il
va chercher Ruth à la gare, déjeune avec elle dans un restaurant et la
met dans le bon train pour la suite de son voyage. Puis il écrit à Clara
qu'elle n'a pas besoin de se faire du souci pour leur fille, et lui envoie
sa « carte de viande », dont il n'a pas besoin puisqu'il est végétarien.

Pourquoi Rilke, qui souffre tellement de l'Allemagne et se
considère, de 1914 à 1918, comme un prisonnier de guerre, laisse-t-il
passer plus de six mois après la fin de la guerre avant de partir ? Il est
invité en Suisse et en Suède et sait qu'il est toujours le bienvenu en
Bohême, chez Sidie Nádherný et Marie Taxis. Mais Rilke, né à
Prague, se voit privé de passeport par la dissolution de la monarchie
austro-hongroise, et a des difficultés pour obtenir un visa de
l'étranger. (Plus tard, il sera apatride et finalement tchèque, ce qui
lui convient fondamentalement, car il admire le fondateur de l'Etat,
Masaryk.) Sa fatigue, aussi, lui fait repousser le départ, de même que
tout le réseau d'amitiés qui s'est tissé autour de lui, en particulier sa
relation avec Elya Maria Nevar, de son vrai nom Else Hotop. Après
avoir reçu ses lettres exaltées, Rilke la voit en scène et se fait lire par
elle des pages d'Adalbert Stifter, dans l'appartement qu'il habite
depuis mai 1919 au quatrième étage du 34, Ainmillerstrasse, dernier
domicile du poète sur le sol allemand. Elya est une femme
émancipée, agressive et préoccupée de « se trouver elle-même »,
pour quel but ou dans quelle direction, elle n'en sait rien. D'un côté,
elle invite Rilke à prendre le thé dans sa famille, alors qu'elle est
encore célibataire ; elle espère peut-être que la visite de courtoisie
d'un monsieur aussi distingué mettra fin à la méfiance de ses parents.
De l'autre, elle refuse d'accepter les relations que lui propose son
père — colonel revenu du front — et, d'une manière générale, de
« rétrécir à la mesure des conventions ses rencontres avec des
hommes qui lui sont proches [157] ». Elle prend un appartement de
célibataire et après le départ de Rilke, part, de sa propre décision, à
Rome. A la fin de 1920, elle met au monde un enfant dont elle
épouse le père ; peu après, sa correspondance avec Rilke s'arrête.

La différence d'âge, déjà considérable avec Loulou Albert-Lasard,
devient criante avec Elya. Rilke va vers ses quarante-cinq ans, son
amie en a la moitié. Marie Taxis aurait ri de bon cœur si elle avait su
que son Serafico, qu'elle venait justement de comparer à Don Juan,
et pour lequel Lulu avait étourdiment mis son mariage en jeu, s'offre
à présent à écrire au sévère colonel Hotop une lettre apaisante : ce
qui eût été une correspondance de père à père plutôt que d'homme à

homme. Il est significatif qu'Elya ne s'intéresse guère aux amis à qui Rilke, selon son habitude, la présente. Il y a pourtant parmi eux des gens intéressants, comme Regina Ullmann, Rudolf Kassner et, de passage à Munich, Lou Andreas-Salomé, mais ils appartiennent tous à une génération qui pour Elya relève déjà du musée. Malgré tout, elle est ensorcelée, au moins par les exquises manières de Rilke. Aucune autre amie n'a insisté à ce point, dans ses souvenirs, sur sa délicate manière d'offrir des cadeaux : fleurs, livres, et parfois un petit objet d'art sans grande valeur. Ce qui allait encore de soi avant la guerre est devenu rare et enregistré avec reconnaissance. Au moment où ils se séparent, elle l'aide à faire ses bagages et l'accompagne à la gare, le 11 juin 1919. Rilke passe l'hiver 1918-1919 « au fil du temps », c'est-à-dire vite. Il sympathise vivement avec le succès de la « république des Conseils », lit une nouveauté très discutée, *Le déclin de l'Occident,* d'Oswald Spengler, et a bien du mal à échapper à une foule d'invitations. Chez lui, il dispose les meubles de telle façon que le pupitre occupe le milieu de la salle de séjour, et se dresse devant ses yeux à tout moment, en guise d'exortation et de reproche silencieux. Mais l'œuvre qui doit y naître se fait encore attendre, à l'exception de quelques traductions et essais, si bien qu'il passe bientôt de nouveau la plus grande partie du jour à autre chose. Il se décide quand même à publier quelques petits textes écrits depuis longtemps, parmi lesquels l'étude composée en 1913 à Ronda (*Aventure* *). Il y décrit les sentiments d'un homme — lui-même — qui, dans un jardin méridional rappelant celui de Duino, proche de la mer, s'adosse au tronc d'un arbre. Grâce au balancement presque imperceptible de l'arbre, il se retrouve « de l'autre côté de la nature », dans un état où sa conscience se sépare passagèrement de son corps, si bien que, à la manière d'un ange rilkéen, il aurait aussi bien pu assister à l'apparition d'un mort qu'à celle d'un contemporain. Cette brève esquisse, que Rilke a un jour désignée comme « la chose la plus intime que j'aie jamais écrite », est complétée par l'*Aventure II,* œuvre posthume. A l'occasion d'un cri d'oiseau entendu à Capri, la frontière qui sépare le corps de l'esprit disparaît et le cri continue à résonner dans un « espace inininter-rompu ».

Plus que jamais, il déploie dans ses lettres et ses contacts personnels une acuité de perception pour ce que lui apporte chaque jour, une divination presque astrologique, et dont il n'a pas conscience, des constellations futures. Sans doute ne voit-il guère d'avenir dans sa propre vie : aussi se plonge-t-il d'autant plus dans les possibilités que lui offrent la personne et l'environnement de son

* Seuil, t. 1, p. 296 et suiv.

interlocuteur ou de son correspondant. Parmi le grand nombre de ces relations, il faut en mentionner trois, avec lesquelles ce phénomène est particulièrement clair. Pendant ces mois, il fait par l'intermédiaire de Claire Studer la connaissance d'une jeune et jolie comédienne, qu'il revoit brièvement à Paris en 1925 ; en même temps, il correspond avec une comtesse inquiète pour ses enfants et mariée avec un proche parent de son médecin mort en 1918, et il envoie à une connaissance de Munich, qui lui avait entendu lire ce texte, une copie de son *Requiem pour la mort d'un enfant*. Tout cela ne vaudrait pas la peine d'en parler si — longtemps après la mort de Rilke — la comédienne n'était pas entrée dans l'Histoire sous le nom d'Elisabeth Bergner, le plus jeune fils de la comtesse sous celui du combattant de la résistance Claus Schenk von Stauffenberg, et la cousine de l'amie munichoise, en la personne de la poétesse Nelly Sachs.

V.

On est habitué à voir en Rilke le solitaire, et en George le chef, autour duquel les meilleurs parmi les jeunes se regroupent, et qui laisse son empreinte sur des hommes comme Karl Wolfskehl, Ludwig Klages et Friedrich Gundolf. Et pourtant Rilke, lui aussi, à qui rien n'était plus étranger que la pensée de réunir une suite ou de fonder un « cercle », a exercé une influence marquante sur nombre de ses contemporains, moins, toutefois, dans le domaine de la littérature, que par le modèle qu'il offrait dans sa personne et sa manière de vivre. Parmi ceux qui subirent cette influence, on trouve Hans Carossa, qui, sans être très lié avec Rilke ni se considérer comme son disciple, écrivit en pensant à cette époque : « Avant de poursuivre mon chemin vers les champs de bataille européens, j'ai reçu une bénédiction : j'ai rencontré Rainer Maria Rilke [158]. » Toute une foule de gens, jeunes pour la plupart, étaient animés des mêmes sentiments. Ils avaient lu tel ou tel texte de Rilke, et ils étaient attirés, au-delà de toute littérature, par son être, par sa manière de se donner et de communiquer, en contraste avec la dureté de la vie publique et le manque de profondeur du trafic littéraire. L'un de ces hommes était Norbert von Hellingrath ; lecteur d'allemand à la Sorbonne, il avait déjà fait la connaissance de Rilke à Paris en 1910. Il y avait aussi un écrivain, le baron Thankmar von Münchhausen, qui avait rencontré Rilke par l'intermédiaire de sa mère, une amie de Lou Andreas-Salomé, et qui l'aidait parfois à commander des livres ou lui rendait d'autres petits services. Paul von Keyserling, le poète

Bernhard von der Marwitz, le peintre Göyz von Seckendorff et quelques autres, appartenaient également à ce groupe.

Rien ne fut plus douloureux pour Rilke, pendant la guerre, que la perte d'hommes comme Hellingrath, Keyserling, Marwitz et Seckendorff, qui appartenaient à l'élite de leur génération : non parce qu'ils étaient nobles, mais parce que c'étaient des jeunes gens doués de sens artistique, qui considéraient comme une source d'obligations les privilèges de leur naissance. En eux, comme le dit Rilke dans une lettre de condoléances, vivaient « la tradition en même temps qu'une parfaite aptitude à la liberté spirituelle ». Il définit du même coup ses opinions personnelles, car ses déclarations à propos des événements de 1914-1918 révèlent que ses idées, conservatrices depuis le début, s'accompagnaient d'une forte sympathie pour les forces spirituelles et sociales qui déclenchèrent finalement la révolution de novembre 1918.

Après avoir abandonné sa demeure de la Keferstrasse, Rilke passe l'été de 1917 comme invité sur l'île de Chiemsee et dans le domaine westphalien de Hertha Koenig. Lors de sa dernière visite à Berlin, en octobre et novembre, il va beaucoup dans les musées et au concert et visite l'exposition Chagall dans la Sturmgalerie, en compagnie du poète et cabarettiste Walter Mehring, qui le trouve « grêle et précieux », avec « des bandes molletières couleur crème et un lorgnon d'or, véritablement aristocratique dans un monde vêtu de *feldgrau* [159] ». Pendant ces semaines, où la révolution russe atteint son point culminant, Rilke ne fréquente pas seulement « ses semblables », des poètes comme Mehring ou Hauptmann, ou la sculptrice Renée Sintenis ou la claveciniste Wanda Landowska. Il converse aussi avec un vieil ami, le comte Harry Kessler, diplomate, de même qu'avec le directeur de l'A.E.G. (Compagnie Générale d'Electricité), plus tard ministre des Affaires étrangères de la république de Weimar, Walther Rathenau, avec lequel il correspond un moment. Chez Carl von der Heydt, il prend un petit déjeuner avec le comte Detlev Moltke, aide de camp de l'empereur ; il participe à une soirée chez Joachim von Winterfeld-Menkin, *Landesdirektor* de la province de Brandebourg, et rencontre le secrétaire d'Etat aux Affaires étrangères, Richard von Kühlmann, qui signera bientôt le traité de paix de Brest-Litovsk. En septembre 1918, peu avant la révolution, Rilke est l'hôte des Kühlmann dans leur domaine près d'Ohlstadt.

Il ressort de tout cela que le familier des dames de la noblesse et de la haute bourgeoisie férues de littérature est également estimé comme partenaire de conversation par leurs maris, qui appartiennent à l'élite dirigeante de l'Allemagne wilhelmienne. Cela ne gâte rien, bien entendu, s'il s'entend particulièrement bien avec les dames, par exemple avec la femme de banquier Edith Andreae, la sœur de

Rathenau, ou avec Marianne Mitford, qui épousera peu après en secondes noces Kühlmann devenu veuf. On préfère, dans ces milieux, demeurer entre soi, et Rilke en fait désormais partie, bien qu'il ne porte pas d'uniforme, ne soit chargé d'aucune fonction et ne dirige aucune usine (il a de nouveau si peu d'argent que Sidie Nádherný, Richard Weininger et Philipp Schey-Rothschild doivent lui venir discrètement en aide). Qu'ont-ils donc vu en lui ces messieurs qui, Dieu sait, avaient en cette fin de 1917 leurs propres soucis, pour s'entretenir si longtemps avec lui ? Il était, dans ce cercle, l'un des très rares hommes qui ne représentât les intérêts d'aucun parti, ni même les siens ; il ne recherchait aucune information diplomatique, économique ou boursière, mais se limitait au rôle d'un bon auditeur, dont la discrétion et l'intégrité personnelle ne faisaient aucun doute. Il avait beaucoup vécu à l'étranger et s'était fait son propre jugement au milieu de l'hystérie générale. Au demeurant, en homme apatride et apolitique, il ne portait pas d'œillères dans ce domaine, si bien que l'on pouvait par exemple discuter avec lui des événements de Russie et de leur extension possible aux moyennes puissances, sans observer les réserves imposées par d'autres interlocuteurs, qu'ils soient de droite ou de gauche.

Quelque chose de ce genre a dû traverser l'esprit des hommes avec lesquels, sans pour autant « retourner sa veste », Rilke entra occasionnellement en contact dans le Munich de la république des Conseils. Outre son ami Jaffé, qui exerce jusqu'en mars 1919 les fonctions de ministre des Finances, figurent parmi eux deux « collègues », investis de hautes fonctions dans l'Etat. L'écrivain socialiste Kurt Eisner avait déclaré déchue, le 8 novembre, la dynastie Wittelsbach, et proclamé l'Etat libre et républicain de Bavière, dont il demeura le ministre-président provisoire jusqu'à sa mort violente en février 1919. Peu après, Ernst Toller, blessé au cours de son engagement volontaire sous les armes et célèbre plus tard pour ses pièces de théâtre expressionnistes, est élu second président du Conseil central des ouvriers, paysans et soldats.

Le hasard avait déjà conduit Rilke vers une jeune femme qui lui avait fait connaître sinon l'idéologie, qui ne l'intéressait pas, du moins le milieu humain de l'extrême gauche. Sophie Liebknecht, mariée au meneur socialiste alors incarcéré et déjà sympathique à Rilke pour son origine russe, passe également quelques semaines de l'été 1917 à Herrenchiemsee, où elle se lie d'amitié avec le poète. Quand celui-ci lui exprime la souffrance que lui cause la guerre, elle lui donne à entendre que cette douleur serait plus facile à supporter

... si vous ne repoussiez pas loin de vous notre temps, si vous vous intéressiez un peu plus à lui et si, en lisant des journaux et en participant de plus près, vous aviez avec lui une relation plus réelle [160].

Alors, pense Sophie, il pourrait de nouveau écrire des poèmes, « et finalement c'est cela le plus important pour vous ». Ce n'est pas un mauvais conseil, même si Rilke, de toute sa nature, est incapable de le suivre. Il se rappellera encore après des années l'admiration impétueuse avec laquelle la jeune Russe avait parlé de son mari et de son amie Rosa Luxemburg, qui était alors elle aussi en prison (et qui fut assassinée en janvier 1919 pendant la révolte des Spartakistes, en même temps que Karl Liebknecht).

En janvier 1918, il entre de nouveau en contact avec le camp des opposants actifs à la guerre. Hertha Koenig lui fait part de son intention de fonder sur son domaine de Westphalie une œuvre d'assistance sociale pour les pauvres, sur le modèle d'un comte Baudissin qui a réalisé un projet de ce genre sur ses terres poméraniennes. L'instinct de Rilke lui dit assez que ce projet patriarcal est devenu intempestif ; il préférerait que la responsabilité de cette réalisation soit laissée non aux propriétaires et bailleurs de fonds, mais à ceux qui reçoivent cette aide. Il demande conseil par lettre à Eisner, qui jouit d'un renom d'activiste politique et auquel, sur la foi de quelques rencontres au vestiaire des théâtres (Eisner a été longtemps critique de théâtre), il attribue la bonne volonté et les capacités nécessaires pour organiser ce genre d'action sociale. L'entretien prévu ne peut pas avoir lieu : Eisner, pour avoir participé à la grève des ouvriers en munitions, est arrêté et ne sera relâché que peu avant la fin de la guerre. Rilke a donc des relations dans les cercles dirigeants de la république des Conseils avant même la constitution de celle-ci. Il a noué ses relations sans penser à se constituer des amis parmi les nouveaux dirigeants en cas de bouleversement. Au contraire, il avance au milieu des tourbillons politiques comme un somnambule et accepte entre-temps une invitation pour Zurich, où il doit lire des passages de ses œuvres le 25 novembre 1918, devant le cercle de lecture de Hottingen.

Quand la situation politique commence réellement à s'agiter, Rilke ne s'inquiète pas pour Clara et Ruth, qu'il sait en sécurité à la campagne près de Fischerhude, mais pour Katharina Kippenberg, à qui il vient d'envoyer, par précaution, une brassée de manuscrits, pour qu'elle les garde dans le coffre-fort de l'Insel. Comme son mari, officier de réserve en Belgique, édite un journal aux armées, elle doit s'occuper non seulement de ses enfants et de sa maison, mais aussi de la maison d'édition. Il y a de notables différences d'opinions entre le couple d'éditeurs solidement patriotiques et le poète, qui avoue après la révolution d'Octobre que parmi toutes les contrariétés dues

à la guerre, il est soutenu par « la pensée de la magnifique Russie » ;
remarque que malgré son ardeur épistolaire, la dame de l'Insel-
Verlag ne daigne pas honorer d'une réponse. Mais quand Rilke, dans
les premiers jours de novembre 1918, reçoit une lettre d'elle, où, non
sans s'étonner, en bonne sujette d'un Etat autoritaire, de la
possibilité de telles pensées, elle rapporte que « des gens très posés »
de son entourage jugent la « situation *intérieure* dangereuse », et
soupire : « Si mon mari était revenu ! » — il se demande aussitôt s'il
ne doit pas se rendre à Leipzig pour lui offrir son aide. Il réprime cet
élan chevaleresque en se rappelant qu'il manque de sens pratique et
qu'il ne servirait qu' « à la gêner davantage [161] ».

Rilke, exceptionnellement, ne pense pas à lui-même pendant ces
jours, mais il se laisse porter par la foule et regarde et écoute dans les
rassemblements :

> Partout de grands rassemblements dans les brasseries, écrit-il à Clara
> le 7 novembre, presque tous les soirs, partout des orateurs, au premier
> rang desquels le professeur Jaffé ; et quand les salles sont trop petites,
> des réunions en plein air, de milliers de personnes. C'est aussi parmi
> des milliers de personnes que je me suis trouvé lundi soir dans les
> salons de l'Hôtel Wagner, le professeur d'Economie nationale Max
> Weber, de Heidelberg, qui passe pour l'une de nos têtes les plus
> solides et un bon orateur, parlait ; après lui, pour la discussion,
> Mühsam, à l'anarchisme exaspéré, des étudiants, des hommes qui
> avaient passé quatre ans au front, — tous simples, ouverts, vraiment
> peuple. Et bien que l'on fût si nombreux autour des tables et entre les
> tables que les serveuses ne pouvaient se frayer un chemin à travers la
> dense matière humaine qu'à la façon des cirons dans le bois — ce
> n'était pas oppressant, même pas au sens propre ; la touffeur de la
> bière, de la fumée et de la foule n'était pas incommodante, on s'en
> apercevait à peine, tant il apparaissait important, primordial, que
> pussent être dites les choses qui sont enfin à l'ordre du jour.
> De tels moments sont miraculeux, et comme ils ont manqué précisé-
> ment ici, en Allemagne, où ne s'exprimait que la revendication, ou la
> soumission qui n'est qu'une forme de participation des subordonnés
> au pouvoir *.

Le moment « merveilleux » dont jouit Rilke, dans l'inhabituelle
émanation de « bière et de fumée et de peuple », est de courte durée.
Il ne partagera que trop vite l'opinion de Thomas Mann, qui,
ironique comme à son ordinaire, s'était fait raconter cette manifestation par le critique littéraire hongrois Franz Ferdinand Baumgarten
(« un très élégant petit monsieur de Budapest avec monocle ») :

> Baumgarte m'a raconté la grande manifestation politique dont le
> principal orateur fut M. Weber, et à laquelle assistait le Munich

---

* Seuil. t. 3, p. 402

intellectuel. Toutes sortes de gens, et naturellement Mühsam aussi, ont pris la parole. B. est tombé d'accord avec le jeune poète H. Johst pou constater l'impression de tristesse, de désespérance et de désert national et humain, que produisait cette terrible façon de parler sans s'entendre. Cela correspond à mes propres expériences [162].

En décembre déjà, Rilke aussi doit se dire qu'il ne saurait être question d'un changement fondamental des structures de la société, et que « sous le prétexte d'un grand bouleversement, c'est l'ancienne veulerie qui poursuit son travail et se pavane derrière le drapeau rouge. C'est terrible à dire, mais tout cela est aussi peu *vrai* que les proclamations qui ont poussé à la guerre [163]* ». Il croyait qu'en Russie la révolution n'avait agité que la surface, et que la véritable vie continuait au-dessous sans changement : mais c'est en Allemagne que cette situation s'établit. Dans une lettre à Lisa Heise, qui, laissée seule avec un petit enfant après son divorce, refait sa vie comme jardinière et lui demande un encouragement, Rilke exprime une fois encore sa déception : « Il n'y a pour moi aucun doute, c'est l'Allemagne qui, en refusant de se reconnaître, arrête le monde... L'Allemagne, en 1918, au moment de l'effondrement, aurait pu faire honte à tous et ébranler le monde par un acte de profonde véracité et de conversion. » Mais l'Allemagne, poursuit-il en une association d'idées qui, même après 1945, n'est pas sans intérêt, « ne pense qu'à son salut en un sens superficiel, hâtif, méfiant et avide de gains, elle voulait du rendement, et s'en tirer avec profit [164] ».

Bien qu'il doive d'abord rester à Munich et repousser son voyage en Suisse jusqu'en 1919, pour des difficultés de visa, Rilke met sa demeure, comme lieu de rencontre, à la disposition d'amis de couleur politique incontestable, comme Ernst Toller et l'écrivain communiste (plus tard vice-président de l'Académie des Arts en R.D.A.) Alfred Kurella. Après l'assassinat d'Eisner le 21 février 1919, Max Levien, rédacteur de la *Rote Fahne* munichoise, et l'ancien garçon de café Fritz Sauber, sont les figures dominantes du gouvernement des Conseils, auquel mettront fin les corps francs du chevalier von Epp, le 2 mai. Pendant ces mois, surtout pendant les jours qui suivirent immédiatement l'entrée des troupes de libération, Rilke court quelque danger. Si la Ainmillerstrasse n'est pas directe- ment incluse dans les zones de combats, qui se déroulent surtout autour de la gare centrale et du palais de justice, la peur rôde et les bruits se propagent. Même le prince Léopold de Bavière et l'archevê- que de Munich, le futur cardinal Faulhaber, sont désignés comme des victimes éventuelles de la « terreur rouge ». De nombreux hommes sont dénoncés, comme l'écrivain Max Krell, et jetés en prison

---

* Scuil. t. 3, p. 404.

jusqu'à ce qu'après un laps de temps considérable, on leur donne la possibilité de prouver leur innocence. D'autres sont abattus dans la rue, quelques-uns « disparaissent », comme Levien, qui après la chute de la république des Conseils est arrêté et passe depuis pour disparu. Des perquisitions domiciliaires sont à l'ordre du jour : Rilke doit en subir deux fois de suite, certainement à la suite de dénonciations. Il avait déjà reçu en décembre des avertissements anonymes, parce qu'il hébergeait chez lui Claire Studer, qui passait pour bolcheviste.

Auprès des partis de la bourgeoisie, Rilke, ami de gens comme Eisner, Jaffé et Toller, est suspect ; il l'est également auprès des socialistes et des communistes à cause de ses relations avec les cercles de la haute bourgeoisie et de l'aristocratie (parmi les otages qui sont fusillés sur l'ordre de Levien le 30 avril 1919 dans le lycée Luitpold, figure un membre de la famille Tour et Taxis). Aux côtés de Wilhelm Hausenstein, qui pensait alors à gauche, du conservateur Thomas Mann et d'autres personnalités du monde culturel, Rilke signe un appel, publié le 8 mai dans la *Münchner Zeitung,* à la bourgeoisie victorieuse, afin qu'elle « prenne conscience de sa communauté de destin avec le peuple des travailleurs », et se voue avec celui-ci à la reconstruction du pays. Mais bien que la hache de guerre soit enterrée, la chasse aux conspirateurs vrais ou supposés va bon train. Parmi ceux-ci se trouve l'écrivain Oskar Maria Graf. Rilke se porte garant de son innocence dans une lettre à un avocat munichois. Il tente aussi d'aider Toller, qui s'est caché dans la maison d'une amie et prie Rilke de le recevoir chez lui, ce qui se révèle impossible :

> Je suis désolé, chez moi vous ne serez pas en sûreté, deux fois déjà ma maison a été perquisitionnée. Vous aviez placé ma maison sous la protection de la république des Conseils, j'ai oublié d'enlever l'affiche, cela m'a été fatal. Il y a deux jours, la police était de nouveau ici. Des détectives, en photographiant, ont découvert une serviette où se trouvait votre portrait auprès du mien. Ce hasard a servi de prétexte à une nouvelle poursuite [165].

Hausenstein et d'autres amis munichois ont témoigné que si Rilke quitta définitivement Munich, ce fut avant tout à cause d'une perquisition effectuée à l'aube par des policiers en armes lourdes. Il avait entre-temps obtenu l'autorisation de se rendre en Suisse, pour y donner cette lecture à Zurich maintes fois repoussée, répondre auparavant à l'invitation transmise par Sidie Nádherný, et effectuer une autre lecture à Nyon, au bord du lac de Genève.

Ainsi, Rilke, qui ne se sent toujours concerné que par les êtres humains et non par les problèmes politiques ou sociaux, se trouve à l'intérieur de ces limites tellement engagé, en ces années 1918-1919, que l'on doit bien voir en lui, selon le langage d'aujourd'hui, sinon un activiste, du moins un sympathisant des forces républicaines et progressistes. Cet engagement qui peut surprendre à première vue n'est d'ailleurs en grande partie que la réalisation de tendances enfouies en lui depuis longtemps. Si par exemple il prend la parole dans une revue pour professeurs, de conception socialiste, et affirme qu'une révolution « qui ne révolutionne pas avant tout les écoles... aurait peu de chances de se prolonger dans l'avenir », il se comporte en contemporain d'Ellen Key, en lecteur et critique du *Siècle des enfants,* en admirateur de la Samskola et en homme qu'une expérience amère a converti à l'éducation antiautoritaire.

On pourrait en conclure que Rilke était un partisan de la gauche. On l'a prétendu pendant le Troisième Reich, aussi bien dans le noble langage de l'université que dans le jargon des racistes. On soulignait qu'il n'avait aucune place dans « la claire et volontaire Allemagne du temps présent », et on le classait parmi les « natures débiles d'esthètes, gâcheurs de papier décadents, songe-creux planant dans les nuages, types racialement inférieurs, pacifistes anti-allemands et amis des Juifs [166] ». De nos jours, en revanche, on a flairé en lui une tendance fascisante à cause surtout de quelques remarques lancées au cours d'une correspondance en français avec Aurelia Gallarati-Scotti, cousine de Pia di Valmarano habitant à Milan. Dans l'une de ces lettres, Rilke loue un discours prononcé par le Duce, à quoi la jeune femme répliqua sèchement par un « *Non, cher Rilke, je ne suis pas une admiratrice de M. Mussolini* », et explique que tout acte de violence lui répugne et que la liberté est le bien suprême [167]. Mais Rilke revient à la charge (« N'est-ce pas précisément la liberté qui rend le monde malade ? Les Soviets nous ont montré où menait le chemin de la liberté ») en une longue lettre de janvier 1926, où le poète déjà gravement malade expose ses idées sur l'Etat et l'individu — lesquelles sont beaucoup plus proches d'un ordre féodal, ou absolutiste éclairé, que des idéologies des mouvements de masse modernes.

Rilke était un être apolitique, qui pouvait s'enthousiasmer pour une cause ou une autre, pour tel ou tel homme d'Etat (il y en eut de très différents, comme von Kühlmann, Eisner, Masaryk, Rathenau et Mussolini) et faire, si l'on peut dire, un bout de chemin à ses côtés avant de revenir à soi ou en soi. Ses contemporains ont souvent commenté cet aspect de lui-même, totalement étranger au politique :

Quand je pense aux visites des révolutionnaires munichois chez lui (écrit Oskar Maria Graf), quelque chose d'à la fois frappant et comique se glisse dans mon souvenir. Avec simplicité et un intérêt presque tendre, il accueillait chacun d'entre eux. Mais ces hommes apparemment si rudement réalistes se métamorphosaient sur-le-champ en sa présence. Involontairement, ils imitaient la manière de Rilke, ils se mettaient même à parler tout à coup comme lui, ce qui produisait un effet particulièrement ridicule.

Que la direction où s'engageait le monde n'ait pas plu à Rilke, aucun observateur ne le lui reprochera, à moins de croire fort naïvement au progrès. Ce qui est déplorable, ce n'est pas que ce citoyen du monde et adversaire de la guerre ait compté quelques communistes parmi ses amis ou ait ressenti de l'admiration pour les débuts de Mussolini, c'est bien plutôt que les perspectives d'avenir, qui s'offraient à lui il y a près de soixante ans, ne se soient pas améliorées.

L'ermite de Muzot

I.

L'arrivée de Rilke en Suisse se serait déroulée de façon beaucoup moins agréable s'il n'avait pas reçu l'aide de deux jolies jeunes femmes. A peine a-t-il pris congé d'Elya sur le quai de la gare qu'il rencontre dans son compartiment Annemarie Seidel, comédienne aux Kammerspiele de Munich, qui, grâce à un ami de Lindau, lui procure à la dernière minute un papier indispensable pour passer la frontière. Le scénario se reproduit dans le train Romanshorn-Zurich, où il engage conversation avec la cabarettiste Albertina (« Putzi ») Casani-Böhmer ; comme il se plaint que « ces bonnes gens de Hottingen » veulent le loger dans un hôtel modeste près de la gare, ce qu'il trouve « quelque peu dépourvu d'imagination », elle descend rapidement sur le quai et retient pour lui par téléphone une chambre avec balcon à l'Eden au Lac [168]. Rilke accueille le changement avec joie, car, l'âge venant, il apprécie les bons hôtels, et, en Suisse plus qu'ailleurs, choisit, à ses propres frais, des hôtels comme Baur au Lac et Eden au Lac à Zurich, et son hôtel préféré, le Bellevue Palace à Berne. Après les années de guerre en Allemagne, il ressent le besoin de se faire un peu choyer. Il règne encore quelques restrictions, c'est vrai, même à Zurich, si bien que lors d'un séjour ultérieur, il doit prier une amie qu'il invite à prendre le thé d'apporter quelques morceaux de sucre. Tout d'abord, le visiteur venu de Munich en pleine misère est stupéfait de la richesse de la Suisse, et s'étonne devant le chocolat et toutes les sortes de savon qu'il aperçoit dans les vitrines de la Banhofstrasse.

Après être convenu d'un autre rendez-vous pour l'automne avec les directeurs du cercle de lecture, il part pour Nyon. Là, une amie de Sidie, la comtesse Mary Dobrčensky, l'a invité en son châlet. Celui-ci est certes bien situé, au bord du lac, mais petit et plein de gens, aussi le poète qui a besoin de repos s'en va-t-il au bout de quelques jours. A Genève, il revoit une jeune femme peintre qu'il avait rencontrée à Paris, Elisabeth Dorothée Spiro, sœur du portraitiste Eugen Spiro. Elle s'est séparée entre-temps de son mari, l'historien d'art Erich Klossowski, en toute amitié, et a loué un appartement en ville sous son nom d'artiste, Baladine Klossowska. Rilke, qui la surnomme « Merline », noue également amitié, en cette occasion, avec les deux fils de Baladine, Pierre, qui deviendra écrivain, et Baltusz, alors âgé de onze ans, aujourd'hui l'un des grands peintres français, sous son pseudonyme de Balthus.

A peine une semaine plus tard, il est de nouveau en chemin, tout d'abord vers Berne, où il fait la connaissance de la famille de Wattenwyl et d'autres représentants du patriciat suisse, puis il revient à Zurich pour revoir de vieux amis : Alexandre et Clotilde Saccharoff donnent précisément une soirée de danse, Jean Lurçat lui transmet le bon souvenir de Marthe Hennebert à Paris, le compositeur Ferruccio Busoni l'invite à un petit déjeuner, Claire Studer et Ivan Goll lui montrent leur atelier. Pour commencer, Rilke se rend en Engadine, pour faire une courte visite à Inga Junghanns, qui habite une petite maison à Sils-Baselgia avec son mari malade des poumons. Dans cette atmosphère familiale, il respire, littéralement, après tant d'impressions nouvelles :

> Mon mari était allé à Saint-Moritz (se rappelle l'hôtesse) pour chercher Rilke à la gare… Longtemps avant leur arrivée, je suis restée dans l'escalier qui menait au grenier, et j'ai entendu la voiture entrer dans le village. Enfin ils furent là, Rilke prit mes deux mains, les baisa, et me scruta longuement. Et déjà un bon sourire se dessinait sur son visage, tandis que des larmes de joie roulaient sur mes joues. Nous devions manger dans la cuisine au plafond mansardé. Jamais je n'ai reçu à ma table un hôte qui trouve aussi vite le ton juste. Qu'il préférait des aliments légers, je le savais depuis longtemps. Mais que des œufs frits sur un toast avec une sauce madère faite à la maison puissent l'amuser à ce point, et lui rappeler aussitôt Copenhague, ce fut un heureux hasard. Et que finalement le dernier bocal d'olives que j'aie pu arracher à l'épicier de Sils-Maria ait pu réveiller en lui à la fois un appétit d'enfant et tous ses joyeux souvenirs parisiens, c'était plus qu'une maîtresse de maison n'osait espérer. « Puis-je les prendre avec les doigts ? Nous faisions ainsi autrefois à Paris, où nous les achetions dans la rue et les mangions aussitôt dans leur papier »[169] !

Il se plaît tellement chez le jeune couple qu'il va se promener avec eux dans la montagne, autour du lac de Sils, et reste trois jours au lieu de la journée prévue. Ensuite seulement il descend le col de Majola vers le véritable but de son voyage, recommandé par des amis de Berne, Soglio, non loin de la frontière italienne. Là, il ne connaît

personne et se comporte dans la pension, selon un témoin, tout
autrement que chez ses amis de Sils-Baselgia :

> Un homme de taille moyenne, légèrement penché en avant, vêtu d'un
> costume marron, entra dans la salle à manger en quelques pas rapides
> mais assez pesants, et s'arrêta. C'était le poète, qui à présent, de son
> célèbre regard triste et songeur, presque craintif, contemplait la pièce
> et les gens autour de la table, jusqu'à ce que la ronde et ferme
> silhouette de l'hôtesse apparût dans la porte et le conduisît à sa place.
> Un peu à l'écart de la table principale, il y avait une table ronde avec
> un couvert, et Rilke s'assit désormais là, rompant le pain blanc de ses
> longues mains étroites, avalant le vin rouge à petites gorgées et nous
> examinant de temps en temps de ses yeux suaves, en silence [170].

A Soglio, Rilke goûte le repos pour la première fois depuis des
mois et peut réfléchir à sa situation. Malgré son voyage et son
agréable séjour en Suisse, elle est extrêmement critique.

L'obligation de faire prolonger son visa d'entrée accordé pour
quelques jours, et de le remplacer aussitôt que possible par une
autorisation illimitée de séjour, lui prépare les plus graves soucis, car
Paris est pour le moment inaccessible et l'idée de revenir dans cette
Allemagne — comme il le dit parfois — « accidentée » le remplit de
terreur. Le visa, il est vrai, est toujours prolongé de trimestre en
trimestre, sur la foi de certificats de médecins amis et de la garantie
donnée par d'éminentes familles suisses, mais il se passe un long laps
de temps avant que Rilke n'obtienne son autorisation de séjour et
puisse, pour la première fois depuis la déclaration de la guerre,
défaire pour ainsi dire intérieurement ses bagages et s'installer. En
attendant, il vit dans la crainte continuelle de devoir quitter la Suisse,
ce qui serait particulièrement dur pour lui car il n'a plus de point de
chute, pas même à Munich. Entre-temps, on a voté là-bas une loi
selon laquelle les étrangers arrivés dans l'Etat libre de Bavière après
le 1er août 1914 n'ont pas le droit d'y habiter. Peu après, Rilke se voit
effectivement contraint d'abandonner définitivement sa chambre de
l'Ainmillerstrasse, dont Elya Nevar s'occupait en son absence. (Le
nouveau locataire est Franz Schönberner, neveu de Lou Andreas-
Salomé, qui deviendra en 1934 rédacteur en chef du vieux *Simplicissimus*.) Avec la dissolution officielle de l'Etat autrichien, stipulée par
le traité de paix de Saint-Germain, Rilke perd aussi le 10 septembre
1919 sa nationalité. « Le sentiment de me trouver entre deux
expulsions, écrit-il pendant cet interrègne, quand il n'est plus
autrichien et ne possède pas encore de passeport tchèque, accroît de
manière considérable mon malaise et mon inquiétude. » Ainsi doit-il
adjoindre à sa métaphysique absence de logis et à son déracinement
familier, un *heimatlosat* juridique, et endosser son destin d'apatride
sous trois formes différentes.

Entre-temps, il noue amitié avec la Suisse, qu'il avait déjà traversée avant la guerre en ennemi des paysages pour cartes postales, « derrière les rideaux du wagon fermés exprès ». Même après son arrivée, la Suisse lui apparaît comme « un pays qui n'est certainement pas pour moi [171] ». Ce qui le gêne, c'est une tendance pédagogique visible dans la littérature et dans la vie publique, et une vocation touristique si dominante qu'il croit voir dans toute la confédération une « conjuration d'hôtels ». Ce qui facilite finalement son adaptation, c'est sa tolérance croissante envers les formes de vie bourgeoise en tant que telles, quand elles se manifestent non pas dans un folklore niais (comme cela se produisait souvent dans l'Autriche d'avant la guerre), mais dans une manière de vivre ouverte et hospitalière. Il lui semble que c'est le cas de Berne, surtout, si bien que la capitale, aux « fontaines bourgeoises qui distribuent l'eau avec tant de tenue et de conscience de soi », représente bientôt pour lui l'archétype d'un Etat qui s'est développé organiquement. Son âge jouait peut-être aussi un rôle dans cette attitude nouvelle : en bien des habitudes de vie des classes moyennes, qu'il ressentait autrefois comme une contrainte, il voit à présent une sécurité et un appui.

Ses préjugés contre la Suisse s'évanouissent dans la mesure où la situation s'est aggravée au-delà des frontières, et où les Allemands, après la révolution de 1918-1919 tuée dans l'œuf, ne montrent plus, aux yeux de Rilke, qu' « esprit de révolte... fermeture au monde... dépendance ». C'est ce qu'il écrit à un homme qui partage ses idées, l'ancien directeur de la firme Krupp, Wilhelm Muehlon, qui s'est retiré en Suisse après la déclaration de la guerre et a prédit très exactement le cours du désastre dans un de ses livres. Rilke est aussi en relation avec le « prince rouge », Alexandre zu Hohenlohe-Waldenburg-Schillingsfürst. Celui-ci est le plus important des Allemands qui, comme Muehlon, Otto Flake ou les Alsaciens René Schickele et Hans Arp (sans parler de Hermann Hesse qui y avait émigré depuis longtemps), avaient considéré la Suisse pendant la guerre comme un asile. Hohenlohe, fils d'un ancien chancelier du Reich, était tombé en disgrâce auprès de Guillaume II et avait longtemps vécu en simple particulier à Paris. En 1914, il s'était réfugié en Suisse, où il défendait ses opinions pacifistes dans la *Neue Zürcher Zeitung* entre autres. Rilke intercède auprès de ses amis, mais il ne peut pas empêcher cet homme appauvri et en partie paralysé d'être contraint de revenir en Allemagne. De là, il tient ses amis suisses, par lettres, au courant du développement politique. L'un des derniers événements dont la nouvelle fut transmise à Rilke par Hohenlohe, mort en 1924, fut la tentative de putsch de Hitler à la Feldherrnhalle de Munich.

Ses incertitudes au sujet de son autorisation de séjour ne sont pas l'unique souci de Rilke. Sa situation financière, elle aussi, le préoccupe. Les revenus cependant non négligeables dont il dispose en Allemagne fondent comme neige au soleil dès qu'il change son argent. En janvier 1920, il y a entre le mark allemand et le franc suisse une disparité de un à dix. A ce point de vue aussi Rilke doit se contenter d'une existence provisoire, et parfois, ce qui lui est pénible, emprunter de petites sommes aux hôtes qui l'ont hébergé. A cela s'ajoute une santé si mauvaise qu'il veut dès l'été 1919 se rendre au sanatorium du diététiste zurichois Bircher-Brenner, parce qu'il se sent continuellement faible et épuisé, et se voit obligé de se faire soigner comme un malade chronique.

Toutes ces angoisses sont cependant dominées par le souhait pressant de trouver un logement calme, isolé et pourvu d'un minimum de confort, où il pourrait reprendre son travail, que sa mobilisation il y a six ans déjà lui a arraché des mains. Car la réparation tant désirée de ce qu'il nomme « les cassures » de sa vie ne pourra commencer que s'il trouve le refuge où achever les *Elégies*. Il envisage toutes les possibilités : outre un retour, continuellement menaçant, en Allemagne ou dans un tronçon d'Autriche qui lui est devenu totalement étranger — « Ses murs se sont écroulés », écrit Rilke en guise d'épitaphe à l'Etat où il a grandi, « et à présent le vent souffle sur l'Autriche comme sur une terre brûlée [172] » — il pense à la Bohême, où Marie Taxis tient à sa disposition une petite maison dans le jardin du château de Lautschin. Une autre fois, il songe à s'installer dans une villa vide que lui offrent des parents de Pia di Valmarana dans les monts Euganéens près de Padoue. La plupart des endroits qui pourraient servir de « lieux à Elégies » sont situés en Suisse, où il doit à présent faire les lectures qui ont motivé son séjour. Il devait à l'origine en donner une au cercle de lecture de Hottingen, on lui en demande à présent sept ; deux doivent avoir lieu à Zurich et cinq dans d'autres villes.

Rilke s'y prépare dans la pension de Soglio, où il réside en août et septembre 1919. Elle est située dans le Palazzo Salis, qui possède une bibliothèque à laquelle Rilke, par autorisation spéciale, peut accéder. Dans cette haute pièce, à l'aspect un peu médiéval avec ses vitres en cul-de-bouteille et ses antiques armoires, il se plonge, suivant son habitude, dans les traditions familiales des propriétaires du château, la vaste lignée des von Salis, qui comptèrent, outre de hauts dignitaires suisses, un *Feldzeugmeister* (commandant une unité du matériel) autrichien et un ambassadeur britannique auprès du Vatican. La lecture de chroniques familiales crée une atmosphère confiante dans laquelle Rilke ne peut certes pas encore réparer ses « cassures », mais du moins retrouver son moi d'autrefois. Ce n'est pas un hasard s'il écrit en ces jours de méditation le petit essai *Rumeur des âges** , où il réussit pour la première fois à élaborer objectivement un souvenir de l'école militaire. Il s'agit d'une expérience exécutée devant toute la classe par le professeur de physique, « un homme porté par goût à toutes sortes de petits travaux pratiques ». Avec le matériel dont ils disposent, les enfants construisent un phonographe** primitif : un « morceau de carton souple » est « plié en forme d'entonnoir », un papier étanche joue le rôle de membrane, un poil pris à une brosse servait d'aiguille enregistreuse, et un cylindre recouvert d'une mince couche de cire faisait office de rouleau. Si l'on parlait dans l'entonnoir, le son pouvait être ensuite reproduit à partir des sillons tracés dans le rouleau. Quand Rilke, de nombreuses années plus tard, à Paris, s'intéressa à l'anatomie, il se rappelait toujours, en regardant le sillon des fontanelles au sommet d'un crâne humain, la trace que laissait la brosse dans le rouleau. Que percevrait-on, pense-t-il brusquement, si l'on faisait glisser le poil de la brosse non sur le rouleau, mais sur le sommet d'un crâne ? Une onde sonore encore jamais entendue, jamais enregistrée, mais un « bruit originel » émis à partir de lui-même ! Cette méditation, qui aurait fait honneur à Edison, déclencha chez Rilke toutes sortes de spéculations qui dépassaient de loin la physique, sur la participation inégale des cinq sens à la reproduction poétique du monde, la vue jouant injustement le premier rôle.

A Soglio, il s'acquitte du courrier en retard qui s'est accumulé depuis son départ de Munich. Plus que jamais, la correspondance, expédiée à la va-vite par la plupart des gens, menace d'occuper tout le contenu de ses journées. Il vit dans un état de conflit perpétuel entre la création poétique, qu'il cherche à favoriser par sa façon de vivre, et l'obligation, considérée comme impérative, de répondre aux lettres *à sa manière* : en textes « bons à tirer », avec des caractères moulés, assez volontaires (sa lettre préférée est un « y » surmonté d'un *Umlaut,* il écrit Junÿ au lieu de Juni, juin), sur des feuilles de papier gris-bleu, carrées, l'enveloppe close par un sceau de cire grise, dans lequel il imprime son cachet aux armes de sa famille. Il exècre les cartes postales (« slogans de l'amitié »), particulièrement dans la pittoresque Suisse, et s'arrange de mauvais gré avec les abréviations du télégraphe. Les lettres qu'il reçoit, il les conserve avec leur enveloppe dans des chemises gris foncé, classées selon les expéditeurs. Ainsi, dans l'épistolier Rilke, l'aristocrate s'unit au bureaucrate, et le précieux au pédant. Avec cela, la correspondance lui prend de plus en plus de temps, parce qu'il lui faut répondre non

---

* Seuil, t. 1, p. 300. Titre allemand : *Ur-Geräusch,* bruit originel.
** Le mot allemand est *Sprechmaschine,* machine parlante. (N.d.T.)

seulement aux amis et aux éditeurs, mais à d'innombrables inconnus. Lisa Heise, à qui il écrit de Soglio la première des missives devenues célèbres sous le titre de *Lettres à une jeune femme,* n'est pas la seule représentante de cette jeunesse qui, après la banqueroute de tant d'instances morales et spirituelles provoquée par la guerre, adresse à Rilke des questions de philosophie et d'éthique. Celui-ci comparera finalement sa correspondance aux têtes de l'hydre, qui repoussent dès qu'on les a coupées. Ce qui lui reste de loisirs pendant cet été, il le passe à lire quelques poètes suisses et à discuter avec Inga Junghanns qui lui rend visite pour mettre au point avec lui la traduction danoise de *Malte Laurids Brigge.*

Le libre accès à la bibliothèque du Palazzo Salis, Rilke le doit à l'une de ces connaissances de hasard dont sa vie est si riche — ou bien cela est-il dû à son extraordinaire aptitude à établir des liens avec des gens d'origines et de talents très différents ? A peine descendu dans sa pension, il rencontre la fille du pasteur d'Oldenburg, Auguste (Gudi) Nölke, qui, mariée à un ingénieur de Berlin fixé à Mitsui, a vécu au Japon jusqu'un peu avant la déclaration de la guerre. Après la mort de son mari, elle s'était retirée à Soglio avec ses trois enfants et une gouvernante japonaise, et recommande à présent Rilke auprès du propriétaire de la pension. Après que les autorités japonaises lui eurent rendu ses biens, retenus pendant la guerre comme propriété de l'ennemi, en 1920, elle s'achète une grande maison près de Meran. Rilke la recommande à des amis qui vivent dans la région, et reste en correspondance avec elle. Dans ces lettres, il s'exprime plus franche-ment sur la Suisse qu'il ne tient pour habile de le faire devant les habitants du pays. Car Gudi Nölke a également vécu pendant des années à l'étranger, et connaît aussi bien ce sentiment d'être irrémédiablement perdu que l'euphorie déclenchée par une hospita-lité étonnamment amicale. A elle, selon son état d'âme et sans passer pour instable, il peut tantôt se plaindre de n'avoir trouvé en Suisse qu'une « salle d'attente », tantôt raconter, plein de joie, le succès de sa tournée de conférences :

> Puisque cela doit être, je me donne le plus possible à mes soirées et je m'étonne moi-même de l'acuité avec laquelle je traverse l'écorce des Suisses. Il en alla ainsi, en croissant, à Saint-Gall, à Lucerne, finalement à Bâle, qui m'a réservé une hospitalité inoubliable. Cette ville que l'on m'avait toujours décrite comme fermée : l'une de ses plus belles, de ses plus anciennes maisons, s'est, par un arrangement merveilleux, très amicalement ouverte à moi [173]...

La maison qui le reçoit si généreusement, c'est le domaine seigneurial d'Hélène Burckhardt-Schazmann, la mère de Carl Jacob Burckhardt, devenu célèbre comme historien, écrivain et commis-

saire à la Société des Nations. A sa fille Theodora (Dory) von der
Mühll appartient le domaine de Schöneberg, près de Bâle, où Rilke
est invité au printemps 1920. Au demeurant, les fréquentations de
Rilke en Suisse sont bientôt aussi choisies qu'elles l'étaient en
Allemagne. A Bâle, il hante la maison Burckhardt, à Berne il va chez
les Wattenwyl, à Genève chez les Bonstetten.

Avant ses lectures, il s'accorde quelques semaines dans la Suisse
française. Il rend visite à Marie Dobrčensky à Nyon et rencontre
Marthe Hennebert, qui lui parle de Paris pendant les années de
guerre. Si les retrouvailles, après un si long temps, sont un peu
« fanées sur les bords », comme il l'écrit à Marie Taxis, il peut se dire
qu'il a fait pour cette femme tout ce qu'il a pu : Marthe va sur ses
trente ans et est depuis longtemps indépendante. A Genève, Rilke
s'enthousiasme pour le théâtre international créé par Georges Pitoëff
et sa femme Ludmilla. Il voudrait aider ce comédien béni et songe —
ne serait-ce que pour un instant — à lui servir de secrétaire, comme
autrefois avec Rodin. Et il rencontre encore Baladine Klossowska,
qui lui écrit qu'elle a ressenti après son départ une *profonde
mélancolie* à la pensée qu'il ne lui rendait peut-être visite que par
politesse. Bien qu'elle soit originaire de Varsovie et lui de Prague, ils
correspondent surtout en français, sans doute parce qu'ils se sont
rencontrés d'abord à Paris.

II.

La tournée de conférences longtemps attendue commence le
27 octobre 1919, par une lecture et une causerie dans la Kleine
Tonhalle, bondée, de Zurich, dans le cadre des « Soirées de
littérature et d'art 1919/1920 » organisées par le cercle de lecture
Hottingen. Elle se termine le 28 novembre devant l'Association
littéraire de Winterthur. Entre-temps, il fait encore une lecture à
Zurich et à Saint-Gall, Lucerne, Bâle et Berne, devant un nombreux
public et avec grand succès : « Quand on y songe, constate un
auditeur après la deuxième soirée de Zurich, on peut dire que le
succès de la soirée a reposé en très grande partie sur l'art de la
conférence que possède Rilke, et qui a été une surprise même pour
les connaisseurs de Rilke [174]. » On loue particulièrement la manière
dont sa voix qui n'est pas forte, mais sonore et disciplinée, emplit la
salle dans tous les recoins. Le déroulement de la lecture est toujours
le même. Après une introduction, Rilke indique en quelques mots
qu'il se présente en public pour la première fois depuis environ dix
ans, et qu'il n'a pas de programme fixe, mais que « sous l'influence

de votre présence et de votre participation », comme on le lit dans le projet écrit de la lecture de Hottingen, « il pense se décider pour tel ou tel poème ». Il se laisse donc porter par l'esprit de l'instant, sans se fier aveuglément au seul hasard : au contraire, il a déjà lu à Gudi les poèmes auxquels il pense, et lui a demandé son avis (sans doute les pages étaient-elles devant lui, sur un pupitre vers lequel il n'avait qu'à tendre la main). Tandis qu'à Lucerne il lit devant des inconnus, il aperçoit à Zurich des visages familiers dans le public. Alexandre et Clotilde Saccharoff sont venus, de même que Claire Goll, Putzi Casani-Böhmer et deux femmes peintres ; Marianne von Werefkin, qu'il a rencontrée à Munich et la Parisienne Marie Laurencin, dont il admire depuis longtemps les toiles et les dessins représentant de fragiles jeunes filles. Une soirée type commence par quelques extraits du *Livre d'Images,* continue avec le *Requiem pour la mort d'un enfant* et quelques *Nouveaux Poèmes* qui impressionnent particulièrement le public, comme *Le Carrousel,* ou *Danseuse espagnole,* et s'achève sur un texte en prose, *Rumeur des âges.* Parfois, il lit des traductions, d'abord le texte original français ou italien, puis sa version allemande. Chaque fois, la lecture est interrompue et détendue par une « causerie », une petite conférence improvisée, selon l'endroit. A Saint-Gall, Rilke parle aux auditeurs des poèmes d'une de leurs anciennes concitoyennes, Regina Ullmann, à Winterthur de Rodin et de Cézanne.

La tournée ne lui donne pas seulement l'occasion de revoir de vieux amis, elle lui procure aussi des rencontres avec des gens qu'il ne connaissait jusqu'alors que de nom. Ainsi, à Zurich, il converse pour la première fois avec Nanny Wunderly-Volkart, qui sera la plus fidèle amie de ses dernières années et la seule qu'il tolérera à son chevet à l'heure de sa mort. Nanny est une gracieuse femme blonde, au début de la quarantaine mais d'aspect jeune, mariée à un tanneur et mère d'un fils déjà adulte. Elle invite Rilke à lui rendre visite à la « Untere Mühle », sa maison, à Meilen, au bord du lac de Zurich, où elle cultive par passe-temps des fleurs et relie des livres. A cause de sa frêle silhouette et de son cœur sûr, il la surnomme bientôt, en souvenir de figures antiques, « Nikè, la déesse de la victoire, que l'on peut modeler toute petite et qui pourtant donne toujours ce qui est grand, la grande victoire [175] ».

Et pourtant, vaincre, pour lui, et pour appliquer à Rilke l'une de ses plus célèbres formules, n'est plus que parvenir à surmonter. Toute la nostalgie d'atmosphère familiale qui s'est amassée en cet homme de quarante-six ans, abandonné à lui-même depuis l'âge de onze ans, se concentre à présent sur cette femme. Il s'en remet désormais entièrement à la bonté de son cœur, tempérée de raison et de connaissance du monde. Sa relation avec elle — un peu

fraternelle, un peu maternelle, non sans un mélange de courant
érotique, car Nikè est une femme élégante et prend soin de sa
personne — est la seule, durant toutes ces années, où il peut se
montrer tel qu'il est. Qu'ail ait besoin d'argent ou d'une douzaine de
mouchoirs (avec des initiales brodées, *cela va sans dire*), d'un conseil
pratique ou de consolation : il se tourne vers Nikè et n'est pas déçu.
Elle le gâte, lui envoie de la porcelaine, des livres et parfois un
coussin ou une couverture, pour qu'il ne se sente pas trop comme un
voyageur de commerce dans les chambres d'hôtel ou de pension où il
loge. Parce que ces accès de nostalgie domestique se déclarent si
tard, ou parce que, peut-être, ils ne font finalement qu'un masque
qu'il essaie, ils ne sont pas dénués d'une certaine sentimentalité
artificielle. Quand il achète une petite table Louis XVI pour la
chambre qu'il a louée à Locarno pendant l'hiver 1919/1920, il ne se
borne pas à décrire à Nikè avec amour les nombreux « petits tiroirs »
et le « minuscule flacon d'essence de rose » qu'il a joint au papier à
lettres rangé là, mais il invente aussitôt une sorte de foyer autour du
meuble :

> Ah, s'il y avait assez de place à la « Untere Mühle » pour que ce petit
> meuble y habite, au cas où je n'en aurais plus besoin ici : peut-être
> dans la pièce qui mène au « Stübli » ? Dans une chambre d'ami ? C'est
> une très modeste petite table, mais aimable et facile à vivre, ici, dans
> cette chambre, elle joue naturellement l'enfant prodige et ne fré-
> quente que les objets qui viennent de Meilen.

Le « Stübli » est un symbole de foyer et d'intimité protectrice ;
on le voit à Noël — les jours les plus dangereux de l'année —, qu'il
passe seul, en 1919, à son habitude, à Locarno. Le second jour, il
éclate :

> Ah, si j'avais autour de moi un « Stübli » pendant toute une année, où
> je pourrais pleurer. Je n'ai jamais tenu cela pour déshonorant ou
> lâche, j'ai encore de si grosses larmes d'enfant en moi, et les violents
> sanglots de ma virilité, tout cela doit sortir. Il me vient à l'esprit que je
> n'ai jamais pleuré dans la pétrification et les tourments de ces cinq
> années —, je comprends de plus en plus pourquoi je recherche
> tellement un refuge — : une salle de travail, — cela veut dire pour moi
> une pièce où je puisse aller et venir, mais cela aussi, mais crier aussi,
> mais pleurer aussi. Où peut-on encore cela !

Dans ses entretiens avec Nikè et dans leur correspondance, on
n'aborde pas seulement ce qui touche à ce bas monde. Bien que
Rilke, contrairement à tant d'autres poètes, ne se permette que
rarement de dire des méchancetés sur son prochain, il cesse, à ce
point de vue également, de se contraindre devant Nikè. Quand les

Kippenberg veulent lui rendre visite dans le château de Berg, il réagit, lui qui fut si souvent l'invité de son éditeur, avec terreur : « On va parler et parler, " il " va fumer, " elle ", ah que ne va-t-elle pas sentir, pressentir, ressentir, hâtivement et convulsivement, dans un corps beaucoup trop grand » — après quoi, comme pour expliquer cette prétendue taille gigantesque, il ajoute encore un « Hambourgeoise ! » entre parenthèses [176]. Est-ce la gracile silhouette de Nikè qui lui fait soudain voir si grande la dame de l'Insel-Verlag ? Il semble que cette antipathie est plus ancienne. Il a en effet avoué à une jeune femme que dès sa jeunesse il n'appréciait pas le « type virago » (auquel appartenait aussi Clara Westhoff) [177].

Si, au début de sa tournée de conférences, Rilke rencontre Nanny Wunderly-Volkart, il fait à la fin de ce même voyage la connaissance du cousin de Nanny, Werner Reinhart. Celui-ci est associé de la firme d'importation Volkart Frères, fondée en 1851 à Winterthur et Bombay. Avec l'un de ses trois frères, il habite la maison Rychenberg, riche en trésors artistiques, dans laquelle Rilke est logé lors de son premier séjour à Winterthur. Tous les Reinhart sont collectionneurs et s'intéressent à la littérature — Werner, en outre, est musicien. Il faut un certain temps pour que Rilke, qui n'est pas d'un abord facile avec les hommes, noue amitié avec son hôte, un peu froid il est vrai. Mais quand la chose est faite, c'est grâce à cette amitié qu'il trouve enfin le « lieu des Elégies ».

Les quelques poèmes qu'il publie durant ces mois paraissent dans des revues et étaient déjà écrits des années auparavant, comme *Abandonné sur les montagnes du cœur* et *La grande nuit*. Rilke continue à traduire Michel-Ange et s'attaque aussi à Mallarmé, mais sa plume poétique est moins active que sa plume épistolière. C'est particulièrement évident après que, dans une librairie de Locarno, il a fait la connaissance d'Angela Guttmann, une femme encore jeune, originaire de Moravie, qui après une crise religieuse s'était convertie au judaïsme et après deux mariages ratés, avait échoué en Suisse, le cœur malade et sans argent. Rilke passe de nombreuses heures à son chevet, parce qu'elle lui parle de la Russie où elle a longtemps vécu, et parce qu'il croit de nouveau avoir trouvé en elle une femme pourvue de grands dons artistiques. Il s'entremet pour elle, par lettre et oralement, auprès de Kippenberg, à qui elle envoie ses manuscrits, auprès de Nikè et Reinhart, qui trouvent de l'argent pour elle, et auprès d'un journal de Bâle, où il se présente en personne pour la recommander. Il use ainsi son temps et ses nerfs sans pouvoir aider de manière décisive Angela (qui meurt peu après à Davos). Ce qui lui reste d'énergie et de goût de vivre, il l'épuise en déménageant de Locarno pour se rendre dans le domaine de Dory von der Mühll près de Bâle, et en s'efforçant d'obtenir un passeport. Au début de mai

1920, tout est une fois de plus retardé : le consulat tchécoslovaque retient le document déjà établi, parce que Rilke avait oublié de donner la date de naissance de ses beaux-parents. « L'Autriche a disparu, constate-t-il avec résignation, mais sa pédanterie semble avoir survécu dans les nouveaux pays. »

Quand le passeport arrive enfin, Rilke, se rendant à une invitation de Marie Taxis, s'en va passer un mois à Venise. La princesse et son époux, qu'il n'a plus revus depuis mai 1914, le reçoivent avec leur habituelle cordialité et, après leur départ, mettent à sa disposition la mezzanine du Palazzo Valmarana, où il avait déjà habité avant la guerre. Son amitié pour Pia a aussi survécu à toutes ces années, bien qu'il reste songeur en constatant avec quelle légèreté, après ses terribles expériences d'infirmière dans un hôpital militaire, elle reprend le fil de sa vie superficielle et mondaine de « contessina » à Venise. Pour lui, ces retrouvailles avec Venise sont empreintes de mélancolie, car il sait que tout a changé sous le vernis de la tradition mondaine. A peine revenu en Suisse, il résume ses impressions pour Marie Taxis, en une de ces lettres où il devance ses contemporains de plusieurs décennies — car qui pouvait alors deviner que les « voyages culturels » appartiendraient irrévocablement au passé ?

> Pour l'instant, je remarque que la vie ne reprendra pas de la manière que je pensais sur les cassures de l'avant-guerre —, tout a changé, et ce genre de voyage « pour le plaisir », pour enregistrer, ingénu et de toute façon quasiment oisif, bref le voyage du voyageur « cultivé », aura bientôt expiré une fois pour toutes... Je veux dire toute contemplation esthétique sans idée de rendement immédiat, sera désormais impossible... Vous n'imaginez pas, princesse, combien le monde est *devenu autre,* il s'agit de le comprendre. Qui songe désormais à vivre comme « il en avait l'habitude », ne trouve plus devant lui qu'une immédiate répétition, un simple « encore une fois » et toute la stérilité sans remède que cela implique [178].

Pour éviter, en ce qui le concerne, une telle « répétition », il avait quitté Venise en apprenant que la Duse allait y arriver...

Peu après son retour d'Italie, Rilke se rend pour la troisième fois à Genève. Il se dispose à lui faire ses adieux, car il redoute de ne pouvoir rester plus longtemps en Suisse, faute d'argent ; par prudence, il a fait viser son passeport pour l'Allemagne. Lors de cette visite, son amitié avec Baladine Klossowska, alias Merline, devient subitement une passion amoureuse. On dirait que les flammes viennent d'éclater d'un feu qui a longtemps couvé. L'atmosphère française de la ville, si familière à tous les deux, le stimulant contact des Pitoëff et le beau temps d'été peuvent aussi avoir joué un rôle

Après quelques jours, la bien-aimée, dont les fils sont à l'école à Genève, doit partir en vacances à Beatenberg au bord du lac de Thun. Rilke reste à Genève et se rend ensuite à Zurich et Berne. Ils correspondent alors et s'envoient des fleurs ; des plates-bandes entières y passent, probablement, car la passion est si intense que l'on ne peut même pas parler d'un « échange de lettres ». Même quand elle est de nouveau à Genève et lui à Berne, ils s'écrivent le même jour, voire à la même heure, sans attendre la réponse. On peut constater que Rilke a trouvé en Merline, ou aussi « Mouky », surnom tendre qu'il lui donne parfois, une correspondante qui, bien qu'elle soit peintre et ne s'entende guère à la littérature, possède toutes les nuances de l'art épistolier. Si sa première lettre commençait par « *Cher Monsieur Rilke* », la seconde débute déjà par un « René, je pense à vous » : « Le petit ruisseau le sait, l'arbre le sait, le caillou dans l'eau le sait, le ciel le sait et vous, il faut aussi que vous le sachiez ! » (Elle passe dans ses lettres du *vous* au *tu*, il en reste la plupart du temps au *vous*.) Aux apostrophes enamourées correspondent des fins de lettre originales, comme le joli « *Je tombe dans vos bras — Merline.* », ou, à la fin d'une lettre écrite en allemand : « Apparais-moi, déverse-toi sur moi, ma douce pluie d'été — M. [179] » Il répond sur le même ton : « *Ne laisse jamais vides mes bras, Merline, ils s'ouvrent à toi plus que (qu'à ?) la vie même* » et il lui envoie, dès la fin du mois d'août, le premier de ses poèmes français, à elle dédié. Ainsi renchérissent-ils de protestations amoureuses, et ils se rencontrent aussi souvent que les circonstances le permettent. Il va la voir à Genève, elle vient à Zurich et à Berne, plus tard on ira ensemble à Sion et Sierre. Comme les autres couples d'amants, ils ont leurs talismans (il gardera jusqu'à sa mort quelques lignes d'elle dans son portefeuille), et « leurs » lieux : le balcon de l'appartement de Merline à Genève et la chambre au quatrième étage du Bellevue Hotel à Berne, où Merline, en quittant l'ascenseur, se trompait toujours de direction.

Elle sait dès le début qu'il a besoin de repos et de solitude. A chaque lettre, elle craint de le déranger, mais elle ne peut pas s'en empêcher, elle écrit quand même. Elle doit subir une première et rude épreuve, en octobre, quand on propose à Rilke un logement à Genève. Il est justement à Berne et se demande s'il doit accepter, quand Nikè lui propose par lettre un autre abri ; un colonel suisse de ses amis est prêt à laisser à Rilke pour l'hiver le petit château de Berg am Irchel (canton de Zurich), tandis que Nikè propose d'engager pour lui la gouvernante nécessaire. Depuis ses visites à Meilen, Rilke connaît le bâtiment du XVIIIe siècle, situé au calme, avec un grand parc et des fontaines dont on entend le clapotement jusque dans la maison. Il se décide pour Berg am Irchel, qui lui offre un endroit idéal pour travailler et où la vie est moins chère que dans le coûteux Genève. Merline, qui s'était déjà réjouie de passer l'hiver tout près de son ami, domine sa déception, de même qu'elle s'accommode de le voir, avant son déménagement, partir rapidement pour Paris au lieu de passer son temps libre avec elle.

Le désir de revoir la ville de Rodin et de Malte était devenu irrésistible. Rilke y reste une semaine, ne voit personne, bien qu'il soit depuis longtemps en correspondance avec Gide et d'autres amis parisiens, et au lieu de cela il se plonge dans les délices de ses retrouvailles avec la ville aimée par-dessus tout. Cette fois, il réussit pleinement à renouer avec le passé, sans ressentir l'impression de répétition figée qu'il avait eue à Venise. Il annonce joyeusement à sa plus ancienne amie, à qui vingt ans auparavant il avait écrit de Paris des lettres si désespérées :

> Pense donc, Lou, *je suis allé là-bas !* Six jours, fin octobre... Le cœur a bien affronté toutes les choses de là-bas avec ses cassures, mais la guérison s'est accomplie dans les premières heures... Comme le matin est neuf, comme l'eau est vieille, quelle tendresse et quelle plénitude dans le vent, bien qu'il vienne par les rues. Et ces rues : oh, il n'y en avait pas moins, rien n'était réprimé, amoindri, défiguré ou ordonné avec choix : elles possédaient leur ancienne et multiple abondance, leur courant, leur événement ininterrompu, leur invention qui naît en tous lieux et ne renonce jamais. Des gens venaient à ma rencontre : je les reconnaissais, celui-ci et celui-là, qu'il y a tant d'années, au même endroit, *rue de Seine,* j'avais rencontré : ils avaient surmonté. L'un d'eux portait la même cravate. Je reconnaissais les marchands dans les boutiques, à peine vieillis —, les femmes aux journaux dans les kiosques, — et même l'aveugle sur le *Pont du Carrousel,* pour la vie duquel je m'étais inquiété déjà pendant l'hiver de 1902 —, il était là, brouillé de pluie et gris, à sa place ; je ne peux pas te dire combien, à ce moment-là, le bonheur de la guérison m'inondait et me submergeait, — alors seulement j'ai compris que rien n'était perdu, et qu'une continuité serait possible, malgré ce cœur encore si profondément interrompu [180].

Il va se promener au jardin du Luxembourg, flâne sur les bords de la Seine et s'achète un carnet de notes où il veut fixer ses impressions. Mais il ne parvient pas à dépasser la première phrase : « *Ici commence l'indicible.* » Cela veut dire qu'il a retrouvé sa foi en la permanence de la vie, qui ne lui était pas apparue dans la ville-théâtre et ville-musée qu'est Venise, mais dans Paris, qui « surmonte tout ».

Sur le chemin du retour, il passe deux semaines avec Merline à Genève et se rend ensuite à Meilen, chez Nikè, qui l'amène en voiture à Berg am Irchel. Le petit manoir et sa patine de l'époque rococo, sa salle de travail aux lambris blancs avec un grand poêle de

faïence et des pendules dignes de confiance sur les paliers, lui
conviennent sur-le-champ. Il s'entend aussi le mieux du monde avec
la gouvernante, Leni Gisler, qui lui sert ses modestes repas de potage
aux pâtes, riz, carottes et fruits et ne l'importune pas de questions
inutiles ; il louera plus d'une fois son zèle et le tact avec lequel elle
préside à sa sphère domestique sans toucher à celle du poète. Une
quarantaine imposée à la région pour cause de fièvre aphteuse
sanctionne pour ainsi dire officiellement l'isolement de Rilke. Le
courrier est distribué par le curé du village, et Rilke ne doit pas
quitter la maison ni le parc.

Comme il a de nouveau parlé français, après des années, à Paris
et à Genève, il se met avec plaisir à un petit travail qui est plus un
service d'ami rendu à Merline et à son fils Baltusz qu'une création
littéraire. Il s'agit d'une préface en français pour un album de dessins
au lavis, dans lequel Baltusz (parmi ses tableaux les plus célèbres,
plus tard, figurera un chat mangeant du poisson avec une fourchette
et un couteau) raconte l'histoire du petit chat Mitsou, qu'il a trouvé
et rapporté à la maison. Rilke aide aussi l'artiste, qui au temps de
leur « collaboration » avait douze ans, à faire publier l'album, qui
paraît en 1921 sous le titre *Mitsou. Quarante images de Baltusz
(Préface de R. M. R.).* Il s'entremet aussi plus tard pour le frère aîné
de Baltusz, Pierre, qu'il loge un moment chez Gudi Nölke à Meran et
recommande à Gide à Paris.

Un soir, au château de Berg, quand Rilke lève les yeux de sa
lecture, il croit voir dans la pénombre un homme vêtu à la mode du
XVIIIe siècle, assis près de la cheminée, la tête entre les mains,
regardant le feu. Cet homme, affirmera Rilke à Kippenberg, lui dicte
le cycle de poèmes qui sera publié sous le titre *Aus dem Nachlass des
Grafen C. W. (œuvre posthume du comte C. W.).* Rilke s'en tiendra
par la suite à la fiction selon laquelle ces poèmes ne sont pas de lui,
mais du visiteur nocturne, qui se serait servi du poète comme
médium. Il est difficile de dire si cette fiction doit son origine à
l'atmosphère du château, auquel le brouillard d'hiver donnait peut-
être un aspect maléfique, ou au goût de Rilke pour le spiritisme, qui
s'était déjà manifesté à Duino, ou encore au désir de se distancer de
ces poèmes assez faibles en les mettant sur le compte d'un auteur
imaginaire. Peut-être aussi, après cet isolement de plusieurs
semaines, se trouvait-il dans l'état qu'il avait décrit dans les esquisses
Aventure, entre deux couches de conscience, où l'apparition soudaine d'un mort lui aurait paru plus vraisemblable que celle d'un de
ses semblables en chair et en os.

Le plus intéressant (et le seul publié du vivant de Rilke) de ces
poèmes est inspiré par le voyage en Egypte de 1911 :

> C'était à Karnak. Nous étions partis à cheval,
> Hélène et moi, après un dîner hâtif,
> Le Dragoman s'arrêta : l'allée des Sphinx —.

Le début mondain et négligé débouche sur une réflexion devant le contraste qui sépare la grandeur archéologique et mythique de l'ancienne Egypte et le caractère éphémère de l'homme. Après avoir mis au point sa correspondance, y compris la réponse à la lettre de son ancien professeur Sedlakowitz, Rilke réussit à écrire quelques vers qui appartiennent, pour la forme et le thème, aux *Elégies*, mais demeurent des fragments et ne seront pas intégrés dans l'ensemble. Ils commencent par « Accorde-toi ceci : l'enfance fut… », et définissent celle-ci comme une possession qu'aucun destin ultérieur ne peut nous enlever. En même temps, chez cet « autobiographique » créateur de mots, elle apparaît aussi comme un danger :

> Non qu'elle soit inoffensive ; l'erreur enjolivante qui l'orne de rubans et de ruchés, ne nous a trompés que passagèrement *.

Car l'enfance est le point non étanche (*undicht*) par où la peur (« courant d'air » elle se glisse par les joints) pénètre d'abord dans la conscience de l'homme.

A la Noël 1920, qu'il passe seul dans son château, Rilke en est à peu près revenu là où il se trouvait à la fin de 1915 : dans un état d'activité et d' « ouverture » qui aurait pu lui permettre d'écrire, outre ces fragments, la fin de tout le cycle des Elégies. Mais il devait en être autrement. Comme cinq ans auparavant, il est interrompu et doit « dans le grand élan qui m'avait déjà propulsé presque jusqu'au bond[181] », s'arrêter à la dernière minute et se tourner vers un univers totalement différent. La dernière fois, c'était la mobilisation, cette fois ce sont de mystérieuses préoccupations, mal élucidées, mais qui sont certainement en relation avec Merline (« Je ne pouvais confier à personne le règlement de (ces affaires) et elles mettaient en danger *tout l'avenir*[182] ») qui l'arrachent à son équilibre péniblement conquis. En tout cas, il reçoit de Merline, malade au lit, à Genève, quelques lettres qui lui ôtent le repos. Alors que le soir du 3 janvier 1921 elle lui écrivait encore avec résignation : « Je sens que vous êtes déjà loin, *vous ne venez plus me voir dans la nuit* », elle lui assure deux jours plus tard qu'il n'a qu'à l'appeler : « Alors j'oublierai tout, mon nom, ma maison, ma famille, je veux m'épanouir *en toi*, *chéri*,

---

* Les mots inventés par Rilke et ses allitérations étant impossibles à rendre en français, nous donnons ici ces deux vers en allemand :

> *Nicht, dass sie harmlos sei ; der behübschende Irrtum*
> *der sie verschürzt und berüscht, hat nur vergänglich getäuscht.*

toi, ma patrie, je veux oublier que je sais parler, et je n'entendrai rien hormis le sang et le battement de nos cœurs [183]. » Soudain, Rilke ne supporte plus sa clôture. Il quitte précipitamment le château de Berg, à quatre heures du matin par une pluie diluvienne, et se précipite à Genève. Après avoir réglé ses « affaires », quelles qu'elles fussent, il emmène son amie à Berg, tandis que la sœur de Merline s'occupe des enfants demeurés à Genève.

En ce printemps 1921, jusqu'à ce que Merline soit forcée, pour des raisons financières, d'aller provisoirement vivre chez son frère à Berlin, Rilke traverse pour la dernière fois le grand conflit qui oppose la vie (et cela veut dire pour lui avant tout : l'amour) et le travail. Le besoin, qui s'accroît parfois jusqu'à la panique, de se concentrer sur l'achèvement de son œuvre, se heurte violemment avec une passion qui menace de la paralyser. « Aussi longtemps qu'il en ira ainsi entre nous, dit-il dans les notes et projets de lettres réunis sous le titre *Le Testament,* je ne saurai vivre — car j'en suis aussi incapable si je te sais malheureuse par ma faute que si je te rends heureuse de *la* manière où tu l'attends maintenant de moi*. » *La* manière, c'est — comment pourrait-il en être autrement? — avant tout une vie commune avec l'ami, et c'est précisément ce que Rilke ne peut promettre. Il fait au contraire comprendre à Merline, avec le plus de ménagement possible, qu'elle n'a aucune part à son travail, et même il la prie instamment de ne pas lui parler de ce travail : « *Ne me parlez jamais des Elégies, je vous supplie!* »

Merline, de son côté, est persuadée que son amour à elle a exactement autant de valeur que la poésie de Rilke : pensée très rilkéenne. Par une ironie du sort, le prophète de l'amour intransitif, projeté au-dessus de l'homme, entre lui-même à la fin de sa vie dans le rôle de ces hommes qui sont inférieurs à leur amante et cherchent à se soustraire à elle. N'avait-il pas reproché à Goethe, dans *Malte,* de ne pas avoir « supporté » l'amour de Bettina, parce qu'il se contentait de la nourrir de bonnes paroles? Rilke fait exactement la même chose, après que Merline l'a « bravement », c'est-à-dire sans reproches ni larmes, laissé partir pour le château de Berg. Une fois à bonne distance, il lui écrit :

> Non, je ne me suis point étonné de vous trouver si forte, ce qui vous rend vaillante en ce moment c'est cette même liberté qui vous a permis de pénétrer dans le sanctuaire de notre amour pour vous y agenouiller, non pas en simple adorante, mais en prêtresse élue qui de ses bras délicieusement éprouvés soulève vers le Dieu l'offrande définitive** [184].

---

* Seuil, *Le Testament,* traduction de Philippe Jaccottet, p. 41.
** Seuil, t. 3, p. 438.

L'artiste du langage qu'est Rilke connaît aussi l'usage très moderne du mot pour la *non*-communication, pour la délimitation du Moi et du Toi au lieu de l'entente réciproque. En réalité, l'amour ne lui a nullement ôté l'usage (normal) du langage, car en ce même 18 novembre 1920, où il s'ennuage devant Merline dans ces fumées de mots, il écrit très prosaïquement à Nikè que sa gouvernante Leni vient de lui faire cuire « un excellent pain blanc ». Le lendemain, il décrit à Marie Taxis son voyage à Paris, le surlendemain il annonce à Katharina Kippenberg son arrivée au château de Berg (en la priant, au cas où elle lui rendrait visite, de ne *pas* lui amener sa fille Ruth), et félicite Sidie Nádherný de son mariage avec le comte Max Thun-Hohenstein, médecin pour sportifs.

Merline prend connaissance avec tristesse de ses dérobades, et écrit dans son allemand boiteux, de Berlin, un peu plus tard : « Je voulais prendre tout ce que j'avais pour partir vers toi. Je soupçonnais, devenant de plus en plus triste, que tu étais d'un autre avis, car je devais toujours attendre ton " consentement ". » La plainte pourrait venir de Marianna Alcoforado. Mais à la différence de la religieuse portugaise, Merline est une femme passionnée et jalouse. Quand elle apprend qu'il a quitté le château de Berg pour se rendre chez Marie Taxis à Etoy dans le Waatland, elle ne peut s'empêcher de faire quelques remarques sardoniques sur son *honorable protectrice,* à quoi il répond par de douces remontrances.

Pourquoi le poète, si soucieux de son indépendance, s'est-il lié avec cette femme « difficile » et, contrairement à ses autres amantes, accaparée par les devoirs maternels — au point de ne plus pouvoir se libérer qu'avec peine ? Mis à part les impondérables du goût et des besoins corporels et spirituels, le parallélisme de leurs carrières avait dû entrer en ligne de compte : ils avaient tous les deux fui l'espace culturel allemand où ils avaient été élevés pour se réfugier à Paris, et ils s'étaient adaptés là comme dans une nouvelle patrie. D'autre part, Rilke, qui s'était marié beaucoup trop jeune, commençait à l'âge mûr à mieux comprendre les enfants (en opposition à l'abstraction de « l'enfance »). Ce sont à présent Pierre et Baltusz qui en profitent, et non la pauvre Ruth, qui travaille comme servante dans une ferme près de Brême et se fiance en ce moment sans que Rilke ait manifesté le moindre intérêt pour son futur gendre, le licencié en droit Carl Sieber. Le tempérament de Merline, son allant auront également attiré Rilke, qui fut toujours méfiant et hésitant devant la vie pratique, sans parler de l'admiration qu'elle lui voue. Comment réagir, sinon par l'amour et une indulgence allant jusqu'à l'éblouissement, quand on est un artiste de quarante-six ans, peu attrayant et soucieux de sa santé et de sa force créatrice, et qu'une jeune femme pleine de vitalité vous envoie une lettre porteuse de ces vœux : « Ah toi, reste aussi jeune et beau et sans être malade, car un dieu est vraiment descendu en toi, et qu'il ne meure jamais [185] ! »

Au prieuré d'Etoy, ancien prieuré augustin transformé en pension de famille, Rilke séjourne en mai et juin 1921 et... il attend. Il attend le jour à présent proche où on lui accordera une autorisation de séjour permanente en Suisse ; sinon il devra quitter le pays, car il ne peut pas loger éternellement dans des maisons privées ou dans des chambres d'hôtel, sans parler de son travail qui en pâtit. Il attend Marie Taxis, qui rend visite à ses petits-fils, les deux fils de Pascha, confiés à un internat. Il lui demande conseil. Doit-il aller à Lautschin, ou au Wörthersee, où la nièce de Marie Taxis, Nora Purtscher-Wydenbrock, lui a offert une maison, ou même retourner à Munich ? Et il attend Merline, qui vient de Berlin lui rendre visite et est auprès de lui lorsque, le soir du 30 juin 1921, au cours d'une promenade dans la petite ville de Sierre, il aperçoit dans la vitrine d'un coiffeur une photographie qui l'intrigue. C'est un petit château en forme de tour, qui porte le nom un peu exagéré de « Château de Muzot » — prononcez Muzotte — et qui est à louer. En compagnie d'un agent immobilier, il s'y rend le lendemain avec Merline, pour visiter le domaine. C'est un bâtiment du XIIIᵉ siècle, très délabré malgré une rénovation entreprise en 1900, et sans électricité (comme à Duino, elle n'y sera installée qu'après le séjour de Rilke). Il y a également un jardin avec un puits et des roses sauvages, de même qu'une petite église, la chapelle Sainte-Anne, que Rilke fera plus tard restaurer à ses frais. Le village le plus proche est Miège ; l'hôtel le moins éloigné est le Bellevue à Sierre, où il loge avec Merline et où plus tard il recevra ses hôtes, à une demi-heure de marche du château.

La propriétaire de Muzot, une vieille dame un peu bizarre à qui appartient aussi la boutique du coiffeur de Sierre, ne veut louer le château que pour quelques mois et ce au prix exorbitant de 250 francs par mois. A son retour à Etoy, Rilke écrit une longue lettre à Nikè, où il lui décrit le château et ses tractations avec la propriétaire. Nikè se met en relation avec son cousin Werner Reinhart, qui loue Muzot pour Rilke sans que celui-ci soit obligé d'y rester ; plus tard, Reinhart achètera le château et en laissera la disposition au poète pour toute sa vie. Rilke hésite à accepter cette offre. Merline, qui malgré son côté théâtral est une femme active et décidée, le convainc et le pousse à se décider. Elle fait aussi un plan des travaux de remise en état : consolider le toit, blanchir les murs et boucher les trous des rats, et précise l'aménagement des pièces. Nikè, qui s'entend bien avec elle, fournit quelques meubles de la « Untere Mühle ». Pour finir, Rilke se fait faire un pupitre par le menuisier du village. Au début de 1922, il en ajoute un second, avec des bougies, sur lequel il écrira les

Elégies « au creux des nuits étranges », tandis que les *Sonnets* sont composés sur l'autre pupitre, le plus ancien.

Salle à manger, salle de séjour, W.-C. et la chambre de la gouvernante, sont situés au rez-de-chaussée, où la cuisine est aménagée dans une construction ajoutée. Au premier étage, Rilke a son bureau, avec une lourde table en chêne et deux fenêtres, d'où l'on aperçoit toute la vallée. A côté, se trouve sa chambre, à peine plus grande qu'une cellule de moine mais munie d'un balcon, de même qu'une petite chapelle, qui porte, au-dessus de sa porte basse, non une croix, mais « la Swastika, la mystérieuse croix gammée indienne », comme il l'écrit à Nikè, « qui est devenue plus tard à travers les siècles le symbole d'étranges mouvements religieux ». Dans les combles se trouvent deux petites pièces et une chambre d'ami, utilisée à l'occasion.

Toujours préoccupée de « se chercher des racines », Rilke constate avec joie que Muzot dispose d'une histoire animée, et qu'il rôde même un fantôme dans les environs. Il s'agit d'Isabelle de Chevron, qui vécut au début du XVIᵉ siècle et perdit la raison après que deux soupirants se furent battus en duel par amour pour elle, et envoyés dans l'au-delà. Rilke croit totalement en cette histoire et prie, dans ses dernières volontés, qu'on ne l'enterre pas au cimetière de Miège, où repose Isabelle. Il devient aussi membre de la « Société d'histoire du Valais romand » ; mais comme il ne participe à aucune session et n'a jamais rencontré personnellement aucun des sociétaires, les invitations et les communications lui sont envoyées sous le nom de « Frau Maria Rilke [186] ».

Parmi les dernières tâches que Merline expédie avant de revenir à Berlin, il y a le choix d'une gouvernante. Le problème n'est pas simple, parce qu'il s'agit de tenir le ménage d'un célibataire et que Muzot est si loin de tout que la gouvernante n'aura guère de distraction, même le dimanche. Merline engage finalement une femme du voisinage, Frieda Baumgartner, surnommée plus tard le « Geistlein », le « petit esprit », qui est envoyée à Nikè, à Meilen, pour un premier examen et initiée ensuite par Merline à l'idiosyncrasie de son futur maître. Elle apprend la cuisine végétarienne, le soin des plates-bandes de fleurs et de légumes, et des pommiers, et s'habitue bientôt à la présence du poète, silencieusement amical, qui à son tour s'acclimate au « Lieu des Elégies ». Ce processus est favorisé par le paysage où s'encastre harmonieusement le petit château usé par les intempéries. Ce paysage rappelle à Rilke, dans ses couleurs et ses proportions, la Provence et le sud de l'Espagne.

III.

En quittant Muzot le 8 novembre 1921, Merline laisse une gravure qu'elle avait achetée à Sion et accrochée au mur face au bureau de Rilke. C'était une reproduction d'un dessin à la plume de Cima da Conegliano (mort en 1517), où l'on voyait Orphée assis, adossé à un arbre, accompagnant son chant à l'aide d'une sorte de violon primitif. Un oiseau, deux chevreuils et deux lièvres l'écoutent. Rilke avait le dessin sous les yeux pendant cet hiver où il se préparait plus opiniâtrement que jamais à l'achèvement des *Elégies*. Grâce à son isolement du monde extérieur, il avait tout d'abord conjuré le danger de dissiper dans la conversation ce que le poète doit toujours garder pour lui. Comme il sait que chez lui, surtout après les secousses de la guerre, « toute communication devient rivale de l'œuvre [187] », il cesse à la fin janvier toute correspondance et se transporte en esprit aussi profondément que possible dans l'atmosphère de Duino ; cet ami des chiens écarte même un chien offert par quelqu'un, de peur d'être distrait par ce compagnon. Il cherche à renouer avec le monde des *Elégies* en s'isolant du présent et en se replongeant dans l'ambiance de jadis. Même si Rilke est essentiellement poète, son comportement ressemble aux efforts accomplis au même moment par Thomas Mann et Marcel Proust l'un dans *La Montagne magique*, l'autre dans l'élaboration de la fin de *La recherche du temps perdu,* pour se transporter dans le monde d'avant 1914. La chambre insonorisée du Français offre une véritable analogie avec la tour de Muzot, isolée de l'environnement. (Bien que par le style ils appartiennent à l'avant-garde, T. S. Eliot, qui en 1921 travaille à *La Terre vaine* dans les environs de Lausanne, et Joyce, qui met justement à Paris la dernière main à son *Ulysse,* comptent parmi les auteurs voués aux rétrospectives, et dont les œuvres parues en 1922-1924 font du début des années 20 une plaque tournante dans l'histoire littéraire.)

Avant d'avoir pu renouer avec l'avant-guerre, Rilke écrit au début de février, en quelques jours (en complément et contrepartie des six dernières *Elégies* qui sont en train de naître), 26 sonnets, suivis vers la fin du mois de 29 autres. Divisés en deux parties, comme ils ont été conçus, ces *Sonnets à Orphée* forment un tout. Si Rilke n'avait pas projeté d'écrire ces *Sonnets,* il y était préparé de plus d'une manière, et le dessin au mur de sa chambre n'a joué là qu'un rôle secondaire. On ne sait s'il connaissait la pièce de Kokoschka *Orphée et Eurydice,* publiée en 1919, et cela importe peu si l'on considère les intentions toutes différentes du poète. Il y a un

autre élément plus digne d'être retenu, dans la mesure où l'élaboration de ces poèmes peut avoir des motifs extérieurs. Rilke commence
alors à s'occuper intensément des œuvres du dernier grand artiste qui
lui servira de modèle. Ce que Tolstoï fut pour lui dans sa jeunesse, ce
que Rodin a représenté au début de sa maturité, c'est à présent Paul
Valéry qui le devient. Les *Sonnets* contiennent des échos de l'*Orphée*
de Valéry, du *Cimetière marin,* que Rilke a traduit l'année précédente, et de *L'Ame et la danse,* qu'il a recopié en 1922 et qu'il
traduira en 1926. Dans leur biographie, aussi, Valéry, qui s'est
occupé pendant des années de mathématiques et n'est revenu que sur
le tard à la poésie, et Rilke, avec son mutisme passager, ont
également des points communs.

Mais ce qui le force le plus impérieusement à se mettre au
travail, ce sont les notes que Gertrud Ouckama Knoop a prises sur la
maladie et la mort de sa fille Vera, et qu'elle lui a envoyées à sa
demande. L'image de la jeune danseuse au talent si prometteur, dont
« le charme sombre, étrangement concentré [188] » était pour lui
tellement inoubliable qu'il dédie à sa mémoire les *Sonnets à Orphée,*
s'est fondue avec la figure d'Eurydice, l'épouse morte du divin
chanteur. Dans *Orphée. Eurydice. Hermès,* l'une des pièces les plus
profondes des *Nouveaux Poèmes* (1904), Rilke avait supposé connue
la légende d'Orphée, qui par le chant de sa lyre arrache son épouse
Eurydice à Perséphone et la ramène à la vie, mais la perd de nouveau
parce qu'il la regarde malgré l'interdiction qui lui a été imposée.
Rilke s'était concentré sur la morte surgissant des Enfers. Le héros
des *Sonnets* n'a pas grand-chose de commun avec l'Orphée des
Nouveaux Poèmes, un peu naïf, plein d'impatience virile, dont le
« regard courait au-devant comme un chien » tandis que son ouïe
(tendue vers la femme qui marche derrière lui) « s'attardait comme
une odeur ». Ici, et dès le premier poème, il est le poète qui
transforme le monde en chant :

> Là s'élançait un arbre. O pur surpassement !
> Oh ! mais quel arbre dans l'oreille au chant d'Orphée !
> Et tout s'est tu. Cependant jusqu'en ce mutisme
> naît un nouveau commencement, signe et métamorphose.
>
> Animaux du silence, oubliant gîte et nid,
> ils sortaient des forêts claires et délivrées ;
> et l'on comprit alors que s'ils se tenaient cois,
> ce n'était ni par peur ni non plus par malice,
>
> mais pour entendre. Hurler, bramer, rugir apparaissait
> trop petit à leur cœur. Et où il n'y avait,
> pour accueillir le chant, qu'un abri misérable,

à peine un antre au creux du plus obscur désir,
dont le seuil incertain tremble avec ses piliers :
tu leur as érigé un temple dans l'écoute *.

Le sonnet, d'une certaine manière, commence là où s'arrête le dessin à la plume de l'artiste vénitien. Car Rilke dépasse la tradition selon laquelle non seulement les bêtes, mais aussi les rochers et les arbres suivirent le chant et la lyre d'Orphée. C'est l'arbre, qui s'élève du royaume de la terre et « s'élance », qui devient chant lui-même, si bien qu'il est dans l'oreille de l'homme qui écoute : c'est le thème de la métamorphose de la chose vue en chose entendue, et qui traverse toute l'œuvre. Ainsi, le monde des bêtes est changé en silence et l'ouïe, c'est-à-dire l'oreille comme lieu et organe de l'audition, cesse d'être un « antre » pour devenir un « temple ».

Par Eurydice, Orphée est lié au royaume des morts. Semblable à l' « ange », il ne connaît pas de différence entre les vivants et les morts, qu'il « célèbre » de même manière. Rilke s'était déjà exprimé sur ce devoir de « célébrer », tâche première du poète, dans un poème écrit avant les *Sonnets* de Muzot :

Oh dis poète, que fais-tu ?
       — Je célèbre.
Mais la mort et les monstres,
Comment les supportes-tu, comment les acceptes-tu ?
       — Je célèbre.
Mais la chose sans nom, anonyme,
Comment l'appelles-tu, poète, pourtant ?
       — Je célèbre.
D'où vient ton droit d'être vrai
Dans chaque costume, sous chaque masque ?
       — Je célèbre.
Et que le silence et le tumulte
Te connaissent comme l'étoile et la tempête.
       — : parce que je célèbre.

Plus claire encore est cette acceptation d'une vie où la mort est incluse, dans un autre sonnet dont les vers courts soulignent aussi la richesse formelle du cycle de poèmes auquel il appartient. (C'est grâce à la multiplicité des mètres et des rythmes que l'on peut lire à la file les 55 *Sonnets à Orphée* sans ressentir la lassitude que provoquerait la lecture de douze ou quinze sonnets de forme identique.)

Rien que celui qui a déjà levé sa lyre
aussi parmi les ombres,

---

* Seuil, t. 2, p. 379.

est apte à rendre avec divination
la louange infinie.

Rien que celui qui a mangé avec les morts
de leur pavot à eux,
reste capable de ne perdre encore
pas le plus léger son *.

Les représentations de Rilke peuvent parfois rencontrer certains points des doctrines secrètes orphiques de l'Antiquité : c'est secondaire, et c'est pur hasard. Même s'il connaît les idées d'Alfred Schuler et de Johann Jakob Bachofen, le découvreur du matriarcat, il n'est ni ici ni ailleurs un poète érudit. Il prend plutôt ses images et ses comparaisons, ses métaphores et ses paraboles, là où elles se présentent, et peut ainsi, dans le dernier poème de la première partie, dissoudre dans le Tout le corps d'Orphée déchiré par les Ménades, exactement comme il l'avait fait avec saint François d'Assise à la fin du *Livre d'Heures*. Comme le saint, le chanteur continue à vivre dans la nature, « dans les arbres, les oiseaux ; d'où tu chantes toujours encore ». Par cette manière de se dissoudre ainsi dans le monde, l'Orphée de Rilke (ni homme ni Dieu, mais incarnation et quintessence de la poésie) est aussi loin que possible de l'ange rilkéen, entièrement ramené à lui-même — et aussi proche que possible de la figure du Christ, tellement honnie par le poète.

Si Orphée n'apparaît que dans un nombre relativement faible de poèmes, le même sort est réservé à cette autre « figure-titre », la danseuse nommée dans la dédicace, Vera Ouckama Knoop. Deux sonnets seulement lui sont consacrés, tandis que la danse en tant que telle apparaît plus souvent. D'autres poèmes traitent de sujets autobiographiques. Rilke n'apparaît certes pas lui-même dans ces poèmes, mais quelques motifs sont personnels, comme ce cheval blanc avec un piquet de bois attaché à la patte de devant (pour l'empêcher de bondir dans les champs de blé), qu'il avait vu un soir avec Lou en Russie et qui, dans le 20e sonnet de la première partie, est voué au dieu chanteur. Dans un autre poème, l'élément biographique est expressément établi par la note « In memoriam Egon Rilke » (un cousin mort prématurément).

Les jeunes filles aussi, les roses, l'enfance, le chien, la licorne et d'autres motifs rilkéens, sont « chantés » dans les *Sonnets* — ce participe devenu depuis longtemps un cliché s'impose de lui-même pour désigner ces poèmes ailés même dans leurs mètres, et dont quelques-uns sont composés en pentamètres iambiques sur le mode classique, mais la plupart en un mélange de trochées et de dactyles de

---

* Seuil, t. 2, p. 383, sonnet 9.

longueurs très différentes. L'impression de jeu qui se dégage de l'ensemble, le pas de menuet des *Sonnets,* en contraste avec la marche funèbre des *Elégies,* s'explique par la souveraineté avec laquelle Rilke manie leur forme. Dans la lettre jointe à la copie qu'il envoie à Katharina Kippenberg pour l'impression, il parle du « devoir particulier de modifier le sonnet, de le soulever, voire, d'une certaine manière, de le porter en marchant, sans le détruire [189] ».

Un domaine est exclu de la « célébration », de l'affirmation de l'ici-bas : la technique, dont Rilke enregistre les progrès comme ceux d'un ennemi. La critique qu'il adresse à la culture moderne, déterminée par la machine, n'est pas aussi spécifique dans les *Sonnets* que dans les *Elégies,* mais sur l'arrière-plan serein des *Sonnets* elle produit une impression plus forte que dans les autres cycles de poèmes. A côté de strophes comme :

> Ce que vous nommez pomme, allez jusqu'à le dire :
> cette douceur, qui d'abord se condense
> et finement se pose en vous, sur vos papilles,
>
> pour y devenir claire, en éveil, transparente,
> nous parlant du soleil, de la terre, d'ici.
> L'éprouver, le toucher, en jouir, — ô prodige * !

l'univers technique se dessine, dans le mètre et la sonorité, comme lourd de malheurs :

> Le nouveau, l'entends-tu, Seigneur,
> son vacarme et son branle ?
> Des messagers l'annoncent,
> qui portent haut le compliment.
>
> Pas une oreille, assurément, n'est sauve
> au sein de ce déchaînement.
> Mais à présent, c'est la machine
> qui veut pour elle avoir l'éloge.
>
> La mécanique, vois comme elle
> prend son tour et se venge,
> nous défigure et nous réduit.
>
> Même en prenant force de nous, qu'elle fonctionne et serve
> sans fureur ni passion ** .

Dans un autre sonnet, qui commence par ces vers :

> Oh ! lorsque seulement le vol
> n'escaladera plus, content de soi

---

* Seuil, t. 2, p. 386, sonnet 13.
** Seuil, t. 2, p. 388, sonnet 18.

et de sa propre initiative,
les silences du ciel

et qui, avec le *Vol de nuit* d'Ingeborg Bachmann, compte parmi les
très rares poèmes concernant l'aviation dans toute la littérature
allemande, le progrès technique est ressenti comme un danger, parce
qu'il rend l'homme étranger à soi-même au lieu d'accroître ses
capacités d'expérience. Au demeurant, rien n'importait moins à
Rilke dans ces poèmes que de résoudre des problèmes.

Il aborde quelques questions de politique sociale au sens large
du mot et à sa manière propre, dans la *Lettre du jeune ouvrier,* écrite
en même temps que les *Sonnets* et les *Elégies.* Là, un ouvrier d'usine,
français — et fictif (nullement typique, au demeurant, car il a fait des
études et parle du travail qu'il doit accomplir au bureau — s'adresse à
un M.V., dont il aurait entendu lire des poèmes au cours d'une
assemblée. (Rilke pense ici au poète flamand qu'il estimait beaucoup, mort en 1916, Emile Verhaeren, dont l'attitude positive envers
le siècle des machines aurait fait de lui un destinataire plausible de
cette lettre). L'ouvrier s'exprime suivant deux thèmes liés l'un à
l'autre : le christianisme et la sexualité. Au premier, tout entier
orienté vers une « Jérusalem habitable plus tard », est attribuée la
laideur de nos villes ; seul, saint François d'Assise a su unir le
commandement chrétien de mépriser le monde, et le sentiment de sa
beauté. Mais c'est avant tout dans la sexualité que l'influence du
christianisme a été néfaste, parce qu'elle nous a appris à voir dans le
sexe non une source de bonheur, mais un domaine « où nous errons
et nous heurtons et trébuchons pour enfin, tels des malfaiteurs pris
sur le fait, en sortir précipitamment dans la pénombre de la
chrétienté* ». Les enchaînements de pensée de l' « ouvrier », dont
l'amie ne porte pas par hasard le nom de Marthe, sont exprimés de
manière imagée (« Autrefois nous étions *partout* enfant, dit-il à
propos de la différence entre la sensualité de l'enfant et celle de
l'adulte, maintenant nous ne le sommes plus qu'en un endroit** »),
mais elles sont trop chargées d'affects antireligieux pour trouver leur
place dans des poèmes. Au demeurant, elles correspondent en plus
d'un point au postulat freudien de la sexualité enfantine.

IV.

Les *Elégies de Duino* ne sont pas l'affaire de tout le monde.
Notre besoin de poésie à plongées métaphysiques est dans la plupart

---

* Seuil, t. 2, p. 391, sonnet 23.
** Seuil, t. 1, p. 364.

des cas vite satisfait, surtout si ces poèmes ne sont pas « beaux » au sens courant du terme, et ne concernent aucune actualité, que les lecteurs demandent souvent à la poésie de leur expliquer. On peut très bien réagir à l'œuvre maîtresse de Rilke comme l'a fait Ricarda Huch, laquelle avoua aux Kippenberg que les *Elégies* étaient pour elle « plus incompréhensibles que du chinois » et que tout son être se hérissait à l'idée « d'avoir à y réfléchir [190] ». Et pourtant le mince volume (les *Elégies* dans leur ensemble comprennent 853 vers, la première partie du *Faust* à elle seule en compte 4 612) jouit d'une telle célébrité en Allemagne et à l'étranger, qu'il trouve sans cesse de nouveaux lecteurs et interprètes. Les uns sont fascinés par le thème, par cette tentative pour rendre un sens à l'existence humaine, en un temps où la confiance en Dieu et la croyance en l'au-delà sont défaillantes. (Rilke ne songe certes pas à donner à tout cela des réponses péremptoires, ou même valables seulement pour les poètes. Mais ses mises en question sont inhabituelles et touchent les domaines les plus variés du savoir : les arts plastiques et la psychanalyse, l'anthropologie et l'histoire littéraire, l'étude des mythes et la technique. Les autres sont captivés par l'étendue du panorama déployé devant nous. Le célèbre « espace intérieur du monde » n'est pas le seul infini, l'espace historique l'est presque autant, il va des « jours de Tobie » de l'Ancien Testament jusqu'aux temps présents, où « le bourgeois / passe par la cuisine pour rentrer chez soi [191] ». Celui qui s'intéresse à la genèse de la poésie, c'est-à-dire à l'interaction d'une incubation qui dure des années et d'une inspiration qui explose soudain, trouve là son bonheur tout aussi bien que le lecteur qui s'interroge sur les relations de l'individu et de la société ; Rilke, dans les *Elégies,* parle tantôt par la voix du poète, tantôt du point de vue de l'être humain en général.

Ce qui différencie les *Elégies* de toute autre poésie — y compris le reste de la poésie rilkéenne — est toutefois quelque chose d'autre : l'union d'une très haute élévation de pensée et de la densité du langage. Car le plateau de scène sur lequel se meuvent les anges, les amants, les saints, les héros et autres projections du « moi » rilkéen, est conçu avec beaucoup d'imagination, mais assemblé avec le plus grand soin. Rilke, par exemple, décrit ainsi, dans la *Cinquième Elégie,* un acrobate qu'il a vu dans la rue à Paris, et qui apparaît aussi dans le tableau de Picasso « La famille des saltimbanques » :

> Le plus jeune, par contre, est homme fait
> comme s'il était le fils d'un cou et d'une nonne : tendu, gonflé,
> tout entier de muscle et de simplicité *.

---

* Seuil, t. 2, p. 327.

Phrase impossible. Le verbe qui l'animerait manque, en revanche elle contient un adjectif qui n'existe pas (on chercherait en vain le mot *strammig* — traduit ici par « tendu tout entier » — dans le dictionnaire, Rilke l'a fabriqué à partir de *stramm,* qui veut dire fortement tendu, et de *stämmig,* robuste, trapu), et deux génitifs absurdes, car une « nuque » ne peut et une « nonne » ne doit pas avoir d'enfant. Malgré cela, le plateau de scène ne se borne pas à « porter » les personnages, on reconnaît aussitôt dans ce jeune homme le type de l'hercule niais et débonnaire, fier de sa force, qu'un autre poète n'aurait pu évoquer aussi nettement sans y employer le double de vers. C'est, entre autres, l'abondance de tels passages qui fait de la lecture des *Elégies* une aventure extraordinaire.

Aux deux premières, écrites en 1912 à Duino, avaient succédé la troisième, composée à la fin de l'automne 1913 à Paris, et la quatrième, en novembre 1915 à Munich. A cela s'étaient ajoutés à différentes époques des fragments d'autres élégies, parfois quelques vers, parfois des strophes entières, dont quelques-uns furent de nouveau éliminés. Quand Rilke s'installa à Muzot, la moitié environ de cet ensemble comprenant dix poèmes était écrite. Les six élégies manquantes, dont d'assez grandes ébauches existaient déjà, furent écrites en une semaine, entre le 7 et le 14 février 1922. Immédiatement après naquit la seconde partie des *Sonnets*, et le 26, enfin, la conclusion de la *Septième Elégie*.

Cette semaine, la plus productive de toute la vie de Rilke, commença par la rédaction de la *Septième Elégie* (sauf la fin), le mardi matin, 7 février. Celle-ci débute dans la joie, en plein accord avec le printemps (« et il n'est nulle place alors / qui ne porte le chant d'annonciation * ») et les nuits d'été, point culminant de l'année. Des jeunes filles mortes prématurément, qui, réveillées par le printemps, quittent leurs « frêles » tombes — leurs tombes encore inhabituelles et pour ainsi dire non foulées aux pieds —, le chemin nous emmène vers une célébration rilkéenne de la vie : « Etre ici-bas est magnifique ! » Le motif de la métamorphose, qui suit à présent, indiqué dans le « Nulle part, bien-aimée, le monde ne sera, si ce n'est intérieur », est étroitement lié au déracinement de l'homme par une technique qui fait de nous des « déshérités », « tels que / ce qui était ne leur appartient plus, et pas encore ce qui s'approche ». Malgré tout, le poème s'achève par un chant de louange à la force créatrice de l'homme. Elle est un moyen d'affirmation de soi, même envers

---

* Cette citation et les suivantes de la *Septième Elégie* sont extraites de Seuil, t. 2, p. 332 et suiv.

l'Ange, à qui ses conquêtes sont soumises pour, en une certaine mesure, qu'il les expertise :

> Colonnes et piliers, le Sphinx, et cet élan tout de ferveur,
> gris, de la cathédrale, hors de la ville qui se meurt ou lui est étrangère.
> (...)
> Mais une tour, néanmoins, était grande, n'est-ce pas ? ô Ange,
> elle était grande, même encor près de toi ? Chartres était grand
> et la musique allait plus haut, très haut, nous dépassait *.

Le jour même, il s'attaque à la *Huitième Elégie,* qui est achevée l'après-midi suivant. Comme les précédentes, elle n'est rattachée à aucun projet préalable, mais elle est, du début à la fin, créée à partir de rien ; avec la cinquième dédiée à Hertha Koenig, elle est la seule qui soit précédée d'une dédicace (pour des raisons difficiles à pénétrer, Rilke l'a offerte à Rudolf Kassner). La *Huitième Elégie* définit l'homme comme un être qui, à la différence du reste de la création, est pourvu d'une conscience et, aux yeux de Rilke, déjà presque stigmatisé. Cela lui fait ressentir ce qui lui est extérieur comme différent, comme en face à face :

> Ce qui s'appelle le destin, c'est cela : être en face,
> rien d'autre que cela et toujours être en face **.

L'homme, aussi, voit la mort, tandis que l'animal « a son déclin toujours derrière soi », ne peut le voir ni l'imaginer, Et pourtant il y a chez d'autres êtres vivants des degrés de sécurité, que la vie inconsciente amène avec soi. Cette sécurité est dévolue au maximum aux bêtes qui ne sont pas nées du corps de leur mère, mais, comme les insectes, à l'air libre, pour ainsi dire à découvert, et peuvent ainsi considérer le monde entier comme le corps protecteur d'une mère — « puisque le sein, c'est tout ». L'oiseau sorti d'un œuf fragile, un sein de remplacement, jouit au contraire d'une « demi-sûreté ». A la fois mammifère et oiseau, la chauve-souris est soumise à un « choc » et ressent de l' « émoi », Rilke définit la situation existentielle de cet animal (termes importants appliqués à une bête) en une comparaison d'une grande force éclairante :

> ... Devant lui, quel effroi,
> Comme il sillonne l'air ainsi qu'une fêlure
> se fait dans une tasse ! Ainsi fendue par le sillage
> de la chauve-souris, est la porcelaine du soir ***.

---

* Seuil, t. 2, p. 334.
** Seuil, t. 2, p. 335 et suiv.
*** Seuil, t. 2, p. 337.

Cette *Elégie,* particulièrement lyrique et la plus « élégiaque » de toutes, se termine par le thème du congé que nous devons prendre sans cesse de tout, car sur terre nous ne sommes pas vraiment chez nous.

Le lendemain, le 9 février 1922, Rilke écrit la plus grande partie de la *Neuvième Elégie,* dont le début avait jailli dix ans auparavant à Duino mais était demeuré à l'état de fragment. Pour la pensée et la syntaxe, elle est l'une des plus difficiles, parce qu'elle cherche à déchiffrer le sens de l'existence non en émettant des déclarations, mais sous une forme dialectique, articulée en questions et réponses. Ce qui donne du sens à la vie (*nota bene :* à la vie du poète), ce n'est pas le bonheur caduque, mais *das Sagen,* le « dire », l'intériorisante métamorphose en langage de tout ce qui est en danger d'être déprimé par le « faire sans image » d'un monde fonctionnel et mécanisé. « Sinon cette métamorphose, quelle est ta pressante mission ? Oh ! Terre aimée, j'ai ce vouloir. » Ce sont surtout les vieilles choses, porteuses d'histoire, dont la survie est confiée au poète, voire qui lui demandent elles-même leur métamorphose.

Le même jour, dix vers viennent compléter la *Sixième Elégie,* nommée par Rilke « l'élégie du héros », dont les débuts remontent à janvier 1912 et qui avait progressé de quelques vers en 1913 à Ronda et à Paris. Partant du symbole du figuier qui omet presque sa floraison et porte tout de suite des fruits, elle célèbre le héros qui va droit vers le but pour l'amour duquel il vit : l'exploit. Car le héros n'est pas un patient saint Sébastien (type plus proche de Rilke que le héros), mais un homme qui « se jette en avant ». La *Sixième Elégie* est la plus accessible, il est vrai aussi la plus faible, et, avec ses 44 vers, la plus courte.

A la fin de l'après-midi du 9 février, Rilke télégraphie à Nikè « Sept élégies entièrement terminées ; en tout cas les plus importantes. Joie et miracle. » Le soir, il écrit à son amie (« *Merline, je suis sauvé* ») et à Kippenberg :

> Mon cher ami, tard, et bien que je ne puisse presque plus tenir ma plume... je suis en haut de la montagne ! Les *Elégies* sont là... Je suis sorti au froid clair de lune et j'ai caressé le petit Muzot comme une grosse bête — les vieux murs qui m'ont accordé cela... Et : mon cher ami : *ceci,* que *Vous* m'avez accordé, que vous m'avez toléré : *dix* ans ! merci ! et toujours eu confiance : *Merci !* »

Le 10 février est un jour de repos et de concentration. Le 11, Rilke écrit la dixième, la préférée de ses Elégies, dont les vers d'ouverture remontent eux aussi à Duino :

Vienne le jour enfin, sortant de la voyance encolérée,
où je chante la gloire et la jubilation aux Anges qui l'agréent.
Que des marteaux du cœur au battement très clair
aucun ne vienne à faux tomber sur une corde molle, ou encore douteuse
ou prête à se briser *.

Malgré l'espérance de voir finir la « voyance encolérée » (dans le destin de l'homme ? dans la mort ?) les douleurs sont l'élément permanent de la vie, et même notre véritable patrie, elles sont « le lieu, la place, le campement, le sol et la demeure ** ». Plus encore : les douleurs, qui ne sont supportées qu'avec la perspective de les voir finir, sont inutiles : « Nous, tellement prodigues / des douleurs, comme nos yeux vont loin, dans la triste durée, quêtant / leur fin possible **. »

Au lieu de nous abandonner à elles et de les supporter, nous nous dissimulons la vue de la douleur et de la mort grâce au décor d'une « ville de douleur », d'où la consolation qui nous vient n'est qu'illusoire. Il y a dans cette ville une église (protestante ou même américaine ? En tout cas elle est « de confection, nette et close et dépitée / comme un bureau de poste, le dimanche ** ») et une foire avec des boutiques et des bonimenteurs. Le tout est clôturé par une palissade « où s'étale l'affiche " Nulle-Mort " / de cette bière amère et qui paraît délectable aux buveurs, si jamais / ils ne cessent de mastiquer toujours quelque autre distraction ** ». La marque de la bière symbolise la fausseté de la ville, qui écarte la mort de sa vie ; thèse centrale, qu'un connaisseur de Rilke résuma un jour en cette formule :

> Le bonheur n'est pas seulement de pouvoir vivre, c'est aussi d'avoir le droit de mourir [192].

Au-delà de la palissade commence la nature, peuplée d'amants, d'enfants et de chiens, et la vraie vie, qui s'avance vers la mort. Telle est la vie du jeune homme qui suit dans les prés une jeune fille qui lui fait signe, en haussant pourtant les épaules : « A quoi bon ? » Scène qui serait inimaginable chez des poètes élégiaques comme Klopstock ou Hölderlin, mais qui dans ce banal faubourg — placé au premier plan — est très plausible. La fille n'est pas faite de chair et de sang, c'est une allégorie, une « jeune plainte » qui le remet bientôt à une autre, plus âgée : « Jadis nous fûmes, lui dit-elle, / une race

---

* Seuil, t. 2, p. 340.
** Seuil, t. 2, p. 340.

puissante, nous, les Doléances*. » Elle mène le jeune homme voué à
la mort, à présent, à travers un monde imaginaire, de même que
Dante conduit par Virgile, ou Faust dans la nuit de Walpurgis
classique. C'est ici un paysage de deuil, nocturne et éclairé par la
lune, dans lequel les émotions sont devenues des phénomènes
géologiques et biologiques, des « fragments taillés de la douleur
originelle » et « une scorie de la colère », des « arbres de larmes »,
des « champs tout fleuris de la mélancolie » et des « animaux de
deuil* ». Le paysage prend bientôt des traits égyptiens, jusqu'à ce
que nous nous arrêtions à une frontière le long de laquelle le jeune
homme doit marcher sans être accompagné :

> Mais le mort doit aller, pourtant ; et se taisant, la Doléance
> plus vieille l'amène jusqu'au plus haut du val
> où resplendit, au clair de lune,
> la Source de la Joie. Avec vénération, la nommant
> elle dit : « Chez les humains
> c'est un fleuve puissant. »
> Ils sont debout au pied de la montagne.
> Et là, l'embrassant, elle pleure.
> Lui, solitairement, s'enfonce dans les monts de la Douleur
> originelle, et son pas, dans le mutisme du destin, pas une fois ne
> retentit**.

L'élégie, et avec elle l'œuvre tout entière, se termine par l'image
d'une chute, qui ne désigne pas une fin mais un renouvellement, à
l'aide de deux exemples empruntés à la nature :

> Mais s'ils devaient en nous, les morts infiniment, susciter un symbole,
> regarde : ils nous désigneraient peut-être les chatons
> suspendus au noisetier vide, ou ils évoqueraient
> la pluie qui vient tomber sur le royaume sombre de la terre, au
> printemps.

> Et nous, avec le bonheur
> qui dans notre pensée est une *ascension*,
> nous aurions l'émotion, voisine de l'effroi, qui nous saisit
> lorsque *tombe* une chose heureuse***.

Avec l'achèvement de ce poème, conçu déjà à Duino comme la
pièce finale, Rilke sait qu'il a réussi le grand œuvre. Encore essoufflé
par la tension de ce travail, il annonce à Marie Taxis l'achèvement de
l'œuvre, qui restera lié au nom de sa protectrice grâce à la dédicace :
« Propriété de la princesse de Tour et Taxis. » Malgré son ton

---

* Seuil. t. 2, p. 340 et suiv.
** Seuil. t. 2, p. 343.
*** *Ibid.*

extatique, la lettre n'est pas dépourvue de pose, comme si le poète s'était dévoilé dans l'œuvre présentée et devait à présent, très vite, se glisser de nouveau dans son déguisement conventionnel de poète de cour. La seule disposition typographique de la lettre fait penser qu'en l'écrivant, Rilke [193] avait un œil fixé sur la postérité :

Enfin,
    Princesse,
        enfin, voici le jour béni, — ô combien béni, dès lors que je puis vous annoncer la conclusion, pour autant que je prévoie, — des

Élégies

au nombre de :

DIX !

De la dernière, la grande : dont fut commencé, jadis à Duino, le début : « *Dass ich dereinst, am Ausgang der grimmigen Einsicht/Jubel und Ruhm aufsinge zustimmenden Engeln...* * » de cette dernière, dont en effet, autrefois déjà, il était entendu qu'elle serait l'ultime — de celle-là — dis-je — la main me tremble encore ! A l'instant, ce samedi 11, vers les six heures du soir, elle vient d'être achevée !
Le tout en quelques jours ; ce fut une tempête qui n'a pas de nom, un ouragan dans l'esprit — comme AUTREFOIS à DUINO ; tout ce qui est « fibre et tissu » en moi, a craqué, — quant à manger durant ce temps, il ne fallait pas y songer, Dieu sait, qui m'a nourri.
Mais dès lors cela est. Est. Est.

Amen.

C'est donc pour cela seul que j'ai subsisté, envers et contre tout ! Et c'était bien cela, qui faisait défaut. Rien que cela.
Une seule a été dédiée à *Kassner*. L'ensemble est *vôtre*, Princesse, comment ne le serait-il pas ! qui s'intitulera :

Les Élégies duinésiennes.

Dans le livre il n'y aura (car je ne saurais vous donner ce qui depuis le début vous appartenait) nulle dédicace, à mon avis, mais ceci :

De la propriété de...

Et maintenant merci de votre lettre et de tous ses détails ; j'étais très impatient de les avoir.
De moi, n'est-ce pas, rien que ceci, aujourd'hui... car, tout de même, c'est enfin « quelque chose » !
« Vivez heureuse » très chère Princesse.
Votre

D. S. **

---

* « Qu'un jour, trouvé l'issue de la terrible vision, / Je chante gloire et joie aux anges approbateurs. »
** Seuil, t. 3, p. 500.

Le soir même, il annonce la conclusion de son travail à Lou Andreas-Salomé, le lendemain à Nikè et Mary Dobrčensky, en la remerciant de lui avoir, par son invitation à Nyon, aplani le chemin de la Suisse. Sa femme et sa fille n'apprendront la nouvelle que plus tard, en mai, dans une lettre à l'occasion du mariage de Ruth.

A vrai dire, l'œuvre n'est pas encore tout à fait achevée, car dans le « rayonnement d'après la tempête » suit, le 14 février, une autre élégie, entièrement nouvelle, la cinquième, conçue à l'origine comme un poème dialogué intitulé *Gegen-Strophen (Anti-strophes)*. C'est l'élégie dite « des saltimbanques », d'après le tableau de Picasso qui était accroché dans la demeure munichoise de Hertha Koenig. Selon l'interprétation de Rilke, qui se réfère aux figures du tableau et à un groupe d'acrobates vus à Paris en 1907, et qu'il avait décrits en un essai ensorcelant, c'est avant tout le caractère errant et apatride des artistes qui est souligné. Ce sont des « voyageurs » qui ont encore moins de foyer que nous, qui en vertu de notre humanité même, ne sommes que « fugaces » en ce monde. Ils n'exécutent pas leurs culbutes comme les enfants ou les sportifs, par turbulence ou joie, mais ils font une « exhibition », comme on dirait aujourd'hui, pour gagner de l'argent. Et ils le font avec le « déplaisir » « qui a l'air de doucement sourire », des acrobates professionnels, qui doivent aussi peu laisser paraître leur ennui que leur douleur ou leur épuisement. Deux personnages surtout ont fasciné Rilke : le grand-père et son petit-fils, dont la « carrière » commence à peine. Dans l'essai (paru dans les œuvres posthumes) intitulé *Saltimbanques,* Rilke disait du vieillard : « Il est assis sur un tambour. Plein d'une émouvante patience, il se tient là, avec son visage d'athlète, devenu trop grand, où les traits pendent dans tous les sens, comme si l'on avait ôté de chacun d'eux le poids qui le tendait. » Dans l'élégie, ceci devient :

> Et là, ridé, flétri, c'est le chef de famille,
> le vieux, qui maintenant ne fait plus rien que battre le tambour ;
> il est tout engoncé dans sa peau formidable, comme si
> autrefois, elle avait contenu deux hommes
> dont l'un serait déjà gisant au cimetière, tandis que l'autre
> ici, lui survivrait, sourd et parfois un peu
> perdu dans sa peau veuve *.

Le peu d'humanité que les acrobates peuvent se permettre est contenue dans le sourire timide avec lequel le plus jeune, encore débutant, regarde vers sa mère qui appartient également au groupe. Si dans l'essai il avait pleuré parce qu'il s'était fait mal en retombant

---

* Seuil, t. 2, p. 327.

après le saut périlleux (« Il a un grand visage qui peut contenir beaucoup de larmes, mais elles montent parfois jusqu'au bord dans les yeux élargis. Alors il doit porter sa tête avec une grande prudence, comme une tasse trop pleine »), c'est à présent son sourire qui nous touche. Expression spontanée d'une forme artistique menacée de routine par sa constante répétition, ce sourire est si précieux qu'il devrait être conservé, comme une essence coûteuse, dans une « urne belle », avec « une inscription toute fleurie et tout élan », comme une herbe médicinale.

Le fait que la scène se passe à Paris n'est pas expressément mentionné, mais il est souligné par le nom d'une modiste, *Madame Lamort,* qui dans sa boutique

> compose et noue et entrelace
> les chemins sans repos de la terre, rubans sans fin dont elle fait
> de nouveaux nœuds, des ruchés et des fleurs,
> et des cocardes et des fruits
> artificiels — aux factices couleurs —
> pour les chapeaux d'hiver,
> à bon marché, du Destin *.

Elle symbolise cette mort trompeuse (part de son expérience parisienne) que Rilke a déjà décrite, dans le *Livre d'Heures* et *Malte Laurids Brigge,* et qui complète ici le vide intérieur des acrobates. Dans une dernière image, antithétiquement liée à l'apparition de l'artiste et de la modiste, voici, brièvement, les amants, qui vivent de vrais moments d'accomplissement (« les très audacieuses figures de l'Elan du Cœur,/les donjons de leur Volupté »), en opposition aux figures artificielles des acrobates. Ils n'atteignent pas ces moments ici-bas, c'est vrai, mais au royaume des anges et devant « les innombrables morts silencieux ».

Une fois cette élégie jointe à l'ensemble, il ne reste plus que les vers qui doivent conclure la sixième. Ils sont écrits le 26 février et l'œuvre atteint alors sa forme définitive.

V.

Les lettres dans lesquelles Rilke annonce l'achèvement des *Elégies* et le « don des *Sonnets* » provoquent, selon le destinataire, différentes réactions. Merline, qui comprend depuis toujours l'homme en Rilke mieux que le poète, laisse passer une semaine après avoir reçu l'annonce de la victoire. « Il est difficile de vous

---

* Seuil, t. 2, p. 329.

répondre, écrit-elle, embarrassée, j'aurais dû le faire plus tôt », et elle tombe alors dans un style d'exercice grammatical : « *Je suis contente, très contente que vous soyez content de ce que vous avez écrit* [194]. » Lou, pour qui il a copié trois élégies, répond au contraire par retour du courrier qu'elle est particulièrement heureuse de la huitième, « L'Elégie de la créature », qui lui est allée droit au cœur (elle se rappelle effectivement ses *Trois lettres à un jeune garçon* publiées en 1917). Marie Taxis est enthousiasmée ; quand elle se rend en visite à Sierre en juin, elle se fait lire un jour les *Elégies* et le lendemain les *Sonnets*. Nikè le félicite et se réjouit d'avoir, outre les manuscrits qu'elle conserve dans un petit dépôt réservé à Rilke à la « Untere Mühle », quelques copies de ces poèmes. Les Kippenberg viennent en juillet à Sierre, où Rilke leur lit les *Elégies,* et à Frau Katharina seule, les *Sonnets*.

Quand, vers la fin de 1923, paraissent les premières critiques, Rilke est déjà occupé à autre chose. Cette « faille entre son identité nationale et son identité linguistique [195] » qui le caractérise se creuse encore pendant ses dernières années, durant lesquelles il ne se borne pas à achever sa principale œuvre allemande, mais il traduit beaucoup de textes français, parmi lesquels deux longs dialogues et *Charmes* de Valéry. Il devient en même temps un excellent connaisseur de la littérature française et compose lui-même des poèmes en cette langue. Il avait déjà abordé ces productions annexes avec la *Chanson orpheline* dans le *Journal de Schmargendorf,* puis, à l'exception de quelques vers, n'avait plus touché ce filon pendant presque un quart de siècle, jusqu'à ce qu'il le reprenne à partir de 1922. Un assez grand recueil de poèmes français de Rilke paraît en 1926 à Paris, sous le titre français de *Vergers,* avec un portrait au crayon du poète par Baladine Klossowska, alias Merline. En annexe figurent les *Quatrains Valaisans,* qui chantent pour la plupart le paysage du Valais et sont dédiés à une amie de là-bas, Jeanne de Sépibus-de Preux, mariée à un médecin de Sierre. Il a encore réalisé deux plus petits ensembles, des poèmes sur les roses réunis sous le titre *Les Roses,* et *Fenêtres,* avec des eaux-fortes de Merline. D'autres fragments en français, pour la plupart des dédicaces et des vers de circonstance, sont conservés en manuscrit. Ce sont sans exception de petites constructions lyriques, légères, voire de ton joueur, et beaucoup plus proches des *Sonnets* que des grandioses, mais sévères *Elégies*.

> Après une journée de vent,
> dans une paix infinie,
> le soir se réconcilie
> comme un docile amant.

Tout devient calme, clarté...
Mais à l'horizon s'étage
éclairé et doré,
un beau bas-relief de nuages *.

Plus durable que de tels poèmes sera l'activité de Rilke comme interprète de la littérature française. Cette activité est si intense que Merline pourra dire qu'il a « donné Valéry aux Allemands », et qu'il estime lui-même ses traductions de Valéry plus haut que sa propre production d'après 1922. Avec un autre poète, les dons divinateurs de Rilke, la finesse avec laquelle il entend venir le futur, allaient se montrer encore plus fructueux. En 1925, Rilke propose à l'Insel-Verlag de faire traduire l'*Anabase* du poète encore peu connu Saint-John Perse, par un jeune écrivain qui sait bien le français, mais dont le nom n'est pas encore parvenu à un vaste public. Trente-cinq ans plus tard, Saint-John Perse recevait le prix Nobel de littérature, tandis que son traducteur, Walter Benjamin, qui se donnait la mort en 1940, compte aujourd'hui parmi les principaux critiques de notre siècle.

Outre Valéry, qui est en 1924 l'hôte de Rilke à Sierre, André Gide, Paul Claudel, Anna de Noailles, André Maurois, Roger Martin du Gard, Edmond Jaloux, Henry de Montherlant, Jean Cocteau, Jacques de Lacretelle et d'autres encore, comptent parmi les écrivains que Rilke introduit sur le territoire linguistique allemand, tantôt en les recommandant aux Kippenberg ou à d'autres éditeurs, tantôt en les traduisant lui-même, ou encore en parlant d'eux dans sa correspondance. Comme il ne saurait écrire une lettre un peu longue sans aborder les livres qu'il vient de commander ou de lire, et que ses correspondantes comme Marie Taxis ou Helene von Nostitz disposent de leur côté d'un cercle étendu d'amis, les recommandations de Rilke demeurent rarement réservées à leur destinataire.

Son plus grand succès, dans ses fonctions de découvreur, il l'obtient avec un écrivain qui lui est essentiellement parent, mais qu'il ne connaît pas personnellement : Marcel Proust (dont Thomas Mann entend parler seulement pendant l'été 1920, quand Annette Kolb lui parle d'un « romancier français » qui se nomme « Proust ou quelque chose comme cela [196] »). Rilke avait déjà signalé à Marie Taxis en 1913 *Du côté de chez Swann,* il avait lu en 1921, tout de suite après la publication, *Sodome et Gomorrhe,* le dernier roman paru du vivant de l'auteur. Il est donc parfaitement logique que Gide, après la mort de Proust, propose de demander à Rilke un article pour le

---

* Ces vers sont évidemment en français.

numéro commémoratif de la *Nouvelle Revue Française*. Le projet échoue à cause d'une objection du Dr Robert Proust, qui ne veut pas qu'un écrivain allemand participe à un cahier publié en souvenir de son frère.

Cet affront n'est pas le seul que vaut à Rilke sa situation anormale de poète francophile, germanophone, vivant en Suisse avec un passeport tchèque. A cause de sa loyauté envers la Tchécoslovaquie (où il n'est au demeurant jamais allé), il est aussi regardé de travers par quelques Allemands, tandis qu'il se rend impopulaire auprès de quelques autres par son amour nullement amoindri pour la France. Lorsque, en 1925, il se rend de nouveau à Paris et célèbre sa joie de s'y retrouver, le *Türmer,* édité par le précurseur du *Heimatkunst,* l'art régional, à Stuttgart (« revue mensuelle pour le cœur et l'esprit »), proteste :

> Pour nous, Allemands en pleine lutte, dont toutes les pensées sont tournées vers la reconstruction, il n'est pas facile, en vérité, de lire de telles choses. Nous souffrons lourdement par la France : et le « plus grand poète de l'Allemagne d'aujourd'hui » flâne dans Paris... Il faudra se souvenir de telles inadvertances [197].

Rilke, de son côté, n'accorde plus aucune chance à l'Allemagne politique après l'assassinat de Walther Rathenau en juin 1922, sans pour cela trouver bonne en tous points la politique suivie par les Alliés ; il voit une grave faute, par exemple, dans l'occupation de la Ruhr.

Si de telles contestations le touchent, il en est dédommagé par la propagation de sa renommée dans des cercles de plus en plus étendus. Cette popularité s'exprime par le chiffre croissant de ses tirages (l'année des *Elégies,* en 1922, le *Cornette,* atteint 250 000 exemplaires, le *Livre d'Heures* de 40 000 à 49 000, la *Vie de Marie* de 51 000 à 60 000), par le flot de lettres de lecteurs et de questions posées par des germanistes comme Alfred Schaer et Hermann Pongs, qui essaient d'obtenir des renseignements sur son « évolution poétique ». Kippenberg mentionne pour la première fois en 1921 une édition des œuvres complètes, les poèmes de Rilke paraissent dans des anthologies, des lettres de jeunesse sont déjà traitées comme des classiques, on « élabore » une première bibliographie de Rilke — en un mot : il devient un classique. Cela devient particulièrement évident à l'occasion de son cinquantième anniversaire, qui, constate Marie Taxis, « est fêté dans tous les journaux ». Rilke prend connaissance de tout cela avec une douce ironie et se moque de ces « Eckermännchen », ces « petits Eckermann », qui s'affairent autour de lui. Le 4 décembre 1925, il le passe, seul et gravement malade, à Muzot, où le courrier arrivé ce jour-là remplit la corbeille qu'il s'était procurée pour la cueillette des pommes.

Autre rançon de la gloire, les contacts avec les jeunes gens qui lui envoient leurs poèmes, comme le futur historien d'art Xaver von Moos, ou, munis de recommandation, qui lui rendent visite avec curiosité, comme Jean Rudolf von Salis. Celui-ci, alors étudiant, âgé de vingt-deux ans, vient à Muzot et il sera l'un des derniers à avoir fait la connaissance de Rilke en un temps où celui-ci était encore en pleine possession de ses forces :

> L'aspect juvénile de cette figure et l'aisance mondaine du poète solitaire me surprirent (en une époque où Stefan George, chaussé de cothurnes, était célébré par ses disciples comme l'image idéale du poète-voyant). Sur ce corps à la délicate membrure, plutôt petit, la tête semblait grande, presque lourde, et la structure du visage était extrêmement frappante, par la séparation entre la moitié supérieure et la moitié inférieure du visage. Toute la spiritualité semblait rassemblée dans la magnifique coupole du front clair, et les yeux bleu-mauve grands ouverts, tandis que le nez se terminait par de larges narines et que la bouche était démesurément grande ; une moustache clairsemée et pendante adoucissait l'impression produite par la bouche charnue... Après le dîner, très simple, nous nous étions rendus dans le bureau du premier étage, où, assis sur le sofa, j'observai le maître de céans allumer la lampe à pétrole et la laisser sur la table au fond de la pièce, tandis que deux bougies étendaient leur lumière sur les feuilles étalées sur le pupitre. Il lut d'abord le texte original, puis sa traduction de quelques poèmes de Paul Valéry... Le plus persistant souvenir que m'ait laissé Rilke lisant avec de fortes intonations et une voix de baryton très pure et très bien timbrée, c'est l'impression d'une absolue souveraineté artistique. Ce n'était pas seulement un poète qui lisait, c'était aussi un homme [198].

Le jeune Salis n'est que l'un des nombreux visiteurs qui, surtout dans les mois d'été, viennent à Sierre et vont rendre hommage au poète, après s'être annoncés par lettre ou par télégramme (Muzot n'a pas de ligne téléphonique). Aux dames, il offre quelques roses de ses propres plates-bandes ; il a considérablement agrandi celles-ci, rien que pour ne pas laisser vides les vases qui se trouvent dans toutes les pièces. Il produit aussi son propre vin, qui à vrai dire lui revient trois fois plus cher qu'en magasin. Bien qu'il ne fume pas et boive peu, il a, pour les messieurs, une réserve de cigares et de liqueurs. Le sommet d'une visite chez Rilke, c'est une conférence privée comme celle que décrit Salis.

Viennent d'abord les vieux amis, et avant tout Merline, qui passe plusieurs étés à Muzot, accompagnée par Baltusz pendant les grandes vacances (son frère Pierre est déjà à Paris). Nikè vient de temps en temps de Meilen passer quelques jours, la plupart du temps en auto, ce qui permet alors de courtes excursions dans le sud ou le nord du pays ; en juin 1924 par exemple, ils se rendent, par Lausanne, Neuchâtel et Berne, à Bad Ragaz, où Rilke doit rencontrer Marie Taxis pour une cure en commun. La même année, Clara vient pour une courte visite, avec son frère Helmuth Westhoff ; c'est la dernière fois que les époux sont réunis — entre-temps, ils sont devenus des grands-parents, grâce à la naissance de la fille de Ruth, Christine Sieber-Rilke. Ellen Delp et Regine Ullmann viennent de Munich, Lulu Albert-Lasard de Paris, Renée Sintenis de Berlin, Kassner de Vienne. D'autres amis, des années de guerre et d'avant-guerre, comme Helene von Nostitz, Sidie Nádherný et surtout Lou, Rilke ne les a jamais plus revues après son installation en Suisse. Avec sa mère, qui habite une chambre louée dans sa maison natale dans la Herrengasse de Prague, il n'échange plus depuis longtemps que des lettres pour Noël ou les anniversaires. Parmi les amis et relations de plus fraîche date se trouvent naturellement de nombreux Suisses. Les von der Mühll furent les premiers visiteurs de Muzot après l'achèvement des *Elégies*. Ils sont suivis par le zoologue Jean Strohl, de Zurich, qui fournit Rilke en livres et est toujours prêt à lui rendre service, même s'il ne s'agit que de se rendre au consulat français pour obtenir un visa pour Pierre Klossowski. Pour faire honneur au propriétaire de Muzot, son « suzerain », comme le nomme Rilke par plaisanterie, on se procure un drapeau suisse qui est hissé lors des visites de Werner Reinhart. L'industriel mélomane amène des visiteurs comme la violoniste australienne Alma Moodie et le jeune compositeur autrichien Ernst Krenek, pour lequel Rilke écrit en 1925 à Paris la petite trilogie *O Lacrimosa*. L'hôte le plus éminent de Muzot est Antoine Contat, vice-chancelier de la Fédération, qui emmène Rilke dans ses domaines, pour la vendange.

Contat lui demande aussi s'il ne voudrait pas donner une soirée de lecture à Berne. D'autres demandes de ce genre viennent à Rilke d'Allemagne et de Scandinavie, sans compter les invitations personnelles à des voyages ou vacances en commun. Pendant l'été 1923, il doit accompagner à Brioni Marianne Weininger, dont il avait fréquenté la demeure viennoise pendant la guerre ; en été 1924, il rend visite à Aurelia Gallarati-Scotti et à son mari à Viareggio. (Rilke, qui estime le mari en tant que dramaturge mais ne sait pas qu'il est duc, joint à ses lettres à la « chère comtesse » des salutations à « *Monsieur* de Gallarati-Scotti » — amusant faux pas si l'on considère sa prédilection pour la noblesse.) Mais à présent il devient difficile de faire sortir le poète de ses murs ; il est devenu ermite et se sent « infiniment immobile, prisonnier de moi-même dans ma vieille tour [199] ». C'est aussi pour cette raison qu'il reçoit les visiteurs à bras ouverts, alors que durant la fructueuse clôture des années parisiennes, l'hiver passé à Duino et à Berg et les premiers mois à Muzot, il se dérobait autant que possible. A présent que son travail est accompli et comme il n'aime plus voyager, les visiteurs ne sont plus pour lui une interruption, mais représentent souvent toute la saveur d'une journée où la vie sinon va son chemin. « A la suite de couchers tardifs », Rilke se lève « *très* (horreur, délit !) tard » et se met alors au « travail des lettres ; L... l'après-midi un peu de traduction, le soir lectures : il est d'habitude une heure[200] !!! » Si l'on ajoute à ce tableau les repas végétariens que le maître de maison, solitaire, qui le soir à Muzot revêt son smoking, se fait servir à une table soigneusement dressée par le « petit esprit » muet, on comprendra que l'on se trouve devant une existence pétrifiée qui n'est plus qu'une façade. Cette pétrification explique aussi que l'homme qui, avant la guerre, suivant une inspiration subite, était allé à travers toute l'Europe de Venise à Tolède, s'effraye à présent d'une promenade de Muzot à Lausanne. Car derrière cette façade se dissimule l'épuisement de la force créatrice poétique, et la maladie, qui l'a déjà forcé, durant l'été de 1923, à passer un mois dans un sanatorium.

Il va de soi que, malgré les traductions de Valéry et ses propres vers français, Rilke demeure un poète de langue allemande. Il compose des poèmes de circonstances, anniversaires, dédicaces et autres, pour des amis comme Kippenberg, Carossa et Reinhart. Avec la poétesse viennoise Erika Mitterer, âgée de dix-huit ans, qui lui envoie quelques vers en mai 1924 et vient le voir à Muzot à la fin de 1925, il entretient une correspondance qui ne s'arrêtera que peu avant sa mort et sera plus tard publiée sous le titre *Briefwechsel in Gedichten, Correspondance en poèmes*. Dans *Tränenkrüglein (Petite urne de larmes)*, dans *Zueignung an M... (Dédié à M...)*, qu'il écrit dans l'exemplaire des *Elégies* de Merline/Mouky, dans *Eros* et quelques autres poèmes de cette époque, il atteint encore le niveau de ses meilleurs travaux. Dans l'élégie à la poétesse russe Marina Tsvetaieva, dont Boris Pasternak lui avait recommandé les œuvres, il retrouve même six mois avant sa fin, l'accent approbateur des *Sonnets* :

> Nous l'entonnons en joie, déjà il nous a dépassés,
> et soudain, notre poids rabat en plainte le chant.
> Mais la plainte ? N'est-elle pas joie cadette, inversée ?
> Les dieux d'en bas aussi veulent être loués :
> si naïfs qu'ils attendent, comme l'écolier, l'éloge !
> De la louange, aussi, laisse-nous être prodigues * !

Dans deux ou trois poèmes très tardifs, il s'élève au-dessus de tout ce qui a existé jusqu'à présent et atteint, sous la contrainte de

---

* Seuil, t. 2, p. 460.

l'objectivité, une concision sous la pression de laquelle la syntaxe se brise. Un poème comme *Idol (Idole)* (où le sexe incertain de la créature, le verbe *verlistet*, « vêtu de ruse », qui suggère une énigme, et la figure semblable à un chat ou un lion font penser au — à la ? — Sphinx), Rilke indique déjà un avenir encore lointain, annonce la poésie d'Ingeborg Bachmann ou de Paul Celan :

> Dieu et déesse au sommeil de chat,
> déesse savourante, qui dans sa bouche
> sombre écrase, mûres, les baies des yeux,
> le doux jus de raisin de la contemplation,
> lumière éternelle dans la crypte du palais.
> Non une berceuse, — Gong ! Gong !
> Ce qui charme les autres dieux
> libère ce dieu vêtu de ruse
> à sa puissance en lui tombante.

Contrairement aux précédents, les derniers poèmes de Rilke sont des projections isolées, qui ne se réunissent pas pour former un tout comme autrefois le *Livre d'heures* et le *Livre d'images,* les *Nouveaux Poèmes* et même les *Elégies de Duino* et les *Sonnets à Orphée.* Il leur manque la prédisposition au cyclique, la destination formelle à une unité supérieure ; ils ne sont pas très nombreux, non plus, et sont pour la plupart très courts. En outre, Rilke s'était chaque fois distancé de ses œuvres précédentes quand avait sonné l'inévitable heure de l'épuisement impliquée dans sa manière de travailler ; cette prise de distance intérieure atteignit sa plus grande netteté après le *Cornette,* et l'épuisement fut à son comble après *Malte Laurids Brigge.* Il ne s'est jamais considéré comme délivré des *Elégies,* au contraire, aussi ne s'est-il jamais remis de la fatigue qui suivit leur rédaction.

Si Rilke avait observé sa maladie d'un œil scientifique et non d'un point de vue seulement métaphysique, et en avait laissé une description exacte, on aurait pu fournir là aussi des documents cliniques. Il est de fait que les indices de graves anomalies corporelles, provisoirement encore imprécises, s'accroissent rapidement depuis février 1922. En juillet déjà, il mentionne sa « grande fatigue » et ajoute que « lorsqu'il va se coucher de bonne heure... », il dort « dix ou onze heures ». En décembre, il n'a pu dix jours de suite manger que de la bouillie d'avoine, et se plaint en janvier 1923 d'une « sensibilité maladive » du sympathique, c'est-à-dire du plexus solaire, sous le sternum. En mai, il constate des « gonflements chroniques et souvent très gênants des muscles de l'estomac et du ventre », qui, « malgré le Charbon Fraudin sagement avalé » (des granulés de charbon de peuplier contre les troubles digestifs), ne veulent pas passer. Il pèse 49 kilos quand il se rend en août au sanatorium de Schöneck au bord du Vierwaldstätter See, pour soigner à l'aide de massages, compresses, douches et galvanisation, « toutes sortes de malaises intestinaux convulsifs ». Le mal est toutefois « obstiné et enraciné », si bien que, pour des raisons financières également, il doit bientôt revenir à Muzot dans le même état [201]. Là, peu après Noël 1923, il souffre d'un collapsus et doit télégraphier à Werner Reinhart pour lui demander l'adresse d'un médecin. L'ami l'envoie au docteur Haemmerli-Schindler au sanatorium de Val-Mont-sur-Territet, au-dessus du lac de Genève. Des radiographies et d'autres examens ne révèlent aucune lésion grave, mais à Val-Mont non plus aucune amélioration ne se déclare :

> « Personne pour le moment ne s'y reconnaît, annonce-t-il à Nikè en janvier 1924, exactement comme à Schöneck, ma nature leur joue une scène curieuse —, mais voilà, je suis fatigué d'être le théâtre de ce genre de mystères. »

La lucidité de Rilke envers les processus, alors inconnus et inaccessibles aux médecins en ce temps-là, qui se déroulent dans son corps, est remarquable, et même, rétrospectivement, inquiétante. La crise de la fin de l'année 1923 — dans laquelle nous pouvons reconnaître avec une grande vraisemblance les modifications des tissus cellulaires dues à une leucémie débutante et encore submicroscopique —, il la désigne comme « un changement soudain ou soudainement décisif dans les relations des " sécrétions intérieures ", (qui)... provoquerait des empêchements ou des changements chroniques et incurables dans l'organisme ». Quand il ajoute qu'il a ressenti le choc « *jusque dans la moelle de mes os* », il désigne ainsi le lieu clinique d'où viennent ces menaçantes modifications. L'exceptionnelle sensibilité de Rilke ne s'exprime donc pas seulement d'une manière subjective, dans sa poésie, mais aussi dans l'appréhension d'un état de fait objectif, impossible à saisir avec l'appareil sensitif d'un individu normal ou avec l'aide du diagnostic médical. De même qu'il y a des hommes qui prétendent se rappeler leur naissance, Rilke possède un sixième sens qui le rend capable de remonter le cours d'une maladie aussi furtive que la leucémie, pratiquement jusqu'à sa genèse. Mais comme il ne s'intéresse pas à la médecine et ne l'estime guère, il songe tout d'abord sérieusement que sa santé a pu être endommagée par deux décès et une naissance, qui seraient arrivés dans « le domaine de mon sang » : l'année 1922 avait vu la mort d'Oswald von Kutschera-Woborsky, son cousin au second degré, et 1923 la mort de sa cousine Paula Rilke von Rüliken et la naissance de sa petite-fille [202].

En été 1924, après une cure à Ragaz, suivie d'un séjour à Meilen, Lausanne et Berne, une certaine amélioration se fait sentir, mais vers la fin de l'année il doit se rendre pour la seconde fois à Val-Mont, malgré le prix élevé de 45 francs par jour, qu'il lui est difficile de se procurer. Il est vrai que Reinhart ne lui demande pas de loyer pour Muzot et envoie de petites sommes pour les réparations toujours nécessaires dans un si ancien bâtiment. Mais Rilke doit payer les gages de Frieda — elle reçoit pour se loger et s'entretenir 90 francs par mois, sa remplaçante en aura 100 — et pourvoir à sa nourriture, au combustible pour les poêles en faïence et autres frais du ménage. Même si Kippenberg s'occupe de ses finances en envoyant des subventions à Clara, à l'occasion de petites sommes à Phia, et fixe lui-même la somme consacrée au trousseau de Ruth en ne demandant à Rilke qu'une confirmation, ces sommes sont malgré tout retenues sur ses droits d'auteur. En 1924, les soucis d'argent sont de nouveau pressants, parce que Rilke veut réserver son argent en vue d'un but particulier : un séjour à Paris, où il espère trouver la guérison, mais qui doit toujours être remis à plus tard. C'est seulement au début de 1925 qu'il y parvient : sans revenir à Muzot, il part, avec l'énergie du désespoir, directement de Val-Mont pour Paris, où il descend à l'hôtel Foyot, rue de Tournon, tout près du jardin du Luxembourg.

VI

A peine arrivé à Paris, Rilke veut s'acheter, dans une boutique de coiffeur près de la Madeleine, une bouteille de lotion capillaire Houbigan, mais au moment de payer il constate qu'il a laissé son portefeuille à l'hôtel. « Tout le monde peut dire ça, monsieur ! » s'écrie le vendeur, sur quoi un monsieur distingué s'offre à payer la bouteille à la place de Rilke. C'est Carl Jacob Burckhardt, qui vient juste de se faire faire un shampooing et a assisté dans son miroir au petit incident. Il n'oubliera jamais le « sonore rire d'enfant » avec lequel le poète le remercie, parce que Rilke « ne fermait ni ne clignait les yeux en riant comme la plupart des gens, mais les ouvrait tout grands et vous regardait en face [203] ».

Comme Rilke doit voir beaucoup de gens à Paris, il ne va pas à pied comme autrefois, mais prend souvent un taxi, ce qui le met de nouveau dans une situation inattendue, vers la fin de son séjour. Sur une recommandation d'Helene von Nostitz, un jeune écrivain, Walther Georg Hartmann, lui rend visite en son hôtel :

Après une conversation calme et que rien ne dérangea, nous dûmes avouer tous les deux que nous devions nous rendre pour une soirée « en ville », et nous constatâmes que nous pouvions faire ensemble un assez long trajet en taxi. En chemin, Rilke fut d'une gaîté inhabituelle dans ses questions et ses réponses. Je me sentais très à l'aise à côté de lui et bienheureusement libre, jusque — oui, jusqu'à ce qu'une pensée pénible me tourmentât ; il fallait encore que j'achète quelques fleurs pour le couple chez qui j'allais dîner. Et bizarrement : comme si cette désagréable distraction se communiquait à Rilke, il devenait plus silencieux, semblait préoccupé, si bien que je renonçai aussitôt à mes fleurs et attendis. Il dit alors d'une voix timide... « Pouvons-nous nous arrêter, il faut que j'apporte quelques fleurs. » Il dit cela d'un air de tellement vouloir s'excuser que je le libérai en riant ; il en allait de même pour moi et j'hésitais déjà depuis un moment à le dire. Le rire cordial de Rilke demeurera comme un souvenir... Je ne suis plus allé le voir, nous nous sommes séparés joyeusement, comme si nous nous étions réciproquement « pris sur le fait[204] ».

Ainsi le dernier séjour de Rilke à Paris est-il encadré par des scènes qui le montrent en train de rire — à raison, car pour tout ce qui est du succès mondain, il vit à présent les mois les plus heureux de son existence. Merline, revenue à Paris après une absence de dix ans, habite rue Férou, non loin de l'hôtel Foyot, si bien que Rilke la voit souvent ; trop souvent, aux yeux du comte Harry Kessler, qui le rencontre à plusieurs reprises en société et constate « qu'il s'est apparemment fait mettre le grappin dessus par la Klossowska[205] ». Pierre Klossowski va à l'école, Baltusz travaille la peinture, tous deux grâce à la sollicitude de Gide et de l'ami viennois de Rilke, Richard Weininger, qui fournit une contribution financière pour l'éducation des deux garçons.

Semblable à un noyé dont la vie défile devant ses yeux une dernière fois à une folle vitesse, Rilke passe en revue les amis et amies qui vivent à présent à Paris ou y séjournent. Parmi eux se trouve Marianne Mitford, mariée en troisièmes noces avec un banquier et aussi aisée que dix ans plus tôt à Berlin. Helene Voronin au contraire a tout perdu pendant la Révolution et fait partie à présent de ces Russes blancs émigrés qui doivent misérablement subsister à Paris. Thankmar von Münchhausen et Hugo von Hofmannsthal sont de passage, Georges et Ludmilla Pitoëff sont venus de Vienne, Alexandre et Clotilde Saccharoff sont devenus les favoris du public parisien, Claire Goll s'est fait un nom comme écrivain, Elisabeth Bergner comme comédienne : Rilke les rencontre tous, et Marthe aussi, qu'il va voir avec son mari à Montmartre, et la veuve d'Emile Verhaeren, chez qui il se rend, à Saint-Cloud. Si son bref séjour discret de 1920 avait représenté avant tout des retrouvailles avec la ville, au cours desquelles il avait évité les humains, ce séjour lui sert au contraire à reprendre contact avec ses vieux et nouveaux amis. Rilke est accaparé par tant de gens qu'il se compare bientôt à l'apprenti sorcier, qui ne peut plus se débarrasser des esprits qu'il a invoqués. Pour manifester sa reconnaissance de tant d'hospitalité, il donne de son côté un déjeuner à l'hôtel Foyot.

Le poète allemand anonyme qui était venu à Paris, tout juste un quart de siècle auparavant, avec mission d'écrire une monographie sur Rodin, est entre-temps devenu lui-même célèbre. Dans les milieux littéraires, on est d'autant mieux informé sur lui que, lors de son arrivée, la revue *Commerce,* dirigée par Valéry, Fargue et Larbaud, et peu avant son départ la *Nouvelle Revue Française* et la *Revue Nouvelle* publient quelques poèmes de sa plume (une partie de la traduction française de *Malte Laurids Brigge* est disponible depuis 1923, quelques extraits traduits par Gide ont même paru dès 1911). Rilke est reçu par Anna de Noailles, qui affirme ne plus l'avoir oublié depuis leur fugitive rencontre à l'hôtel Liverpool.

Il fait la connaissance du romancier Edmond Jaloux, de la princesse Bibesco, écrivain, de la duchesse de Clermont-Tonnerre et de Jean Giraudoux, il rencontre même deux Américaines qui se passionnent à Paris pour l'art et la littérature, Natalie Clifford-Barney et le mécène de Valéry, la princesse Marguerite Bassiano.

L'accueil qu'il reçoit auprès du milieu littéraire parisien réjouit d'autant plus Rilke qu'un autre visiteur de langue allemande avait laissé une impression désagréable. Le Pen-Club de Paris avait l'année précédente fêté le dramaturge expressionniste Fritz von Unruh, ce qui n'empêcha pas ce dernier, dans son journal de voyage *Flügel der Nike* (*Les ailes de Nikè*), de caricaturer quelques intellectuels parisiens de haute volée. Mme de Noailles, par exemple, lui aurait demandé au cours d'un dîner : « N'ai-je pas de beaux yeux ? Votre Einstein m'a dit que j'avais les plus beaux yeux du monde. » Après quoi, racontait von Unruh, elle avait « chaviré ses pupilles derrière les longs cils soyeux des paupières, si extatiquement que je ne vis qu'un éclat laiteux dans ses yeux [206] ».

Rilke avait de son côté approuvé que le physicien à l'allure si modeste ait été l'un des premiers Allemands reçus à Paris après la guerre. Il s'efforce à présent d'aplanir les vagues soulevées par le livre de von Unruh, même si elles n'agitaient que le verre d'eau du faubourg Saint-Germain, que Rilke hante volontiers. Valéry se fait fort de le proposer pour la Légion d'Honneur, mais Rilke, qui avait déjà refusé en 1918 la décoration que voulait lui décerner l'empereur Charles, refuse en remerciant. Il accepte en revanche avec une grande joie la *Reconnaissance à Rilke,* un numéro spécial des *Cahiers du mois,* gros de 160 pages, où André Gide, Paul Valéry, Ellen Key, Helene von Nostitz et d'autres admirateurs ont fixé sur le papier leurs souvenirs de Rilke et l'hommage qu'ils souhaitaient lui rendre.

Il noue bientôt une véritable amitié avec deux critiques : Charles Du Bos, qui lui demande un article pour un projet de publication, et l'éditeur des *Cahiers du mois,* l'Alsacien Maurice Betz. Celui-ci avait lu en 1915, en Suisse, le *Cornette,* alors qu'il était écolier, et il avait ressenti la chevauchée de Christoph Rilke à travers la plaine hongroise comme « *plus réelle que la guerre qui bouleversait l'Europe*[207] ». A présent, pour perfectionner sa traduction de *Malte Laurids Brigge,* il passe le plus de temps possible avec l'auteur. Il lui lit le texte français, Rilke, l'original en main, le contrôle, et l'interrompt de temps en temps en lui proposant des améliorations. Après quoi le poète bavarde, devant un verre de vin, de sa jeunesse, et répond aux questions diverses de Betz et de sa femme.

Rilke quitte Paris le 18 août 1925, après un séjour de sept mois, sans faire de visites d'adieu, car la plupart de ses relations sont de toute façon déjà parties à la mer ou à la montagne. En compagnie de Merline, il se rend d'abord à Sierre et de là à Milan, bien que les Gallarati-Scotti soient également partis pour l'été. Le 8 septembre, il conduit son amie, qui est attendue chez elle, au train de Sierre, et lui fait signe jusqu'à ce que le train ait disparu : « *Oh René,* écrit-elle de Paris, *que vous deveniez petit, vu de mon train,* et inaccessible ! *Mon cœur est écrasé net.* » Le sentiment qui la pousse à se lamenter sur son cœur brisé ne trompe pas. Elle sait que Rilke est gravement malade, et pressent sûrement qu'elle ne le reverra plus.

VII.

Rilke était aussi parti pour Paris afin de rompre, par un changement total dans sa manière de vivre, le cercle diabolique de la maladie qui l'avait si longtemps retenu prisonnier : tentative qui avait reçu la bénédiction du Dr Haemmerli. Son état, qui à Paris, hormis une grippe, avait été supportable, empire à tel point après son retour qu'avant de passer l'hiver à Muzot il doit encore suivre une cure à Ragaz.

A la fin de l'automne 1925, des symptômes spécifiques apparaissent, entre autres des nodules sur la face interne des lèvres qui l'empêchent provisoirement de parler. Il croit avoir un cancer, mais les examens appropriés qu'il subit à Zurich sont négatifs. Malgré tout, il se sent si misérable qu'à peine revenu à Muzot il fait son testament et l'envoie à Nikè, pour qu'elle le conserve.

Depuis qu'il avait travaillé à *Malte Laurids Brigge,* Rilke redoutait de perdre la raison ; à présent, où la maladie corporelle a pris la place de cette crainte, il précise qu'en cas d'irresponsabilité de sa part, l'on veuille bien éloigner de lui au moment de sa mort « toute assistance ecclésiastique qui pourrait s'imposer ». En outre, il exprime l'ultime volonté qu'à l'exception des portraits de famille légués à Ruth, tout le mobilier de Muzot soit remis à Nikè et à Werner Reinhart. L'Insel-Verlag est chargé de publier sa correspondance comme bon leur semblera. Le poète explique aussi qu'il ne souhaite pas être enterré à Muzot ou à Sierre, mais dans le cimetière de la vieille église de Rarogne, qui domine la vallée du Rhône, avec une pierre tombale où figureront son nom, les armes de la famille Rilke, et les vers suivants :

> Rose, oh ! pure contradiction, volupté
> de n'être le sommeil de personne sous tant
> de paupières *.

C'est l'une des plus célèbres épitaphes de l'histoire littéraire. Dès 1972, on n'en comptait pas moins de 26 commentaires différents, sans parler des parodies [208]... Tout cela demeure sans influence sur ce distique qui survit depuis longtemps grâce à un mouvement particulier sans grand rapport avec sa signification. On approche sans doute au mieux cette signification si l'on ne cherche pas dans ce texte une « somme lyrique » ou d' « ultimes vérités », mais, plus modestement, le résultat de plusieurs sortes d'associations — si on le prend à la fois comme un « mot », *et* des mots. On s'aperçoit alors que le mot *Lust* (joie), insolite sur une tombe, de même que les sons des voyelles qui, si on lit le texte à haute voix, vont du sombre au clair, et enfin le fil du langage, qui hésite d'abord puis s'assouplit, symbolise l'interpénétration de deux sphères, disons même simplement en considérant le lieu : de la mort par la vie. Un chiasme du même ordre se remarque dans le double sens du mot *Li(e)dern* (*Lied* = chant, *Lid* = paupière), chants ou paupières qui dorment sous cette pierre — ou, dans la mesure où l'œuvre survit, *ne* dorment *pas*. Ainsi, ces lignes écrites peu avant la mort incarnent une ultime fois le développement de la poésie rilkéenne tel que nous l'indiquions au début de cet ouvrage : de l'opération quasi mathématique et sans reste jusqu'à l'hermétisme impénétrable. Il est de fait difficile de s'imaginer douze autres mots qui, tout en préservant leur sens et avec tant de musicalité, s'adaptent pour former une phrase grammaticalement si unie, et de significations si multiples.

---

* Cette traduction connue de tout le monde n'a pas d'auteur spécifique. Nous donnons ici le texte allemand :

> *Rose, oh reiner Widerspruch, Lust*
> *Niemandes Schlaf zu sein unter soviel*
> *Lidern.*

Après avoir mis sa maison en ordre, Rilke quitte Muzot, peu après son cinquantième anniversaire et se rend pour la troisième fois au sanatorium de Val-Mont. Cette fois, il y passe cinq mois, sans que son état se modifie Le traitement consiste en massages, bains de son et de lavande, et une nourriture qui lui fait prendre un peu de poids ; les douloureux gonflements dans la bouche et la gorge ne disparaissent cependant pas. Une patiente a décrit les hôtes du sanatorium, « magnats américains du pétrole, planteurs brésiliens, rois du blé argentins », qui mangeaient « à la même table que des aristocrates hongrois et des industriels hollandais ». Il paraît difficile de s'imaginer Rilke dans un tel milieu ; cela rappelle trop *La Montagne magique,* qui venait juste de paraître [209]. En tout cas, il quitte Val-Mont en mai 1926 et s'installe à Sierre, à l'hôtel Bellevue, car on effectue des réparations à Muzot. Tous les deux jours, il monte au château, pour voir ses roses et discuter du ménage avec Ida Walthert, la remplaçante du « petit esprit », Frieda Baumgartner, retournée dans son village.

Ce dont Rilke, pour le moment, a besoin avec le plus d'urgence, ce n'est pas d'une gouvernante, mais d'une secrétaire comme il en avait déjà engagé une en automne 1924, une jeune femme parlant plusieurs langues et qui pourrait l'aider dans ses traductions et travaux de préparation pour l'édition de ses œuvres complètes. Il prie Nikè de lui chercher la personne adéquate et part à la mi-juillet pour Ragaz, où il va passer quelques jours avec Marie Taxis. Après le départ de celle-ci, il séjourne encore cinq semaines à l'hôtel Hof Ragaz, car il se sent dans son élément en ce lieu de cure un peu démodé, où « il est encore admis que l'on puisse se promener en prenant son temps, bien que les curistes ne soient plus les mêmes que ceux qui se retrouvaient là traditionnellement jusqu'à l'année 1914 [210] ». Parmi les relations de cure, qu'il note sur une liste contenant plus de soixante noms, il y a la jeune cantatrice hollandaise Beppy Veder, à laquelle il rappelle « nos heures seul à seul » et qu'il espère jusqu'à son départ « revoir aussi souvent qu'elle voudra bien le lui permettre [211] ». Il a une autre amie en la personne d'Alice Bürer, télégraphiste au bureau de poste de Ragaz, à qui il offre le *Cornette* avec une dédicace et à qui il offre son verre de curiste « jusqu'à l'année prochaine ». Il noue aussi de tendres liens avec sa voisine de chambre et de table, une jeune Belge, qui voyage avec sa mère et sa fille. Après avoir pris congé de Marie Taxis, Rilke devient une fois encore ce Serafico auprès duquel Don Juan devait être un enfant de chœur. Même son goût du voyage se ranime ; il projette de se rendre avec Marie Taxis à Rome, d'aller voir Aurelia Gallarati-Scotti à Milan ou de gagner le Sud de la France, le Languedoc, patrie de Valéry.

En septembre 1926, Rilke descend à Ouchy-Lausanne, à l'hôtel de Savoie, pour rencontrer Richard et Marianne Weininger. Il revoit aussi Edmond Jaloux, qui possède à Lausanne une maison et lui fait rencontrer une jeune femme de vingt-trois ans, Nimet Eloui, Egyptienne d'origine tcherkesse récemment divorcée, qui vient de lire *Les Cahiers de Malte Laurids Brigge* et se réjouit d'en connaître à présent l'auteur. Contrairement à la prudente Nikè, Nimet est une conductrice rapide, et Rilke, qui aime l'auto, se laisse conduire à travers la région, jusqu'à ce qu'il doive s'excuser en une petite lettre : « *Désolé, Madame, désolé*, car demain je serai absent toute la journée : Paul Valéry m'attend sur l'autre rive du lac[212] ! » Lors de cette dernière rencontre, à Anthy, on a pris une photo des deux poètes, qui montre Rilke en meilleur état de santé, au moins apparemment, et souriant, ce qui est rarement le cas sur les photographies. Quelques jours plus tard, Génia Tschernosvitov se présente chez lui. C'est une jeune Russe qui vient avec sa mère à l'hôtel où séjourne Rilke, pour se proposer comme secrétaire. Rilke l'engage et l'emmène à Sierre, où elle loge à l'hôtel tandis qu'il s'installe de nouveau à Muzot. Avec l'aide de Génia, la traduction des deux dialogues de Valéry, déjà attendue par l'Insel-Verlag, avance rapidement. Quand Nimet Eloui vient en visite à la fin septembre à Muzot avec une amie, Rilke lui fait les honneurs de la maison et cueille pour les dames quelques roses, et ce faisant, dans sa hâte, il se pique avec une épine. La blessure s'enflamme et doit être bandée ; bientôt, l'autre bras aussi lui fait mal, si bien qu'il ne peut plus écrire pendant un moment. Aussi se rend-il à l'improviste avec Génia à Lausanne, pour voir une pièce jouée par la troupe du Vieux-Colombier. Sur le chemin du retour, ils s'arrêtent à Sion et Vevey, où Rilke se comporte d'une manière si juvénile, si « *plein de verve, et de jeunesse* », « que l'on n'aurait absolument pas pu deviner que sa fin était proche[213] ».

La fin est proche, effectivement, bien que Rilke ne le sache pas ou ne veuille pas le percevoir. A la fin d'octobre, il raconte à Kippenberg les semaines passées :

Malgré tout le bien que m'a fait Ragaz..., et tout le bien que m'a fait Lausanne après les semaines de Ragaz —, j'ai dû en compensation subir une épreuve aussitôt après mon retour ici. Une blessure provoquée par une épine de rose qui avait pénétré profondément m'a privé pour des semaines de l'usage de ma main gauche, et aussitôt c'est l'utilisation de la main droite qui a été gênée par une infection douloureuse et compliquée de l'ongle : pendant dix jours, mes deux mains ont été partiellement enveloppées de bandages ; à peine ces inconvénients étaient-ils surmontés que me prit à Sion, où, semble-t-il, elle rôde, une grippe intestinale fiévreuse, qui me tient au lit depuis presque quinze jours, très affaibli[214].

Rilke monte encore quelquefois à Muzot, mais passe la plupart du temps dans son lit à l'hôtel Bellevue, où Génia lui fait la lecture et l'aide dans sa correspondance, qu'il classe comme d'habitude soigneusement selon les destinataires. Après avoir repoussé autant que possible une visite chez un médecin, il se rend, torturé à présent d'insupportables douleurs, à Val-Mont avec Génia. Là, l'examen révèle qu'il a une leucémie, sous une forme rare et particulièrement douloureuse, qui se manifeste tout d'abord dans les intestins et au stade final fait apparaître des pustules noires dans les muqueuses de la bouche et du nez ; ces pustules éclatent et saignent, ce qui empêche le malade de boire, si bien qu'en plus de ses douleurs il est tourmenté par une soif inextinguible.

Nikè, avertie par Génia (qui revient bientôt chez sa mère à Lausanne), et elle-même à peine relevée de maladie, arrive à Val-Mont le 9 décembre et reste jusqu'à la fin aux côtés de Rilke. Il ne peut être question de guérir, on ne peut que lui rendre ses souffrances plus douces. Le 13, il écrit à Lou à Göttingen [215] :

> Дорогая
> C'était donc, tu vois, cela à quoi me préparait, dont me prévenait ma nature vigilante, depuis des années : à présent, elle a beaucoup, beaucoup de mal à s'en sortir, ayant dû se dépenser, durant ce long répit, en secours, corrections et rectifications imperceptibles ; et avant que l'état actuel, infiniment douloureux, ne s'installe avec toutes ses complications, elle avait subi avec moi une sournoise grippe intestinale. Et à présent, Lou, je ne sais combien d'enfers, tu sais quelle place j'avais assignée dans mes hiérarchies à la souffrance, la souffrance physique, la vraie grande, fût-ce à titre d'exception et de nouveau retour à l'air libre. Et à présent. Elle me recouvre. Elle me relaie. Jour et nuit !
> Où trouver le courage ?
> Chère, chère Lou, le médecin t'écrit, Mme Wunderly t'écrit, venue ici, secourable, pour quelques jours. J'ai une bonne garde-malade, compréhensive, et je crois que le médecin, qui me voit depuis maintenant trois ans, cette fois pour la quatrième fois, est dans le vrai. Mais. Les enfers.
> Chez toi, chez vous, Lou, qu'en est-il ? Etes-vous tous deux en bonne santé, je ne sais quoi de mauvais, de menaçant souffle en cette fin d'année.
> Прошай, Дорогая моя
>
> Ton Rainer.

Dans les lettres que le Dr Haemmerli et Nikè y joignent, l'état du patient est décrit avec plus d'exactitude et il est dit que Rilke ignore le pronostic et veut l'ignorer, mais qu'il s'est préparé à une

---

* Seuil, t. 3, p. 610.

longue période de souffrances. Ceci transparaît encore dans la dernière lettre de Rilke à Merline (*enfermé cette fois pour longtemps*) et à Kassner, à qui Rilke s'en remet pour apprendre à Marie Taxis « sur mon état qui ne sera pas des plus passagers, tout ce que vous jugerez bon ». Pendant ces jours, à la mi-décembre 1926, il inscrit sur son carnet, d'une écriture à peine changée, son dernier poème :

> Approche, dernière chose que je reconnaisse,
> mal incurable dans l'étoffe de peau ;
> de même qu'en esprit j'ai brûlé, vois, je brûle
> en toi ; le bois longtemps a refusé
> de consentir aux flammes que tu couves,
> à présent je te gave et brûle en toi.
> Ma douceur de ce monde, quand tu fais rage,
> devient rage infernale d'autre monde.
> Naïvement pur d'avenir, je suis
> monté sur le bûcher trouble de la douleur,
> sûr de ne plus acheter d'avenir
> pour ce cœur où la ressource était muette.
> Suis-je encore, méconnaissable, ce qui brûle ?
> Je n'y traînerai pas de souvenirs.
> O vie, ô vie : être dehors.
> Et moi en flammes. Nul qui me connaisse
> [Renonce. Rien de ce qu'était la maladie
> autrefois, dans l'enfance : un délai, un prétexte
> à grandir. Tout appelait, bourdonnait.
> Ne confonds pas ce qui te surprit jeune *]

Le 22, il fait prier Nimet Eloui de ne plus envoyer de fleurs (« leur présence déchaîne les démons dont ma chambre est pleine ») ; le 23, il écrit encore de sa main à Merline qu'il est très malade et dans de grandes douleurs, mais qu'il ne souhaite pas de visite. Clara, qui à la nouvelle de sa maladie s'est précipitée à Sierre, n'est pas admise auprès de lui.

Rilke vécut en poète et mourut en poète. Non seulement parce que dans les vers cités plus haut il a fait de sa propre mort un projet de poème ou bien s'est « si romantiquement » déchiré la main à une épine (la cause de sa mort fut la leucémie et non un empoisonnement du sang ou même la neurasthénie). Il mourut en poète parce que même devant la mort, sa propre représentation lui est plus importante et plus réelle que le réel. De même que, pour l'amour de son univers intérieur entièrement absorbé dans sa création poétique, il s'était fermé à des domaines entiers de la vie, de même, à présent, il refusait de reconnaître l'approche de sa fin :

---

* Seuil, t. 2, p. 463.

La pensée de la mort lui était si terrible (écrira plus tard le médecin à Marie Taxis) qu'il l'écartait de lui au point de ne jamais demander de quelle maladie il souffrait. Pas une seule fois il n'a mentionné la possibilité de sa mort, bien que chaque jour, quand, à sa demande, je restais seul avec lui, nous parlions très ouvertement de son état et de ses amis [216].

Rilke n'a employé le mot de « mort », qu'il avait si soigneusement évité même dans son testatment, que pour prier Nikè de l'aider à avoir une « mort à soi » : « Je ne veux pas la mort des médecins — je veux avoir ma liberté [217]. » Il voulait échapper autant que possible aux analgésiques et, quelques jours encore avant sa mort, il demeura persuadé que l'on pouvait le sauver. Reste à savoir si ou dans quelle mesure cet accommodement avec la douleur ne représente pas une sorte d'autopunition, ou un sacrifice volontairement supporté afin de se concilier la mort et de la tenir éloignée.

Rainer Maria Rilke mourut à l'âge de cinquante et un ans, aux premières heures de l'aube, le 29 décembre 1926, un jour d'hiver ensoleillé et très froid, et fut inhumé au cimetière de Rarogne, en présence d'Anton et Katharina Kippenberg, Regina Ullmann, Nanny Wunderly-Volkart, Werner Reinhart, Loulou Albert-Lasard et quelques autres amis. Sur sa tombe, quelqu'un lut ces vers extraits de la *Première Elégie* :

Après tout,
ils n'ont plus besoin de nous, ceux qui nous ont quittés trop tôt.
On perd le goût de la douceur terrestre, tout comme
on devient trop grand pour la douceur du sein maternel. Mais nous
qui avons besoin de si grands secrets, nous
pour qui le deuil est souvent le départ d'un essor heureux :
pourrions-nous nous passer d'eux * ?

---

* Seuil, t. 2, p. 349.

REMERCIEMENTS

L'auteur adresse ses remerciements aux personnalités et institutions qui l'ont aidé dans son travail :

Les Archives allemandes de littérature à Marbach / Neckar ; les Archives Rilke à Gernsbach ; la Bibliothèque nationale, la bibliothèque Mazarine et l'Institut Goethe à Paris ; la Staatsbibliothek bavaroise à Munich ; la Biblioteca statale à Lucques ; la Biblioteca Ignazio Cerio à Capri ; la Schweizerische Landesbibliothek à Berne ; la Houghton Library (Harvard University) à Cambridge, Mass. ; la University of Virginia Library ; la University of Oregon Library ; la Yale University Library ; la New York Public Library ; la Staatsbibliothek du Preussischer Kulturbesitz à Berlin ; la bibliothèque du Séminaire germanique de la Freie Universität de Berlin ; la Frankfurter Allgemeine Zeitung ; la Fondation Alexander von Humboldt à Bonn ; Mmes Patricia Brodsky à Columbia, Dorrit Cohn à Cambridge, Mass., Margot Hausenstein à Londres, Monika Peschken à Berlin, Ingeborg Schnack à Marbourg, Hildegard Teichert à Berlin, Theodosia Leppmann à Eugene, Oregon ; MM. Beda Allemann à Bonn, Rodney Dennis à Cambridge, Mass., Peter B. Gontrum, André von Gronicka à Philadelphie, Klaus Jonas à Pittsburgh, Rätus Luck à Berne, Fritz Martini à Stuttgart, Hans Joachim Mey, Herman Meyer à Amsterdam, Roger Nicholls, Heinrich W. Petzet à Fribourg-en-Brisgau, Hans Herman Rief à Worpswede, Hermann Schreiber à Munich, Joachim W. Storck à Marbach / Neckar, Arthur Ochs Sulzberger à New York.

SOURCES

On trouvera les titres complets des ouvrages mentionnés ci-dessous dans la bibliographie p. 371. Les ouvrages suivis d'un astérisque sont traduits en français (bibliographie p. 371)

1. Helmut Heißenbüttel, *Gelegenheitsgedicht zum 100. Geburtstag Rilkes* (in : « Insel Almanach auf das Jahr 1977 », Francfort/M 1976), 38.
2. Sieber, 63-64.
3. Leppin, 631.
4. Kœnig, 6-7, et Storck, *Rainer Maria Rilke, 1875-1975* (Stuttgart 1975), 18-19.
5. Felix Braun, *Das Licht der Welt* (Vienne 1949), 560, et Kassner, 86.
6. Sieber, 41.
7. A Ellen Key, 3 avril 1903.
8. *Briefe 1906-1907*, 292.
9. Hermann Hesse, *Gesammelte Schriften* (Francfort/M 1958), IV, 602.
10. Kim, 39 et 44.
11. Sieber, 160.
12. *Briefe an Sidonie Nádherný von Borutin*, 208.
13. Lou Andreas-Salomé, *In der Schule bei Freud* (Zurich 1958), 149.
14. Leppin, 632.
15. Kim, 64.
16. Demetz, 6.
17. Simenauer, 184.
18. Sieber, 109-110.
19. Leppin, 633.
20. Hirschfeld, 715.
21. Sieber, 127.
22. Hirschfeld, 715.
23. *Briefwechsel mit Marie von Thurn und Taxis**, I, 279-280, et Claire Goll, *Ich verzeihe keinem** (Berne et Munich 1978), 86.
24. Max Krell, *Das alles gab es einmal* (Francfort/M 1961), 39.
25. *Briefe 1897-1914*, 473.
26. Alfred Andersch, *Die Kirschen der Freiheit** (Olten et Fribourg 1965), 35 ; Klaus Wagenbach, *Franz Kafka** (Berne 1958), 209.
27. Demetz, 58.
28. Sigmund Freud, *Gesammelte Werke** (Londres 1950), XVI, 270.
29. Paulo Quintela, *Uma carta inédita de Rainer Maria Rilke* (in « Arquivo de Bibliografia Portuguesa », Coimbra 1955).
30. Siegfried Trebitsch, *Chronik eines Lebens* (Zurich 1951), 76.
31. *Das Tagebuch*, VIII (Janv 1957), 141.
32. *Briefwechsel mit Katharina Kippenberg*, 14.
33. *Die Zukunft*, IX (13 oct. 1894), 93.
34. Wilhelm von Scholz, *Mein Leben* (Berlin 1934), 29.
35. Edition de l'Insel-Verlag, VI, 867.
36. *Briefwechsel mit Lou Andreas-Salomé**, 96.
37. S. Freud — L. Andreas-Salomé, *Briefwechsel** (Francfort/M 1966), 21.
38. Lou Andreas-Salomé, *Lebensrückblick** (Zurich et Wiesbaden 1951), 104.
39. Friedrich Nietzsche. *Briefe an Peter Gast** (Leipzig 1924), 89-90.
40. Friedrich Nietzsche, *Werke in drei Bänden** (Munich 1956), III, 1217.
41. L. Andreas-Salomé, *Lebensrückblick**, 269.
42. Franz Ebhardt, *Der gute Ton in allen Lebenslagen* (7e éd., Berlin 1883), 586.
43. *Briefwechsel mit Lou Andreas-Salomé**, 520.

44. A. et G. Mendelssohn, *Der Mensch in der Handschrift* (Leipzig 1930), 52.
45. Rudolph Binion, *Frau Lou* (Princeton 1968), 217.
46. *Neue Deutsche Rundschau*, X (oct. 1899), 230.
47. Du Bos, 280.
48. *Briefe und Tagebücher aus der Frühzeit*, 79.
49. *Briefe an einen jungen Dichter* *, 16.
50. *Briefe und Tagebücher aus der Frühzeit, 1899-1902*, 420.
51. Brutzer, 6.
52. *Ibid.*, 28.
53. Freud-Andreas-Salomé, *Briefwechsel* *, 155 (entre autres).
54. *Briefwechsel mit Lou Andreas-Salomé* *, 139-140.
55. Andreas-Salomé, *Lebensrückblick* *, 148-149.
56. *Ibid.*, 191-192.
57. *Briefe und Tagebücher aus der Frühzeit*, 164 bzw. 340.
58. Nicolas Nabokov, *Zwei rechte Schuhe im Gepäck* (Munich 1979), 145-146.
59. Stefan Zweig, *Die Welt von Gestern* * (Francfort/M 1955), 136.
60. *Paula Modersohn-Becker in Briefen und Tagebüchern* (Francfort/M 1979), 149.
61. *Briefe an Nanny Wunderly-Volkart*, I, 673.
62. *Briefe und Tagebücher aus der Frühzeit, 1899-1902*, 317.
63. Nᵒ 16 des *Sonnets à Orphée*, 1ʳᵉ partie.
64. *Briefe an Gräfin Sizzo*, 78.
65. P. *Modersohn-Becker in Briefen und Tagebüchern*, 281.
66. *Briefe an Axel Juncker*, 18.
67. Storck, *Rainer Maria Rilke, 1875-1975*, 80.
68. Faesi, *Rilke als Mensch*. 272.
69. P. *Modersohn-Becker in Briefen und Tagebüchern*, 543 : R. A. Schröder, *Rainer Maria Rilke* (Zurich o. J.), 11 ; Gustav Pauli, *Erinnerungen aus sieben Jahrzehnten* (Tübingen 1936), 213.
70. *Briefe an Sidonie Nádherný von Borutin*, 200-201.
71. *Ibid.*, 135.
72. *Briefe 1914-1926*, 462.
73. *Briefe an Nanny Wunderly-Volkart*, I, 152.
74. *Briefe 1914-1926*, 465.
75. *Die Weise von Liebe und Tod des Cornets Christoph Rilke* *. Différentes versions et documents. (2ᵉ éd., Francfort/M 1976), 114.
76. *Briefe an seinen Verleger*, I, 176.
77. *Lexikon deutschsprachiger Schriftsteller* (Leipzig 1967), I, 621.
78. *Briefwechsel mit Marie von Thurn and Taxis* * I, 398.
79. *Briefwechsel mit Katharina Kippenberg*, 213.
80. *Briefe aus den Jahren 1902 bis 1906*, 26.
81. *Briefe an Rodin*, 68, et *Briefe aus den Jahren 1906 bis 1907* *, 305.
82. Karl Baedeker, *Paris et ses Environs* (Leipzig et Paris, 1914), XIV.
83. *Briefwechsel mit Lou Andreas-Salomé* *, 164.
84. Hugo von Hofmannsthal — Rudolf Borchardt, *Briefwechsel* (Francfort/M 1954), 25.
85. *Briefe aus den Jahren 1902 bis 1906*, 67.
86. *Die Schaubühne*, V, Nr. 49 (2 déc. 1909), 603.
87. *Briefe aus den Jahren 1902 bis 1906*, 83.
88. *Ibid.*, 134.
89. Lydia Baer, *Rilke and Jens Peter Jacobsen* (in : « Publications of the Modern Language Association of America », LIV, 1939), 1142.
90. *Briefe aus den Jahren 1902 bis 1906*, 213.
91. *Briefe aus den Jahren 1906 bis 1907*, 33.
92. *Briefe aus Muzot*, 131-133.
93. *Briefe aus den Jahren 1906 bis 1907*, 14.
94. Ludwig Curtius, *Deutsche und antike Welt* (Stuttgart 1930), 294, et Simenauer, 589-590.
95. Oskar Maria Graf. *Über Rainer Maria Rilke* (in : « Frankfurter Hefte », VI, 12 déc. 1951), 908.
96. *Briefe an Sidonie Nádherný von Borutin*, 19.
97. Frédéric Lefèvre, *Une heure avec...* (Paris 1927), 256-257.
98. *Briefe 1914-1926*, 440, et *Briefwechsel mit Lou Andreas-Salomé*, 214.
99. Gustav Pauli, *Erinnerungen aus sieben Jahrzehnten* (Tübingen 1936), 212.
100. *Requiem für Wolf Graf von Kalckreuth* *.
101. *Briefe aus den Jahren 1902 bis 1906*, 282 et 280.
102. *Briefe aus den Jahren 1906 bis 1907*, 43.
103. *Briefe an seinen Verleger*, I, 15.
104. *Briefe aus den Jahren 1906 bis 1907*, 129.
105. Schlözer, 26.
106. *Briefwechsel mit Lou Andreas-Salomé* *, 108.
107. Otto Braun, in : « Das Goetheanum », XXV, 20 (19 mai 1946), 156.
108. Pietro Casellato, *La veneziana « misteriosa » di Rainer Maria Rilke* (Venise 1977), 45.
109. Helmut Rehder, *Poet and Patron : Rilke and Karl v. d. Heydt* (in : « Symposium », VI, 1ᵉʳ mai 1952), 107.
110. *Briefwechsel mit Lou Andreas-Salomé* *, 236.
111. *Briefe aus den Jahren 1907 bis 1914*, 179.
112. *Briefe aus Muzot*, 319.
113. Arthur Holitscher, *Rilkes Roman* (in : « Die Neue Rundschau », XXI, II,

1910), 1599, et Rudolf Alexander Schröder, *Rainer Maria Rilke* (Zurich), 23-24.

114. *Briefe an Gräfin Sizzo*, 30.

115. *Briefwechsel mit Marie von Thurn und Taxis**, I, 60-61.

116. *Briefwechsel mit Katharina Kippenberg*, 12.

117. Werner Hilbert, *Als R. M. Rilke eigene Dichtungen las* (in : « Xenien », IX, 1910), 167.

118. Brigitte B. Fischer, *Sie schrieben mir* (Zurich et Stuttgart 1978), 95.

119. *Briefe an das Ehepaar S. Fischer*, 66.

120. [Magda von Graedner-Hattingberg], *Rilke und Benvenuta* (Vienne 1943), 119.

121. *Briefwechsel mit Marie von Thurn und Taxis**, I, 273-274.

122. Kassner, 57.

123. Heinrich Vogeler, *Erinnerungen* (Berlin 1952), 189-190.

124. *Briefwechsel* avec Hugo von Hofmann-sthal, 78.

125. Editha Klipstein, *Besuch bei Rilke* (in : « Neue Schweizer Rundschau », XXIV, II, nov. 1931), 831.

126. *Briefwechsel mit Lou Andreas-Salomé**, 262-263.

127. S. Freud - L. Andreas-Salomé, *Briefwechsel**, 31.

128. *Briefe aus den Jahren 1907 bis 1914*, 121.

129. Schnack, I, 420-421.

130. *Briefwechsel mit Lou Andreas-Salomé**, 278-279, et *Briefwechsel mit Marie von Thurn und Taxis**, I, 248-249.

131. [Magda von Graedner-Hattingberg], *Rilke und Benvenuta*, 48.

132. *Ibid.*, 105.

133. *Der Simplicissimus*, XVI, 40 (1er janv. 1912), 313.

134. *Briefe aus Muzot*, 332 et 198.

135. *Briefwechsel mit Marie von Thurn und Taxis**, I, 85.

136. Georg Heym, *Dichtungen und Schriften* (Hambourg et Munich 1964), I, 356 ; Alfred Walter Heymel, *Gesammelte Gedichte 1899-1914* (Leipzig 1914), 9 ; Kippenberg, 30.

137. Kassner, 49.

138. *Briefe an Sidonie Nádherný von Boru-tin*, 146.

139. R. M. R., *Das Testament* (Francfort/M 1976), 7. *

140. S. Freud - L. Andreas-Salomé, *Briefwechsel** (Francfort/M 1966), 23 et *Briefwechsel mit Helene von Nostitz**, 91.

141. Albert-Lasard, 17 *.

142. Storck, *Rainer Maria Rilke, 1875-1975*, 319.

143. Wilhelm Hausenstein, *Liebe zu Mün-chen* (2e éd., Munich 1958), 249-250.

144. *Briefe an Sidonie Nádherný von Boru-tin*, 246.

145. *Briefe aus den Jahren 1914-1921*, 78.

146. *Briefe an seinem Verleger**, II, 295.

147. *Briefwechsel* avec Hugo von Hofmann-sthal, 82.

148. *Briefe an Gräfin Sizzo*, 32.

149. Trebitsch, 280-281.

150. *Briefe aus den Jahren 1914-1921*, 55, 103 et 152.

151. *Tagebücher von Paul Klee 1898-1918* (Cologne 1957), 321.

152. *Briefe aus den Jahren 1914-1921*, 117.

153. Nevar, 21.

154. Max Pulver, *Erinnerungen an eine euro-päische Zeit* (Zurich 1953), 86.

155. Goll, 85 et 99.

156. Oskar Maria Graf, *Über Rainer Maria Rilke* (in : « Frankfurter Hefte », VI, 1951), 910.

157. Nevar, 112.

158. Hans Carossa, *Führung und Geleit* (Wiesbaden 1949), 90.

159. Walter Mehring, *Bestürzt von der Roheit der Farben*. Première rencontre de Rilke avec Chagall (in : « Frankfur-ter Allgemeine Zeitung », 11 déc. 1958).

160. Storck, *Rainer Maria Rilke, 1875-1975*, 231.

161. *Briefwechsel mit Katharina Kippenberg*, 314 et 316.

162. Thomas Mann, *Tagebücher 1918-1921* (Francfort/M 1979), 57.

163. *Briefe aus den Jahren 1914-1921*, 215-216.

164. *Briefe an eine junge Frau**, 43-45.

165. Ernst Toller, *Gesammelte Werke* (Munich 1978), IV, 167-168.

166. Hermann Pongs, *Rilkes Umschlag und das Erlebnis der Frontgeneration* (in : « Dichtung und Volkstum », XXXVII, 1936), 75, et N. N., *Rilke, wie er wir-klich war* (in : « Der SA-Mann », Munich, 13 janv. 1939), Storck *(Politis-ches Bewußtsein...)*, 88.

167. *Lettres Milanaises 1921-1926** (Paris 1956), 78.

168. Ulrich Keyn, *Briefe an eine Reisegefahr-tin*. Une rencontre avec Rainer Maria Rilke (Vienne 1947), 23.

169. Inga Junghanns, *Persönliche Erinnerun-gen an R. M. Rilke* (in : « Orplid », III, avril-mai 1927, nos 1 et 2), 48-49.

170. Prof. Henry Lüdeke, (in : *Briefe an Frau Gudi Nölke*, 160).

171. *Das Testament** (Francfort/M 1975), 8 bzw, et *Briefe aus den Jahren 1914-1921*, 262.

172. *Briefe aus den Jahren 1914-1921*, 288.

173. *Briefe an Frau Gudi Nölke*, 24-25 et 55.

174. *Ibid.*, 159.

175. *Briefe an Nanny Wunderly-Volkart*, I, 28.
176. *Ibid.*, I, 83, 65 et 370.
177. Communication de Mme Margot Hausenstein, Londres.
178. *Briefwechsel mit Marie von Thurn und Taxis**, II, 611.
179. *Correspondance avec Merline**, 37 et 305.
180. *Briefwechsel mit Lou Andreas-Salomé*, 439-440. *
181. *Briefwechsel mit Marie von Thurn und Taxis**, II, 638.
182. *Briefe an Gudi Nölke*, 73-74.
183. *Correspondance avec Merline**, 167 et 169.
184. *Ibid.*, 90.
185. *Ibid.*, 191.
186. L. Contat-Mercanton, *Erinnerung an Rilke* (in : « Der kleine Bund », Berne, 29 déc. 1929), 409.
187. *Briefwechsel mit Lou Andreas-Salomé**, 457.
188. *Briefe aus Muzot 1921-1926*, 83.
189. *Briefwechsel mit Katharina Kippenberg*, 455.
190. Schnack, II, 885.
191. Dans la *Deuxième* et la *Quatrième Elégie*.
192. Fuerst, 134.
193. *Briefwechsel mit Marie von Thurn und Taxis**, II, 697-698.
194. *Correspondance avec Merline**, 394.
195. Storck (*Politisches Bewußtsein...*), 87.
196. Thomas Mann, *Tagebücher 1918-1921* (Francfort/M 1979), 456.

197. Storck (*Rainer Maria Rilke, 1875-1975*), 295.
198. Von Salis, 229-233.
199. *Briefe aus Muzot 1921-1920*, 182.
200. *Briefe an Nanny Wunderly-Volkart*, II, 825.
201. *Briefe an Nanny Wunderly-Volkart*, II, 773 ; *Briefwechsel mit Marie von Thurn und Taxis*, II, 740 ; *Briefe an Nanny Wunderly-Volkart*, II, 897 ; *Briefe aus Muzot 1921-1926*, 204 ; *Briefwechsel mit Marie von Thurn und Taxis*, II, 774-775.
202. *Briefe an Nanny Wunderly-Volkart*, II, 967 et 961.
203. Carl J. Burckhardt, *Ein Vormittag beim Buchhändler* (Munich 1946), 7-8.
204. *Briefwechsel mit Helene von Nostitz**, 190.
205. Schnack, II, 976 (Kessler, Tagebuch, 5 avril 1925).
206. Fritz von Unruh, *Sämtliche Werke* (Berlin 1970), VII, 143.
207. Betz, 11.
208. Joachim Wolff, *Rilkes Grabschrift* (in : « Blätter der Rilke-Gesellschaft », I, 1972).
209. Schnack, II, 1032.
210. *Briefe an Gräfin Sizzo*, 104.
211. *Briefe aus Muzot 1921-1926*, 392-393.
212. Edmond Jaloux, *La dernière amitié de Rainer Maria Rilke*, 208.
213. Schnack, II, 1080.
214. *Briefe an seinen Verleger*, II, 522.
215. *Briefwechsel mit Lou Andreas-Salomé**, 504-505.
216. *Briefwechsel mit Marie von Thurn und Taxis**, II, 955.
217. *Briefe an Frau Gudi Nölke*, 135.

BIBLIOGRAPHIE

CORRESPONDANCE ET TRADUCTIONS

Briefe und Tagebücher aus der Frühzeit, 1899-1902. Insel-Verlag, Leipzig 1933.
Briefe und Tagebücher aus der Frühzeit. Insel-Verlag, Leipzig 1942 (Frankfurt/M. 1973).
Briefe aus den Jahren 1902 bis 1906. Insel-Verlag, Leipzig 1930.
Briefe aus den Jahren 1904 bis 1907. Insel-Verlag, Leipzig 1939.
Briefe aus den Jahren 1906 bis 1907. Insel-Verlag, Leipzig 1930.
Briefe aus den Jahren 1907 bis 1914. Insel-Verlag, Leipzig 1933.
Briefe aus den Jahren 1914 bis 1921. Insel-Verlag, Leipzig 1937.
Briefe aus Muzot 1921 bis 1926. Insel-Verlag, Leipzig 1936.
Briefe. 2 vol., 1897 à 1914, 1914 à 1926. Insel-Verlag, Wiesbaden 1950.
Übertragungen. Insel Verlag, Francfort/M 1975 (1927).

CORRESPONDANCE (ÉDITIONS SÉPARÉES)

Briefe an Auguste Rodin. Insel-Verlag, Leipzig 1928.
Briefe an einen jungen Dichter. Insel-Verlag, Leipzig [1929].
Briefe an eine junge Frau. Insel-Verlag, Leipzig 1930.
Lettres à une amie vénitienne. Bodoni, Vérone 1941.
Briefe an Baronesse von Oe. Verlag der Johannespresse, New York 1945.
Briefe an das Ehepaar S. Fischer. Werner Classen Verlag, Zurich 1947.
Briefe an seinen Verleger 1906 bis 1926. 2. Ausg., 2 vol. Insel-Verlag, Wiesbaden 1949.

La dernière amitié de Rainer Maria Rilke. Lettres inédites de Rilke à Madame Eloui Bey, avec une étude par Edmond Jaloux. Robert Laffont, Paris 1949.
Briefwechsel mit Marie von Thurn und Taxis. 2 vol. Niehans & Rokitansky Verlag, Zurich, et Insel-Verlag, Wiesbaden 1951.
Briefwechsel mit Lou Andreas-Salomé. Max Niehans Verlag, Zurich, et Insel-Verlag, Wiesbaden 1952.
R. M. Rilke-A. Gide. Correspondance 1909-1926. Ed. Corrêa, Paris 1952.
Die Briefe an Frau Gudi Nölke. Insel-Verlag, Wiesbaden 1953.
Briefwechsel mit Katharina Kippenberg. 1910 bis 1926. Insel-Verlag, Wiesbaden 1954.
Correspondance avec Merline, 1920-1926. Editions Max Niehans, Zurich 1954.
Lettres Milanaises 1921-1926. Librairie Plon, Paris 1956.
Briefwechsel mit Inga Junghanns. Insel-Verlag, Wiesbaden 1959.
Briefe an Sidonie Nádherný von Borutin. Insel-Verlag, Francfort/M 1973.
Briefwechsel mit Helene von Nostitz. Insel-Verlag, Francfort/M 1976.
Briefe an Gräfin Sizzo. 1921-1926. Insel-Verlag, Francfort/M 1977.
Briefe an nanny Wunderly-Volkart. 2 vol. Insel-Verlag, Francfort/M 1977.
[Hugo von Hofmannsthal] *Briefwechsel.* Insel-Verlag, Francfort/M 1978.
Briefe an Axel Juncker, Insel-Verlag, Francfort/M 1979.

OUVRAGES CONSACRÉS A RILKE

Albert-Lasard, Lou : *Une image de Rilke,* Paris, 1953.
Andreas-Salomé, Lou : *Rainer Maria Rilke.* Insel-Verlag, Leipzig 1929.

Angelloz, Joseph-François : *Rilke*. Mercure de France, Paris 1952.

Arnold, Heinz Ludwig (Hrsg.) : *Rilke ? Kleine Hommage zum 100. Geburtstag*. Edition Text & Kritik, Munich 1975.

Batterby, Kenneth A. J. : *Rilke and France. A Study in Poetic Development*. Oxford U. P. 1966.

Betz, Maurice : *Rilke vivant. Souvenirs, lettres, entretiens*. Emile-Paul Frères, Paris [1937].

Bianquis, Geneviève : *La Poésie autrichienne de Hofmannsthal à Rilke*, Paris, 1926.

Brutzer, Sophie : *Rilkes russische Reisen*. Wissenschaftliche Buchgesellschaft, Darmstadt 1969 (Königsberg 1934).

Buchheit, Gert : *R. M. R. - Stimmen der Freunde. Ein Gedächtnisbuch*. Urban-Verlag, Fribourg-en-Brisgau 1931.

Buddeberg, Else : *Rainer Maria Rilke. Eine innere Biographie*. J. B. Metzler Verlag. Stuttgart 1955.

Butler, Eliza M. : *Rainer Maria Rilke*. Cambridge v. P. 1941.

Čertkov, Leonid : *Rilke in Rußland. Auf Grund neuer Materialien*. Verlag der österreichischen Akademie der Wissenschaften Vienne 1975.

Dédéyan, Charles : *Rilke et la France*. 4 vol. S.E.D.E.S., Paris 1961-1963.

Demetz, Peter : *René Rilkes Prager Jahre*. Eugen Diederichs Verlag, Düsseldorf 1953.

Desgraupes, Pierre : *R. M. Rilke*. Poètes d'aujourd'hui. Seghers, Paris 1949.

Du Bos, Charles : *Extraits d'un Journal, 1908-1928*. Ed. Corrêa, Paris 1931 ; 2ᵉ éd.

Emde, Ursula : *Rilke und Rodin*. Verlag des kunstgeschichtlichen Seminars, Marbourg/Lahn 1949.

Faesi, Robert : *Rainer Maria Rilke*. Amalthea-Verlag, Zurich-Leipzig-Vienne 1919 ; 2ᵉ ed.

Faesi, Robert : *Rilke als Mensch*, in « Eckart » (Dichtung, Volkstum, Glaube), XIII (1937), 271-279.

Fuerst, Norbert : *Rilke in seiner Zeit*. Insel-Verlag, Francfort/M 1976.

Gebser, Jean : *Rilke und Spanien*. Verlag Oprecht, Zurich 1946 ; et Suhrkamp Verlag, Francfort/M 1977 (BS 560).

[Graedner-Hattingberg, Magda von] : *Rilke und Benvenuta. Ein Buch des Dankes*. Wilhelm Andermann Verlag, Vienne 1943.

Graff, Willem L. : *Rilkes Lyrische Summen*. Verlag De Gruyter, Berlin 1960.

Guardini, Romano : *Zur Rainer Maria Rilkes Deutung des Daseins*, Berlin 1941.

Gundolf, Friedrich : *Rainer Maria Rilke*. Verlag der Johannes-Presse, Vienne 1937.

Hamburger, Käte (Hrsg.) : *Rilke in neuer Sicht*. W. Kohlhammer Verlag, Stuttgart 1971.

Hirschfeld, Curt : *Die Rilke-Erinnerungen Valerie von David-Rhonfelds*, communiqués par C.H., in : « Die Horen », V, (1928-1929), 714-720.

Holthusen, Hans Egon : *Rainer Maria Rilke* Rowohlt Verlag, Hambourg 1958 (monographie 22).

Jaccottet, Philippe : *Rilke*. Coll. Ecrivains de Toujours. Seuil, 1970.

Kassner, Rudolf : *Rilke. Gesammelte Erinnerungen 1926-1956*. Verlag Günther Neske, Pfullingen 1976.

Kim, Byong-Ock : *Rilkes Militärschulerlebnis und das Problem des verlorenen Sohnes*. Bouvier Verlag Herbert Grundmann, Bonn 1973.

Kippenberg, Katharina : *Rainer Maria Rilke. Ein Beitrag*. Insel-Verlag, Leipzig 1942 ; 3ᵉ ed.

Klatt, Fritz : *Rainer Maria Rilke*. Amandus-Verlag, Vienne 1949 ; 2ᵉ éd.

Koenig, Hertha : *Rilkes Mutter*. Verlag Günther Neske, Pfullingen 1963.

Kohlschmidt, Werner : *Rainer Maria Rilke*. Wildner Verlag, Lübeck 1948.

Kunisch, Hermann : *Rainer Maria Rilke. Dasein und Dichtung*. Duncker & Humblot, Berlin 1975 ; 2ᵉ éd.

Langenfeld, Ludwin : *Das Bildnis des Dichters*, in : « Blätter der Rilke-Gesellschaft » IV (1976), 3-34.

Leppin, Paul : *Der neunzehnjährige Rilke*, in : « Die Literatur », XXIX (1926-1927), 630-634.

Lindemann, Hugo : *Erinnerung an Rainer Maria Rilke*, in : « Das Inselschiff », XVII (1936), 14-18.

Màgr, Clara : *Rainer Maria Rilke und die Musik*. Amandus-Verlag, Vienne 1960.

Mason, Eudo C. : *Rainer Maria Rilke. Sein Leben und sein Wesk*. Vandenhoeck & Ruprecht, Göttingen 1964.

Nevar, Elya Maria : *Freundschaft mit Rainer Maria Rilke. Begegnungen, Gespräche, Briefe und Aufzeichnungen*. Albert Züst Verlag, Berne-Bümpliz 1946.

Osann, Christiane : *Rainer Maria Rilke. Destinée d'un poète*. Delachaux et Niestlé, Suisse 1942.

Peters, H.F. : *Rainer Maria Rilke. Masks and the Man*. University of Washington Press, Seattle 1960.

Petzet, Heinrich W. : *Das Bildnis des Dichters. Paula Modersohn-Becker und Rainer Maria Rilke. Eine Begegnung*. Insel-Verlag, Francfort 1973 ; 2ᵉ éd.

Salis, Jean Rudolf von : *Rilkes Schweizer Jahre. Ein Beitrag zur Biographie von Rilkes Spätzeit*. Verlag Huber & Co., Frauenfeld 1952 ; et Suhrkamp Verlag, Francfort/M 1975 (p 289).

Schlözer, Leopold von : *Rainer Maria Rilke*

auf Capri. Gespräche. Verlag Wolfgang Jess, Dresde 1931.

Schmidt-Pauli, Elisabeth von : *Rainer Maria Rilke. Ein Gedenkbuch.* Benno Schwabe Verlag, Bâle 1940.

Schnack, Ingeborg : *Rilkes Leben und Werk im Bild.* Insel-Verlag, Francfort/M 1966 ; et insel taschenbuch 35 (édition revue).

Schnack, Ingeborg : *Rainer Maria Rilke. Chronik seines Lebens und seines Werkes,* 2 vol. Insel Verlag, Francfort/M 1975.

Schneditz, Wolfgang : *Rilke und die bildende Kunst. Versuch einer Deutung.* Verlag J. A. Kienreich, Graz 1947 ; 2ᵉ éd.

Schoolfield, George C. : *Rilke's Last Year.* University of Kansas Libraries, Lawrence 1969.

Schwarz, Egon : *Das verschluckte Schluchzen. Poesie und Politik bei Rainer Maria Rilke.* Athenäum Verlag, Francfort/M 1972.

Sieber, Carl : *René Rilke. Die Jugend Rainer Maria Rilkes.* Insel-Verlag, Leipzig 1932.

Simenauer, Erich : *Rainer Maria Rilke. Legende and Mythos,* Verlag Paul Haupt, Berne 1953.

Solbrig, Ingeborg und Storck, Joachim W. : *Rilke heute. Beziehungen und Wirkungen.* 2 vol. Suhrkamp Verlag, Francfort/M 1975 et 1976.

Stahl, August : *Rilke-Kommentar zum lyrischen Werk.* Winkler Verlag, Munich, 1978.

Stahl, August : *Rilke-Kommentar zu den « Aufzeichnungen des Malte Laurids Brigge », zur erzählerischen Prosa, zu den essayischen Schriften und zum dramatischen Werk.* Winkler Verlag, Munich, 1979.

Steffensen, Steffen : *Rilke und Skandinavien. Zwei Vorträge.* Andreassen, Copenhague.

Storck, Joachim W. : *Rainer Maria Rilke, 1875-1975.* Catalogue de l'exposition du Deutschen Literaturarchivs au Schiller-Nationalmuseum, Marbach/N., Ernst Klett Verlag, Stuttgart 1975.

Storck, Joachim W. : *Politisches Bewußtsein beim späten Rilke,* in : « Recherches germaniques », VIII (1978), 83-112.

Tecchi, Bonaventura : *Rilke in Italia,* in : « Scrittori tedeschi moderni ». Ed. di Storia e Letteratura, Rome 1959.

Tour et Taxis, Marie de : *Souvenirs sur Rilke.* Paris 1936.

Ullmann, Regina : *Erinnerungen an Rilke.* Tschudy-Verlag, Saint-Gall.

Wocke, Helmut : *Rilke und Italien. Mit Benutzung ungedruckter Quellen dargestellt.* Giessen, 1940.

Wydenbruck, Nora : *Rilke. Man and Poet.* John Lehmann, Londres 1949.

Zermatten, Maurice : *Les années valaisanes de Rilke,* Lausanne 1941. *Rilke et la France,* Paris 1942.

ŒUVRES DE RILKE TRADUITES EN FRANÇAIS

Bibliographie établie d'après les catalogues de la Bibliothèque nationale

RECUEILS

Lettres (1900-1911), choisies et traduites par H. Zylberberg et J. Nougayrol, Paris, Stock. 1934, 247 p.

Œuvres. Edition établie et présentée par Paul de Man. Paris, Editions du Seuil, 1966, I, Prose, 703 p.

Œuvres. Edition établie et présentée par Paul de Man. Traduit de l'allemand. Paris, Editions du Seuil, 1972 et suiv.
1. *Prose.* 2ᵉ édition revue et augmentée, 1972, 719 p.
2. *Poésie.* 1972, 542 p. (bibliographie p. 535-538).
3. *Correspondance.* Edition établie par Philippe Jaccottet ; traductions de Blaise Briod, Philippe Jaccottet et Pierre Klossowski, 1976, 638 p.

Poèmes. Traduction de Lou Albert-Lasard (avec une préface de Jean Cassou). Paris, Gallimard 1938, IV-70 p., portrait.

Cinquante poèmes, traduits par Claude Vigée. Paris, Librairie Les lettres, 1950, (Coll. Parallèle, avec le texte allemand), 159 p.

Poèmes et proses. Traduction française. Préface de Pierre Desgraupes, Paris, Seghers, 1964, 188 p.

Poésie. Traduction de Maurice Betz. Avec des gravures de Philippe Jullian. Paris, Emile-Paul frères, 1934, 217 p.

Poésie. Traduction de Maurice Betz. Nouvelle édition. Paris, Emile-Paul frères, 1942, 333 p.

Poésie. Traduction de Maurice Betz. Nouvelle édition. Paris, Emile-Paul frères, 1959, 333 p.

ŒUVRES SÉPARÉES

Les Amantes, traduction de Maurice Betz. Paris, Emile-Paul frères, 1944, 105 p.

Au fil de la vie, contes et récits de jeunesse, traduit de l'allemand par H. Zylberberg et L. Desportes. Paris, Editions « Je sais », 1938, 256 p.

Les Cahiers de Malte Laurids Brigge. Traduction de Maurice Betz. Paris, Stock. 1923, 125 p. (coll. Les Contemporains. Œuvres et portraits du xxᵉ siècle).

Les Cahiers de Malte Laurids Brigge. Traduction de Maurice Betz. 3ᵉ éd. Paris, Emile-Paul frères, 1926, 378 p.

Les Cahiers de Malte Laurids Brigge, illustré par Hermine David, traduction de Maurice Betz. Paris, Emile-Paul frères, 1942, paginé II-290.

Les Cahiers de Malte Laurids Brigge. Traduction de Maurice Betz (Nouvelle édition). Paris. Emile-Paul frères, 1947, 250 p.

Les Cahiers de Malte Laurids Brigge. Traduit de l'allemand par Maurice Betz et suivi d'une étude par Marcel Pobé. Paris, le Club Français du Livre, 1951, 316 p.

Les Cahiers de Malte Laurids Brigge, traduit par Maurice Betz. Préface de Roger Blanzat. Paris, Club du Livre du Mois, 1957, XXXII-314 p. (Le Club du Livre du Mois, Le Meilleur Livre du mois).

Les Cahiers de Malte Laurids Brigge. (Fragments traduits par André Gide.) Liège, Editions Dynamo, 1965, 20 p.

Les Cahiers de Malte Laurids Brigge, récit, traduit de l'allemand par Maurice Betz, Paris, Editions du Seuil, 1980, 223 p. (Points : Récits, 7).

Carnet de poche suivi de poèmes dédiés aux amis français. Colmar, P. Hartmann. 1929, 57 p.

La Chanson d'amour et de mort du cornette Christoph Rilke, transcrite par Suzanne Kra, Paris, Kra, 1927, 35 p.

Chant de l'amour et de la mort du cornette Christoph Rilke. Traduction par Maurice Betz, Paris, Emile-Paul frères, 1940, 53 p.

— id., 1942, XXVII-45 p.

— id., av. Frontispice de Jacques Ernotte, 1948, XXVII - 43 p.

Cornet Rilke. Neue Gedichte. Présentés par J.-F. Angelloz. Paris, Hachette. 1952 (Coll. germanique, Classiques Hachette), 96 p.

Les Elégies de Duino. Les Sonnets à Orphée, traduits et préfacés par J.-F. Angelloz, Paris, Aubier. 1943, 301 p. (coll. bilingue).

Elégies de Duino. Texte français de Rainer Biemel, Paris, G. Falaize, 1949, 91 p.

Les Elégies de Duino. En français par Armel Guerne. Dessins de Picasso. Lausanne, Mermod, 1958, 95 p. (Coll. du Bouquet, 77).

Les Elégies de Duino — les Sonnets à Orphée. Ed. bilingue, traduit par Armel Guerne. Le Seuil. Coll. « Points », 1972.

Fragments en prose, traduction de Maurice Betz. Paris, Emile-Paul frères, 1929, 207 p. (cf. également : Le livre des rêves).

Fragments sur la guerre. Paris, imprimerie de Daragnès 1944, 33 p., Edition clandestine imprimée pour quelques amis français de Rilke en janvier 1944.

Fragments sur la guerre. Frontispice de Daragnès (traduit par Maurice Betz), Paris, Emile-Paul frères, 1945, 33 p.

Histoires du Bon Dieu. Traduction de Maurice Betz, Paris, Emile-Paul frères, 1950, 192 p.

Histoires pragoises — [Le roi Bohusch, Frère et sœur]. Points-Récits (Hors commerce). Le Seuil, 1983.

Journal florentin. Traduction de Maurice Betz (en collaboration avec Pierre Pargal). Avec des illustrations de J. Despierre. Paris, Emile-Paul frères, 1946, 163 p.

Le Livre de la vie monastique, traduction originale par Henri Ferrare, avec une préface de Pierre Flouquet. Bruxelles, Editions des Cahiers du « Journal des Poètes », 1934, 63 p.

La Vie monastique. Préface de Marcel Lobet. Traduction de Henri Ferrare. Edition revue et corrigée. Paris, A. Magné. Bruxelles, Edition Universelle, 1938, 56 p. (Cahiers des poètes catholiques, 6).

Le Livre de la pauvreté et de la mort. Traduction et avertissement par Arthur Adamov Alger, F. Charlot, 1941, 36 p. (Coll. « Fontaine », 1).

Le Livre de la pauvreté et de la mort. Traduction d'Arthur Adamov. Le Paradou : Actes Sud, 1982, 27 p.

Le Livre des rêves (suivi de Trois fragments en prose : Une rencontre, Poupées). Traduction de Maurice Betz. Ornements de Ben Sussan. Paris, éditions de La Pléiade (s.d.), 105 p.

Le Paysage (titre allemand : Worpswede). Traduction de Maurice Betz. Paris, Emile-Paul frères, 1942, 91 p.

Le Poète. Traduction de Maurice Betz. Paris, Emile-Paul frères, 1941. In-16, 89 p.

La Princesse blanche : scène au bord de la mer. Texte français de Maurice Regnault. Action poétique. Ivry-sur-Seine, 1981, 38 p.

Auguste Rodin. Traduction de Maurice Betz. Paris, Emile-Paul frères, 1928, 211 p.

Auguste Rodin. Traduction de Maurice Betz (nouvelle édition), Paris, Emile-Paul frères, 1953, 207 p.

Le Roi Bohusch. Paris, Emile-Paul Frères, 1931. XVI-119 p.

Rumeur des âges. Traduction de Maurice Betz, Paris, éditions des Cahiers Libres, 1928, 58 p.

Sept poèmes (poèmes érotiques), traduits par Jacques Legrand, Tel Quel, n° 21, printemps 1965.

Les Sonnets à Orphée. Traduction par André Bellivier. Vanves (Seine), impr. de Kapp, 1943. Non paginé (Coll. Yggdrasil).

Les Sonnets à Orphée. Traduction et glose de Claude Ducellier. Préface de Geneviève Bianquis. Paris, 1945 (Impr. de « Les Impressions techniques »), 161 p. (Cf. également Les Elégies de Duino.)

Le Testament, traduction de Philippe Jaccottet, Editions du Seuil, 1983, 89 p.

La Vie de Marie. Introduction, notes et traduction de Jean Cussat-Blanc. Couverture et frontispice d'Englebert. Bourges, M. Boin, 1949, 64 p.

Worpswede : cf. Le Paysage.

ŒUVRES DE RILKE
INCLUSES DANS D'AUTRES
OUVRAGES

Lettres inédites. Elya Maria Novar. *Une amitié de Rainer Maria Rilke*, rencontres, entretiens, notes, lettres inédites (de R.M.R.). Avant-propos et traduction de Marcel Pobé, Paris, Albin Michel. 1964, 223 p.

Cahiers de Malte Laurids Brigge (Extraits des...). Etienne de Sadeleer.

Chant d'amour de la Dame à la Licorne (six poèmes précédés d'un texte de Rainer Maria Rilke), Paris, Gründ, 1959, 27 p. (La couverture porte : la Dame à la Licorne. Le texte de Rilke est extrait des *Cahiers de Malte Laurids Brigge*.)

Albert-Lasard (Lou). *Une image de Rilke*. Paris, « Mercure de France », 1953, 251 p. Contient des *inédits* de R. M. Rilke, traduits par l'auteur.

Hommage à Maurice Betz (Lithographies originales de Daragnès, Jacques Ernotte, Berthold Mahn et Welsch), Paris, Emile-Paul frères, 1949, 159 p. (contient des lettres de R. M. Rilke, des lettres et fragments du *Carnet du romancier* et du *Journal* de Maurice Betz).

Mitsou. quarante images par Baltusz (Balthasar Klossowski) ; préface de Rainer Maria Rilke. Erlenbach-Zurich. Leipzig : Rotapfel-Verlag. 1921, 13 p. (Le texte de la préface a été postérieurement publié sous le titre *Chats* dans *Fragments en prose* de R.M.R., Paris, Emile-Paul frères. 1929.)

Quinze sonnets à Orphée (traduits en français). Cf. Betz Maurice, *Petite stèle pour Rainer Maria Rilke*. Strasbourg, 1927, Coll. de la Nuée Bleue, 1.

Vers inédits (poésie écrite à Vevey le jour de Pâques 1926). Voir Jaloux Edmond, *Rainer Maria Rilke*, Paris, 1927.

Rainer Maria Rilke, une étude de Pierre Desgraupes. Avec un choix de textes et une chronologie bibliographique. 5e éd. Paris, P. Seghers, 1970 (Poètes d'aujourd'hui).

Rilke et Benvenuta. Lettres et souvenirs (texte de Benvenuta avec des lettres inédites de R. M. Rilke). Préface de Maurice Betz et Mundler, Paris, Denoël, 1947, 253 p., musique (coll. Ailleurs).

Rilke et les femmes, de Claire Goll, suivi de : *Lettres*, de R. M. Rilke, Paris, Falaize, 1955, 95 p. (Coll. « Les carnets oubliés », vol. 12).

Rilke et la France. Textes et poèmes inédits de R. M. Rilke. Essais et souvenirs de Edmond Jaloux, Paul Valéry, André Gide, Romain Rolland, Maurice Betz, etc. Paris, Plon, 1942, 294 p.

Auguste Rodin. Galerie Claude Bernard 1963. (Préface de Jacques Bornibus. *Rodin*, extraits de R. M. Rilke). Paris, Galerie Claude Bernard, 1963, 22 p.

CORRESPONDANCE

Cinq lettres d'un poète. Présentation de Maurice Boucher. Traduction de Blanche Arfa, Paris, Lettres modernes, 1961, 72 p.

Correspondance avec une dame. Rainer Maria Rilke, Hélène von Nostitz. Traduction de Pierre Villain. Paris, Aubier-Montaigne, 1979, 173 p.

Correspondance Rainer Maria Rilke. Lou Andreas-Salomé ; texte établi par Ernest Pfeiffer. Traduit de l'allemand par Philippe Jaccottet, Paris, Gallimard, 1973, 494 p. (Coll. Du Monde entier).

Correspondance : (extraits) Rainer Maria Rilke et Lou Andreas-Salomé ; traduction de Pierre Klossowski, Paris, « Le Nouveau Commerce », 1976, 39 p.

Rainer Maria Rilke. André Gide. *Correspondance*, 1909-1926. Introduction et commentaire par Renée Lang. Paris, Corrêa, 1952, 269 p. (contient quelques lettres de Romain Rolland, de Stefan Zweig et de la princesse Marie de Tour et Taxis).

Rilke, Gide et Verhaeren. *Correspondance inédite*, recueillie et présentée par Carlo Bronne, Paris, Messein, 1955, 91 p.

Correspondance avec Marie de la Tour et Taxis, précédée d'une introduction de Rudolf Kassner. Traduit de l'allemand par Pierre Klossowski. Paris, Albin Michel, 1960, 381 p.

Rainer Maria Rilke et Merline. *Correspondance, 1920-1926*. Rédaction : Dieter Bassermann, Zurich, M. Niehans, 614 p. (copyright 1954).

Correspondance à trois : été 1926. Rainer Maria Rilke, Boris Pasternak, Marina Tsvétaïeva. Textes russes traduits par Lily Denis ; textes allemands traduits par Philippe Jaccottet. Poèmes de M. Tsvétaïeva traduits par Eve Malleret ; coordination du texte français, Lily Denis. Paris, Gallimard, 1983, 323 p. (Coll. Du Monde entier).

La dernière amitié de Rainer Maria Rilke, lettres inédites de Rilke à Mme Eloui Bey, avec une étude par Edmond Jaloux, avant-propos de Marcel Raval, Paris, R. Laffont, 1949, 255 p.

Lettres à une amie vénitienne (Mimi Romanelli), (suivi de *Trois Lettres* adressées par R. M. Rilke au frère de son amie. Eauforte de Mario Vellani-Marchi). Milan, V. Hoepli ; Leipzig, J. Asmus, 1941, 85 p.

Lettres à un jeune poète (F. X. Kappus), traduites de l'allemand par Bernard Grasset et Rainer Biemel. Suivies de *Réflexions sur la vie créatrice*, par Bernard Grasset. Paris, B. Grasset, 1937, 155 p. (et 1950).

Lettres à un jeune poète, précédées d'*Orphée* et suivies de deux essais sur la poésie. Nouvelle version française de Gustave Roud. Lausanne, Imprimerie Centrale, 1945, 171 p. (Coll du Bouquet, n° 17).

Lettres à un jeune poète, traduites de l'allemand par Bernard Grasset et Rainer Biemel. (*Cinquante poèmes*, traduits par Claude Vigée. Préface de Franz Xaver Kappus.) Paris, Club des jeunes amis du Livre, 1956. Non paginé.

Lettres à un jeune poète, traduites de l'allemand par Bernard Grasset et Rainer Biemel, suivi de Réflexions sur la Vie créatrice par Bernard Grasset, Grasset (1937), 1984, (Les Cahiers Rouges).

Lettres à Rodin. Préface de Georges Grappe, Illustré des portraits de Rodin et de Rilke (ce dernier d'après G. Schneeli), gravés à l'eau-forte, par A. Delzers, et de sépias d'après Rodin. Paris, éditions Lapina, 1928, 71 p.

Lettres à Rodin. Préface de Georges Grappe (7ᵉ éd.). Paris, Emile-Paul frères, 1931, XLVII — 190 p.

Lettres autour d'un jardin. Frontispice de Sam Seafran. Publié par Fouad el-Etr. Paris : La Délirante, 1977, 61 p. (Recueil de lettres adressées à Mˡˡᵉ de Bonstetten).

Lettres milanaises, 1921-1926. Introduction et textes de liaison de Renée Lang. Paris, Plon, 1956, 125 p.

Lettres sur Cézanne. Traduction et préface de Maurice Betz. Paris, Corrêa, 1944, 205 p.

Six lettres à A.A.M. Stols, publié avec des notes de A.A.M. Stols. Maestricht, impr. de A.A.M. Stols, 1927, 16 p.

Trois lettres, par Rainer Maria Rilke. Paris, Emile-Paul frères, 1928, 29 p. (« Les Introuvables ». 2ᵉ série, 9ᵉ vol. Les lettres sont datées respectivement : 5 nov. 1925, 26 avril 1926, 29 oct. 1926).

ŒUVRES DE RILKE ÉCRITES EN FRANÇAIS

Les Fenêtres : dix poèmes de Rainer Maria Rilke illustrés de dix eaux-fortes par Baladine. Paris, Librairie de France, 1927. Tiré à 515 exemplaires. (10 f. de pl.)

Lettres françaises à Merline (Le Seuil, 1950, réédition 1984).

Poèmes français : *Vergers (Les Quatrains Valaisans) ; Les Roses ; Les Fenêtres.*

Carnet de poche (poèmes dédiés aux amis français) ; *Poèmes épars* (poèmes à Baladine). Paris, P. Hartmann, 1935, 185 p.

Poèmes français. (Vergers. Les Quatrains Valaisans. Les Roses, Les Fenêtres. Carnet de poche.) Lausanne, H. Kaeser. Paris, Emile-Paul, 1944, 203 p.

Poésies françaises de Rainer Maria Rilke. Avec des vignettes de Jacques Ernotte. Paris, Emile-Paul frères, 1946, XIX-201 p.

Les Roses (précédé d'une Notice signée : A.A.M. Stols et d'une préface signée : Paul Valéry). Bussum, A.A.M. Stols, 1927, 37 p.

Les Roses. Suivi de quelques Fleurs choisies. Vignettes de Jean Lombard. Paris, Emile-Paul frères. 1944, 59 p.

Les Roses. Préface de Paul Valéry. (Notice par A.A.M. Stols.) La Haye, A.A.M. Stols, 1948, 39 p.

Les Roses, 25 eaux-fortes de Imre Reiner. Paris, A. Loewy, 1959. Non paginé, 24 pl.

Vergers, suivi des *Quatrains Valaisans*, av. un portrait de l'auteur par Baladine, gravé sur bois par G. Aubert. Paris, Editions de la « Nouvelle Revue Française », 1926, 93 p.

Vergers, suivi des *Quatrains Valaisans*. Paris, Gallimard, 1942, 93 p. (Coll. Métamorphoses, XII).

Vergers ; les Quatrains valaisans ; les Roses ; les Fenêtres ; Tendres impôts à la France. Préface de Philippe Jaccottet. Paris, Gallimard, 1978, 187 p. (Coll. Poésie).

BIBLIOGRAPHIE COMPLÉMENTAIRE

Andersch, Alfred : *Les cerises de la liberté*. Traduit par S. et G. de Lalène, Editions du Seuil, 1954.

Andreas-Salomé, Lou : *Ma vie*, traduit par Dominique Miermont et Brigitte Vergne, P.U.F., 1977.

Correspondance avec Freud, traduit par Lily Jumel, avant-propos d'Ernst Pfeiffer (et *Journal d'une année, 1912-1913)*, Gallimard, 1970.

Freud, Sigmund : les œuvres de Freud sont traduites aux Editions Gallimard, Payot et P.U.F.

Nietzsche, Friedrich : *Lettres à Peter Gast*. Traduit par Louise Servicen, Christian Bourgois, 1981.

Une édition des *Œuvres Complètes de Nietzsche* est en cours de traduction chez Gallimard. Une douzaine de volumes sont déjà disponibles.

Wagenbach, Klaus : *Franz Kafka*, traduit par Jacques Legrand, Belfond, 1984.

Zweig, Stefan : *Le monde d'hier. Souvenirs d'un empire*, traduit par Jean-Paul Zimmermann, Belfond, 1982.

CHRONOLOGIE

1819-1898 : Theodor Fontane.
1828-1910 : Léon Tolstoï.
1838 : Naissance du père de Rilke, Josef Rilke, à Schwabitz (Bohême).
1840-1917 : Auguste Rodin.
1847-1885 : Jens Peter Jacobsen.
1851 : Naissance de la mère de Rilke, Sophie Entz, à Prague.
1855-1934 : Marie, princesse de Tour et Taxis-Hohenlohe.
1856-1939 : Sigmund Freud.
1861-1937 : Lou Andreas-Salomé.
1862-1946 : Gerhart Hauptmann.
1864-1918 : Frank Wedekind.
1868-1934 : Stefan George.
1869-1951 : André Gide.
1871-1945 : Paul Valéry.
1871-1942 : Heinrich Vogeler.
1873 : Mariage des parents.
1874-1929 : Hugo von Hofmannsthal.
1874-1950 : Anton Kippenberg.
1875-1955 : Thomas Mann.
1875 : 4 décembre : naissance de René (Karl Wilhelm Johann Josef) Maria Rilke à Prague.
1876-1907 : Paula Modersohn-Becker.
1878-1962 : Nanny Wunderly-Volkart.
1878 : 21 novembre : naissance de Clara Westhoff à Brême.
1880-1942 : Robert Musil.
1881-1942 : Stefan Zweig.
1882 : Entrée à l'école des piaristes.
1883-1924 : Franz Kafka.
1885 : Séparation des parents.
1886-1969 : Baladine Klossowska.
1886-1980 : Oskar Kokoschka.
1886 : septembre : entrée l'école militaire de Saint-Pölten.
1890-1945 : Franz Werfel.
1890 : septembre : entrée à l'école supérieure militaire de Mährisch-Weisskirchen.
1890 : Stefan George ; *Hymnes*. La Revue *Freie Bühne* (plus tard *Neue Deutsche Rundschau*) est fondée.
1891-1969 : Lulu Albert-Lasard.

1891 : juin : sortie de l'école militaire de Mährisch-Weisskirchen.
septembre : entrée à l'académie de commerce de Linz.
1892 : mai : retour de Linz à Prague. Commencement des études privées pour
obtenir l' « abitur ».
1891 : Wedekind : L'*Éveil du printemps.*
1892 : Gerhart Hauptmann : *Les Tisserands.* Fondation de *Die Zukunft* et de
Blätter für die Kunst.
1894 : publication de *Vie et chansons.*
1895 : juillet : Abitur. Semestre d'hiver à l'université de Prague : histoire de l'art,
philosophie, littérature.
1895 : Fontane : *Effi Briest.* Schnitzler : *Liebelei.*
1896 : septembre : va s'installer à Munich (Briennerstrasse).
Histoire de l'art à l'université de Munich.
Offrandes aux lares, L'Apôtre, Les Chicorées sauvages, sont publiés.
Maintenant et à l'heure de notre mort représenté.
1896 : fondation de *Die Jugend* et de *Simplicissimus.*
1897 : Jusqu'au début d'octobre : Munich (Blüthenstrasse). Janvier : Prague. Avril-
mai : Arco, Venise, Meran. Juillet-août : Wolfratshausen. Début octobre :
va s'installer à Berlin-Wilmersdorf (Im Rheingau).
Publication de *Couronne de rêve.* Représentation de *Gelée blanche.*
1898 : Jusqu'à la fin juillet : Berlin-Wilmersdorf (Im Rheingau). Mars : Prague
(conférence). Avril-mai : Arco, Florence, Viareggio. Juin : Prague. Juillet :
Zoppot. Habitations à partir d'août : Berlin-Schmargendorf (Hundekehl-
strasse). Milieu-fin décembre : Hambourg, Brême, Worpswede.
Avent, Au fil de la vie, Sans présent, sont publiés.
1898 : Gerhart Hauptmann : *Le roulier Henschel.* Thomas Mann : *Le petit
M. Friedemann.*
1899 : Berlin-Schmargendorf (Hundekehlestrasse). Mars : Arco, Bozen, Prague,
Vienne. Avril-juillet : Russie. Juillet : Berlin. Août-mi-septembre : Bibersberg près de Meiningen. Mi-septembre-fin décembre : Berlin.
Publication de *Deux Histoires pragoises, Pour me fêter, La Princesse blanche.*
1899 : fondation de *Die Fackel,* la revue de Karl Kraus, et de l'Insel-Verlag.
1900-1919 : Vera Ouckama Knoop.
1900 : Jusqu'au début octobre : Berlin-Schmargendorf (Hundekehlestrasse). Début
mai-août : Russie. Fin août-début octobre : Worpswede. Habitations depuis
la mi-octobre : Berlin-Schmargendorf (Misdroyer Strasse).
Publication des *Histoires du Bon Dieu.*
1900 : *La Ronde,* de Schnitzler. *Hauptmann :* Michael Kramer.
1901 : Jusqu'à fin février : Berlin-Schmargendorf (Misdroyer Strasse). Mars :
Munich, Arco, Riva. Mi-mars : Brême. Habitations à partir de fin mars :
Westerwede. Avril : Rilke épouse Clara Westhoff à Brême. Mai : « Weisser
Hirsch » près de Dresde, Prague. A partir de juin : Westerwede. Fin
septembre : château de Haseldorf. A partir de début octobre : Westerwede.
12 décembre : naissance de sa fille Ruth.
Publication de *Les Derniers.* Représentation de *La vie quotidienne.*
1901 : Thomas Mann : *Les Buddenbrook.*
1902 : Jusqu'à la fin août : Westerwede. Début juin-début juillet : Château de
Haseldorf. Fin août-début octobre : Paris (rue Toullier), à partir d'octobre
rue de l'Abbé-de-l'Epée.
La Vie quotidienne, Le Livre d'images sont publiés.
1903 : Jusqu'en juillet : Paris (rue de l'Abbé-de-l'Epée). Fin mars-fin avril :
Viareggio. Mai-juin : Paris. Juillet-août : Worpswede, Oberneuland. Fin
août-début septembre : Marienbad, Munich, Venise, Florence. Habitation à
partir de la mi-septembre : Rome (d'abord Via del Campidoglio, puis Villa
Strohl-Fern).
Publication de *Worpswede* et *Auguste Rodin.*

1903 :
　　Dehmel : *Zwei Menschen (Deux Hommes)*.
1904 : Jusqu'en juin : Rome (Villa Strohl-Fern). Juin-décembre : Danemark et
　　Suède. A partir de la mi-décembre : Oberneuland.
　　Publication de *Le Chant de l'amour* et de *La mort du cornette Christoph Rilke*.
　　1904 : Hesse : *Peter Camenzind*.
1905 : Jusqu'en février : Oberneuland. Mars-mi-avril : « Weisser Hirsch » près de
　　Dresde. Fin avril : Berlin. Mai-début juin : Worpswede. Mi-juin-fin juillet :
　　Göttingen, Berlin, Treseburg (Harz), Cassel, Marbourg. Août : Château de
　　Friedelhausen. Début septembre : Darmstadt, Godesberg. Habitation mi-
　　septembre-fin octobre : chez Rodin à Meudon. Fin octobre-début novem-
　　bre : Cologne, Dresde (conférence), Prague (conférence), Leipzig, Cologne.
　　A partir de la mi-décembre : Oberneuland.
　　Publication du *Livre d'Heures*.
　　1905 : Morgenstern : *Galgenlieder* (Chants du gibet) Heinrich Mann :
　　Professeur Unrat (L'ange bleu).
1906 : Jusqu'à la mi-mai : chez Rodin à Meudon. Février : Elberfeld (conférence).
　　Mars : Berlin, Hambourg (conférence), Worpswede. Mi-mars : mort du
　　père, Prague. Fin mars : Berlin (conférence). Habitation à partir de la mi-
　　mai : Paris, rue Cassette). Fin juillet-mi-août : Belgique. Deuxième moitié
　　d'août : Godesberg. Septembre : château de Friedelhausen. Octobre-
　　novembre : Berlin. Décembre : Capri.
　　Publication du *Cornette* dans sa version définitive.
　　1906 : Musil : *Les Désarrois de l'élève Törless*.
1907 : Jusqu'à la mi-mai : Capri. Seconde moitié de mai : Naples, Rome. Demeure
　　juillet-novembre : Paris, rue Cassette. Début et mi-novembre : Prague
　　(conférence), Breslau (conférence), Vienne (conférence). Fin novembre :
　　Venise. Décembre : Oberneuland.
　　Publication des *Nouveaux Poèmes*.
1908 : Jusqu'à la mi-février : Oberneuland. Fin février : Berlin, Munich, Rome. Fin
　　février-mi-avril : Capri. Fin avril : Rome, Florence. Demeure à partir de
　　mai : Paris (rue Campagne-Première, à partir de septembre Hôtel Biron, rue
　　de Varenne).
　　Publication des *Nouveaux poèmes*, seconde partie.
1909 : Jusqu'à la fin de l'année : Paris (rue de Varenne). Fin mai : Provence. Début
　　septembre : Bad Rippolsau. Fin septembre-début octobre : Avignon. A
　　partir de la mi-octobre : Paris.
1910 : Jusqu'à la fin de l'année : Paris (rue de Varenne). Janvier : Elberfeld
　　(conférence), Leipzig, Iéna (conférences). Fin janvier-mi-mars : Berlin,
　　Leipzig, Weimar, Berlin. Mi-mars-mi-avril : Rome. Fin avril : Duino. Début
　　mai : Venise. Mi-mai-début juin : Paris. Juillet-fin août : Oberneuland,
　　Lautschin, Prague. Première moitié de septembre : Janowitz. Fin septembre-
　　mi-octobre : Munich. Fin octobre : Cologne. Novembre : Paris. Fin novem-
　　bre-fin décembre : Alger, El Kantara, Tunis, Naples.
　　Publication des *Cahiers de Malte Laurids Brigge*.
1911 : Jusqu'à la mi-octobre : Paris (rue de Varenne). Janvier-fin mars : Naples, Le
　　Caire, excursion sur le Nil, Hélouan près du Caire, Venise. Début avril-mi-
　　juillet : Paris. Juillet-août : Prague, Lautschin, Janowitz. Fin septembre-mi-
　　octobre : Paris. Mi-octobre : voyage en voiture Paris-Avignon-Vintimille-
　　Bologne-Duino. Fin octobre-fin de l'année : Duino.
1912 : Jusqu'au début mai : Duino. Début mai-septembre : Venise. Mi-septembre-
　　début octobre : Duino. Seconde moitié d'octobre : Munich. Novembre :
　　Tolède. Début décembre : Cordoue, Séville. A partir de la mi-décembre :
　　Ronda.
　　1912 : Barlach : *Der Tote Tag (Le Jour mort)*. Benn : *Morgue*.
1913 : Janvier à mi-février : Ronda. Habitation à partir de la fin février : Paris (rue

Campagne-Première). Juin : Bad Rippoldsau. Juillet : Göttingen, Leipzig, Weimar, Berlin. Première moitié d'août : Heiligendamm (Baltique). Seconde moitié d'août-début septembre : Berlin. Septembre-début octobre : Munich. Mi-octobre : Dresde, Hellerau, Krummhübel. A partir de la mi-octobre : Paris.
Publication de *La Vie de Marie*.

1914 : Jusqu'à la mi-juillet : Paris (rue Campagne-Première). Fin février-fin mars : Berlin, Munich, Zurich. Fin mars-fin avril : Paris. Fin avril-début mai : Duino. Mai : Venise, Assise, Milan. Fin mai-fin juillet : Paris. Fin juillet-fin septembre : Munich (Finkenstrasse). Mi-novembre : Francfort, Würzburg. Fin novembre-fin de l'année : Berlin.

1915 : Jusqu'à la mi-juin : Munich (Finkenstrasse). Début janvier : retour de Berlin. Début février : Irschenhausen. Habitation mi-juin-fin octobre : Munich (d'abord Widenmayerstrasse, puis Keferstrasse). Première moitié de décembre : Berlin. Fin décembre : Vienne.
Publication de *Cinq Chants*/août 1914.

1916 : Jusqu'au début juin : sous les drapeaux à Vienne et près de Vienne. A partir de fin juillet : Munich (Keferstrasse).

1917 : Jusqu'à la mi-juin : Munich (Keferstrasse). Deuxième moitié de juin : Herrenchiemsee. Mi-juillet : Berlin. Août-septembre : chez Hertha Koenig dans le domaine de Böckel (Westphalie). Octobre-novembre : Berlin. Habitation à partir de la mi-décembre : Munich (Hôtel Continental).

1918 : Munich (Hôtel Continental) jusqu'à la fin mai, puis Ainmillerstrasse). Mi-septembre : Ohlstadt, Ansbach. Mi-septembre jusqu'à la fin de l'année : Munich.

1918 : Karl Kraus : *Les Derniers Jours de l'Humanité*.

1919 : Jusqu'à la mi-juin : Munich (Ainmillerstrasse). Mi-juin-fin septembre : Berne, Nyon, Genève, Zurich, Sils-Baselgia, Soglio, Lausanne, Nyon. Fin octobre-début novembre : Zurich (conférences). Saint-Galle (conférence), Lucerne (conférence), Bâle, Berne (conférences), Bâle (conférence), Winterthur (conférence). A partir de début décembre : Locarno.

1920 : Jusqu'à la fin février : Locarno. Mars-début juin : Schönenberg près de Pratteln (Bâle). Mi-juin-mi-juillet : Venise. Seconde moitié de juillet : Schönenberg. Août-septembre : voyages en Suisse. Octobre : Genève, Berne, Sion, Sierre. Fin octobre : Paris. Début novembre : Genève, Bâle. Mi-novembre jusqu'à la fin de l'année : Berg am Irchel (Zurich).

1921 : Jusqu'au début mai : Berg am Irchel. Janvier : Genève, Zurich. Mi-mai-fin juin : Prieuré d'Etoy. Début juin : Rolle. Fin juin : Sierre. Début juillet : Genève. Habitation à partir de la fin juillet : Château de Muzot.

1922 : Muzot. Fin mai-début juillet : Sierre. Mi-août-début septembre : Beatenberg (Lac de Thun). Ruth Rilke épouse le Dr Carl Sieber.
1922 : Hesse : *Siddhartha*. Brecht : *Tambours dans la nuit*.

1923 : Muzot. Juin-juillet : voyages en Suisse. Mi-août-mi-septembre : sanatorium Schönbeck près de Beckenried. Septembre : Lucerne, chateau de Malans, Zisers. Octobre : Meilen, Berne. Fin décembre : Sanatorium de Val-Mont-sur-Territet (Valais).
Publication des *Sonnets à Orphée* et des *Elégies de Duino*.

1924 : Muzot. Jusqu'à la fin janvier : Sanatorium de Val-Mont. Seconde moitié de juin : voyage en auto à travers la Suisse française. Fin juin-fin juillet : Ragaz. Première moitié de septembre : Nyon, Genève, Lausanne. Début novembre : Montreux, Berne. Fin novembre : sanatorium de Val-Mont.

1925 : Muzot. Début juin-mi-août : Paris. Fin août : Milan. Début septembre-mi-octobre : Muzot, Berne, Ragaz, Milan. Mi-octobre-mi-décembre : Muzot. Fin de l'année : Sanatorium de Val-Mont.
1925 : Kafka : *Le Procès*. Zuckmayer : *Der fröhliche Weinberg (Le Joyeux Vignoble)*.

1926 : Muzot. Jusqu'à la fin mai : sanatorium de Val-Mont. Fin mai : Vevey, Lausanne. Mi-juillet-fin août : Ragaz. Septembre : Lausanne. Octobre-novembre : Sierre. Décembre : sanatorium de Val-Mont.
29 décembre : Rilke meurt à Val-Mont.
Publication de *Vergers,* suivis des *Quatrains Valaisans.*
1926 : Kafka : Le château. Hans Grimm : *Volk ohne Raum (Peuple sans espace).*

1927 : 2 janvier : obsèques de Rilke à Rarogne (Valais).
Publication des *Œuvres complètes.*

1931 : Mort de la mère, Phia Rilke.

1954 : Mort de l'épouse, Clara Rilke-Westhoff.

1972 : Mort de la fille, Ruth Sieber-Rilke.

INDEX GÉNÉRAL

A

ADELSWARD-FERSEN Jacques d'— : 219.

ADLER Friedrich : 53.

Affinités électives, Les, de Goethe : 265.

Age d'airain, L'—, sculpture d'A. Rodin : 171.

Ailes de Nike, Les (Flügel der Nike), de F. von Unruh : 356.

Ainsi parlait Zarathoustra, de F. Nietzsche : 178.

A la recherche du temps perdu, de M. Proust : 331.

ALBERT Eugen : 284, 285.

ALBERT-LASARD Lulu : 250, 251, 283-287, 290, 293, 296, 298, 299, 350, 363.

ALBERTI, Dr Herbert : 288.

ALCOFORADO Marianna (« La Religieuse portugaise ») : 216-217, 226, 238, 266, 328.

ALEXANDRE II, tsar : 71.

Almanach de guerre de l'année 1915 (Insel-Verlag) : 280.

ALTENBERG Peter : 78, 87, 258.

Ambiance de guerre en Allemagne aujour-d'hui et autrefois, L'—, d'O. Walzel : 280.

Âme et la danse, L'—, de P. Valéry : 332.

AMÉLIE, amie d'enfance de R. M. R. : 31.

Amour de Madeleine, L'—, sermon de Bossuet : 266.

Anacapri : 168, 215.

ANDERSCH Alfred . 49.

ANDREAE Edith : 302.

ANDREAS Friedrich Carl : 76, 77, 83-84, 85, 103, 104, 108, 136, 199.

ANDREAS-SALOMÉ Lou : 41, 45, 65-66, 71-87, 88-89, 94, 97, 100, 103-105, 108-116, 120, 124, 127, 128, 129, 131, 133, 134, 135-136, 181, 182, 183, 185, 189, 196, 198, 199-200, 203, 213, 217, 222, 229, 247, 248, 251, 252, 253, 254, 255, 286, 298, 300, 301, 313, 324, 334, 344, 346, 350, 361.

ANGELICO Fra : 95, 116.

ANGELLOZ Joseph-François : 9, 133.

Angleterre : 123, 188.

Année de l'âme, L'—, de S. George : 114.

Annonce faite à Marie, L'—, de P. Claudel : 251.

Anthy : 360.

Arco (Italie) : 86, 93, 103, 123.

Ariane à Naxos, opéra de R. Strauss : 256.

ARNIM Bettina von — : 237-238, 265, 327.

ARP Hans : 314.

Arte, revue (Lisbonne) : 54.

Ascension du Christ, L'—, tableau du Greco : 262.

Ascension de Hannele, L'— (Hanneles Himmelfahrt), pièce de G. Hauptmann : 78.

Automne dans le marais, L'—, tableau de O. Modersohn : 122.

Autriche : 12, 282, 313.

Avalon, revue : 133.

Avant le lever du soleil (Vor Sonnenaufgang), pièce de G. Hauptmann : 57.

Aventurier et la chanteuse, L'—, pièce de H. von Hofmannsthal : 102-103.

Avignon : 229

B

BACH Jean-Sébastien : 188.

BACHMANN Ingeborg : 336, 352.

BACHOFEN Johann Jakob : 334.

Bad Godesberg (Allemagne) : 197, 199, 200-201.

Bad Ragaz (Suisse) : 350, 354, 357, 359, 360.

Bad Rippoldsau (Allemagne) : 229.

BAGGESEN Jens : 239.

Baiser, Le, sculpture d'A. Rodin : 171.

BALANCHINE Georges : 266.

Bâle : 317-318.

Ballets russes : 265-266, 268.

BALTHUS : 312, 325, 328, 349, 355.

I

J

WESTHOFF Clara, *voir :* RILKE-WESTHOFF Clara.
WESTHOFF Friedrich : 144.
WESTHOFF Heinrich : 124, 184.
WESTHOFF, M^mc Heinrich : 136, 141, 142, 185.
WESTHOFF Helmut : 141, 192, 350.
Westwerde (Basse-Saxe) : 115, 134, 138-142, 168, 182.
Wien, café (Munich) : 68.
WILDBERG Bobo : 54.
WILDE Oscar : 172, 218.
WILDENBRUCH Ernst von — : 62.
WILDGANS Anton : 161.
WINDISCHGRAETZ, princesse Christine : 161.
WINTERFELD-MENKIN Joachim von — : 302.
Winterthur (Suisse) : 319, 321.
Witiko, de A. Stifter : 48.
WITTGENSTEIN Ludwig : 258-259, 287, 294.
WOLFENSTEIN Alfred : 296.
WOLFF Kurt : 193, 258, 266.
WÖLFFLIN Heinrich : 95.
Wolfratshausen (Bavière) : 80, 84, 86, 87, 94.
WOLFSKEHL Karl : 64, 301.

Worpswede (Basse-Saxe) : 103, 121-127, 129, 134, 136-137, 180, 181, 184, 203, 211, 212, 228, 249, 265.
WUNDERLY-VOLKART Nanny (Nikè) : 131, 214, 319-321, 323, 324, 328, 329, 330, 340, 344, 346, 349-350, 353, 357, 358, 359, 360, 361, 363.

Z

Zeit, Die, revue (Vienne) : 138.
ZENGE Wilhelmine von — : 192.
ZENO Carlo : 253.
ZEYER Julius : 42, 45.
ZINN Ernst : 9.
ZITA DE BOURBON-PARME, impératrice d'Autriche : 162.
ZOLA Émile : 129.
Zoppot (Baltique) : 100.
ZUCKMAYER Carl : 58.
Zukunft, revue : 64, 128, 191, 192.
ZULOAGA Ignacio : 180, 260.
Zurich : 52, 73, 311, 312, 318, 319, 323.
ZWEIG Stefan : 40, 158, 288, 292.
ZWINTSCHER Oskar : 141.

INDEX DES ŒUVRES DE RILKE

TABLE DES MATIÈRES

Achevé d'imprimer le 10 décembre 1984
sur presse CAMERON
dans les ateliers de la S.E.P.C.
à Saint-Amand-Montrond (Cher)
pour le compte des Éditions Seghers

Dépôt légal : décembre 1984.
N° d'Édition : L009. N° d'Impression : 1996/1435.

LES GRANDES COLLECTIONS CHEZ ROBERT LAFFONT |

Dès l'origine (1941) LA POÉSIE, LE ROMAN FRANÇAIS, L'ESSAI

**1945
PAVILLONS**

**1956
BEST-SELLERS**

**1958
CE JOUR-LA**

**1963
LES ÉNIGMES
DE L'UNIVERS**

**1966
PLEIN VENT**

**1967
RÉPONSES**

**1969 • VÉCU
• AILLEURS
ET DEMAIN
• LES PORTES DE
L'ÉTRANGE**

**1974
• NOTRE ÉPOQUE
• SPORTS
POUR TOUS**

**1970
LIBERTÉS/2000**

**1976
LES RECETTES
ORIGINALES**

**1977
A JEU DÉCOUVERT**

**1978
LES HOMMES
ET L'HISTOIRE**

**1979
BOUQUINS**

Et, depuis 1974 le

L'ENCYCLOPÉDIE DE DOMINIQUE ET MICHÈLE FRÉMY

Le Quid paraît chaque année avec la rentrée des classes.

Instrument incomparable d'information et de culture, le Quid a pris place dans la vie des Français. 400 000 d'entre eux, chaque année, font entrer le Quid dans leur foyer. Parce que le Quid a réponse à tout, pour le jeu comme pour l'étude et le travail. Le Quid, mis à jour chaque année, est unique, irremplaçable : une véritable institution.